LAUR

Si elle est née en Pennsylvanie et non au cœur de la 5e avenue, Lauren Weisberger aime pourtant décrire dans ses romans restaurants hype, boîtes branchées et hôtels de luxe. Depuis le succès de ses trois livres, *Le Diable s'habille en Prada*, *People or not people* et *Sexe, diamants et plus si affinités…*, tous parus au Fleuve Noir, elle vit de sa plume. Lauren Weisberger mène une existence heureuse à New York, couronnée par un mariage de rêve sur une île des Caraïbes. Il y a des vies qu'on n'invente pas…

Retrouvez l'actualité de Lauren Weisberger sur www.laurenweisberger.com/

STILETTO BLUES
À HOLLYWOOD

LAUREN WEISBERGER

STILETTO BLUES À HOLLYWOOD

*Traduit de l'américain
par Christine Barbaste*

Fleuve Noir

Titre original :
Last Night at Chateau Marmont

Ce livre est une œuvre de fiction. Les noms, les personnages, les lieux et les événements relatés sont le fruit de l'imagination de l'auteur ou sont utilisés à des fins de fiction. Toute ressemblance avec des faits avérés, des lieux existants ou des personnes réelles, vivantes ou décédées, serait purement fortuite.

Le papier de cet ouvrage est composé de fibres naturelles, renouvelables, recyclables et fabriquées à partir de bois provenant de forêts plantées et cultivées durablement pour la fabrication du papier.

© 2010 by Lauren Weisberger

© 2010, Fleuve Noir, département d'Univers Poche,
pour la traduction française.

ISBN : 978-2-266-21653-1

*Pour Dana, ma sœur,
et ma meilleure amie à jamais.*

Piano Man

Lorsque la rame s'immobilisa enfin dans un grincement strident à la station Franklin Street, Brooke
ressentit une bouffée d'anxiété. Pour la dixième fois en
quelques minutes, elle consulta sa montre et s'efforça de
se souvenir que ce n'était pas la fin du monde, que même
si son retard était inexcusable, Nola, sa meilleure amie,
lui pardonnerait – devrait lui pardonner. Tout en jouant
des coudes dans la fourmilière humaine de l'heure de
pointe, Brooke retint instinctivement sa respiration et se
laissa charrier par ce courant qui l'entraînait vers l'escalier. Comme en pilote automatique, elle prit place dans
la file indienne de bons petits soldats qui se forma du
côté droit de l'escalier et observa ses compagnons de
voyage sortir un téléphone portable d'un sac, ou d'une
poche, avant de contempler d'un air absent le minuscule
écran au creux de leur main, tels des zombies.

— Merde ! lâcha la femme obèse devant elle.

Brooke ne tarda pas à comprendre la raison de ce
juron. À l'instant où elle émergea de la bouche de métro,
la pluie s'abattit sur elle sans préavis et avec violence.
Ce qui, à peine vingt minutes plus tôt, avait été une
soirée de mars, frisquette mais potable, venait de virer au

9

cauchemar glacial et diluvien. Fouettés par le vent, des rideaux de pluie s'abattaient sur l'asphalte avec un tel acharnement qu'il ne servait à rien d'ouvrir un parapluie ou de s'abriter sous un journal.

— Et merde ! s'écria Brooke en s'associant au concert de jurons.

Brooke, qui était repassée chez elle pour se changer après sa journée de travail, n'avait rien d'autre qu'une minuscule (et, soit dit en passant, ravissante) pochette argentée pour se protéger. *Bye-bye, brushing !* songea-t-elle en s'élançant sous le déluge pour parcourir les trois blocs qui la séparaient du restaurant. *Tu vas me manquer, mascara ! J'ai eu plaisir à vous rencontrer, sublimes bottes en daim qui m'avez coûté la moitié de mon salaire hebdomadaire.*

Arrivée à destination, elle ruisselait. Le Sotto, petit restaurant de quartier sans prétention où Nola et elle se retrouvaient deux ou trois fois par mois, ne servait pas les meilleures pâtes de la ville – ni même probablement du quartier – et son cadre n'offrait rien de remarquable, mais il avait d'autres charmes, somme toute plus importants : des pichets de vin à prix raisonnable, un tiramisu mortel, et un maître d'hôtel italien archisexy qui, tout simplement parce qu'elles étaient des clientes de longue date, leur réservait toujours la table la plus tranquille de la salle, tout au fond.

— Salut, Luca ! lança Brooke au patron tout en essayant de se défaire de son caban en laine sans provoquer d'inondation. Elle est déjà là ?

Luca, qui était au téléphone, posa la main sur le combiné et braqua un crayon à papier par-dessus son épaule.

— La même table que d'habitude. En quel honneur, cette robe sexy, *cara mia* ? Tu ne veux pas te sécher, d'abord ?

Brooke lissa le plastron du plat des mains en espérant que le compliment était sincère et justifié, que cette robe en jersey noir à manches courtes était réellement sexy et qu'elle la portait bien. Elle avait fini par la considérer comme sa tenue de concert : associée, en fonction du temps, à des escarpins, des sandales à talons ou des bottes, elle l'enfilait presque chaque fois qu'elle allait voir Julian se produire sur scène.

— Je suis déjà affreusement en retard. Elle est énervée ? Elle râle ? demanda-t-elle en disciplinant au mieux ses mèches pour tenter de les sauver d'une attaque de frisottis imminente.

— Elle a déjà descendu un demi-pichet et n'a pas lâché son portable. Tu ferais mieux d'y aller.

Après l'incontournable échange des trois bises – dans les premiers temps, Brooke avait voulu protester contre ce rituel, mais Luca avait insisté –, elle prit une grande inspiration et gagna leur table. Nola était installée sur la banquette, droite comme un I, la veste de son tailleur jetée sur le dossier. Son petit haut en cachemire bleu marine mettait en valeur ses bras musclés et faisait ressortir l'éclat de sa peau mate ; son dégradé aux épaules était stylé et sexy ; ses mèches blondes brillaient sous les lumières tamisées du restaurant ; son maquillage évoquait la fraîcheur de la rosée. Personne, en la voyant, n'aurait pu deviner qu'elle venait de passer douze heures à un pupitre de négociation, à hurler des ordres dans un micro-casque.

Les deux amies ne s'étaient rencontrées qu'au deuxième trimestre de leur dernière année à Cornell, même si Brooke – comme tout le monde sur le campus – savait depuis longtemps qui était Nola. Elle la terrifiait et la fascinait tout à la fois. À la différence de leurs camarades, toutes abonnées à l'uniforme sweat à capuche et Ugg, Nola soignait sa silhouette de mannequin avec des bottes à talons hauts et des blazers et jamais, absolument jamais, elle n'attachait ses cheveux en queue de cheval. Avant d'entrer en fac, elle avait fréquenté les écoles les plus sélectes de New York, Londres, Hong-Kong ou Dubaï – les capitales dans lesquelles l'avait menée la carrière de son père, un banquier d'affaires –, et joui de la liberté que procure le statut d'enfant unique de parents extrêmement occupés.

Il était impossible de savoir comment elle avait atterri à Cornell plutôt qu'à Cambridge, à Georgetown ou à la Sorbonne, mais nul n'avait besoin de beaucoup d'imagination pour voir qu'elle n'était pas particulièrement impressionnée par le prestige de l'établissement. Pendant que ses camarades s'empressaient d'intégrer une corporation étudiante, se retrouvaient pour déjeuner à la Ivy Room, ou s'enivraient dans les bars en ville, Nola restait fidèle à elle-même. Des bribes de sa vie filtraient : sa liaison, de notoriété publique, avec le professeur d'archéologie ; le défilé d'hommes mystérieux et séduisants, qui disparaissaient aussi vite qu'ils étaient apparus… Mais pour l'essentiel, Nola assistait à ses cours, raflait invariablement de très bonnes notes aux examens et filait dare-dare à Manhattan dès le vendredi après-midi.

En dernière année, dans l'atelier optionnel d'écriture, les deux filles se retrouvèrent en binôme. Chacune devait lire et commenter la nouvelle de l'autre. Brooke était si intimidée que c'est à peine si elle osa lui parler.

Nola, comme d'habitude, ne semblait ni particulièrement contente, ni spécialement contrariée, mais lorsque, la semaine suivante, elle rendit à Brooke le premier jet de sa nouvelle – une fiction autour d'un personnage qui bataillait pour s'adapter à sa mission des Peace Corps au Congo –, elle l'avait annotée avec des suggestions et des commentaires aussi justes que pertinents. Et puis, sur la dernière page, à la suite d'une note de lecture détaillée, Nola avait écrit : « P.-S. : insérer éventuellement une scène de sexe au Congo ? » Brooke avait été prise d'un tel fou rire qu'elle avait dû quitter la salle un instant pour se calmer.

Après le cours, Nola l'avait invitée dans le salon de thé situé au sous-sol d'un des bâtiments administratifs, un lieu que ni Brooke ni aucune de ses camarades ne fréquentaient et en l'espace de deux ou trois semaines, elle accompagnait Nola à New York pour le week-end. Même après toutes ces années, Nola n'avait rien perdu de son prestige à ses yeux, mais cela lui faisait du bien de savoir que son amie sanglotait en voyant des images de soldats de retour de la guerre, au journal télévisé, qu'elle nourrissait le rêve obsessionnel de vivre un jour derrière une palissade en bois blanc en banlieue et ce, même si elle en faisait ouvertement un sujet de dérision et qu'elle avait une peur pathologique des petits chiens hargneux. (Ce qui ne concernait nullement Walter, le chien de Brooke.)

— … Oui, oui, parfait. Non, le comptoir, c'est très bien, assura Nola à son interlocuteur tout en regardant Brooke et en levant les yeux au ciel. Non. Inutile de réserver, on trouvera toujours à se caser. D'accord, ça m'a l'air bien. À demain.

Elle rabattit le clapet de son téléphone et se resservit aussitôt du vin rouge, avant de se souvenir que Brooke était arrivée et de remplir également son verre.

— Tu m'en veux ? demanda Brooke en posant son caban sur la chaise voisine et en glissant son parapluie ruisselant sous la table.

Elle but une longue gorgée de vin et savoura la caresse du breuvage sur sa langue.

— T'en vouloir ? Pourquoi ? Parce que je poireaute depuis une demi-heure ?

— Je sais, je sais, je suis vraiment désolée. Ça a été l'enfer au boulot. Deux des nutritionnistes à plein-temps étaient malades aujourd'hui – ce que je trouve un peu bizarre, si tu veux mon avis – et nous avons dû assurer leurs rendez-vous en plus des nôtres. Évidemment si, de temps en temps, on se retrouvait dans mon quartier, ça me permettrait peut-être d'arriver à l'heure…

Nola leva la main pour l'interrompre.

— C'est bon, j'ai pigé. J'apprécie vraiment que tu fasses tout ce chemin pour me retrouver ici. Mais que veux-tu, aller dîner *midtown*, ça n'a rien de bien excitant.

— Avec qui parlais-tu ? Daniel ?

— Daniel ? répéta Nola, l'air confus. (Elle fixa un instant le plafond.) Daniel, Daniel… Ah ! *Lui*. Non, c'est une affaire classée. Je l'ai emmené à un truc de boulot la semaine dernière, et il était bizarre. Super bizarre. Non, là, je prenais rendez-vous pour demain avec un mec que j'ai rencontré sur Internet. C'est le second, cette semaine. À quel moment suis-je devenue à ce point pathétique ? soupira-t-elle.

— Arrête, tu n'es pas…

— Mais si. C'est pathétique, à presque 30 ans, de considérer son petit copain de la fac comme sa seule « vraie » histoire. Et ce qui est tout aussi pathétique, c'est que je suis inscrite sur un tas de sites de rencontres, sur lesquels je fais régulièrement mon marché. Mais le comble du pathétique – et qui confine à l'inexcusable – c'est de me ficher comme d'une guigne de le reconnaître devant n'importe qui disposé à m'écouter.

Brooke but une gorgée de vin, avant de protester :

— Je ne suis pas exactement « n'importe qui ».

— Tu vois très bien cc que je veux dire. Si tu étais la seule au courant de mon humiliation, cela passerait encore. Mais on dirait que je suis tellement aguerrie…

— Le terme est bien choisi…

— Merci. C'était le mot du jour sur mon agenda. Donc, je suis tellement *aguerrie* contre l'indécence de ces pratiques que je n'ai même plus de filtre. Pas plus tard qu'hier, j'ai essayé d'expliquer pendant un quart d'heure à un des plus anciens vice-présidents de Goldman en quoi les mecs inscrits sur Match.com différaient de ceux de Nerve.com. C'est impardonnable.

— Alors, c'est quoi l'histoire du type de demain ? demanda Brooke pour tenter de changer de sujet.

Bien malin celui qui aurait pu suivre sans s'y perdre le feuilleton hebdomadaire des conquêtes de Nola. La question n'était pas seulement de savoir de quel candidat on parlait – ce qui constituait déjà un défi en soi –, mais de déterminer si l'objectif était dc se caser à tout prix ou si, à l'inverse, Nola n'avait que du mépris pour la vie de couple et désirait seulement papillonner et profiter pleinement de sa vie de célibataire. Elle changeait en permanence son fusil d'épaule, et Brooke passait son temps à essayer de se souvenir si l'élu de la semaine était « une perle rare » ou « une calamité sans nom ».

Nola baissa les paupières et fit la moue – cette moue qui était sa marque de fabrique, celle qui signifiait tout à la fois « Je suis fragile », « Je suis gentille » et « Viole-moi ! ». Selon toute vraisemblance, elle projetait une longue réponse à la question de Brooke.

Celle-ci éclata de rire.

— Garde tes minauderies pour tes conquêtes, Nola ! Ça ne marche pas sur moi, mentit-elle.

Nola n'avait pas une beauté classique, mais cela importait peu. Elle maîtrisait parfaitement l'art de se mettre en valeur et exsudait une telle confiance en elle-même que rares étaient ceux – ou celles – à ne pas tomber sous son charme.

— Celui-là *semble* prometteur, dit-elle avec mélancolie. Je suis à peu près sûre que ce n'est qu'une question de temps et qu'il va révéler une tare colossale, rédhibitoire, mais jusque-là, je le trouve parfait.

— Il est comment, physiquement ?

— Mmm… Il était dans l'équipe de ski, à la fac, c'est pour ça que j'ai cliqué sur son profil. Il a même fait deux saisons comme moniteur, à Park City, puis à Zermatt.

— Jusque-là, c'est la perfection incarnée.

— Absolument. 1,83 mètre, mince, musclé – à ce qu'il prétend, du moins –, cheveux blond sable, yeux verts. Il s'est installé à New York il y a quelques mois à peine et il ne connaît pas grand monde.

— Tu vas y remédier.

Nola fit la moue.

— Ouais, j'imagine… Mais…

— Mais quoi ? Où est le problème ?

Brooke remplit à nouveau leurs verres, et hocha la tête lorsque le serveur demanda si elles souhaitaient commander leurs plats habituels.

— Le problème, reprit Nola, c'est son boulot. À la rubrique profession, il a indiqué « artiste ».

Elle prononçait ce mot comme si elle avait dit « pornographe ».

— Et alors ?

— Et alors ? Ça veut dire quoi, à ton avis : *artiste* ?

— Mm… Ça peut vouloir dire tout un tas de choses : peintre, sculpteur, musicien, comédien, écri…

Nola leva la main.

— Arrête. Ça ne peut vouloir dire qu'une seule chose, et tu le sais aussi bien que moi : chômeur.

— Tout le monde est au chômage, aujourd'hui. C'est quasiment devenu tendance.

— Oh, pitié ! Le chômage pour cause de crise, je peux le comprendre. Mais un *artiste* ? C'est plus dur à encaisser.

— Nola ! C'est ridicule. Des milliers de gens, et même probablement des millions, vivent de leur art. Regarde Julian. Il est musicien. Ça veut dire que je n'aurais jamais dû sortir avec lui ?

Nola ouvrit la bouche pour répondre, mais se ravisa. Il y eut un étrange moment de silence.

— Qu'allais-tu dire ? demanda Brooke.

— Rien, rien. Tu as raison.

— Non, vraiment, qu'est-ce que tu allais dire ? Dis-le.

Nola fit tourner le pied de son verre entre ses doigts, visiblement mal à l'aise.

— Je ne dis pas que Julian n'a pas de talent, mais…

17

— Mais quoi ? insista Brooke en se penchant tellement que Nola n'eut d'autre choix que de croiser son regard.

— Je ne suis pas certaine que « musicien » soit le terme approprié, dans son cas. Il était assistant, lorsque tu l'as rencontré. Et maintenant, tu l'entretiens.

— Oui, c'est vrai, lorsque nous nous sommes rencontrés, il était *stagiaire*, clarifia Brooke sans trop chercher à cacher son agacement. Chez Sony, pour se familiariser avec le fonctionnement de l'industrie musicale. Et tu sais quoi ? C'est justement grâce aux contacts et aux liens qu'il a noués là-bas que quelqu'un a remarqué son travail. S'il n'avait pas été là tous les jours, à essayer de se rendre indispensable, tu crois qu'un responsable de la prospection aurait pris deux heures de son temps pour le voir se produire sur scène ?

— Je sais, c'est juste que…

— Comment peux-tu dire qu'il ne fait rien ? C'est vraiment ce que tu penses ? Je ne sais pas si tu réalises, mais il vient de passer huit mois enfermé dans un studio professionnel pour enregistrer un album. Et je te signale, au passage, que ce n'est pas simplement un projet pour satisfaire sa vanité, mais que Sony l'a signé comme *artiste* – revoilà le mot – et lui a payé une avance. Si, selon toi, ce n'est pas un vrai travail, je ne sais vraiment pas ce que tu attends.

Nola leva les mains en signe de reddition, et courba la tête.

— Oui, bien sûr. Tu as raison.

— Mais tu n'es pas convaincue…

Brooke commença à se mordiller le pouce. Tout le bien-être que lui avait procuré le vin s'était complètement évanoui. Nola, qui était en train de jouer avec sa salade, reposa sa fourchette et regarda Brooke.

— Si, mais ne signent-ils pas tout un tas d'artistes qui ont un minimum de talent, au motif qu'un seul gros tube suffit à amortir tous les petits flops ?

Brooke fut étonnée que Nola connaisse aussi bien les rouages de l'industrie musicale. C'était précisément l'argument que faisait valoir Julian lorsqu'il s'efforçait de minimiser l'importance de son contrat avec le label pour essayer, comme il disait, de « ne pas tomber de trop haut ». Mais l'entendre de la bouche de Nola, cela semblait pire.

— « Un minimum de talent » ? répéta Brooke d'une voix étouffée. C'est ce que tu penses de lui ?

— Évidemment que non ! Brooke, n'en fais pas une affaire aussi personnelle ! Simplement, parce que tu es mon amie, ça m'énerve de te voir te tuer à la tâche depuis tant d'années pour l'entretenir. Surtout quand on sait que les chances pour que ça le mène quelque part sont aussi minces.

— J'apprécie que tu te soucies de mon bien-être, mais tu devrais savoir que c'est moi qui ai décidé de faire des consultations en plus dans une école privée pour nous permettre de vivre. Je ne le fais pas par charité. Mais parce que je crois vraiment en lui et en son talent, et je sais, même s'il semblerait que je sois la seule à le penser, qu'une brillante carrière l'attend.

Brooke avait été extatique, au-delà de toute description – et peut-être même plus que Julian –, lorsque huit mois plus tôt, il l'avait appelée pour lui annoncer l'offre de Sony : deux cent cinquante mille dollars, soit plus qu'ils n'avaient gagné à eux deux au cours des cinq précédentes années, qu'il pourrait dépenser à sa convenance. Comment aurait-elle pu prévoir qu'un apport aussi conséquent de liquidités les endetterait encore davantage ? Avec cette avance, Julian avait dû payer la location du studio, les cachets – pharaoniques – du producteur et de l'ingénieur du son, et couvrir également toutes les dépenses relatives au matériel, aux déplacements et aux musiciens. L'argent avait fondu en quelques mois à peine, bien avant qu'ils aient pu consacrer un seul dollar à leur loyer, leurs factures, ou même à un bon dîner au restaurant pour célébrer la nouvelle. Et une fois tous ces fonds investis pour aider Julian à se faire un nom, n'aurait-il pas été idiot de ne pas mener le projet à bien ? Ils avaient donc dépensé en sus trente mille dollars de leur propre poche – l'intégralité de leurs économies, destinées à l'origine à servir d'apport lors de l'achat d'un appartement – et ne cessaient de contracter des crédits. Le plus effrayant dans tout ça, c'était ce que Nola venait de dire à voix haute : les chances que Julian réussisse un jour à tirer profit de tout cet investissement de temps, et d'argent – même avec le soutien de Sony – étaient quasi nulles.

— J'espère juste qu'il est conscient de la chance qu'il a d'avoir une femme comme toi, reprit Nola, d'une voix radoucie. Je peux t'assurer qu'avec moi, ce serait une autre chanson. Raison, probablement, pour laquelle je suis destinée à rester éternellement célibataire…

Leurs assiettes de pâtes arrivèrent et la conversation s'orienta spontanément vers des sujets moins périlleux : la quantité scandaleuse de calories contenues dans la sauce bolognaise, l'augmentation de salaire que Nola hésitait à demander, l'antipathie que ses beaux-parents inspiraient à Brooke. Lorsque celle-ci demanda l'addition, sans avoir commandé de tiramisu, ni même un café, Nola parut inquiète.

— Tu ne m'en veux pas, hein ? demanda-t-elle en glissant sa carte de crédit dans l'étui en cuir.

— Non, mentit Brooke. La journée a été longue, c'est tout.

— Où vas-tu maintenant ? Tu ne vas pas boire un verre quelque part ?

— En fait, Julian a eu un… Il joue ce soir, se ravisa-t-elle au dernier moment.

Elle aurait préféré ne pas évoquer le concert du tout, mais cela lui semblait étrange de mentir à Nola.

— Cool ! s'exclama celle-ci en vidant son verre. Tu veux de la compagnie ?

Elles savaient l'une comme l'autre que Nola n'avait pas vraiment envie d'aller à ce concert, ce dont Brooke ne se formalisa pas, car elle non plus n'avait pas très envie que Nola l'accompagne. Son amie et son mari s'entendaient plutôt bien, et cela lui suffisait. Elle appréciait l'attitude protectrice de Nola, qui, elle le savait, partait d'un bon sentiment, mais c'était agaçant de savoir que votre meilleure amie était constamment en train de juger votre mari, et qu'il ne trouvait jamais grâce à ses yeux.

— En fait, Trent est de passage en ville. Je le retrouve là-bas.

— Ah, ce bon vieux Trent ! Toujours en fac de médecine ? Ça lui plaît ?

— Il a terminé la fac. Il est interne, maintenant. Julian dit qu'il adore L.A., ce qui est surprenant – en général, les New-Yorkais de souche ne s'acclimatent *jamais* à Los Angeles.

Nola se leva et renfila son blazer.

— Il sort avec quelqu'un, en ce moment ? Si mes souvenirs sont bons, il est mortellement ennuyeux mais super mignon…

— Il vient de se fiancer. Avec une certaine Fern, interne en gastro-entérologie comme lui. Je préfère ne pas imaginer leurs conversations.

Nola grimaça de dégoût.

— Merci pour cette charmante image. Et quand je pense qu'il aurait pu être tout à toi…

— Mmm…

— N'oublie pas que c'est grâce à moi que tu as connu ton mari. Si tu n'étais pas sortie avec Trent ce soir-là, tu ne serais encore qu'une de ses groupies parmi tant d'autres.

Brooke éclata de rire, planta un baiser sur la joue de son amie et lui tendit deux billets de vingt dollars.

— Je dois filer. Si je ne suis pas dans le métro dans trente secondes, je vais être en retard. On s'appelle demain ?

Elle attrapa son manteau et son parapluie, prit congé de Luca d'un signe de main et sortit en trombe du restaurant.

Même après toutes ces années, Brooke frissonnait à l'idée que Julian et elle avaient été à deux doigts de ne jamais se rencontrer. En juin 2001, un mois à peine après être sortie diplômée de Cornell, Brooke se démenait pour s'acclimater à ses semaines de soixante heures, jonglant entre son master de diététicienne-nutritionniste, son stage, et son boulot de barmaid dans un bouiboui de quartier pour arrondir ses fins de mois. Elle ne s'était jamais bercée d'illusions quant à ce qui l'attendait

– du moins l'avait-elle cru. Car en vérité, elle n'avait pas été capable de prédire la pression qui allait s'accumuler à la faveur de journées de travail interminables, de salaires insuffisants, du manque de sommeil et des problèmes logistiques liés à la cohabitation dans un appartement de 65 m^2 à Murray Hill avec Nola et une autre de leurs amies. Raison pour laquelle, lorsque Nola l'avait implorée, un samedi soir, de l'accompagner à un concert dans un bar, Brooke avait décliné l'invitation.

— Brookie, ça suffit, il faut que tu sortes de cet appart, avait argué Nola, en enfilant un débardeur blanc moulant. C'est un quartette de jazz vraiment bien, à ce qu'il paraît, et Benny et Simone ont promis de nous garder des places. Cinq dollars l'entrée, et deux verres pour le prix d'un. Qu'est-ce qui peut te faire hésiter ?

— Je suis exténuée, avait soupiré Brooke en zappant nerveusement, affalée sur le futon du salon. J'ai encore un rapport à rédiger, et je dois être au boulot dans onze heures.

— Épargne-moi tes jérémiades, Brooke. Tu as 22 ans ! Remue-toi et habille-toi ! On lève le camp dans dix minutes.

— Il pleut des cordes et…

— Dix minutes, pas une seconde de plus, ou tu n'es plus mon amie.

Une fois à la Rue B, petit club de jazz d'East Village, serrées à une table riquiqui avec leurs amis de fac, Brooke s'était maudit de sa faiblesse. Pourquoi finissait-elle toujours par céder à Nola ? Que faisait-elle, coincée dans ce bar surpeuplé et enfumé, à boire une vodka tonic noyée dans la glace et à prendre son mal en patience pour écouter un quartette de jazz inconnu au bataillon ? Elle n'aimait même pas spécialement le jazz. Ni les concerts en général, d'ailleurs, sauf ceux de Dave Matthews et de Bruce Springsteen, où elle pouvait chanter toutes les chansons. Mais, de toute évidence, cette soirée ne promettait rien de tel. Raison pour laquelle elle fut partagée entre l'agacement et le soulagement lorsque la barmaid – une blonde tout en jambes – fit tinter une cuiller contre un verre.

— Bonsoir tout le monde ! Bonsoir ! Puis-je avoir votre attention une minute, s'il vous plaît ? (Elle essuya sa main libre sur son jean et attendit patiemment que le silence se fasse dans la salle.) Je sais, vous attendez tous ce soir The Tribesman avec impatience, mais je viens d'apprendre qu'ils sont coincés dans les embouteillages sur Long Island et qu'ils auront du retard.

La nouvelle souleva un tollé général.

— Je sais, je sais. Un semi-remorque renversé sur la quatre-voies, circulation complètement interrompue, etc.

— Et si le patron payait sa tournée pour se faire pardonner ? lança un client.

La suggestion émanait d'un homme entre deux âges qui brandissait son verre. La barmaid éclata de rire.

— Non, désolée. En revanche, si quelqu'un se sent de monter sur scène pour nous distraire…

Elle interrogea du regard le type entre deux âges, assis au fond de la salle, qui se contenta de secouer la tête.

— Je ne plaisante pas. Nous avons un très bon piano. Personne ne joue, ici ?

Le silence se fit tandis que tout le monde échangeait des regards embarrassés.

— Hé, Brooke, tu sais jouer, non ? chuchota Nola, assez fort pour être entendue des personnes à leur table.

Brooke leva les yeux au ciel.

— Je me suis fait virer de la fanfare en sixième parce que j'étais incapable de lire une partition. Qui se fait jeter d'une fanfare scolaire ?

La barmaid était déterminée à ne pas capituler.

— Allons, les amis ! On est là ; dehors, c'est un vrai *déluge*, et on a tous envie d'écouter un peu de musique. Je vais être sympa et payer une tournée générale si quelqu'un peut nous distraire pendant quelques minutes.

— Je joue un peu.

Brooke tourna la tête vers le garçon qui venait de parler, un jeune type d'allure un peu négligée, en jean et tee-shirt blanc, assis seul au comptoir. En dépit du fait que c'était l'été, il était coiffé d'un bonnet. Brooke ne l'avait pas remarqué jusque-là, mais elle décida qu'il pourrait – *pourrait* – être raisonnablement mignon s'il se douchait, se rasait et enlevait son bonnet.

— Mais je vous en prie…, dit la barmaid en désignant le piano. Comment vous appelez-vous ?

— Julian.

— Eh bien, Julian, la scène est à vous.

Elle regagna son poste derrière le comptoir tandis que Julian s'installait sur le tabouret. Il commença par égrener quelques notes, en cherchant les bons accords, le bon rythme. Le public se désintéressa de lui assez rapidement et les conversations reprirent. Même lorsqu'il réussit à jouer un genre de ballade que Brooke ne reconnut pas, la musique n'était guère plus qu'un bruit de fond. Mais quand, dix minutes plus tard, il attaqua les premières mesures de « Hallelujah » et commença à chanter d'une voix étonnamment juste et puissante, le silence se fit dans la salle.

Brooke – qui avait fait une fixation sur Leonard Cohen à une époque – connaissait et adorait cette chanson, mais jamais elle n'avait eu la chair de poule en l'écoutant. Elle balaya la salle et le public des yeux. Les autres éprouvaient-ils la même sensation ? Les mains de Julian volaient sur le clavier tandis que sa voix imprégnait chaque mot d'une intensité inédite. Ce ne fut que lorsqu'il eut murmuré le dernier « alléluia » en étirant longuement les syllabes que le public réagit : des applaudissements, des sifflets, des cris retentirent de toutes parts et presque tout le monde se leva. Julian sembla embarrassé et confus, et après un salut presque imperceptible, il regagna son tabouret au comptoir.

— Mince, il est drôlement bon, souffla une jeune fille à son compagnon, à une table derrière eux, en dévorant des yeux le pianiste.

— *Encore** ! lança une femme séduisante qui tenait la main de son mari.

Le mari opina et fit écho à sa femme.

En quelques secondes, les cris avaient doublé de volume et toute la salle réclamait avec insistance une seconde chanson. La barmaid prit Julian par la main et le reconduisit de force devant le micro.

— Il est génial, non ? cria-t-elle en souriant avec fierté à son poulain. Que diriez-vous de convaincre Julian ici présent de nous jouer un autre morceau ?

Brooke se tourna vers Nola, en proie à un enthousiasme qu'elle n'avait pas éprouvé depuis des lustres.

— Tu crois qu'il va jouer autre chose ? Tu te serais doutée qu'un mec qui traîne dans un bar, un samedi soir – un type qui est venu ici pour assister au concert de *quelqu'un d'autre* – soit capable de chanter comme ça ?

---

* Les mots en italique suivis d'un astérisque sont en français dans le texte.

Nola lui sourit et se pencha vers elle pour couvrir le bruit de la foule.

— Il a vraiment du talent. Dommage qu'il ait cette dégaine.

Brooke eut l'impression d'avoir été personnellement insultée.

— Qu'est-ce qu'elle a, sa dégaine ? Il me plaît bien, son côté débraillé. Et avec la voix qu'il a, si tu veux mon avis, un jour, il sera une star.

— Ça, ça ne risque pas. Il est doué, mais il y a un million d'autres chanteurs plus extravertis, et qui ont un bien meilleur look.

— Il est mignon, insista Brooke, légèrement indignée.

— Oui, mignon pour taper le bœuf à East Village. Pas mignon pour devenir une rock star internationale.

Avant que Brooke ait pu prendre la défense de Julian, il s'était rassis au piano et attaquait un nouveau morceau, une reprise de « Let's Get It On » que, là encore, inexplicablement, il interpréta mieux que Marvin Gaye lui-même. D'une voix plus profonde, plus sexy, et en adoptant un rythme légèrement plus lent, avec une expression d'intense concentration. Brooke était tellement captivée que c'est à peine si elle remarqua que ses amis avaient repris leurs bavardages et que le pichet de bière promis venait d'arriver sur la table. Ils se servirent, burent, se resservirent, mais Brooke ne pouvait détacher les yeux du garçon débraillé assis au piano. Lorsqu'il quitta le bar, vingt minutes plus tard, en saluant son public conquis d'un signe de tête et avec une ébauche de sourire, Brooke songea très sérieusement à le suivre – chose qu'elle n'avait jamais faite de sa vie, mais qui, là, semblait s'imposer.

Elle se pencha par-dessus la table, suffisamment pour interrompre la conversation de ses amis et demanda :

— Vous croyez que je devrais aller me présenter ?

— Te présenter à qui ? demanda Nola.

— À Julian !

N'était-ce pas exaspérant ?! Personne ne s'était donc rendu compte qu'il venait de quitter le bar et était sur le point de disparaître à jamais ?

— Julian ? Le pianiste ? s'étonna Benny.

Nola leva les yeux au ciel et but une gorgée de bière.

— C'est quoi, ton plan ? lança-t-elle à Brooke. Lui courir après pour lui dire que tu es prête à passer outre son potentiel de SDF tant qu'il te fait gentiment l'amour sur son piano ?

— *Well it's nine o'clock on a Sat... Sunday the regular crowd shuffles in...* [1], commença à chanter Benny.

— Et il y a un mec débraillé assis à côté de moi qui fait l'amour à notre amie Brooke, acheva Nola avant d'éclater de rire et de trinquer avec Benny.

— Vous êtes aussi hystériques l'un que l'autre, asséna Brooke en se levant.

— Non ! Ne me dis pas que tu vas le suivre ! se récria Nola. Benny, accompagne-la ! Et si Piano Man était un tueur en série ?

---

1. « Piano Man », de Billy Joel. Les paroles exactes sont : « *It's nine o'clock on a Saturday the regular crowd shuffles in / There's an old man sitting next to me making love to his tonic and gin.* » C'est 9 heures, un samedi soir et les habitués arrivent / Un vieil homme à côté de moi fait l'amour à son gin tonic. (Toutes les notes sont de la traductrice.)

— Mais non, je ne vais pas lui courir après, la rassura Brooke.

En revanche, elle gagna le comptoir et, après avoir planté les ongles dans ses paumes et changé cinq fois d'avis, elle rassembla finalement assez de courage pour demander à la barmaid si elle savait quelque chose sur le mystérieux musicien.

La fille, qui était en train de préparer une tournée de mojitos, répondit sans lever les yeux :

— Je l'ai déjà vu ici, en général quand il y a un groupe de blues, ou de rock classique, mais il ne parle jamais à personne. Et il vient toujours seul, si c'est là votre question…

— Non, non, euh…, bafouilla Brooke en se sentant idiote. Non, ce n'est pas ça du tout. Simple curiosité.

À l'instant où elle tournait les talons pour regagner leur table, la barmaid lança :

— Il m'a dit qu'il jouait régulièrement dans un bar de l'Upper East Side, chez Trick, ou Rick, un nom comme ça. Le mardi. J'espère que ça vous sera utile.

Brooke pouvait compter les concerts auxquels elle avait assisté sur les doigts d'une main. Pas une seule fois elle n'avait cherché à retrouver la trace d'un inconnu ; et, exception faite des fois où elle avait dû patienter dix ou quinze minutes avant l'arrivée d'une amie ou d'un rencard, jamais elle n'avait traîné seule dans les bars. Cela ne l'empêcha pourtant nullement de passer une demi-douzaine de coups de téléphone pour identifier le bar en question et, après trois semaines de tergiversations, de trouver le cran de passer à l'acte et de prendre le métro un mardi soir caniculaire de juillet pour pousser la porte du Nick's Bar and Lounge.

Sitôt assise à l'une des dernières places restantes, tout au fond de la salle, elle sut qu'elle ne s'était pas donné du mal en vain. *A priori*, Nick's ne se distinguait guère de la centaine d'autres établissements qui bordaient la 2e Avenue, mais son public était étonnamment électrique. En lieu et place des cliques attendues de jeunes diplômés BCBG qui aimaient bien descendre des bières après avoir desserré leur cravate Brooke Brothers flambant neuve, la clientèle de ce soir-là offrait un mélange assez inattendu : il y avait là des étudiants de NYU qui avaient fait l'expédition *uptown*, des couples de trentenaires qui sirotaient des Martini main dans la main et des hordes de jeunes gens branchés en Converse – une ethnie qu'on rencontrait rarement en de telles concentrations en dehors d'East Village ou de Brooklyn. En très peu de temps, Nick's fut bondé, bien au-delà de sa capacité d'accueil. Il n'y avait plus un seul siège de libre et une cinquantaine ou une soixantaine de gens étaient debout derrière les tables, tous là pour une seule et même raison. Pour Brooke, cela fut un choc de découvrir que ce qu'elle avait éprouvé en entendant Julian un mois plus tôt à la Rue B n'avait rien d'unique. Ce garçon avait déjà un public, qui n'hésitait pas à traverser la ville pour l'entendre chanter. Et qui bourdonnait d'impatience lorsqu'il s'installa au piano et plaqua quelques accords pour vérifier la qualité du son. Lorsqu'il commença à jouer, la salle sembla s'installer dans le rythme, quelques personnes se mirent à osciller, parfois en fermant les yeux. Brooke, qui jamais jusque-là n'avait compris ce que signifiait d'être absorbé par la musique, sentit tout son corps se détendre. Était-ce les effets du vin rouge ? De cette voix virile et caressante ? De cette sensation complètement étrangère de se retrouver noyée dans une foule de parfaits inconnus ? Brooke était accro.

Cet été-là, chaque mardi, elle revint chez Nick. Elle n'invita jamais personne à l'accompagner, et lorsque ses colocataires insistèrent pour savoir où elle allait chaque semaine, elle inventa, de façon très plausible, un club de lecture avec des copines de fac. En étant simplement là, à le regarder et à l'écouter jouer, elle commença à avoir l'impression de le connaître. Jusque-là, la musique n'avait jamais été autre chose à ses yeux qu'un à-côté, une distraction sur le tapis de course, une chanson dansante rigolote à une fête, un moyen de faire passer le temps plus vite lors de longs trajets en voiture. Mais ça ? C'était incroyable. En deux temps trois mouvements, la musique de Julian pouvait altérer son humeur, modifier son état d'esprit et lui faire ressentir des émotions complètement étrangères au royaume de sa routine quotidienne.

Avant ces soirées en solo chez Nick, ses semaines se ressemblaient toutes : le travail d'abord, et ensuite, bien trop rarement, un *happy hour* avec la même bande de copines de fac et les mêmes colocataires qui fourraient leur nez partout. Elle n'y trouvait rien à redire, mais parfois, c'était étouffant. À présent, Julian était tout à elle et le fait qu'ils n'échangent jamais ne serait-ce qu'un regard ne l'ennuyait pas le moins du monde. Le contempler suffisait à la combler. À la fin de chaque set, Julian passait dans le public – avec un peu de réticence, lui semblait-il – pour serrer des mains et accepter avec modestie l'habituel déluge de compliments, mais pas une seule fois Brooke n'envisagea de l'approcher.

Quinze jours après le 11 septembre 2001, Nola la convainquit d'accepter un rendez-vous avec un garçon qu'elle avait rencontré à une réunion de boulot. Toutes leurs amies avaient fui la ville pour se réfugier dans leur famille ou avaient renoué avec un ex, et New York était encore plombée par les émanations âcres de fumées et un insondable chagrin. Nola venait de se maquer avec un nouveau type, chez qui elle passait presque toutes ses soirées et Brooke se sentait déstabilisée et seule.

— Un rendez-vous arrangé ? Vraiment ? avait-elle lancé en daignant à peine relever les yeux de son ordinateur.

— Il est absolument adorable, l'assura Nola. Ce n'est pas ton futur mari, mais il est super gentil, plutôt mignon et il t'amènera dans un bon resto. Et si tu arrêtais de jouer les frigides, il pourrait même coucher avec toi.

— Nola !

— Simple suggestion. Ça ne te ferait pas de mal, tu sais. Et maintenant qu'on aborde le sujet, une douche et une manucure, ça ne serait pas du luxe non plus.

Brooke écarta les mains devant elle et remarqua, effectivement, ses ongles rongés jusqu'au sang et ses cuticules déchiquetées. Cela faisait vraiment négligé.

— C'est qui, exactement ? Un de tes rebuts ? demanda-t-elle.

Nola renifla.

— Je le savais ! s'écria Brooke. Tu te l'es tapé et maintenant tu me le refiles. C'est abominable, Nol. Et surprenant, je dois dire. Même *toi* en général, tu n'es pas aussi infecte.

— Économise ta salive, répondit Nola en levant les yeux au ciel. Je l'ai rencontré il y a quinze jours à une collecte de fonds dans le cadre du boulot. Il accompagnait un de mes collègues.

— Donc, c'est bien ça : tu te l'es tapé.

— Non ! Mais mon collègue, en revanche…

Brooke gémit et se couvrit les yeux.

— … Bon, on s'en fiche. Je me souviens que son copain était mignon et célibataire. Étudiant en médecine, je crois, mais franchement, tu n'es pas vraiment en position de faire la fine bouche. Tant qu'il respire…

— Je te remercie, tu es une vraie amie.

— Donc, tu iras ?

— Si cela peut te faire taire tout de suite, je vais y réfléchir, répondit-elle.

Quatre jours plus tard, elle était à la terrasse d'un restaurant italien, sur MacDougal Street. Trent était, ainsi que l'avait promis Nola, un garçon charmant. Plutôt mignon, extrêmement bien élevé, élégant et… ennuyeux à mourir. La conversation était plus insipide que les *linguine* tomate-basilic qu'il avait commandées pour eux deux, et son sérieux inspirait à Brooke une envie presque irrépressible de se planter une fourchette dans les yeux. Cependant, sans trop savoir pourquoi, lorsqu'il lui proposa d'aller boire un verre dans un bar du quartier, elle accepta. Trent sembla aussi surpris qu'elle par cette réponse.

— C'est vrai ?

— Ouais. Pourquoi pas ?

Et franchement, songea-t-elle, *pourquoi pas ?* Après tout, elle n'avait aucun autre prétendant en vue, elle ne pouvait même pas se raccrocher à la perspective, une fois rentrée, de regarder un film avec Nola, et le lendemain, elle devait s'attaquer au plan d'un rapport de quinze pages à rendre deux semaines plus tard. Ses projets les plus exaltants se résumaient à faire la lessive, aller à la gym, et assurer quatre heures de service au bistrot. Alors, quelle urgence y avait-il à rentrer ?

— Génial, dit Trent. Je sais où on va aller.

Il insista galamment pour régler l'addition et, enfin, ils quittèrent le restaurant.

Ils n'avaient parcouru que deux blocs lorsque Trent la précéda pour ouvrir la porte d'un bar – un des repaires, notoirement très animé, des étudiants de NYU. C'était probablement le genre d'endroit où des types malintentionnés glissaient en douce de la drogue dans le verre de leur cavalière, mais Brooke fut soulagée de se retrouver dans une atmosphère suffisamment bruyante pour la mettre à l'abri de toute conversation suivie. Elle allait boire une bière, deux éventuellement, écouter quelques bons vieux tubes des années 80 sur le jukebox et à minuit, elle serait sous sa couette – seule.

S'il fallut à ses yeux quelques secondes pour s'accoutumer à la pénombre, en revanche, elle reconnut immédiatement la voix de Julian. Et quand enfin elle distingua la scène, elle le contempla avec incrédulité : assis au piano, dans sa posture familière, doigts voletant sur le clavier, lèvres à quelques millimètres du micro, il chantait une de ses créations personnelles qui était parmi les préférées de Brooke : *The woman sits alone in a room / Alone in a house like a silent tomb / The man counts every jewel in his crown / What can't be saved is measured in pounds* [1].

Brooke n'aurait su dire combien de temps elle resta ainsi figée sur le seuil, instantanément happée et complètement absorbée, mais cela dura assez longtemps pour lui valoir un commentaire de Trent.

---

1. La femme est assise seule dans une pièce / Seule dans une maison comme une tombe silencieuse / L'homme compte un par un les joyaux de sa couronne / Ce qui peut être sauvé se mesure en livres.

— Il se défend pas mal, n'est-ce pas ? Viens, j'aperçois deux places libres là-bas.

Il lui prit le bras et Brooke se laissa entraîner à travers la foule. Elle s'installa sur la chaise que lui désignait Trent et à peine eut-elle posé son sac sur la table que la chanson se termina et que Julian annonça qu'il faisait une pause. Elle était vaguement consciente du fait que Trent lui parlait, mais entre le brouhaha ambiant et le regard vigilant qu'elle posait sur les allées et venues de Julian sur scène, elle n'entendait rien de ce qu'il lui disait.

Tout arriva si vite qu'elle n'eut pas le temps de comprendre ce qui se passait. À un moment donné, Julian était en train de retirer son harmonica du support sur le piano et l'instant d'après, il était debout devant eux, un sourire aux lèvres. Comme d'habitude, il était vêtu d'un jean et d'un tee-shirt blanc tout simple, et il portait un de ses bonnets tricotés, celui de couleur aubergine. Un mince voile de transpiration luisait sur son visage et ses avant-bras.

— Salut, mec, je suis content que tu aies pu venir, dit-il en tapant sur l'épaule de Trent.

— Moi aussi. Apparemment, on a loupé le premier set. (Quelqu'un venait d'abandonner une chaise à la table voisine et Trent la tira vers eux.) Tiens, pose-toi cinq minutes.

Julian hésita, regarda Brooke avec un petit sourire et s'assit.

— Julian Alter, dit-il en tendant la main.

Brooke s'apprêtait à répondre quand Trent lui coupa la parole.

— Bon sang, quel abruti je fais ! On se demande où j'ai été élevé ! Julian, voici ma… euh, voici Brooke. Brooke…

— Greene, compléta-t-elle, ravie que Trent ait montré devant Julian à quel point ils se connaissaient peu.

Ils échangèrent une poignée de main. Le geste semblait saugrenu dans ce bar bondé d'étudiants, mais Brooke ne ressentait que de l'excitation. Pendant que Trent et lui échangeaient quelques plaisanteries à propos d'un copain commun, elle l'examina plus attentivement. Julian n'avait sans doute que deux ou trois ans de plus qu'elle, mais quelque chose, lui sembla-t-il, lui conférait un air plus sage, plus *expérimenté*, sans qu'elle puisse dire quoi exactement. Il avait un nez un peu trop proéminent, son menton était légèrement fuyant et la pâleur de son teint se remarquait encore plus, en cette fin d'été où tout le monde avait fait le plein de vitamine D. Ses yeux, quoique verts, n'avaient rien d'exceptionnel, la couleur était même un peu terreuse, et lorsqu'il souriait, un éventail de ridules se déployait tout autour. Si elle ne l'avait pas entendu chanter aussi souvent, tête renversée, d'une voix si mélodieuse, si pleine de sincérité, si elle l'avait juste croisé comme ça, avec son bonnet et une bière à la main, dans un bar bruyant grouillant d'une foule anonyme, jamais Brooke ne l'aurait regardé, ni ne l'aurait trouvé le moins du monde séduisant. Mais ce soir-là, c'était à peine si elle arrivait à respirer.

Les deux garçons bavardèrent entre eux un petit moment, et Brooke, calée contre le dossier de sa chaise, les observa. Ce fut Julian qui remarqua qu'elle n'avait rien à boire.

— Je peux t'offrir une bière ? demanda-t-il en cherchant une serveuse des yeux.

Trent se leva aussitôt.

— Je m'en occupe. On arrive à l'instant et personne n'est venu prendre notre commande. Brooke, que veux-tu boire ?

Elle murmura le nom de la première bière qui lui vint à l'esprit et Julian agita un gobelet en carton, vide.

— Je veux bien un Sprite.

Trent parti, Brooke paniqua. De quoi diable allaient-ils bien pouvoir parler ? De n'importe quoi, se rappela-t-elle, sauf du fait qu'elle l'avait suivi dans toute la ville.

Julian se tourna vers elle et lui sourit.

— Trent est vraiment sympa, hein ?

Brooke haussa les épaules.

— Il a l'air. On s'est rencontrés ce soir. Je le connais à peine.

— Ah, le fameux rencard arrangé. Toujours très drôle. Tu crois que tu ressortiras avec lui ?

— Non, répondit-elle tout à trac, sans la moindre trace d'émotion.

Elle était en état de choc, c'était évident ; à peine savait-elle ce qu'elle était en train de dire. Julian éclata de rire et elle l'imita.

— Pourquoi pas ? voulut-il savoir.

— Sans raison particulière, répondit-elle en haussant les épaules. Il est absolument charmant. Mais un peu rasoir.

Elle n'avait pas eu l'intention de dire ça, vraiment pas, mais elle n'arrivait plus à réfléchir. Un immense sourire éclaira le visage de Julian, un sourire si lumineux, si rayonnant qu'elle en oublia de se sentir gênée.

— Tu sais que c'est mon cousin que tu traites de mec chiant ? lança-t-il en éclatant de rire.

— Oh, mon Dieu ! Ce n'est pas du tout ce que je voulais dire. Il a l'air vraiment euh… super. C'est juste que…

Plus elle bafouillait, plus Julian semblait amusé.

— Ne t'inquiète pas, la coupa-t-il en posant sa main musclée et tiède sur son avant-bras. Tu as entièrement raison. C'est un mec super – une vraie pâte, je t'assure –, mais on ne peut pas dire que ce soit un boute-en-train.

Il y eut un silence et Brooke se creusa la tête pour trouver une repartie appropriée. N'importe laquelle, du moment qu'elle ne trahissait pas son statut de fan.

— Je t'ai déjà vu jouer, annonça-t-elle avant d'écraser précipitamment la main sur sa bouche par réflexe.

Julian la regarda attentivement.

— Ah ouais ? Où ça ?

— Tous les mardis soir, chez Nick.

Pour ce qui était de ne pas passer pour une traqueuse patentée, c'était complètement loupé. Julian sembla dérouté, mais ravi.

— Ah bon ? fit-il. (Brooke hocha la tête.) Pourquoi ?

L'espace d'un instant, elle songea à mentir, à répondre que sa meilleure amie habitait dans le quartier, ou qu'elle retrouvait une bande de copines toutes les semaines pour l'*happy hour* chez Nick, mais pour une raison qu'elle-même ignorait, elle opta pour la sincérité.

— J'étais à la Rue B le soir où le quartette de jazz a annulé et où tu es monté sur scène, au pied levé. J'ai trouvé que tu… euh, je t'ai trouvé formidable, alors j'ai demandé à la serveuse comment tu t'appelais, puis j'ai découvert que tu avais une date régulière. Maintenant, j'essaie de venir chaque fois que je le peux.

Elle s'obligea à relever les yeux, persuadée qu'il devait être en train de la dévisager avec inquiétude, voire épouvante, mais l'expression de Julian ne révélait rien, et son silence ne fit que l'inciter à poursuivre.

— C'est pour ça que c'était super bizarre, quand Trent m'a amenée ici… Une coïncidence vraiment étrange…

Elle ne termina pas sa phrase, qui s'étrangla avec un bruit curieux dans sa gorge. Elle s'en voulait à mort de s'être autant dévoilée. Quand elle trouva le courage de croiser à nouveau son regard, Julian était en train de secouer la tête. Elle lâcha un petit rire nerveux.

— Tu dois me trouver flippante, reprit-elle. Mais je te promets que jamais je ne te suivrai dans la rue, chez toi, à ton travail. Je veux dire, je ne sais même pas où tu habites, ni si tu travailles dans la journée. Bon, évidemment, dans la journée, tu travailles dans la musique, c'est ton vrai boulot, comme il se doit…

Julian posa la main sur son bras et la regarda droit dans les yeux.

— Je sais que tu viens chez Nick toutes les semaines. Je t'ai remarquée.

— Ah bon ?

Il hocha la tête, puis la secoua légèrement, en souriant, comme pour dire : *J'ai du mal à croire que je suis en train de t'avouer ça.*

— Oui. Tu t'assieds toujours tout au fond de la salle, près du billard, et tu viens toujours seule. La semaine dernière, tu avais une robe à fleurs, blanche et bleue, avec un truc cousu en bas de la jupe, et tu lisais un magazine, que tu as posé dès que je me suis mis au piano.

Cette robe à bretelles, un cadeau de sa mère qu'elle avait étrenné pour le brunch le jour de son diplôme, lui avait semblé être le comble du chic, quatre mois plus tôt à peine. Mais à présent, lorsqu'elle la portait en ville, Brooke avait l'impression d'être une gamine, sans aucune sophistication. Si le bleu accentuait le flamboiement de sa chevelure rousse (ce qui était plutôt bien), la coupe, en revanche, n'avantageait pas vraiment ses hanches, ni ses jambes. Brooke était si absorbée à essayer de se souvenir à quoi elle ressemblait ce soir-là qu'elle ne remarqua pas que Trent était de retour à la table, jusqu'à ce qu'il pousse une bouteille de Bud light dans sa direction.

— Qu'est-ce que j'ai raté ? demanda-t-il en se laissant glisser sur sa chaise. C'est noir de monde, ce soir. Julian, mon vieux, on peut dire que tu sais comment faire salle comble.

Julian leva son gobelet pour trinquer avec Trent puis but une rasade.

— Merci, vieux. À charge de revanche après le concert.

Il hocha la tête à l'adresse de Brooke avec un regard – elle était prête à le jurer – complice, puis il regagna la scène.

À ce moment-là, elle ignorait que Julian demanderait à Trent la permission de l'appeler, que leur première conversation téléphonique lui donnerait des ailes, et que leur premier rendez-vous marquerait un tournant capital dans sa vie. Et jamais elle n'aurait pu prédire qu'ils se retrouveraient ensemble dans un lit moins de trois semaines plus tard, après une poignée de rendez-vous marathons dont elle aurait voulu qu'ils ne se terminent jamais, ni qu'ils économiseraient pendant presque deux ans pour un long périple en voiture qui les amènerait à traverser le pays d'est en ouest, ni qu'ils se fianceraient en écoutant un concert dans un petit bar de nuit de West Village, ni qu'il lui offrirait une bague en or payée avec ses économies, ni qu'ils se marieraient finalement au bord de l'océan, dans la superbe propriété de ses parents dans les Hamptons – parce que, franchement, que chercheraient-ils à prouver en refusant un endroit pareil ? Non, ce soir-là, Brooke ne savait qu'une seule chose, avec certitude : qu'elle voulait à tout prix le revoir, que deux jours plus tard, qu'il pleuve ou qu'il vente, elle serait chez Nick, et que peu importe les efforts surhumains qu'elle ferait, elle ne pourrait plus s'empêcher de sourire.

Si l'un des membres souffre,
tous souffrent avec lui

Brooke sortit d'un des box de la maternité du Lagone Medical Center de NYU et referma le rideau. Huit consultations terminées, plus que trois. Elle feuilleta les dossiers restants : une adolescente enceinte, une mère de famille souffrant de diabète gestationnel, et une jeune maman qui venait d'accoucher de jumeaux et essayait de garder la tête hors de l'eau. Elle consulta sa montre et calcula que si tout se déroulait comme prévu, elle pourrait plier bagage à une heure décente.

— Mrs Alter ?

En entendant sa patiente l'appeler de derrière le rideau, Brooke revint sur ses pas.

— Oui, Alisha ?

Brooke ramena étroitement les pans de sa blouse blanche autour de sa poitrine et se demanda comment cette femme faisait pour ne pas grelotter dans cette chemise d'hôpital aussi fine que du papier. Alisha se tordit nerveusement les mains et en fixant ses genoux sous le drap, bredouilla :

— Vous vous souvenez, vous m'avez dit que c'était vraiment important de prendre des vitamines prénatales.

Même si je commence le traitement en cours de grossesse ?

Brooke hocha la tête et s'approcha du chevet de la fille.

— Je sais que c'est difficile de voir les bons côtés d'une grippe carabinée, mais au moins, grâce à elle, vous êtes venue nous voir et cela va nous donner l'occasion de commencer les compléments de vitamines et d'envisager un suivi pour le reste de votre grossesse.

— Oui, à ce propos, justement… Vous auriez… euh, des échantillons à me donner ? reprit Alisha en refusant obstinément de croiser son regard.

— Oh oui, je dois pouvoir trouver ça sans problème, répondit Brooke. (Elle sourit à sa patiente, mais s'en voulait d'avoir négligé de lui demander si elle pouvait se permettre, financièrement, ces traitements de vitamines.) Voyons… Il vous reste seize semaines… Je laisserai le stock dans le bureau des infirmières, d'accord ?

— Merci, souffla Alisha, visiblement soulagée.

Brooke serra le bras de sa patiente et sortit du box. Elle alla rassembler les vitamines promises puis gagna au pas de charge la sinistre salle de repos des diététiciennes au cinquième étage, une pièce aveugle, avec une petite table en Formica, un minifrigo et quelques vestiaires le long du mur. En se dépêchant, elle pourrait grignoter un petit quelque chose et boire une tasse de café sans se mettre en retard pour son prochain rendez-vous. Soulagée de trouver la salle déserte et la cafetière pleine, Brooke sortit de son casier une boîte Tupperware remplie de quartiers de pommes, qu'elle tartina de beurre de cacahouète sans additif. Au moment où elle avait la bouche pleine, son portable sonna.

— Tout va bien ? lança-t-elle, d'une voix à peine compréhensible, sans même dire bonjour.

— Bien sûr, chérie, répondit sa mère après un silence. Pourquoi ça n'irait pas ?

— Parce que j'ai pas mal de travail, maman, et tu sais que je déteste bavarder au téléphone quand je suis au boulot.

Une annonce diffusée par le haut-parleur de l'interphone noya la dernière partie de sa phrase.

— Qu'est-ce que c'était, ce bruit ? Je n'ai pas entendu ce que tu as dit.

Brooke soupira.

— Rien, laisse tomber. Quoi de neuf ?

Elle se représenta sa mère, dans sa tenue habituelle – pantalon en toile et ballerines Naturalizer, les mêmes qu'elle avait portées toute sa vie –, en train d'arpenter la kitchenette de son appartement de Philadelphie. Apparemment, en dépit de journées bien remplies par les tournées sans fin de clubs de lecture, clubs de théâtre et autres activités de bénévolat, sa mère disposait encore de beaucoup trop de temps libre, qu'elle comblait d'ordinaire en appelant ses enfants pour leur demander pourquoi ils ne la rappelaient jamais. Brooke était ravie que sa mère profite de sa retraite, mais se souvenait aussi avec une certaine nostalgie du temps où elle enseignait de 7 heures à 15 heures tous les jours.

— Attends une seconde, ma chérie… (La voix d'Oprah se substitua un instant à celle de sa mère, avant de se taire brusquement.) Voilà qui est mieux.

— Waouh ! Tu as cloué le bec à Oprah ! Ça doit être important.

— Elle interviewe encore Jennifer Aniston. Je ne supporte plus d'écouter ces âneries. Elle a digéré sa rupture avec Brad. Elle est épanouie dans la quarantaine, jamais elle ne s'est sentie aussi bien. On a pigé. Quel intérêt de rabâcher ça ?

Brooke éclata de rire.

— Dis maman, je pourrais te rappeler ce soir ? Il ne me reste qu'un quart d'heure de pause.

— Oh, naturellement, ma chérie. Fais-moi penser à te parler de ton frère, d'accord ?

— Randy ? Il a un problème ?

— Non, non, aucun problème – pour une fois, c'est même le contraire. Mais puisque tu es occupée en ce moment, on en parlera plus tard.

— Maman…

— C'était irréfléchi de ma part de t'appeler au milieu de ta garde. Je n'étais même pas…

Brooke lâcha un gros soupir et sourit.

— Tu veux que je te supplie, c'est ça ?

— Ma puce, si je tombe mal, je tombe mal. On discutera quand tu seras plus disponible.

— Bon, d'accord. Maman, je te supplie de me dire ce qui se passe avec Randy. S'il te plaît, dis-le-moi. Maman ?

— Bon, d'accord, puisque tu insistes… Voilà : Randy et Michelle attendent un bébé. C'est toi qui m'y as obligée.

— Ils attendent *quoi* ?

— Un bébé, ma puce. Michelle est enceinte. Elle n'en est qu'au tout début – sept semaines à peine, je crois –, mais leur toubib a dit que tout semblait aller bien. N'est-ce pas merveilleux ?

Brooke entendit à nouveau la télévision en fond sonore, plus discrètement cette fois, mais cela ne l'empêcha pas de distinguer le rire très reconnaissable d'Oprah.

— Merveilleux ? répéta Brooke en reposant son couteau en plastique. Ce n'est peut-être pas le mot que j'aurais choisi spontanément. Ils sortent ensemble depuis six mois à peine. Ils ne sont pas mariés. Ils ne *vivent* même pas ensemble.

— Depuis quand es-tu devenue réac à ce point, ma chère ? demanda Mrs Greene en étouffant un gloussement. Si on m'avait dit qu'un jour, ma fille de 30 ans, éduquée et raffinée, ferait montre d'un tel traditionalisme, je ne l'aurais jamais cru.

— Ma chère mère, je ne suis pas certaine que ce soit exactement du « traditionalisme » d'attendre des gens qu'ils s'efforcent de concevoir un enfant dans le cadre d'une relation stable.

— Oh Brooke, détends-toi un peu ! Tout le monde ne peut pas – ni ne devrait – se marier à 25 ans. Randy a 38 ans, et Michelle presque 40. Crois-tu vraiment qu'à ce stade, on accorde une quelconque importance à un bout de papier ? Est-ce que tout le monde n'a pas conscience, à l'heure qu'il est, que ça ne veut pas dire grand-chose ?

Mentalement, Brooke s'attarda sur certaines pensées qui lui traversèrent l'esprit : le divorce de ses parents presque dix ans plus tôt, après que son père eut quitté sa mère pour l'infirmière du lycée où ils enseignaient tous les deux ; la façon dont sa mère avait pris Brooke à part après ses fiançailles avec Julian pour lui dire que les femmes pouvaient aujourd'hui être parfaitement heureuses sans se marier ; le vœu fervent de sa mère que Brooke attende que sa carrière soit bien lancée avant de fonder une famille. N'était-il pas intéressant de constater que la vie de Randy, apparemment, était gouvernée par un ensemble de règles complètement différentes ?

— Et tu sais ce qui m'amuse le plus ? enchaîna sa mère. L'idée que peut-être – je dis bien *peut-être* – ton père et Cynthia aient eux aussi bientôt un bébé. Vu qu'elle est si jeune… Tu aurais du coup un frère et un père qui attendent un bébé en même temps. Avoue que ce ne serait pas banal !

— Maman…

— Sérieusement ma puce, ne trouves-tu pas ironique… ? Bon, « ironique » n'est peut-être pas le mot juste… Mais c'est tout de même une drôle de coïncidence que la femme de ton père ait à peine un an de plus que Michelle, non ?

— Maman ! S'il te plaît, arrête. Tu sais très bien que papa et Cynthia n'auront pas d'enfant – il va avoir 65 ans, pour l'amour de Dieu, et elle n'a même pas envie de… (Brooke s'interrompit, sourit intérieurement et secoua la tête.) Tu sais quoi ? Tu as peut-être raison. Peut-être que papa et Cynthia vont sauter dans le train et du coup, papa pourra discuter tétées et siestes avec Randy. Ça leur fera un terrain d'entente. Si c'est pas mignon…

Brooke attendit une réaction et ne fut pas déçue.

— Tu rigoles ! lâcha sa mère. La seule couche-culotte que votre père ait vue quand vous étiez bébés, c'est dans une pub pour Pampers à la télé. Les hommes ne changent pas, Brooke. Ton père ne lèvera pas le petit doigt pour ce gamin avant qu'il soit en âge d'exprimer une opinion politique. Mais je pense qu'il y a un espoir en ce qui concerne ton frère.

— Oui, espérons-le. Je l'appellerai ce soir pour le féliciter, mais maintenant je dois…

— Non ! protesta Mrs Greene d'une voix stridente. Brooke, nous n'avons jamais eu cette conversation. Je lui ai promis de ne rien te dire, donc s'il te plaît, donne l'impression de tomber des nues lorsqu'il t'appellera.

Brooke soupira et sourit.

— Félicitations pour ta loyauté, maman. Dois-je en conclure que tu racontes à Randy tout ce que je te dis, même quand je te fais jurer le secret ?

— Bien sûr que non ! Je ne lui raconte que ce qui est intéressant.

— Me voilà rassurée.

— Je t'embrasse, ma chérie. Et n'oublie pas : tu gardes ça pour toi.

— Promis. Tu as ma parole.

Brooke raccrocha et regarda sa montre : 16 h 55. Elle ne disposait plus que de quatre minutes avant sa prochaine consultation et bien qu'elle n'ait plus de temps pour une autre conversation, attendre était au-dessus de ses forces.

En composant le numéro de son frère, elle se souvint qu'il était peut-être encore au lycée, en train d'entraîner l'équipe de foot. En fait non : il décrocha son portable à la première sonnerie.

— Salut Brookie ? Quoi de neuf ?

— C'est toi qui me demandes ça ? Tu ne crois pas que c'est plutôt à moi de poser cette question ?

— Bon sang ! Je l'ai appelée il n'y a même pas dix minutes, et elle m'a *juré* qu'elle me laisserait te l'annoncer moi-même.

— Entre nous, je viens de lui jurer de ne pas t'avouer qu'elle me l'avait déjà dit, alors on s'en fiche. Félicitations, grand frère !

— Merci. On est tous les deux surexcités. Et un peu flippés, c'est arrivé bien plus vite qu'on ne s'y attendait. Mais on est ravis.

Brooke sentit son souffle se coincer dans sa gorge.

— Comment ça, « plus vite » ? Tu veux dire que c'était *prévu* ?

Randy éclata de rire. Brooke l'entendit dire « Un instant » à quelqu'un, sans doute un élève, puis il reprit :

— Ouais. Michelle a arrêté la pilule le mois dernier. Le docteur lui avait dit qu'il faudrait au moins deux mois pour que son cycle se régule, avant de savoir si une grossesse était envisageable, compte tenu de son âge. Jamais on n'avait imaginé que ça arriverait aussi vite.

Entendre Randy – un célibataire patenté qui avait décoré sa maison avec sa collection de trophées de foot et consacré plus de mètres carrés à sa table de billard qu'à sa cuisine – évoquer régulation de cycles, pilules contraceptives et avis médicaux était surréaliste. Surtout quand tous les paris donnaient Brooke et Julian comme les candidats favoris à la grande annonce…

— Waouh ! Je ne sais pas quoi dire d'autre. Waouh !

Oui, mieux valait s'en tenir à ça, de crainte que Randy ne distingue une fêlure dans sa voix, et l'interprète mal.

Elle sentit une boule grossir dans sa gorge. Elle était si heureuse pour Randy ! Certes, son frère avait toujours su prendre soin de lui, et il avait toujours semblé assez heureux, mais Brooke s'inquiétait de le voir mener une vie solitaire. Il vivait en banlieue, cerné par des familles, et tous ses vieux copains de fac avaient des enfants depuis belle lurette. Elle et Randy n'étaient pas vraiment assez intimes pour aborder ce sujet, mais Brooke s'était toujours demandé s'il désirait lui aussi fonder une famille, ou s'il était comblé par sa vie de célibataire.

À présent, entendre son excitation confirmait à quel point il avait désiré ce qui lui arrivait, et Brooke eut l'impression d'être à deux doigts de pleurer.

— Ouais c'est assez cool. Tu me vois en train d'apprendre à ce petit bonhomme à faire des passes ? Je vais lui acheter un petit ballon en cuir – je ne veux pas d'un de ces machins en plastoc pour mon fils – et quand il aura l'âge, il sera prêt pour le vrai truc de pro.

Brooke éclata de rire.

— Je vois que tu n'as pas envisagé une seule seconde l'éventualité d'avoir une fille.

— Il y a trois autres profs enceintes, au lycée, et les trois attendent un garçon.

— Intéressant. Mais tu es conscient que même si vous partagez un environnement de travail, aucune loi fédérale ou biologique ne peut garantir que ton enfant et les leurs seront du même sexe, pas vrai ?

— Ça reste à prouver.

Brooke éclata de rire à nouveau.

— Donc, vous allez demander à connaître le sexe du bébé ? À moins que cette question ne soit prématurée ?

— Puisque je sais que ce sera un garçon, la question ne se pose pas vraiment, mais Michelle préfère que ce soit une surprise. Donc, nous allons attendre.

— Ah, c'est super. À quelle date le petit chou est-il prévu ?

— 25 octobre. Un bébé d'Halloween. Je trouve que c'est bon signe.

— Moi aussi. Je note la date sur mon agenda tout de suite. Le 25 octobre, je serai tatie.

— Et vous deux, Brookie ? Ce serait sympa qu'il ait un cousin de son âge. Est-ce qu'il y a une chance que ça arrive ?

Sachant combien il était difficile pour Randy de lui poser une question aussi personnelle, Brooke se retint de le rembarrer, mais il avait touché une corde sensible. Lorsque Julian et elle s'étaient mariés, respectivement à 27 et 25 ans, Brooke s'était toujours imaginé qu'ils auraient un bébé aux alentours de son trentième anniversaire. Mais cette échéance était déjà passée et il n'en était toujours pas question. Elle avait abordé à quelques reprises le sujet avec Julian, sans avoir l'air d'y toucher, pour éviter de lui mettre la pression. Il avait répondu avec désinvolture que, oui, ce serait génial d'avoir un gosse « un jour », mais que pour l'instant ils faisaient le bon choix en se concentrant sur leurs carrières. Aussi, même si Brooke voulait vraiment un bébé – pour tout dire, elle ne désirait rien de plus au monde, surtout maintenant qu'elle savait que Randy serait bientôt papa –, elle s'était rangée à l'avis de Julian.

— Oh, bien sûr, un jour, répondit-elle en s'efforçant de prendre un ton dégagé, bien éloigné de ce qu'elle éprouvait à cet instant. Mais pour nous, ce n'est pas encore le moment idéal. On se concentre sur le boulot, tu vois.

— Oui, je vois, dit Randy, et Brooke se demanda s'il soupçonnait ses vrais sentiments. Vous devez faire ce qui est bien pour vous.

— Oui… Écoute, je suis désolée, mais je dois te laisser. Ma pause est terminée et je suis en retard pour une consultation.

— T'inquiète pas, Brookie. Merci d'avoir appelé. Merci pour ton enthousiasme.

— Tu te fiches de moi ? Merci à toi pour cette nouvelle incroyable. Tu as ensoleillé ma journée – tout le mois, même. Félicitations encore une fois, Randy. Je suis tellement contente pour vous ! J'appellerai Michelle ce soir pour la féliciter aussi, d'accord ?

Ils raccrochèrent et Brooke, encore incrédule, recommença l'expédition jusqu'au cinquième étage sans pouvoir s'empêcher de secouer la tête. À coup sûr, elle devait avoir l'air d'une folle, mais dans les couloirs d'un hôpital, cela attirerait à peine l'attention. Randy papa !

Brooke aurait volontiers appelé Julian pour lui annoncer la nouvelle, mais il avait semblé assez stressé plus tôt dans la journée, et elle-même était un peu pressée par le temps. Avec une de ses collègues diététiciennes en vacances et une quantité inexplicable de naissances ce matin-là – presque le double du nombre habituel –, elle avait l'impression que sa journée filait à la vitesse de la lumière. Mais c'était agréable : plus elle s'agitait, moins elle avait de temps pour penser à sa fatigue. Par ailleurs, ces coups de feu étaient excitants et stimulants, et même si elle se plaignait auprès de Julian et de sa mère, secrètement, elle adorait cette agitation : toutes ces patientes qui arrivaient d'horizons multiples, pour des motifs variés mais qui toutes, néanmoins, avaient besoin d'un régime spécifique, parfaitement adapté à leur état.

Les effets de la caféine commencèrent à se faire sentir comme prévu, et Brooke boucla ses trois dernières consultations rapidement, avec efficacité. Elle venait de retirer sa blouse et de renfiler son jean et son pull quand Rebecca, une de ses collègues, entra dans la salle de repos et lui annonça que leur chef souhaitait la voir.

— Maintenant ? grinça Brooke, en voyant sa soirée menacée de désintégration.

Les mardis et jeudis étaient sacrés : c'était les deux seules journées de la semaine où elle n'avait pas besoin de quitter l'hôpital pour filer dare-dare *uptown* s'acquitter de son second mi-temps, un poste de diététicienne conseil à la Huntley Academy, l'une des écoles privées pour filles les plus élitistes de l'Upper East Side. Les parents d'une ancienne élève de la Huntley, qui dans la vingtaine avait succombé des suites d'une grave anorexie, avaient nanti l'école d'une bourse destinée à la mise en œuvre d'un programme expérimental : une diététicienne, disponible vingt heures par semaine dans l'établissement, pour conseiller les jeunes filles sur les principes d'une nutrition saine et leur apprendre à gérer la conscience qu'elles avaient de l'image de leur corps. Brooke était la seconde personne à prendre en charge ce programme assez novateur. Au départ, elle avait accepté ce poste uniquement pour compléter les revenus de leur couple, mais elle avait fini par s'attacher aux jeunes filles. Certes, leurs rébellions, leurs maladresses, leurs obsessions tenaces à l'égard de la nourriture l'épuisaient parfois, mais elle essayait toujours de se souvenir que ces jeunes patientes manquaient de repères. Sans compter que ce boulot offrait un autre avantage : il lui permettait d'acquérir une plus grande expérience du travail avec la population adolescente.

Le mardi et le jeudi en revanche, elle ne travaillait qu'à l'hôpital, de 9 heures à 18 heures. Les trois autres jours, elle commençait ses consultations plus tôt, afin de pouvoir s'acquitter de son second mi-temps : elle travaillait à NYU de 7 heures à 15 heures, après quoi elle empruntait deux métros et un bus pour gagner le nord de Manhattan et la Huntley, où elle recevait ses élèves – et parfois leurs parents – jusqu'à 19 heures environ. Quelle que soit la quantité de café qu'elle ingurgitait, Brooke était perpétuellement épuisée. Mener deux boulots de front était usant, mais elle estimait que dans un an elle aurait acquis assez de qualification et d'expérience pour ouvrir son propre cabinet de diététicienne conseil spécialisée dans la nutrition pré et postnatale – projet qu'elle rêvait de réaliser depuis le tout premier jour de son master, et pour lequel elle avait travaillé depuis d'arrache-pied.

Rebecca hocha la tête avec sympathie.

— Elle a demandé si tu pouvais passer à son bureau avant de partir.

Brooke s'empressa de rassembler ses affaires et de rebrousser chemin jusqu'au cinquième.

— Margaret ? lança-t-elle en frappant à la porte du bureau. Rebecca m'a dit que vous vouliez me voir ?

— Entrez, entrez, répondit sa chef de service en réorganisant des paperasses sur son bureau. Désolée de vous retarder, mais je me suis dit qu'on avait toujours du temps pour les bonnes nouvelles.

Brooke se laissa tomber sur la chaise en face de Margaret et attendit.

— Nous venons de finir d'éplucher toutes les évaluations des patientes et j'ai le plaisir de vous annoncer que vous avez les meilleures notes de toute l'équipe de diététiciennes.

— Ah bon ? fit Brooke, en ayant peine à le croire.

— Oui, et de loin. (Distraitement, Margaret s'étala un peu de baume sur les lèvres, les pinça et reporta les yeux sur ses papiers.) 91 % de vos patientes ont évalué vos consultations comme « excellentes » et les 9 % restants les ont estimées « bonnes ». Le second meilleur élément de l'équipe a un taux d'« excellent » de 82 %.

— Waouh… ! (Brooke était consciente qu'elle aurait dû faire preuve d'un peu de modestie, mais elle était incapable d'arrêter de sourire.) C'est une excellente nouvelle. Je suis enchantée de l'apprendre.

— Nous le sommes nous aussi, Brooke. Nous sommes extrêmement contents et je voulais que vous sachiez que votre performance n'est pas passée inaperçue. Vous serez encore assignée sur quelques dossiers aux soins intensifs, mais dès la semaine prochaine, nous allons remplacer toutes vos consultations au service psy par des consultations au service de néonatalogie. Je suppose que cela vous convient ?

— Oui, oui, j'en suis enchantée.

— Comme vous le savez, en termes d'ancienneté, vous n'arrivez qu'en troisième position dans l'équipe, mais personne d'autre n'a votre profil et votre expérience. Je pense que ce sera un poste parfait pour vous.

Brooke rayonnait. L'année de spécialisation en nutrition des enfants, des adolescents et des nouveau-nés, plus son double internat (deux stages effectués en pédiatrie) portaient enfin leurs fruits.

— Margaret, jamais je ne pourrai assez vous remercier. C'est tout simplement la meilleure nouvelle que j'aie jamais entendue.

Sa chef de service éclata de rire.

— Bonne soirée, Brooke. À demain.

En marchant vers le métro, Brooke remercia son ange gardien, quel qu'il soit, tant pour sa semi-promotion que pour le fait – encore plus enthousiasmant – d'être déchargée de ses consultations en psychiatrie qu'elle redoutait tant. Elle descendit du train à Times Square, se faufila dans la foule qui se pressait dans les couloirs, et émergea de terre stratégiquement, comme d'habitude, par l'escalier de la 43e Rue, la bouche la plus proche de leur appartement. Pas un jour ne passait sans qu'elle regrette leur ancien appartement à Brooklyn – elle avait adoré presque tous les aspects de Brooklyn Heights et détestait presque tous ceux de Midtown West –, mais elle devait reconnaître que depuis leur déménagement, leurs déplacements quotidiens étaient un peu moins cauchemardesques.

Lorsqu'elle glissa la clé dans la serrure, elle s'étonna de ne pas entendre aboyer Walter, son épagneul tricolore avec une tâche noire autour d'un œil. Elle redoubla d'étonnement lorsqu'il ne se précipita pas non plus pour l'accueillir.

— Walter Alter ! Où es-tu ?

Elle égrena un chapelet de baisers sonores dans l'air et attendit. Quelque part dans l'appartement, il y avait de la musique.

— On est dans le salon ! lança Julian.

Walter confirma les dires de son maître par quelques jappements aigus et frénétiques. Brooke lâcha son sac près de la porte d'entrée, se débarrassa de ses chaussures à talons, et remarqua que la cuisine était bien mieux rangée que lorsqu'elle était partie.

— Salut ! Je ne savais pas que tu rentrais de bonne heure ce soir, observa-t-elle, en se laissant tomber sur le canapé à côté de Julian.

Elle se pencha pour l'embrasser et ne réussit pas à éviter complètement un coup de langue intempestif de Walter.

— Mmm… merci Walter. C'est agréable de se sentir accueillie.

Julian coupa le son de la télé et se retourna vers Brooke.

— J'aurais été heureux de t'embrasser le premier, observa-t-il. Ma langue ne peut probablement pas rivaliser d'efficacité avec celle d'un épagneul, mais je suis disposé à faire de mon mieux.

Il lui fit un grand sourire et Brooke s'émerveilla d'en éprouver des palpitations, même après toutes ces années.

— Je dois dire que la proposition est tentante. (Elle fit une nouvelle tentative, en se penchant par-dessus Walter, et réussit cette fois à embrasser les lèvres teintées par le vin de Julian.) Tu semblais si stressé tout à l'heure, je me suis dit que tu rentrerais tard à la maison. Tout va bien ?

Il se leva pour gagner la cuisine, d'où il revint avec un second verre à vin, qu'il remplit et tendit à Brooke.

— Super bien. Après avoir raccroché, cet après-midi, je me suis aperçu que nous n'avions pas passé une soirée ensemble depuis presque une semaine. Je suis là pour y remédier.

— C'est vrai ?

Brooke se faisait la même réflexion depuis plusieurs jours, mais elle n'avait pas voulu se plaindre alors que Julian se trouvait à un point aussi crucial du processus de production.

Julian hocha la tête.

— Tu me manques, Rook.

Elle se suspendit à son cou et l'embrassa à nouveau.

— Toi aussi, tu me manques. Je suis tellement contente que tu sois rentré de bonne heure. Et si on sortait dîner ? Des nouilles ?

Pour le bien de leur budget, ils mettaient un point d'honneur à cuisiner aussi souvent que possible, mais ils avaient décidé d'un commun accord que le boui-boui asiatique en bas de chez eux ne comptait pas vraiment comme un dîner au restaurant.

— Ça t'embête si on dîne ici ? J'ai vraiment envie de passer une soirée peinarde avec toi, dit Julian avant de boire une autre gorgée de vin.

— Non, ça ne m'embête pas du tout. À condition que…

— Ah, nous y voilà…

— Je suis toute disposée à jouer les esclaves devant le fourneau pour te préparer un délicieux repas équilibré, si tu acceptes de me masser les pieds et le dos pendant une demi-heure.

— Jouer les esclaves devant le fourneau ? Ça prend deux minutes, de faire frire des morceaux de poulet ! C'est un marché de dupe !

Elle haussa les épaules.

— Comme tu veux. Il y a des céréales dans le placard, mais cela dit, je crois que nous sommes à court de lait. Tu peux toujours te faire du pop-corn.

Julian se tourna vers Walter.

— Je ne sais pas comment tu t'y prends, toi. Elle ne t'oblige jamais à bosser en échange de tes croquettes.

— Le tarif vient tout juste de grimper à trente minutes.

— C'était *déjà* trente minutes, pleurnicha Julian.

— Non, c'était trente au total. Maintenant, c'est trente pour les pieds, et trente de plus pour le dos.

Julian fit semblant de soupeser la proposition.

— Quarante-cinq minutes et je…

— Toute tentative de marchandage ne se soldera que par du temps supplémentaire.

Julian leva les mains en signe de reddition.

— J'ai bien peur qu'il n'y ait pas de marché.

— Vraiment ? fit Brooke avec un grand sourire. Tu vas te débrouiller tout seul, ce soir ?

Julian et elle se partageaient équitablement les tâches ménagères, les frais domestiques et les corvées de promenade avec Walter, mais il était incapable de se faire cuire un œuf, et il le savait.

— Eh bien justement, oui. Je dirais même que ce soir, je vais me débrouiller pour nous deux. Je nous ai préparé à dîner.

— Tu *quoi* ?

— Tu as bien entendu. (À cet instant, un minuteur sonna dans la cuisine.) Et c'est prêt. Si madame veut bien passer à table, ajouta-t-il en caricaturant l'accent britannique.

— Je suis déjà à table, répondit Brooke en se carrant dans le canapé et en croisant les pieds sur la table basse.

— Parfait, lança Julian depuis leur cuisine de la taille d'un mouchoir de poche. Je vois que tu as trouvé seule le chemin de la salle à manger.

— Tu as besoin d'aide ?

Julian réapparut en tenant un plat en Pyrex entre deux maniques.

— Et un gratin de macaronis pour mon amour…

Brooke poussa un cri aigu en voyant qu'il s'apprêtait à poser le plat directement sur la table en bois et se leva d'un bond pour aller chercher le dessous-de-plat. Puis Julian commença à remuer le gratin fumant – spectacle que Brooke contempla bouche bée.

— C'est le moment où tu m'annonces que tu as une maîtresse depuis le premier jour, ou presque, de notre mariage et où tu implores mon pardon, c'est ça ?

— Tais-toi et mange, répondit Julian avec un grand sourire.

Brooke se servit de la salade pendant que Julian déposait une part de gratin sur son assiette.

— Mon cœur, ça a l'air incroyablement bon. Où as-tu appris à faire ça ? Et pourquoi ne le fais-tu pas tous les soirs ?

Julian la considéra avec un sourire penaud.

— Il se pourrait que j'aie acheté le gratin chez un traiteur avant de rentrer, et que je me sois contenté de le réchauffer. Ce n'est pas impossible… Mais il a été acheté et réchauffé avec amour.

Brooke leva son verre et attendit que Julian en fasse autant pour trinquer.

— C'est parfait, dit-elle, avec sincérité. Absolument, incroyablement parfait.

Au cours du dîner, elle lui fit part de la nouvelle concernant Randy et Michelle et elle eut plaisir à voir qu'il s'en réjouissait, au point même de suggérer un séjour en Pennsylvanie pour garder leur nièce ou neveu. Puis il la mit au courant des derniers ajustements du plan média concocté par Sony puisque l'album était presque terminé, et il lui parla du nouveau manager que le label avait embauché pour lui, sur les recommandations de son agent.

— Apparemment, c'est le top du top. Il a la réputation d'être un peu agressif, mais j'imagine que c'est ce qu'on attend d'un manager.

— Tu lui as fait passer un entretien ? Quelle impression il t'a fait ?

— « Entretien », ce n'est peut-être pas le terme exact, répondit Julian après un temps de réflexion. C'est plutôt lui qui m'a exposé son plan d'ensemble pour ma carrière. Selon lui, on se trouve en ce moment à un carrefour décisif, et il est temps de « commencer à orchestrer l'action ».

— J'ai hâte de le rencontrer.

— Bon, il a incontestablement ce côté un peu lèche-bottes d'Hollywood – tu vois, ce genre de mecs dont tu sens qu'ils sont toujours à l'affût d'un moyen d'arriver à leurs fins – mais il est très sûr de lui, et ça me plaît bien. (Julian partagea ce qu'il restait de vin et se cala confortablement dans le canapé.) Comment ça s'est passé, à l'hôpital ? Encore une journée de dingue ?

— Totalement, mais tu ne devineras jamais ! J'ai obtenu les meilleures notes des évaluations des patientes et ils vont me donner davantage de consultations en pédiatrie.

Elle but une autre gorgée de vin, et tant pis pour le mal de tête le lendemain matin ! Le visage de Julian s'éclaira d'un immense sourire.

— C'est une excellente nouvelle, Rook. Je ne suis pas du tout surpris, mais c'est absolument génial. Je suis tellement fier de toi, ajouta-t-il en se penchant pour l'embrasser.

Brooke fit la vaisselle et prit un bain pendant que Julian terminait un truc sur son nouveau site Web, puis ils se retrouvèrent sur le canapé, en pantalons de pyjama en flanelle et tee-shirts. Julian étendit le plaid par-dessus leurs jambes et attrapa la télécommande.

— Un film ? proposa-t-il.

Brooke regarda l'horloge du lecteur DVD : 22 h 15.

— C'est un peu tard pour lancer un film maintenant. Que dirais-tu d'un épisode de *Grey's Anatomy* ?

— Tu es sérieuse ? se récria Julian, l'air horrifié. Comment peux-tu m'obliger à regarder ça alors que j'ai cuisiné pour toi ?

Brooke sourit et secoua la tête.

— Je ne suis pas certaine que « cuisiner » soit le mot juste, mais tu as raison. Ce soir, c'est toi qui choisis.

Julian fit défiler la liste de leurs enregistrements et sélectionna un épisode récent des *Experts*.

— Viens par là. Je vais te masser les pieds en même temps.

Brooke se tourna et posa ses jambes sur les genoux de Julian. Elle aurait pu ronronner de bonheur. Sur l'écran, les enquêteurs examinaient le corps mutilé d'une soi-disant prostituée, découvert dans un site d'enfouissement de déchets, à la périphérie de Las Vegas ; Julian était captivé. Brooke était bien moins fan que lui de la profusion de gadgets nécessaires à ces enquêtes policières – Julian, lui, aurait pu passer la nuit entière à regarder les experts démasquer des assassins en passant des preuves au scanner, au laser –, mais ce soir-là, ça lui était égal. Elle était heureuse d'être assise paisiblement aux côtés de son mari, et de se concentrer sur la merveilleuse sensation que lui procurait le pétrissage de pieds. Elle posa la tête sur l'accoudoir et ferma les yeux.

— Je t'aime.

— Moi aussi je t'aime, Brooke. Maintenant, tais-toi et laisse-moi regarder.

Rien de plus simple, car le sommeil la happait déjà.

Elle achevait tout juste de s'habiller lorsque Julian entra dans leur chambre. On avait beau être dimanche, il paraissait stressé.

— Il faut y aller, sinon on va être en retard, dit-il en sortant une paire de baskets de leur placard commun. Et tu sais combien ma mère adore les retards.

— Je sais, je suis presque prête, répondit Brooke en s'efforçant d'ignorer le fait qu'elle était encore toute transpirante après son jogging de cinq kilomètres, une heure plus tôt.

Quand Julian quitta la chambre, Brooke lui emboîta le pas et prit le manteau en laine qu'il lui tendait. Ils gagnèrent au pas de course la station de métro de Times Square. La rame arriva à l'instant où ils posaient le pied sur le quai.

— Je n'ai toujours pas compris ce que ton père et Cynthia sont venus faire à New York, dit Julian.

— C'est leur anniversaire, répondit Brooke en secouant les épaules.

Pour une matinée de mars, la température était étonnamment fraîche, et Brooke aurait tout donné pour pouvoir acheter une tasse de thé en chemin, mais il n'y avait pas une minute à perdre.

— Et ils ont décidé de venir le fêter ici ? En hiver, alors qu'on gèle ?

Brooke soupira.

— J'imagine que New York est plus excitante que Philadelphie. J'ai cru comprendre que Cynthia n'avait jamais vu *Le Roi Lion*, et mon père s'est dit que c'était une bonne excuse pour nous rendre visite. Ce qui me fait le plus plaisir, c'est que tu pourras toi-même leur annoncer la nouvelle…

Elle coula un regard vers Julian, et le vit sourire – ou plutôt ébaucher un sourire. *Il devrait être fier de lui*, songea-t-elle. Il venait d'apprendre une des meilleures nouvelles de sa carrière, et il le méritait.

— Ouais, je pense pouvoir dire sans m'avancer qu'il n'y a aucun débordement d'enthousiasme à craindre de la part de mes parents, mais peut-être que les tiens comprendront.

— Mon père raconte déjà à qui veut l'entendre que tu as le talent d'auteur-compositeur de Bob Dylan, et une voix qui les fera tous pleurer, dit-elle en riant. Je peux te garantir qu'il va être fou de joie.

Julian serra sa main dans la sienne. Son excitation était palpable. Brooke se força à sourire tandis qu'ils prenaient leur correspondance sur la ligne 6.

— Quelque chose ne va pas ? demanda Julian.

— Non, non. Il me tarde tant de t'entendre leur annoncer la nouvelle que c'en est presque insupportable. Le seul truc que je redoute un peu, c'est de voir nos parents respectifs dans une même pièce. Ça risque d'être bizarre.

— Tu crois vraiment que ça va mal se passer ? Ils se connaissent déjà.

— Oui, soupira Brooke, mais chaque fois qu'ils se sont rencontrés il y avait plein de monde autour, à notre mariage, pendant des fêtes… Jamais ils ne se sont vus en tête à tête. Imagine : le seul sujet de conversation qui intéresse mon père, c'est la performance des Eagles lors de la prochaine saison. Cynthia ne se tient plus de joie à l'idée de voir *Le Roi Lion* et considère que toute virée à New York se doit de comporter un déjeuner à la Russian Tea Room. Et de l'autre côté, on a tes parents : les New-Yorkais de souche les plus passionnés, les plus intimidants que j'aie jamais rencontrés, qui pensent que la NFL [1] est une ONG française, qui n'ont plus vu de comédie musicale depuis *Hair* et qui ne mangent qu'à la table de chefs étoilés. Alors dis-moi : qu'est-ce qu'ils vont bien pouvoir se raconter ?

Julian lui posa la main sur la nuque.

1. National Football League.

64

— C'est un brunch, ma puce. Une tasse de café, quelques bagels, et on met les voiles. Franchement, je suis sûr que tout va bien se passer.

— Oui, tant que mon père et Cynthia bavardent non-stop à tort et à travers avec une bonne humeur inaltérable, et que tes parents restent muets comme des carpes tout en les jugeant silencieusement. Un réjouissant dimanche en perspective.

— Cynthia pourra parler boutique avec eux, hasarda Julian.

Mais son rictus disait *moi-même je ne crois pas à ce que je dis* et Brooke se mit à rire. À rire de plus en plus fort, jusqu'à ce que des larmes embuent ses yeux.

— Dis-moi que tu n'as pas dit ça ! lança-t-elle tandis qu'ils émergeaient du métro au carrefour de la 77e Rue et de Lexington Avenue et commençaient à se diriger vers Park Avenue.

— Ben, c'est vrai, quoi !

— Tu es mignon, tu sais. (Brooke se pencha pour l'embrasser sur la joue.) Cynthia est infirmière scolaire. Elle soigne les angines et distribue du paracétamol pour soulager les crampes. Ce n'est pas elle qui va te dire si le Botox ou le Restylane est adapté au comblement d'un sillon naso-génien particulièrement marqué. Je doute fort que leurs expériences professionnelles se recoupent.

— N'oublie pas que Maman figure au palmarès des meilleurs angioplastes de tout le pays, dit Julian avec un sourire faussement offensé. Ce n'est pas rien.

— C'est clair.

— Bon, d'accord, j'entends ce que tu es en train de me dire. Mais mon père est capable de parler à n'importe qui. Tu sais combien il est accommodant. Il va se débrouiller pour que Cynthia l'adore.

— Oui, c'est un homme formidable, convint Brooke. (Ils n'étaient plus qu'à quelques pas de l'immeuble de ses beaux-parents et elle lui prit la main.) Mais c'est également un spécialiste mondialement connu de la chirurgie mammaire. Je ne vois pas comment une femme pourrait s'empêcher de penser qu'il est en train de jauger le volume de sa poitrine et de le juger insuffisant.

— Brooke, c'est stupide. Est-ce que tu supposes que tous les dentistes que tu rencontres hors de leur cabinet sont en train de scruter tes dents ?

— Oui.

— Ou que lorsque tu croises un psy dans une soirée, il t'analyse ?

— Absolument. J'en suis sûre, à 100 %. Sans l'ombre d'un doute.

— Eh bien, c'est ridicule.

— Ton père examine, manipule et évalue des seins huit heures par jour. Je ne suggère pas ici que c'est un pervers, mais juste que pour lui, c'est instinctif de regarder une poitrine. Une femme sent ce genre de choses. C'est tout ce que je dis.

— Bon, après ça il y a forcément une question qui s'impose.

— Laquelle ? demanda Brooke qui, en apercevant la marquise de l'immeuble, consulta sa montre.

— Est-ce que tu as l'impression qu'il te reluque les seins chaque fois qu'il te voit ?

Le pauvre Julian avait l'air si froissé que Brooke eut envie de le prendre dans ses bras.

— Mais, mon bébé, bien sûr que non, chuchota-t-elle en se penchant pour le serrer contre elle. Plus maintenant du moins, après toutes ces années. Il connaît la situation, il sait qu'il ne leur posera jamais la main dessus, et je pense qu'il s'est enfin fait une raison.

— Ils sont parfaits, Brooke, dit machinalement Julian. Juste parfaits.

— Je sais. C'est pour ça que ton père m'a proposé de me les refaire à prix coûtant lorsque nous nous sommes fiancés.

— Il a proposé que son associé s'en charge, et pas parce qu'il pensait que tu en avais besoin…

— Et pourquoi alors ? Parce que toi tu pensais que j'en avais besoin ?

Brooke savait que ce n'était pas du tout ça. Ils avaient déjà eu cette conversation une centaine de fois et elle savait que le docteur Alter avait offert ses services comme un tailleur aurait offert une remise sur un costume sur mesure – mais cette histoire continuait à l'irriter.

— Brooke…

— Excuse-moi. J'ai faim et ça me rend nerveuse, c'est tout.

— Ce sera bien moins catastrophique que ce que tu imagines.

Le portier accueillit Julian par une tape dans la main et dans le dos. Ce n'est qu'une fois dans l'ascenseur qui les emportait vers le dix-huitième étage que Brooke s'aperçut qu'elle arrivait les mains vides. Elle tira nerveusement sur la manche de Julian.

— On devrait redescendre acheter des gâteaux, ou des fleurs.

— Rook, détends-toi, ça n'a aucune importance. C'est mes parents. Ils s'en fichent éperdument.

— Mm mm, si tu crois que ta mère ne va pas remarquer qu'on arrive les mains vides, tu rêves.

— On vient, c'est tout ce qui compte.

— D'accord. Continue à te bercer de douces illusions.

Julian frappa à la porte qui s'ouvrit à la volée, sur le visage souriant de Carmen, la gouvernante des Alter depuis trente ans. Au tout début de leur relation, à la faveur d'un moment particulièrement intime, Julian avait confié à Brooke que jusqu'à l'âge de 5 ans il avait appelé Carmen « maman », convaincu que c'était elle sa génitrice.

Carmen se jeta au cou de Julian et l'embrassa.

— Comment va mon bébé ? Est-ce que ta femme te nourrit bien ?

Brooke serra le bras de Carmen en se demandant pour la millième fois pourquoi celle-ci ne pouvait pas être la mère de Julian et répondit :

— Franchement, Carmen, il a l'air de mourir de faim ? Certains soirs, je dois lui arracher la fourchette des mains.

— Je reconnais bien là mon garçon, dit Carmen en le couvrant d'un regard empreint de fierté.

— Carmen, très chère ? lança une voix stridente depuis le salon d'apparat, au bout du couloir. Amenez-nous les enfants, s'il vous plaît. Et n'oubliez pas de retailler les tiges avant de mettre les fleurs dans le vase. Prenez le nouveau Michael Aram, s'il vous plaît.

Carmen chercha des yeux le bouquet et Brooke se contenta de tendre ses mains vides. Elle se retourna vers Julian et lui décocha un regard entendu.

— Sans commentaire, marmonna celui-ci.

— D'accord, je me tais, parce que je t'aime.

Julian entraîna sa femme dans le salon. Brooke avait espéré qu'ils pourraient échapper à ce préambule et passer directement à table. Ils trouvèrent leurs parents respectifs assis face à face, chaque couple d'un côté, sur deux canapés ultramodernes identiques et discrets.

— Brooke, Julian. (Mrs Alter leur sourit mais ne se leva pas.) Je suis tellement contente que vous ayez pu vous joindre à nous.

Immédiatement, Brooke entendit là un reproche sur leur retard.

— Désolée pour notre retard, Elizabeth. Les métros étaient complètement…

— Vous êtes là et c'est tout ce qui compte, la coupa le docteur Alter, la main en coupe sous un verre trapu rempli de jus d'orange – un geste dans lequel Brooke ne put s'empêcher de voir une déformation professionnelle.

— Brookie ! Julian ! Alors quoi de neuf, les jeunes ?

Le père de Brooke s'était levé d'un bond pour les envelopper tous les deux dans une seule accolade. Sa jovialité exubérante de moniteur de colo était un petit numéro manifestement destiné aux Alter, ce que Brooke ne pouvait pas vraiment lui reprocher.

— Salut papa, dit-elle en répondant à son étreinte. (Elle se pencha vers Cynthia, que cet attroupement avait coincée sur le canapé, et qui se leva à moitié pour lui donner une accolade maladroite.) Salut Cynthia. Ça fait plaisir de te voir.

— Oh, oui ! On est tellement heureux d'être là ! Ton père et moi étions justement en train de dire qu'on se souvenait à peine à quand remontait notre dernier séjour à New York.

Ce n'est qu'à cet instant que Brooke put vraiment détailler l'apparence de Cynthia. Elle arborait un tailleur-pantalon rouge pétard, sans doute en synthétique, avec un chemisier blanc et des ballerines noires, un

triple rang de fausses perles autour du cou et, pour para-
chever l'ensemble, une mise en plis excessivement
bouclée et laquée. Avait-elle voulu imiter Hillary
Clinton lors d'un discours devant le Congrès ? Brooke
savait très bien que Cynthia avait plus vraisemblablement essayé de coller à l'idée qu'elle se faisait
de l'élégance vestimentaire d'une bourgeoise new-
yorkaise, mais s'était largement trompée dans ses
calculs, et l'erreur était d'autant plus criante dans le
décor dépouillé et d'inspiration asiatique de l'appartement des Alter. La mère de Julian – bien que de vingt ans
l'aînée de Cynthia – semblait avoir dix ans de moins
qu'elle, avec son jean sombre, coupe cigarette, et son
châle en cachemire aérien drapé par-dessus une tunique
sans manches en stretch. Elle portait une paire de déli-
cates ballerines ornées d'un discret logo Chanel et deux
accessoires : un jonc en or, et son énorme solitaire au
doigt. Avec son hâle léger et son maquillage discret, son
visage respirait la santé et ses cheveux étaient lâchés
dans son dos. Brooke se sentit immédiatement coupable,
tout en sachant combien Cynthia devait être intimidée.
Après tout, c'était le sentiment qu'elle-même éprouvait
toujours en présence de sa belle-mère et elle s'en voulait
d'avoir sous-estimé le carnage. Même son père avait
l'air conscient et gêné du fait que son pantalon en toile
et sa cravate étaient déplacés à côté du polo du docteur
Alter.

— Julian, chéri, je sais que tu veux un bloody mary.
Brooke qu'est-ce qui te ferait plaisir ? Un mimosa ?
s'enquit Elizabeth.

La question était simple mais comme toutes celles que
posait cette femme, elle semblait receler un piège.

— En fait, un bloody mary, ce sera très bien.

— Bien sûr, répondit la mère de Julian en humectant ses lèvres, comme si elle désapprouvait ce choix.

À ce jour, Brooke ne savait toujours pas si le peu d'affection que lui portait sa belle-mère avait à voir avec Julian et le fait qu'elle soutenait ses ambitions musicales, ou si elle lui déplaisait pour ce qu'elle était.

Ils n'eurent d'autre choix que de prendre les deux seuls sièges inoccupés – des fauteuils en bois et à dos droit qui n'avaient rien d'accueillant – disposés en vis-à-vis mais coincés entre les deux canapés. Mal à l'aise, déstabilisée par un sentiment de vulnérabilité, Brooke essaya de relancer la conversation.

— Alors, comment s'est passée votre semaine ? demanda-t-elle aux Alter tout en remerciant d'un sourire Carmen qui lui tendait un grand bloody mary agrémenté d'une rondelle de citron et d'un bâtonnet de céleri, qu'elle se retint à grand-peine de ne pas vider d'un trait. Débordés, comme toujours ?

— Oh oui, je ne sais vraiment pas comment vous faites pour tenir le coup, avec des emplois du temps pareils ! s'exclama Cynthia d'une voix un peu trop forte. Brooke m'a raconté combien de euh… d'interventions vous faites l'un et l'autre par jour, et franchement n'importe qui serait sur les rotules ! Moi, j'ai eu une épidémie d'angines et je suis complètement à plat, mais vous deux ! Nom d'un chien, Elizabeth, ça doit être démentiel.

Un grand sourire ruisselant de condescendance éclaira le visage d'Elizabeth Alter.

— Disons qu'on ne chôme pas. Mais ce n'est pas aussi ennuyeux qu'on pourrait le croire ! Et vous les enfants, qu'avez-vous à raconter ? Brooke ? Julian ?

Après cette remarque dédaigneuse, Cynthia se rencogna dans le canapé, découragée. La malheureuse traversait un champ de mines dans lequel elle était incapable d'évoluer sans être réduite en morceaux. Distraitement, elle se frictionna le front, l'air soudainement très fatigué.

— Oui bien sûr, souffla-t-elle. Comment allez-vous ?

Brooke se garda bien de donner quelque détail que ce soit concernant son travail. Certes, c'était grâce à l'appui de sa belle-mère qu'elle avait décroché un entretien à la Huntley, mais ce coup de pouce n'était intervenu que lorsque Mrs Alter avait enfin compris que Brooke ne ferait pas carrière dans la presse magazine, la mode, les maisons de vente aux enchères ou les relations publiques, et que c'était là une décision irrévocable. Ce qu'en revanche elle ne comprenait toujours pas, c'était pourquoi – si sa belle-fille tenait absolument à mettre à profit son diplôme – elle ne s'orientait pas vers un poste de diététicienne conseil à *Vogue*, de consultante privée auprès de ses légions d'amis de l'Upper East Side, ou n'importe quel autre débouché un peu plus glamour qu'« un service d'urgence installé dans des locaux miteux, débordants de sans-abri et d'ivrognes ».

Julian connaissait assez le problème pour intervenir et voler à son secours. Il toussota, et lança :

— À vrai dire, j'ai quelque chose à vous annoncer.

D'un coup d'un seul, en dépit de son enthousiasme et de son impatience à l'entendre annoncer la nouvelle, Brooke fut prise de panique. Elle se surprit à souhaiter qu'il ne parle pas du *showcase*, puisqu'il était couru d'avance qu'il serait déçu par la réaction de ses parents. Elle détestait le voir endurer ce genre de déconvenue.

Personne n'éveillait chez elle autant d'instinct protecteur que les parents de Julian. La seule pensée de ce qu'ils allaient bien pouvoir dire lui donna envie de ramener son mari directement à la maison, où il serait à l'abri de leur méchanceté et – bien pire – de leur indifférence.

Tout le monde patienta, le temps que Carmen apporte une seconde carafe de pamplemousse pressé, puis chacun tourna son attention vers Julian.

— Je euh… mon nouveau manager, Leo, vient de m'annoncer que Sony m'a programmé dans un *showcase* cette semaine. Jeudi, en fait.

Il y eut un instant de silence, pendant lequel personne ne se précipita pour réagir puis, finalement, le père de Brooke se jeta à l'eau le premier.

— Bon, je ne sais pas trop ce que c'est, un *showcase*, mais ça m'a tout l'air d'une bonne nouvelle. Félicitations, fils ! lança-t-il en se penchant par-dessus Cynthia pour asséner une tape dans le dos de Julian.

Le docteur Alter, que le mot « fils » avait véritablement agacé, se renfrogna, avant de se retourner vers Julian.

— Et si tu nous expliquais, à nous pauvres béotiens, ce que cela signifie ?

— Oui… cela veut-il dire que quelqu'un va enfin écouter ta musique ? lança sa mère en glissant les pieds sous ses fesses comme une jeune fille et en souriant à son fils.

Tout le monde mit un point d'honneur à ignorer l'emphase qu'elle avait placée sur ce « enfin » ; tout le monde sauf Julian, dont le visage enregistra le coup, et Brooke, à qui cette réaction n'échappa pas. Après toutes ces années, elle était bien entendu accoutumée aux propos blessants des Alter, mais elle ne les haïssait pas moins pour autant. Julian lui avait progressivement révélé, dans les premiers temps de leur relation, à quel point ses parents désapprouvaient qui il était devenu et la vie qu'il avait choisie. Lorsqu'ils s'étaient fiancés, Brooke avait été témoin de leurs objections quand Julian avait insisté pour lui offrir une bague en or toute simple, plutôt que l'un des bijoux de famille que sa mère le pressait d'accepter. Même lorsque le jeune couple avait accepté de se marier dans la résidence qu'ils possédaient dans les Hamptons, les parents de Julian avaient formellement désapprouvé leur choix d'une noce en petit comité, sans tralala et hors saison. Depuis, et maintenant que ses beaux-parents se comportaient plus librement devant elle, Brooke avait pu maintes fois constater, lors de dîners, de brunches et de vacances, à quel point ils pouvaient être toxiques.

— En deux mots, ça signifie qu'ils se sont rendu compte que l'album était bientôt prêt et que jusque-là, ils l'apprécient. Ils me programment dans un concert privé destiné aux gens de l'industrie, qui pourront ainsi découvrir mon travail, et le label pourra, lui, jauger leurs réactions.

Julian, d'ordinaire si modeste – à tel point que, lorsque sa journée de studio avait été très fructueuse, il ne s'en vantait même pas auprès de Brooke –, rayonnait de fierté. Brooke brûlait d'envie de l'embrasser, là, tout de suite.

— Je ne connais pas grand-chose à l'industrie du disque, mais ça m'a tout l'air d'un énorme vote de confiance de leur part, déclara Mr Greene en levant son verre.

— Ça l'est, confirma Julian avec un grand sourire impossible à contenir. Et pour l'heure, c'est probablement le meilleur scénario possible. Et j'espère…

Le téléphone sonna et sa mère chercha aussitôt le combiné des yeux.

— Ah, où est passé ce maudit téléphone ? ragea-t-elle en dépliant ses jambes. Ce doit être L'Olivier qui appelle pour me confirmer une heure, demain. Une seconde, mon chéri. Si je ne m'en occupe pas immédiatement, jamais je n'aurai de fleurs demain pour le dîner.

— Tu sais comment est ta mère avec ses fleurs, observa le docteur Alter lorsque sa femme eut disparu dans la cuisine. (Il était en train de siroter son café, et personne n'aurait su dire s'il avait seulement entendu la nouvelle que Julian venait d'annoncer.) Nous avons les Bennett et les Kamen demain à dîner, et ta mère est dans tous ses états à cause des préparatifs. Bon sang ! On croirait que décider entre la sole farcie ou les côtelettes braisées est une question de sécurité nationale. Et les fleurs ! Elle a dû passer la moitié d'un après-midi avec ces *feygeles* [1] la semaine dernière, et elle hésite encore. Je le lui ai répété un millier de fois : les gens se fichent des fleurs. Personne ne les remarquera. Tout le monde donne des mariages somptueux et dépense des sommes folles pour des montagnes d'orchidées, ou je ne sais quelles fleurs à la mode en ce moment, et qui les remarque ? Vous pouvez me le dire ? Si vous voulez mon avis, c'est un gaspillage monumental. Mieux vaut dépenser l'argent pour un dîner de qualité et de bons alcools – c'est ça que les gens apprécient vraiment.

1. Mot yiddish désignant un homosexuel.

Il but une autre gorgée de café, regarda autour de lui et plissa les yeux.

— De quoi parlait-on, déjà ?

Cynthia intervint et dissipa la tension palpable de l'instant avec une certaine grâce.

— Mais c'est tout simplement une des meilleures nouvelles depuis des années ! s'exclama-t-elle avec un enthousiasme excessif, et le père de Brooke hocha la tête avec entrain. Où cela aura-t-il lieu exactement ? Combien de personnes sont invitées ? As-tu déjà décidé ce que tu vas jouer ?

Cynthia le pressait de questions et, pour une fois, Brooke ne trouva pas cet interrogatoire agaçant. C'était là toutes les questions que les propres parents de Julian auraient dû lui poser mais ne lui poseraient jamais, et Julian était manifestement ravi de susciter autant d'intérêt.

— Ça aura lieu dans une petite salle de concert vraiment intime, *downtown*, et d'après mon agent, il y aura une cinquantaine de personnes du milieu – des programmateurs télé et radio, des décideurs de l'industrie musicale, quelques personnes de MTV, ce genre de faune. Très vraisemblablement, rien de très excitant n'en ressortira, mais c'est encourageant que le label soit content de l'album.

— C'est rare qu'ils en fassent autant pour leurs artistes débutants, renchérit Brooke avec fierté. Julian est trop modeste en réalité – c'est vraiment énorme.

— Bon, voilà au moins une bonne nouvelle, pour changer, trancha la mère de Julian en reprenant sa place sur le canapé.

La bouche de Julian se crispa et il serra les poings.

— Maman, voilà des mois maintenant qu'ils me prodiguent leurs encouragements. Certes, les responsables insistaient pour que la guitare soit plus mise en valeur, mais jusque-là ils ont été super. Je ne sais pas pourquoi tu te sens obligée de répondre sur ce ton.

Elizabeth Alter regarda son fils et sembla un instant déroutée.

— Oh, mon chéri, je parlais de L'Olivier. C'est une bonne nouvelle qu'ils aient les callas que je voulais, et que mon styliste préféré soit libre pour venir les disposer. Ne sois donc pas si susceptible.

Mr Greene coula vers sa fille un regard qui signifiait *qui est cette bonne femme ?*, et Brooke haussa les épaules. Tout comme Julian, elle avait accepté l'idée que les Alter ne changeraient jamais. Et c'était pour cette raison qu'elle l'avait soutenu à 100 % lorsqu'il avait refusé l'appartement qu'ils offraient d'acheter aux nouveaux mariés, à côté de chez eux, dans l'Upper East Side. Ou encore qu'elle avait préféré (en comprenant que ce ne serait pas sans contrepartie) prendre un mi-temps en plus de son poste à l'hôpital, plutôt que d'accepter « l'allocation » qu'ils s'étaient un jour proposé de leur verser.

Lorsque Carmen vint annoncer que le brunch était servi, Julian était devenu mutique et avait pris cet air absent – « chaviré », disait Brooke – et Cynthia semblait chiffonnée et vidée. Même le père de Brooke, qui s'évertuait vaillamment à chercher des sujets de conversation neutres (« N'est-ce pas incroyable, la rigueur de l'hiver que nous avons cette année ? » ou encore « Vous vous intéressez au base-ball, William ? *A priori* je dirais que vous soutenez les Yankees, mais je sais que l'équipe de cœur n'est pas toujours déterminée par son origine géographique… »), semblait avoir jeté l'éponge. En des circonstances normales, Brooke se serait sentie responsable de cette débâcle – après tout, n'était-ce pas uniquement à cause d'elle et de Julian que son père et Cynthia étaient là ? – mais ce jour-là, elle laissa courir. *Si l'un des membres souffre, tous souffrent avec lui*, se souvint-elle. Elle s'éclipsa poliment en prétextant aller aux toilettes, et gagna la cuisine.

— Comment ça se passe à côté, ma cocotte ? s'enquit Carmen qui remplissait une coupelle en argent de confiture d'abricot.

Brooke lui tendit son verre de bloody mary, vide, avec un regard suppliant.

— Si mal que ça ? (Carmen éclata de rire et fit signe à Brooke de sortir la bouteille de vodka du congélateur pendant qu'elle préparait le jus de tomate et l'assaisonnait.) Tes parents tiennent le coup ? Cynthia m'a l'air d'être une charmante dame.

— Mm, oui, elle est adorable. Après tout, ils se sont jetés de leur plein gré dans la gueule du loup. Non, c'est pour Julian que je me fais du souci.

— Tout ça n'a rien de nouveau pour lui, ma cocotte. Personne ne sait mieux s'y prendre avec eux.

— Je sais, soupira Brooke. Mais ensuite, il est déprimé pendant des jours et des jours.

Carmen plongea un bâtonnet de céleri dans l'épais nectar écarlate et tendit le verre à Brooke.

— Tiens, voilà du réconfort, annonça-t-elle avant de l'embrasser sur le front. Maintenant, file et va protéger ton homme.

Le déjeuner ne se passa guère mieux que l'apéritif. La mère de Julian piqua une mini-crise frivole à propos de la garniture des crêpes au chocolat (leur reprochant,

contre l'avis unanime, d'être bien trop riches) et le
docteur Alter disparut un long moment dans son bureau.
L'avantage, cependant, fut que leur fils n'essuya plus
aucune vexation pendant plus d'une heure. Les adieux
furent par chance indolores, mais lorsqu'ils eurent mis
Cynthia et son père dans un taxi, Brooke vit que Julian
était renfrogné et triste.

— Ça va, bébé ? Mon père et Cynthia étaient aux
anges. C'est à peine si je peux…

— Je n'ai pas envie d'en parler, d'accord ?

— Dis, on a tout l'après-midi devant nous et on est
libres comme l'air. Tu veux faire un tour au musée, tant
qu'on est dans le quartier ? proposa Brooke en lui
prenant la main et en tirant doucement sur son bras
tandis qu'il se dirigeait vers le métro.

— Non, je ne crois pas que je sois d'humeur à
supporter les foules dominicales.

Brooke réfléchit un instant.

— Et ce film en 3D que tu as envie de voir depuis un
petit moment ? Je t'accompagnerais volontiers,
mentit-elle.

Aux grands maux, les grands remèdes.

— Ça va, Brooke. Je t'assure, répondit tranquillement Julian, en tirant nerveusement sur son écharpe en
laine.

C'était lui le menteur maintenant.

— Est-ce que je peux inviter Nola au *showcase* ? Ça
m'a l'air super *hype*, et tu sais que Nola adore tout ce qui
est *hype*.

— Je suppose, mais Leo a dit que ce serait un tout
petit truc, et j'ai déjà invité Trent. Son stage à New York
se termine dans quinze jours et il bosse comme un

dingue. J'ai pensé qu'une petite soirée ne lui ferait pas de mal.

Ils parlèrent encore un peu du *showcase*, de ce que Julian porterait ce soir-là, des chansons qu'il jouerait, et de l'ordre dans lequel il les jouerait. Brooke se réjouit de voir qu'elle avait réussi à lui changer les idées, et lorsqu'ils arrivèrent chez eux, Julian était presque redevenu lui-même.

— Est-ce que je t'ai dit combien je suis fière de toi ? demanda-t-elle lorsqu'ils entrèrent dans leur ascenseur, avec un évident soulagement, pour l'un comme pour l'autre, d'être enfin à la maison.

— Ouais, répondit Julian avec un petit sourire.

— Viens, rentrons vite, reprit-elle en le tirant par la main le long du couloir. Je pense qu'il est temps de te montrer que ce n'était pas des paroles en l'air.

Il ravale John Mayer au rang d'amateur

Brooke descendit du taxi, rajusta ses cuissardes noires, dénichées en solde et qui n'arrêtaient pas de glisser, et contempla la rue sombre et déserte.

— Mais où est-on ? grommela-t-elle.

— West Chelsea, le quartier des galeries, indiqua Nola. Au bout de la rue, c'est la 10e, et 1 OAK est juste là, à l'angle.

— Et je suis censée comprendre de quoi tu parles, n'est-ce pas ?

Nola secoua la tête.

— Le principal, c'est que tu es superbe. Julian sera fier d'avoir une femme aussi sexy.

Brooke savait bien que son amie la complimentait par gentillesse. Comme d'habitude, c'était Nola qui était superbe. Elle avait rangé sa veste de tailleur et ses escarpins à petits talons dans son fourre-tout Vuitton *oversized*, d'où elle avait extrait un gros collier multi-rangs et une paire de Louboutin à talons vertigineux, dont il était difficile de déterminer s'il s'agissait de bottines ou de sandales, et que seules six femmes environ sur terre pouvaient porter sans passer pour une maîtresse SM. D'autres détails qui auraient eu l'air complètement trash sur n'importe qui d'autre – le rouge à lèvres écarlate, les collants résilles couleur chair et le soutien-gorge en dentelle noire que l'on distinguait à travers le débardeur transparent – devenaient sur Nola à la fois pointus, décalés et amusants. Sa jupe crayon, pièce d'un tailleur de luxe dont le chic s'accordait parfaitement à l'un des environnements professionnels les plus conservateurs de Wall Street, mettait maintenant en valeur son derrière musclé et ses jambes parfaites. Si Nola avait été n'importe quelle autre femme sur terre, Brooke l'aurait haïe avec force.

— Entre la 10e et la 11e Avenue, dit Brooke en consultant son BlackBerry. C'est exactement là où nous nous trouvons. Alors, il est où, ce maudit bar ?

Une ombre détala dans sa vision périphérique et elle poussa un glapissement.

— Enfin, Brooke, détends-toi ! (Nola fit mine de chasser l'image du rat de sa main ornée d'une bague de cocktail.) Il a bien plus peur de toi que toi de lui.

Brooke s'empressa de traverser la rue en s'apercevant que les numéros impairs se trouvaient sur le trottoir opposé.

— Facile à dire pour toi. Tu pourrais lui transpercer le cœur d'un seul coup de talon. Moi, avec mes bottes raplapla, je risque gros.

Nola éclata de rire tout en évoluant avec grâce derrière Brooke.

— Tiens, regarde, je crois qu'on y est, dit-elle en désignant le seul bâtiment du bloc qui ne semblait pas condamné.

Les filles s'engagèrent dans le petit escalier qui, du trottoir, conduisait à la porte d'un sous-sol borgne. Julian avait bien expliqué à Brooke que les *showcases* changeaient constamment d'endroit, et que les professionnels de l'industrie musicale étaient perpétuellement à l'affût du prochain lieu branché susceptible de générer un buzz, mais tout de même, elle s'était imaginé une salle un peu plus avenante ! Qu'est-ce que c'était que cet endroit ? Il n'y avait pas de queue le long du trottoir. Ni de marquise qui annonçait l'artiste de la soirée. À la porte, il n'y avait même pas, comme d'habitude, la fille revêche armée d'une liste, qui intimait avec véhémence aux invités l'ordre de reculer d'un pas et d'attendre leur tour.

Brooke sentit une pointe d'anxiété, jusqu'à ce qu'elle pousse cette porte qui évoquait celle d'un coffre-fort, pénètre dans la salle et se retrouve immédiatement enveloppée dans un cocon tiède tissé de pénombre, de rires feutrés et d'un parfum, discret mais caractéristique, de marijuana. La salle avait la taille d'un grand salon, et tout – les murs, les canapés et même la paroi du petit bar d'angle – était recouvert de luxueux velours grenat. Une seule lampe, posée sur le piano, diffusait une lumière douce sur le tabouret vide. Des centaines de petites chandelles votives se démultipliaient dans les miroirs des plateaux de table et du plafond. L'ensemble parvenait à dégager une vibration incroyablement sexy, sans jamais évoquer une pâle reprise des bric-à-brac baroquisants des années 80.

Quant au public, il semblait avoir été téléporté d'un cocktail au bord d'une piscine à Santa Barbara. Quelque quarante ou cinquante personnes – des gens jeunes et beaux pour la plupart – allaient et venaient en sirotant leur verre et en exhalant langoureusement de longs panaches de fumée. Les hommes étaient presque tous en jean, et les rares qui avaient gardé leur costume avaient retiré leur cravate et déboutonné leur col de chemise. Quant aux femmes, quasiment aucune n'était perchée sur des talons hauts ni n'arborait la petite robe noire et moulante de rigueur à Manhattan : à l'inverse, elles déambulaient toutes dans des tuniques aux superbes imprimés, parées de longues boucles d'oreilles ornées de pierres ou gainées dans des jeans si parfaitement délavés que Brooke regretta aussitôt de ne pas pouvoir retirer sa robe en maille. Certaines avaient le front ceint de bandeaux hippy chic, et arboraient de beaux cheveux lâchés jusqu'à la taille. Personne dans cette assemblée ne semblait le moins du monde mal à l'aise ou stressé – une autre incongruité à Manhattan – ce qui naturellement ne fit que redoubler l'anxiété de Brooke. On était loin du public habituel de Julian. Qui étaient tous ces gens, et pourquoi étaient-ils tous mille fois mieux vêtus qu'elle ?

— Respire, lui chuchota Nola à l'oreille.

— Si moi je suis nerveuse, je n'ose même pas imaginer dans quel état est Julian.

— Viens, on va se chercher un verre.

Nola rejeta ses cheveux blonds derrière ses épaules et tendit la main à Brooke, mais avant qu'elles aient pu se mouvoir à travers la foule, celle-ci entendit une voix familière.

— Rouge, blanc, ou un truc plus costaud ? demanda Trent en apparaissant comme par magie à côté d'elles.

Il était l'un des rares hommes en costume et avait l'air mal à l'aise. Sans doute était-ce la première fois qu'il mettait un pied hors de l'hôpital depuis des semaines.

— Hé, salut ! s'écria Brooke en lui sautant au cou. Tu te souviens de Nola, n'est-ce pas ?

— Bien sûr, répondit Trent en souriant.

Il se tourna vers elle pour l'embrasser. Quelque chose dans son ton semblait dire : *Évidemment que je me souviens de toi, parce que le soir où nous nous sommes rencontrés, tu as embarqué mon pote, et il a été très impressionné, tant par ton empressement que par ta créativité dans la chambre à coucher.* Mais Trent était beaucoup trop discret pour risquer ce genre de plaisanterie, même après toutes ces années.

Nola, en revanche, l'était beaucoup moins.

— Comment va Liam ? Bon sang, qu'est-ce qu'il était drôle ! dit-elle avec un immense sourire. Vraiment très drôle.

Trent et Nola échangèrent un regard entendu et éclatèrent de rire.

— Okay, lança Brooke en levant la main. On va briser là. Trent, félicitations pour tes fiançailles ! Quand aura-t-on l'occasion de la rencontrer ?

Brooke n'arrivait pas à se résoudre à prononcer le nom de Fern car elle n'était pas certaine de pouvoir le dire sans éclater de rire. *Fern* [1] ? Franchement, on se demandait où certains parents avaient la tête.

— Vu qu'il est très rare que nous ne soyons pas ensemble à l'hôpital, il est possible que tu ne la rencontres que le jour du mariage.

Le barman attira l'attention de Trent, qui se tourna vers les filles.

— Du rouge, s'il te plaît, répondirent-elles à l'unisson.

Ils observèrent le barman servir le cabernet californien, puis Trent tendit leur verre aux deux filles, et vida

---

1. Fern – « Fougère » – est un prénom dûment répertorié, mais rare.

le sien en deux gorgées. Il se retourna vers Brooke, l'air penaud.

— Je ne sors pas souvent.

Nola annonça qu'elle allait faire un petit tour de la salle.

— Parle-moi d'elle, dit Brooke en souriant à Trent. Où le mariage aura-t-il lieu ?

— Fern vient du Tennessee et d'une famille nombreuse, donc on va probablement faire ça chez ses parents. En février prochain, je pense.

— Waouh, ça se précise ! C'est une super nouvelle.

— Ouais, le seul moyen pour nous de faire l'internat dans la même ville, c'est d'être mariés.

— Donc, vous continuez tous les deux dans la gastro-entérologie ?

— Oui, c'est l'idée.

Trent marqua une pause et sembla réfléchir avant d'ajouter, avec un grand sourire :

— C'est une fille géniale. Je suis sûr qu'elle va te plaire.

— Salut, mec ! s'exclama Julian en assénant une claque dans le dos de son cousin. Évidemment, qu'elle va nous plaire. Elle va devenir ta femme. C'est dingue, non ?

Julian se pencha pour embrasser Brooke sur les lèvres. Les siennes avaient un goût délicieux, un mélange de menthe et de chocolat, et le seul fait de le voir était rassurant. Trent éclata de rire.

— Moins dingue que le fait que mon empoté de cousin ait lui-même une femme depuis presque cinq ans maintenant.

Ils venaient de trinquer – Julian, lui, ne buvait que de l'eau – lorsque Brooke vit apparaître à ses côtés, comme par magie, un des hommes les plus séduisants qu'elle ait jamais vu. Il la dépassait d'une bonne tête, ce qui lui donna immédiatement l'impression d'être aussi légère et délicate qu'une gamine. Pour la énième fois, elle regretta que Julian ne soit pas aussi grand que ce mystérieux inconnu, puis elle s'empressa de chasser cette pensée de sa tête ; Julian regrettait probablement que le corps de Brooke ne ressemble pas davantage à celui de Nola, alors de quel droit se plaignait-elle ? Le type lui glissa un bras derrière le dos et lui serra l'épaule. Il était si près qu'elle pouvait sentir son eau de toilette – une fragrance masculine, subtile, luxueuse. Elle piqua un fard.

— Vous devez être l'épouse, lança l'inconnu.

Il se pencha pour déposer un baiser sur le haut de son crâne, un geste qui était à la fois étrangement intime et impersonnel. La voix n'était pas aussi grave que Brooke s'y serait attendue de la part d'un homme de cette taille, et doté manifestement d'une musculature aussi virile.

— Leo, voici Brooke, dit Julian. Brooke, je te présente Leo, mon extraordinaire nouveau manager.

À cet instant, une sublime Eurasienne passa près d'eux, et Julian et Brooke virent Leo lui adresser un clin d'œil. Où diable était passée Nola ? Brooke devait la prévenir, le plus tôt possible, que Leo était chasse gardée. Ce n'allait pas être facile, car Leo était exactement son genre d'homme. Sa belle chemise rose – une pièce de créateur, de toute évidence, et légèrement plus déboutonnée que la plupart des hommes l'auraient osé – mettait en valeur son joli bronzage, assez prononcé, mais dont on voyait qu'il ne devait rien à des cabines ou à des autobronzants. Il portait un pantalon taille basse et slim, à la mode européenne. Avec une telle tenue, il aurait également dû avoir des cheveux lissés en arrière à grand renfort de gel, mais intelligemment, il laissait ses épaisses boucles brunes se mouvoir librement autour de son visage. Le seul défaut que Brooke put déceler se limitait à une cicatrice qui barrait son sourcil droit, mais c'était un défaut qui ajoutait à son charme et balayait tous les soupçons que pouvait inspirer une apparence aussi soignée, aussi parfaitement étudiée. Et il n'avait pas une once de graisse sur tout le corps.

— C'est un plaisir de vous rencontrer, Leo, dit Brooke. J'ai tellement entendu parler de vous !

L'intéressé ne sembla pas entendre.

— Bon, écoute, dit-il en se tournant vers Julian. Je viens d'apprendre que c'est toi qui fermes la marche. Le premier est déjà passé, le second va commencer et ensuite c'est à toi.

Tout en s'adressant à lui, Leo scrutait attentivement un point par-dessus l'épaule de son poulain.

— C'est une bonne nouvelle ? demanda poliment Brooke.

Julian lui avait déjà expliqué qu'aucun des autres artistes programmés ce soir-là – un groupe de R&B dont tout le monde trouvait qu'il sonnait comme un Boyz II Men des temps modernes, et une chanteuse de country couverte de tatouages, qui affectionnait les robes à frou-frous et arborait des tresses – n'était réellement en compétition.

Brooke remarqua que le regard de Leo, une fois de plus, s'était égaré dans une autre direction. Elle le suivit et découvrit qu'il fixait Nola. Ou plutôt, le derrière de Nola, emprisonné dans la jupe crayon. Brooke nota dans un coin de sa tête de menacer son amie de bannissement, voire pire, si jamais elle approchait de Leo.

Leo s'éclaircit la voix et but une gorgée de bourbon.

— La nana est déjà passée, et elle s'en est bien tirée. Ce n'était pas renversant, mais c'était assez distrayant. Je pense que…

Des voix en train de s'échauffer l'interrompirent. Le lieu n'offrait pas de scène à proprement parler, mais un espace avait été ménagé devant le piano, où venaient de prendre place quatre jeunes Afro-Américains, qui se penchaient d'un même élan vers le micro disposé au centre. Un court instant, on aurait cru entendre une bonne chorale d'étudiants, mais ensuite trois des types se reculèrent pour laisser le chanteur principal raconter d'une voix de crooner son enfance à Haïti. Le public hocha la tête et commença à bouger en rythme. Julian contourna leur groupe et vint se poster derrière elle.

— Ça va, ma puce ?

Il lui embrassa la nuque, et elle faillit laisser échapper un gémissement. Il arborait son uniforme, inchangé après toutes ces années : un tee-shirt blanc, un Levi's et un bonnet tricoté. Cette tenue n'aurait pas pu être plus banale, mais aux yeux de Brooke, elle avait fini par incarner l'essence même d'une séduction virile. Le bonnet était la signature de Julian, son signe distinctif, ce qui se rapprochait le plus pour lui d'un « look », et Brooke était la seule à savoir qu'il représentait bien plus que ça. L'année précédente, Julian avait été dévasté en se découvrant un début de calvitie – pourtant le plus discret de toute l'histoire capillaire. Brooke avait tenté de le convaincre que c'était à peine visible, mais Julian n'avait rien voulu entendre. Et pour être parfaitement honnête, il était *possible* que le mal se soit élargi depuis, mais ça, elle ne l'aurait jamais admis.

Personne, en voyant les somptueuses boucles brunes qui s'échappaient de sous le bonnet, n'aurait pu le deviner, et aux yeux de Brooke, cette coquetterie ne faisait qu'ajouter à sa séduction, le rendre plus vulnérable, plus humain. Secrètement, elle adorait être la seule à voir Julian sans son bonnet, lorsque, en sécurité à la maison, il l'enlevait et secouait ses boucles juste pour elle. Si quelqu'un avait dit à Brooke quelques années plus tôt que la calvitie de plus en plus prononcée de son mari de 32 ans deviendrait à ses yeux un de ses atouts de charme, elle aurait ri d'incrédulité. Pourtant, c'était exactement ce qui était en train de se passer.

— Comment te sens-tu ? Tu es nerveux ? demanda-t-elle en cherchant sur son visage un indice susceptible de lui indiquer son état d'esprit du moment.

Toute la semaine, il avait été une loque – se nourrissant à peine, incapable de fermer l'œil la nuit et il avait même vomi, plus tôt dans l'après-midi – mais quand Brooke avait essayé de lui en parler, il s'était complètement refermé sur lui-même. Et lorsqu'elle lui avait proposé de l'accompagner, Julian avait insisté pour qu'elle n'arrive que plus tard, avec Nola. Il voulait discuter de certaines choses avec Leo, lui avait-il expliqué, et devait prendre le temps de s'assurer que tout était bien en place. Quelque chose dans ces préparatifs avait dû faire effet, car il semblait un peu plus détendu.

— Je suis prêt, dit-il avec un hochement de tête résolu. Je me sens bien.

Brooke l'embrassa sur la joue. Elle savait pertinemment qu'il avait les nerfs à fleur de peau, mais elle était fière de voir qu'il ne se laissait pas démonter.

— Oui, on dirait. Tu as l'air prêt. Tu vas faire un tabac, ce soir.

— Tu crois ?

Il but une gorgée de son soda et Brooke remarqua que ses articulations étaient exsangues. Elle savait qu'il avait envie d'un truc plus fort, mais qu'il ne buvait jamais d'alcool avant de monter sur scène.

— Je ne crois pas, je sais. Quand tu t'assieds au piano, tu ne penses plus à rien d'autre qu'à la musique. Ce soir n'est en rien différent d'un concert chez Nick. Tu sais que le public t'adore toujours. Ne l'oublie pas. Sois toi-même, et ici aussi il va t'adorer.

— Écoute-la ! lança Leo en se retournant vers eux. Tu oublies où tu es, pourquoi tu y es, et tu fais ton truc. Pigé ?

Julian hocha la tête et tapa vigoureusement du pied.

— Pigé.

— Viens te préparer, reprit Leo en lui désignant le fond de la salle.

Brooke se hissa sur la pointe des pieds pour embrasser Julian sur la bouche et elle lui serra fort la main.

— Je ne bouge pas d'ici, mais oublie-nous. Ferme les yeux et laisse parler ton cœur.

Il lui lança un regard reconnaissant, sans parvenir à lui répondre. Leo l'entraîna et avant qu'elle ait pu finir son verre de vin, un des types du département A&R [1] prit le micro et annonça Julian.

Brooke chercha à repérer Nola et l'aperçut devant le bar, en train de bavarder avec un petit groupe. Cette fille connaissait décidément tout le monde. Par chance, Brooke avait Trent sous la main, elle le laissa la conduire

1. Au sein d'un label musical, la division *Artists and Repertoire* œuvre à la découverte de nouveaux artistes susceptibles d'être pris sous contrat.

vers un canapé sur lequel il restait une microplace. Trent l'invita galamment à s'asseoir. Elle se posa tout au bout et, d'un geste nerveux, rassembla ses cheveux en chignon, puis fouilla dans son sac en quête d'un élastique.

— Tenez, dit la belle Eurasienne à laquelle Leo avait adressé un clin d'œil un peu plus tôt. (Elle fit glisser un élastique marron de son poignet et le tendit à Brooke.) J'en ai plein.

Brooke ne réagit pas tout de suite, ne sachant pas quoi faire et la fille sourit.

— Franchement, prenez-le. Les cheveux dans les yeux, c'est horripilant. Encore que si j'avais des cheveux comme les vôtres, je ne les attacherais jamais.

— Merci, dit Brooke en acceptant l'élastique.

Elle l'entortilla immédiatement autour de sa queue de cheval et était sur le point d'ajouter quelque chose – peut-être quelque remarque autodépréciative sur le fait qu'elle ne souhaiterait à personne d'être rousse – mais à cet instant Julian s'assit devant le piano et elle l'entendit, d'une voix légèrement chevrotante, remercier le public de sa présence.

Sa voisine but une gorgée de bière au goulot et demanda :

— Vous l'avez déjà entendu ?

Brooke hocha sobrement la tête en priant pour que la fille arrête de parler. Elle ne voulait pas rater une seule seconde, et son plus grand souci, pour l'heure, était de déterminer si quelqu'un d'autre qu'elle entendait le léger vacillement dans la voix de Julian.

— Parce que si ce n'est pas le cas, vous allez être agréablement surprise. Je n'ai jamais vu un chanteur aussi sexy.

Cette dernière remarque capta l'attention de Brooke.

— Quoi ? fit-elle en se retournant vers la fille.

— Julian Alter, dit la fille en désignant la scène. Je l'ai déjà entendu à quelques reprises dans des salles en ville. Il a des dates régulières. Et je peux vous dire qu'il est incroyablement bon. Il ravale John Mayer au rang d'amateur.

Julian avait commencé à jouer « For the Lost », une ballade à propos d'un petit garçon qui perd son frère aîné, et elle sentit que Trent coulait un regard dans sa direction. Trent était probablement la seule autre personne, de tout le public, à savoir ce qui avait véritablement inspiré cette chanson. Julian était fils unique, mais Brooke savait qu'il pensait souvent au frère qui avait succombé à la mort subite du nourrisson avant sa naissance. À ce jour encore, les Alter ne parlaient jamais de James, mais Julian avait traversé une phase pendant laquelle il s'était demandé, parfois jusqu'à l'obsession, à quoi James aurait ressemblé aujourd'hui, et si sa vie aurait été différente s'il avait eu un frère aîné. Ses mains glissaient sur le clavier, égrenant les premiers accords de cette mélodie envoûtante dont la puissance irait *crescendo*, mais Brooke était distraite par la présence de sa voisine. Elle était partagée entre l'envie de la serrer dans ses bras, et de la gifler. C'était déstabilisant d'entendre cette très séduisante inconnue évoquer avec enthousiasme la séduction qui émanait de Julian – même après toutes ces années passées ensemble, Brooke ne s'était jamais habituée à cet aspect –, mais également très rare de recueillir un avis tout à fait honnête et aussi spontané.

— Vous trouvez ? demanda Brooke, qui voulait soudain désespérément entendre la fille confirmer son opinion.

— Oh, sans l'ombre d'une hésitation. J'ai essayé de le dire à mon boss une bonne dizaine de fois, mais c'est Sony qui l'a signé en premier.

La fille se désintéressa de Brooke sitôt que la voix de Julian gagna en intensité, et lorsque arriva le moment d'entonner le refrain, tête légèrement inclinée, distillant l'émotion de ses mots, elle n'avait plus d'yeux que pour lui. Brooke se demanda si à travers la brume de son adoration, elle avait remarqué l'alliance au doigt de Julian.

Brooke tourna la tête vers Julian et se retint à grand-peine de chanter. Elle connaissait chaque mot par cœur :

They say Texas is the promised land
In the highway's dust you become a man
Blind and blue, lonely in love
Scars on your hands, broken above

He was a mother's dream, he was a fist of sand
My brother, you slipped away with the second hand
Like parallel lines that never cross
For the lost, for the lost

The woman sits alone in a room
Alone in a house like a silent tomb
The man counts every jewel in his crown
What can't be saved is measured in pounds

He was a father's dream, he was a fist of sand
My brother, you slipped away with the second hand
Like parallel lines that never cross
For the lost, for the lost

In my dreams the voices from beyond the door
I remember them saying you weren't coming no more
You wouldn't believe how quiet it's become
The heart obscure fills with shame

He was a brother's dream, he was a fist of sand
My brother, you slipped away with the second hand
Like parallel lines that never cross
For the lost, for the lost [1].

Les applaudissements crépitèrent tandis qu'il plaquait les derniers accords – des applaudissements sincères et enthousiastes –, puis il enchaîna sans temps mort sur la chanson suivante. Il avait trouvé son rythme de croisière et tout son trac semblait s'être évaporé. Seuls demeuraient cette luisance familière le long de ses avant-bras et

1. On dit que le Texas est la terre promise / Que c'est dans la poussière de la route qu'on devient un homme / Aveugle et triste, amoureux solitaire / Des cicatrices sur tes mains, et une fracture au-dessus // Il était le rêve d'une mère, il a été une poignée de sable / Mon frère, tu as glissé de l'autre main / Comme ces lignes parallèles qui jamais ne se croisent / Toi l'enfant perdu // La femme est assise seule dans une pièce / Seule dans une maison comme une tombe silencieuse / L'homme compte un par un les joyaux de sa couronne / Ce qui peut être sauvé se mesure en livres // Il était le rêve d'un père, il a été une poignée de sable / Mon frère, tu as glissé de l'autre main / Comme ces lignes parallèles qui jamais ne se croisent / Toi l'enfant perdu // Dans mes rêves ces voix derrière la porte / Elles disaient je m'en souviens que tu ne viendrais plus / Tu n'imagines pas combien tout est calme maintenant / L'obscurité du cœur se remplit de honte // Il était le rêve d'un frère, il a été une poignée de sable / Mon frère, tu as glissé de l'autre main / Comme ces lignes parallèles qui jamais ne se croisent / Toi l'enfant perdu.

ces sourcils froncés de concentration tandis qu'il chantait les phrases qu'il avait polies pendant des mois, des années parfois. La seconde chanson fila en un rien de temps, puis il enchaîna avec une troisième et avant que Brooke ait pu réaliser ce qui se passait, le public lui faisait une ovation et réclamait un rappel. Julian avait l'air heureux et légèrement hésitant – les instructions avaient été on ne peut plus claires : il devait chanter trois chansons en moins de douze minutes – mais sans doute venait-il de recevoir le feu vert de quelqu'un qui se trouvait aux abords de la scène, car il sourit, hocha la tête et attaqua aussitôt une de ses compositions les plus entraînantes. Le public manifesta bruyamment son approbation.

Lorsqu'il repoussa le tabouret du piano et s'inclina avec modestie devant son public, l'atmosphère de la salle n'était plus la même. Au-delà des cris de félicitations, des applaudissements et des sifflets, la sensation électrifiée d'avoir assisté à un moment important était palpable. Alors qu'elle se levait, cernée de toutes parts par les admirateurs de son mari, Brooke vit Leo qui venait vers elle. Il salua d'un ton bourru la fille à l'élastique par son prénom – Umi – et cette dernière leva aussitôt les yeux au ciel, avant de s'éloigner. Le temps que Brooke comprenne ce qui se passait, Leo lui avait attrapé le bras, le serrant un peu trop à son goût, et approchait son visage du sien, si près que l'espace d'un dixième de seconde, Brooke se demanda s'il n'allait pas l'embrasser.

— Prépare-toi, Brooke. Prépare-toi à vivre une putain d'aventure. Ce soir, ce n'est que le début. Et ça va être de la folie.

À la santé des vraies rousses

— Kaylie, ma puce, je ne sais plus comment te le dire : tu n'as pas besoin de maigrir. Regarde tes mesures de taille et poids et regarde ce tableau. Tu es absolument parfaite comme tu es.

— Je suis la seule à être comme ça, ici, s'entêta Kaylie en baissant les yeux.

L'air absent, l'adolescente enroula méthodiquement une mèche de cheveux châtains autour de son index, puis la relâcha, avant de l'enrouler à nouveau. Son visage était tendu d'anxiété.

— Que veux-tu dire ? demanda Brooke, bien qu'elle sût exactement ce que Kaylie avait voulu dire.

— Je… avant de venir ici, jamais je ne m'étais sentie grosse. À l'école publique, j'étais tout à fait normale, peut-être même que je faisais partie des maigres ! Et puis cette année, on me colle dans cet endroit bizarre parce que c'est censé être sophistiqué et spécial, et d'un coup d'un seul, je me retrouve en surpoids.

La voix de l'adolescente s'était fêlée sur ce dernier mot et Brooke se retint de la serrer dans ses bras.

— Oh ma puce, mais tu es tout sauf en surpoids. Tiens, regarde, ajouta-t-elle en lui montrant le tableau plastifié des courbes de poids. Soixante-deux kilos pour 1,54 mètre, c'est pile dans le créneau d'un corps en bonne santé.

Kaylie ne lui accorda qu'un regard distrait. Brooke savait que ce tableau n'était pas particulièrement réconfortant puisque bien des camarades de classe de Kaylie étaient beaucoup trop maigres. Kaylie était une élève de quatrième, boursière et originaire du Bronx, fille d'un réparateur de climatiseurs qui l'avait élevée seul après la disparition de sa mère dans un accident de voiture. À en juger par les excellents résultats scolaires de la fillette, ses succès sur le terrain de hockey et, aux dires des autres professeurs, ses talents de violoniste qui surpassaient de loin ceux de ses camarades, le père avait été de toute évidence un bon éducateur. Le résultat n'en était pas moins là. Son adorable et talentueuse fille ne voyait qu'une chose : son physique détonnait dans son école.

Kaylie tira sur l'ourlet de sa jupe écossaise, qui dévoilait des cuisses puissantes et musclées, mais nullement grosses, et dit :

— Je suppose que j'ai de mauvais gènes. Ma maman était très grosse, elle aussi.

— Elle te manque ?

Kaylie ne fut capable que de hocher la tête et Brooke vit des larmes embuer les yeux de l'adolescente.

— Elle me répétait toujours que j'étais parfaite comme ça, mais si elle avait vu les filles ici, je me demande ce qu'elle aurait dit. *Elles*, elles sont parfaites. Chez elles, tout est parfait : les cheveux, le maquillage, le corps, et même si on a toutes le même uniforme, la façon dont elles *portent* le leur est parfaite.

C'était l'un des aspects les plus inattendus de son travail, mais que Brooke appréciait de plus en plus – et

98

plus qu'elle n'aurait su le dire –, ce rôle à mi-chemin entre la conseillère en nutrition et la confidente. Elle avait appris en master que tout adulte qui avait des contacts réguliers avec des adolescents, et qui était disposé à s'investir dans une écoute, pouvait jouer un rôle important de prévention, mais elle n'avait jamais compris ce que cela signifiait avant de commencer à travailler à la Huntley.

Elle consacra quelques minutes de plus à expliquer à Kaylie qu'en dépit de ce qu'elle pouvait ressentir, son poids était parfaitement en accord avec sa taille. Ce n'était pas un argument facile à lui faire admettre, et ce d'autant moins que le corps athlétique et musclé de l'adolescente était bien plus vigoureux que celui de la plupart de ses camarades de classe, mais elle essaya. *Si je pouvais l'amener à se projeter dans quatre ans, directement à la fac, elle comprendrait alors que sur le long terme ces sottises d'écolière ne veulent rien dire*, songea Brooke.

Cependant, elle savait d'expérience que c'était impossible. Elle aussi, au lycée, puis à la fac, elle avait souffert d'être toujours au plus haut de sa courbe de poids. Pendant le master, elle s'était astreinte à un régime drastique et elle avait perdu près de dix kilos. Mais elle avait échoué à s'y tenir et en avait regagné sept presque immédiatement. À ce jour, et en dépit d'habitudes alimentaires la plupart du temps équilibrées et d'un programme de jogging sérieux, Brooke était elle aussi à la limite d'un poids sain pour sa taille, et tout comme Kaylie, elle en était parfaitement consciente. N'était-ce pas hypocrite de vouloir balayer les inquiétudes de l'adolescente quand elle-même y pensait presque chaque jour ?

— Tu es parfaite, Kaylie. Je sais, ce n'est pas toujours ce que tu ressens, surtout quand tu es entourée de camarades aussi privilégiées, mais crois-moi quand je te dis que tu es superbe. Tu vas te faire des amies ici, tu vas trouver des filles avec lesquelles tu as des choses en commun, et tu te sentiras plus dans ton élément. Et puis, sans avoir vu le temps passer, tu auras réussi le test d'entrée à l'université et tu entreras dans une fac géniale où chacun sera parfait à *sa* façon – la façon qu'ils auront choisie. Et tu vas adorer ça. Je te le promets, crois-moi.

À cet instant, son portable sonna. C'était la sonnerie spéciale, une mélodie au piano, qu'elle avait attribuée au numéro de Julian. Sachant qu'il lui était difficile de répondre, jamais il ne l'appelait pendant les heures de travail ; il hésitait même à lui envoyer des textos. Brooke comprit immédiatement que quelque chose n'allait pas.

— Excuse-moi une minute, Kaylie. (Elle fit pivoter sa chaise du mieux qu'elle put dans le bureau exigu afin de s'isoler.) Salut. Tout va bien ? Je suis en consultation.

— Brooke, tu ne vas pas en croire tes oreilles mais…

Il s'interrompit pour inspirer profondément, de façon assez théâtrale.

— Julian, franchement, si ce n'est pas une urgence, je vais devoir te rappeler.

— Leo vient de m'appeler. Un des principaux programmateurs du *Leno Show* [1] était au *showcase*, la semaine dernière. Ils veulent m'inviter à l'émission !

— Non !

— Si ! C'est un marché conclu. Mardi prochain. Enregistrement à 17 heures. Je serai le musicien invité

1. Talk-show très populaire, animé par Jay Leno.

du jour, et je vais chanter sans doute tout de suite après les interviews. Tu le crois ?

— Ohmondieu !

— Brooke, s'il te plaît, trouve autre chose à dire.

L'espace d'un instant, elle oublia où elle était.

— Je n'arrive pas à le croire. Enfin, si, bien sûr je le crois, mais c'est totalement incroyable !

Julian éclata de rire – chose, songea Brooke, qui ne s'était pas produite depuis un bon bout de temps.

— À quelle heure rentres-tu ce soir ? On doit absolument fêter ça. J'ai une petite idée en tête…

— Est-ce que ton idée a un lien avec ce machin en résille que j'aime tant ?

Brooke sourit.

— Je pensais plutôt à cette bouteille de dom-pérignon qu'on nous a offerte et qu'on n'a jamais ouverte, faute d'occasion.

— La résille. Ce soir mérite le champagne *et* la résille. 20 heures à la maison ? Je m'occupe du dîner.

— Ne t'embête pas avec ça. Je passerai acheter quelque chose. Ou alors, sortons dîner ! On pourrait aller fêter ça au restaurant.

— Je m'occupe de tout, d'accord ? insista Julian. S'il te plaît. J'ai quelque chose en tête.

Brooke sentit son cœur se gonfler. Peut-être Julian pourrait-il passer un peu moins de temps au studio et un peu plus à la maison maintenant ? Elle sentit refaire surface ces élans d'excitation et d'impatience qu'elle ressentait au début de leur mariage, avant qu'une certaine routine ne s'installe…

— Parfait… 20 heures, à la maison. Julian ? Il me tarde !

— Moi aussi.

Il lui envoya un baiser par téléphone (chose qu'il n'avait plus faite depuis des années) et raccrocha. Pour la première fois depuis cinq bonnes minutes, Brooke se souvint où elle était.

— Waouh, ça avait l'air chaud, observa Kaylie avec un grand sourire. Un rencard super important ?

Brooke était toujours sidérée par la sentimentalité de ces adolescentes, en dépit de leur impertinence pleine d'assurance et de leur familiarité pénible à l'égard d'un tas de sujets, des régimes extrêmes aux meilleures techniques de fellation. Un jour, une ado avait oublié un carnet, dans lequel Brooke avait découvert une liste extrêmement détaillée de conseils techniques – si détaillée, à vrai dire, qu'elle avait brièvement songé à en noter quelques-uns pour son usage personnel, avant de réaliser qu'emprunter des tuyaux sexuels à une jeune lycéenne était effroyable, à bien des égards.

— Un rencard avec mon mari, corrigea Brooke en essayant de préserver une façade au moins un peu professionnelle. Désolée de cette interruption. Revenons-en à nos...

— Ça avait l'air drôlement excitant, la coupa Kaylie. (Elle cessa de triturer sa mèche de cheveux le temps de grignoter une petite peau sur son index.) Que se passe-t-il ?

— Eh bien, oui, c'est assez excitant, répondit Brooke, soulagée de voir sa jeune patiente sourire. Mon mari est musicien. Les gens de Leno viennent de l'appeler pour l'inviter à chanter dans l'émission.

Brooke entendait sa voix gonflée de fierté, et tout en sachant que ce n'était pas du tout professionnel, voire idiot, de partager la nouvelle avec sa patiente adolescente, elle était trop heureuse pour y accorder de l'importance.

Kaylie releva la tête, soudain très attentive.

— Il va passer chez Leno ?

Brooke hocha la tête et déplaça des papiers sur son bureau pour tenter, sans grand succès, de cacher sa joie.

— Putain ! C'est trop cool !

— Kaylie !

— Pardon, mais c'est la vérité. Comment il s'appelle ? Et quand est-ce qu'il passe ? Je ne veux pas le rater !

— Mardi prochain. Il s'appelle Julian Alter.

— Pu… purée, c'est vraiment de la balle. Félicitations, Mrs A. Votre mari doit être génial si Leno l'invite. Vous allez l'accompagner à L.A., pas vrai ?

— Quoi ? lâcha Brooke.

Certes, elle n'avait pas vraiment eu le temps de penser à la logistique, mais Julian ne lui en avait rien dit non plus.

— Leno est à Los Angeles, non ? Vous devez absolument l'accompagner.

— Oui, bien sûr, répondit machinalement Brooke, en dépit d'un pincement insistant et inconfortable à l'estomac.

Julian avait omis de l'inviter, et elle avait le sentiment que ce détail n'était pas passé à la trappe à cause de l'excitation. Brooke devait encore passer dix minutes avec Kaylie, avant de consacrer une heure à une jeune gymnaste dont l'estime de soi était minée par les pesées imposées par son coach, mais elle savait qu'elle ne serait pas capable de se concentrer une seconde de plus. Supposant qu'elle s'était déjà comportée de façon inappropriée, qu'elle en avait trop dit et qu'elle avait utilisé le temps de la consultation pour parler de sa vie personnelle, elle se tourna vers Kaylie.

— Je suis désolée, ma puce, mais je suis obligée d'écourter notre consultation, aujourd'hui. On se revoit vendredi, et je vais voir avec ton professeur de la sixième heure si on peut reprogrammer une autre séance. D'accord ?

— Bon sang, évidemment, Mrs A. C'est une super nouvelle pour vous. Félicitez votre mari de ma part, d'accord ?

— Merci, je n'y manquerai pas, répondit Brooke en souriant. Et, Kaylie ? On va reparler de ça. Je ne peux pas fermer les yeux sur des pertes de poids. Mais si tu veux qu'on envisage des menus plus équilibrés, je serais heureuse de te donner des conseils. Ça te plairait ?

Kaylie hocha la tête et Brooke pensa même avoir décelé un petit sourire avant que la jeune fille ne sorte de son bureau. Même si celle-ci ne semblait pas le moins du monde désarçonnée par cette consultation écourtée, Brooke se sentit submergée par la culpabilité. Ce n'était pas facile d'amener ces jeunes filles à s'ouvrir et il lui semblait qu'elle commençait à obtenir des résultats avec Kaylie.

En se promettant de se racheter le vendredi, Brooke envoya un e-mail rapide à Rhonda, la chef d'établissement, en invoquant une indisposition soudaine, puis fourra ses affaires dans son cabas en toile, et dans la foulée sauta à l'arrière d'un taxi. Si *Leno* ne justifiait pas quelques dépenses inconsidérées, rien ne les justifierait jamais.

Contre toute attente à cette heure de pointe, la traversée de Central Park au niveau de la 86e Rue n'eut rien d'insurmontable, et la circulation sur la West Side

Highway était fluide (d'une fluidité de rêve, même, compte tenu de l'heure), et Brooke fut ravie de se retrouver chez elle à 18 h 30. Walter lui fit la fête, elle s'accroupit pour le caresser et lui donna une friandise pour chien – sa préférée. Après s'être servi un verre de pinot grigio d'une bouteille ouverte dans le réfrigérateur, et en avoir bu une généreuse gorgée, elle envisagea de poster la bonne nouvelle sur Facebook, puis se ravisa aussitôt ; elle ne voulait rien annoncer sans lui en parler d'abord.

La toute première actualité à apparaître sur sa page Facebook fut – pour son plus grand déplaisir – celle de Leo. Apparemment, il avait établi un lien direct de son compte Twitter à la page Facebook de Brooke, et il abusait des mises à jour, bien qu'en général il n'ait strictement rien d'intéressant à dire.

Leo Moretti… *Ça va chauffer. Julian Alter chez* Leno *mardi prochain. L.A., nous voilà…*

Le cœur de Brooke se souleva. Outre le fait que Leo y détournait à titre personnel une actualité concernant son mari, cette mise à jour mettait l'accent sur un détail : Julian projetait bel et bien un voyage à Los Angeles, Leo l'y accompagnait de toute évidence, et Brooke était la seule à n'avoir pas encore reçu d'invitation.

Était-ce présomptueux de ma part de considérer comme acquis que j'accompagne Julian à Los Angeles pour l'enregistrement de l'émission ? se demanda-t-elle sous sa douche. *Julian souhaitait-il qu'elle soit là pour lui apporter son soutien ? Ou bien considérait-il qu'il s'agissait d'un déplacement professionnel, qu'il devait effectuer avec son manager, et non avec sa femme ?* Elle n'en avait aucune idée.

Tout en enduisant ses jambes rasées de frais d'un lait hydratant sans parfum qui avait reçu l'approbation de Julian – il ne supportait pas l'odeur des cosmétiques – Brooke regarda Walter, qui l'observait.

— Papa a-t-il fait une erreur en embauchant Leo ? gazouilla-t-elle.

Walter, couché sur l'épais tapis de bain qui imprégnait systématiquement son pelage d'une odeur d'humidité, releva la tête, remua la queue et jappa.

— Non ?

Ouaf !

— Oui ?

Ouaf !

— Je te remercie pour cet avis éclairé, Walter. Il m'est d'un grand secours.

Walter la remercia à son tour du compliment par un coup de langue sur sa cheville, avant de se réinstaller confortablement sur son tapis. Brooke regarda l'heure et constata qu'il était huit heures moins dix. Elle s'accorda une minute de préparation mentale avant d'extraire du fond de son tiroir de lingerie une boule d'étoffe noire. Cela faisait un an qu'elle n'avait plus enfilé cet accoutrement, depuis le jour où, ayant accusé Julian de se désintéresser de leur vie sexuelle, il était allé chercher la combinaison en résille dans le tiroir, en disant que c'était « un crime de posséder un truc pareil et de ne pas le porter ». La réflexion avait eu pour effet de dissiper immédiatement la tension et Brooke se souvint qu'elle l'avait enfilée et s'était mise à danser dans la chambre, en mimant avec exagération une chorégraphie de stripteaseuse, encouragée par les cris enthousiastes et les sifflements de Julian.

De fil en aiguille, ce collant avait fini par symboliser leur vie sexuelle. Elle l'avait acheté alors qu'ils étaient mariés depuis deux ans, et après une discussion au cours de laquelle Julian lui avait confessé, comme s'il s'agissait d'un secret scabreux et honteux, qu'il adorait les femmes en lingerie noire et moulante... et n'était pas très fan de ces caleçons criards de garçonnet et de ces débardeurs de sport que Brooke enfilait le soir pour aller au lit – parce qu'elle les avait crus sexy. Même si à l'époque elle pouvait à peine se l'offrir, Brooke avait immédiatement programmé une débauche d'achats de lingerie. En l'espace de deux jours, elle avait acquis une combinaison à fines bretelles en jersey noir super doux, une chemise de nuit noire à jabot très *baby doll*, et une minichemise de nuit en coton noir barrée de l'inscription « Juicy Sleeper » dans le dos. Chacune de ces pièces, l'une après l'autre, avait été accueillie avec un enthousiasme très mitigé et un commentaire du genre « Mmm, c'est mignon », avant que Julian ne se replonge dans son magazine. Et puisque même la nuisette à jabot n'avait provoqué qu'un intérêt modéré, Brooke avait appelé Nola à la rescousse dès le lendemain matin.

— Libère ton samedi après-midi, lui avait répondu celle-ci. Nous allons faire quelques emplettes.

— Mais j'ai déjà fait des emplettes ! J'ai dépensé une fortune, avait pleurniché Brooke, en consultant ses reçus de carte bleue avec autant de terreur dans les yeux que s'ils avaient été radioactifs.

— Peut-on rembobiner le film un instant, s'il te plaît ? Ton mari te dit qu'il veut te voir dans de la lingerie noire sexy, et tu reviens à la maison avec un tee-shirt de nuit Juicy ? Tu te fiches de moi ?

— Eh bien quoi ? Il n'a pas non plus été très précis. Il a dit qu'il aimait le noir, et qu'il n'aimait pas les couleurs vives. J'ai acheté un truc noir, et moulant. Et le « y » de Juicy est même en strass ! Où est le problème ?

— Nulle part… Si tu es une étudiante de deuxième année et que tu veuilles faire genre c'est la première fois que tu vas passer la nuit dans le dortoir de ton petit copain. Que ça te plaise ou non, aujourd'hui, tu es une femme. Et ce que Julian essaie de te dire, c'est qu'il veut que tu ressembles à une femme. À une *femme* sexy.

— D'accord, d'accord, soupira Brooke. Je m'en remets à toi. Samedi à quelle heure ?

— Midi. À l'angle de Spring et Mercer. On ira chez Kiki de Montparnasse, La Perla et Agent Provocateur. L'expédition prendra moins d'une heure et tu seras équipée avec exactement ce qu'il te faut. À samedi.

Brooke attendit toute la semaine avec impatience l'expédition shopping, qui s'avéra un désastre. Nola, dans toute sa gloire de banquière à gros salaire et énormes bonus, avait omis de préciser que moins une pièce de lingerie comportait d'étoffe, plus elle était ruineuse. Une fois chez Kiki, Brooke découvrit, méduisée, que l'uniforme de soubrette dont Nola lui vantait les mérites coûtait 650 dollars, et qu'une combinaison noire toute simple – qui ne différait guère de celle qu'elle avait achetée chez Bloomingdale – coûtait 350 dollars. Comment diable était-elle supposée faire, elle – encore étudiante ! – quand le moindre string en dentelle noire coûtait 115 dollars (et 135 pour la version sans entrejambe) ? En sortant de la deuxième boutique, Brooke annonça fermement à Nola que, tout en appréciant son aide, elle ne ferait aucun achat cet après-midi-là. Ce n'est que la semaine suivante, alors qu'elle traînait chez Ricky, une grande parfumerie, en quête d'une babiole à offrir à une amie pour son enterrement de vie de jeune fille, et qu'elle se retrouva dans l'alcôve protégée par des rideaux, qu'elle tomba par pur hasard sur la solution au problème.

Là, sur un présentoir qui montait du sol au plafond, coincé entre les piles de vibromasseurs et un assortiment d'assiettes en carton à motifs de pénis, Brooke découvrit un vestiaire entier de fantasmes. Chacun emballé dans ce qui ressemblait à une boîte de collant, sauf que là, les illustrations représentaient de superbes femmes revêtues de toutes sortes d'uniformes – soubrette, écolière, pompier, détenue, majorette, cow-girl. Le présentoir offrait également tout un tas d'accoutrements affriolants et sans thème précis, mais qui étaient presque tous courts, moulants et noirs. Et le plus beau, c'était que le plus cher d'entre eux était proposé à 39,99 dollars, et que la plupart coûtaient moins de 25 dollars. Brooke passa en revue tous les modèles en essayant d'imaginer lesquels emporteraient les suffrages de Julian lorsqu'un vendeur aux cheveux bleus et aux yeux soulignés d'eyeliner écarta le rideau de perles et s'avança vers Brooke.

— Puis-je vous aider ?

Brooke reporta précipitamment son attention sur un présentoir de gaufrettes en forme de pénis et secoua la tête.

— Si vous avez besoin de conseils, n'hésitez pas, insista-t-il en minaudant. Déguisements, sex-toys, n'importe quel autre article… Je peux vous dire quelles sont nos meilleures ventes.

— Merci, je crois que je vais prendre un de ces trucs idiots pour un enterrement de vie de jeune fille, répondit

précipitamment Brooke, affreusement gênée – et souve-
rainement agacée de l'être.

— Bon, si jamais vous changez d'avis, je suis là.

Sitôt que le vendeur eut disparu d'un pas souple à
l'avant du drugstore, Brooke passa à l'action. Sachant
qu'elle allait se dégonfler si jamais il revenait à la charge
– ou si n'importe qui d'autre entrait dans cette arrière-
boutique – elle attrapa le premier déguisement passe-
partout qui lui tomba sous la main et le glissa dans son
panier. De là, elle piqua quasiment un sprint jusqu'à la
caisse, en jetant au hasard dans son panier quelques
articles qu'elle croisa sur sa route – un flacon de shampooing, un paquet de Kleenex, des lames de rasoirs –
juste pour détourner l'attention du caissier. Ce n'est
qu'une fois dans le métro, assise dans le wagon de
queue, miraculeusement isolée des autres passagers,
qu'elle risqua un œil dans le sac.

La photo sur la boîte montrait une femme rousse (qui
n'était pas sans lui ressembler, exception faite des
jambes, qu'elle avait interminables) vêtue d'une combinaison en résille à col montant et manches longues. La
femme fixait l'objectif avec un déhanchement provocant, mais en dépit de cette posture exagérément agui-
cheuse, elle parvenait à inspirer des épithètes telles que
« sexy » et « sûre d'elle », et non pas simplement
« sordide » ou « cochonne ». *C'est dans mes cordes*,
songea Brooke, et le soir même, lorsqu'elle émergea de
la salle de bains, revêtue de sa nouvelle acquisition et
perchée sur une paire d'escarpins, Julian manqua de
dégringoler du lit.

Depuis, année après année, Brooke avait enfilé la
désormais célèbre « combi-résille » en maintes occasions (les anniversaires de Julian, ceux de leur rencontre,

et quelques vacances dans les pays chauds) mais depuis quelque temps, tel le vestige d'une vie sexuelle qui avait connu des jours meilleurs, elle croupissait au fond d'un tiroir. Brooke déroula la résille le long de ses jambes et se contorsionna pour la remonter sur les hanches, puis glisser les bras dans les manches. Le message, Brooke le savait, serait on ne peut plus clair : *je suis incroyablement fière de toi et de ta réussite spectaculaire et maintenant, viens par ici que je te le prouve.* Et même si la combinaison taille unique lui entaillait quasiment la chair des cuisses et faisait un truc bizarre au niveau de ses avant-bras, peu importait – elle se sentait sexy. À l'instant où elle venait de dénouer sa queue de cheval et de s'allonger sur le couvre-lit, le téléphone fixe sonna. Convaincue que c'était Julian qui voulait lui annoncer qu'il était en chemin, Brooke répondit à la première sonnerie.

— Rook ? Chérie, tu m'entends ? trompeta sa mère.

Brooke inspira profondément et se demanda pourquoi cette femme avait le don d'appeler aux pires moments qui soient.

— Salut, maman. Oui, je t'entends.

— Ah, très bien. J'espérais te trouver. Il faut que tu prennes ton agenda et qu'on vérifie ensemble une date. Je sais que tu détestes prévoir trop à l'avance mais j'essaie d'organiser…

— Maman ! Excuse-moi de te couper, mais très franchement tu tombes mal. Julian va arriver d'une seconde à l'autre, je dois me préparer et je suis déjà en retard, mentit-elle.

— Vous sortez fêter ça ? C'est une nouvelle tellement incroyable. Vous devez être fous de joie tous les deux.

Brooke s'apprêtait à répondre lorsqu'elle se souvint qu'elle n'avait encore rien dit de la bonne nouvelle à sa mère.

— Comment es-tu au courant ?

— Par Randy, ma chérie. Il l'a vu sur la page fan de Julian – c'est comme ça qu'on l'appelle ? J'aurais aimé pouvoir dire que ma fille m'avait appelée pour me l'annoncer elle-même, mais heureusement, Randy pense à sa chère vieille mère, lui.

— Mm… Facebook. Évidemment. Ça m'était sorti de la tête. Et oui, nous sommes fous de joie.

— Où allez-vous fêter ça ? Au restaurant ?

Brooke baissa les yeux et contempla son corps emmailloté de résille. Comme si ce n'était pas assez ridicule de converser avec sa mère vêtue d'une combinaison en résille fendue à l'entrejambe, un de ses tétons pointait à travers une maille.

— Euh…, je crois que Julian se charge d'acheter à dîner. On a déjà une bouteille de champagne, donc je pense qu'on va faire avec ça.

— Ça m'a tout l'air d'un charmant programme. Embrasse-le pour moi. Et si tu as une seconde, j'aimerais vraiment qu'on fixe une date pour…

— Oui, c'est d'accord maman. Je te rappelle demain.

— Parce que ça ne va prendre qu'une seconde et…

— Maman…

— D'accord, d'accord. Appelle-moi demain. Je t'embrasse, Rookie.

— Je t'embrasse aussi.

Elle entendit la porte d'entrée s'ouvrir à l'instant où elle raccrochait. Elle savait qu'après avoir retiré son manteau, Julian allait caresser Walter, ce qui lui laissait juste assez de temps pour déboucher le champagne et le servir. Elle avait pensé à apporter deux flûtes, qu'elle disposa sur sa table de nuit, avant de s'étirer, tel un chat, sur le couvre-lit. Sa nervosité ne dura qu'une seconde, jusqu'à ce que Julian ouvre la porte. Un immense sourire lui dévorait le visage.

— Devine qui va dormir au Château Marmont ?

— Qui ? demanda Brooke, se redressant aussitôt et oubliant momentanément sa tenue.

— Moi.

L'anxiété lui serra aussitôt la gorge.

— Non…, souffla-t-elle, incapable d'articuler autre chose.

— Si ! Et dans une suite, s'il te plaît. Où une limousine viendra me prendre pour me conduire au studio de la NBC pour l'enregistrement de *Leno*.

Brooke se concentra sur la bonne nouvelle que lui annonçait Julian, et le fait qu'elle n'était en rien concernée.

— Julian ! C'est génial ! On parle sans arrêt de cet hôtel, dans *Last Night*, dans *US Weekly*, partout. Kate Hudson vient de donner une fête qui a duré toute la nuit dans les bungalows. J.Lo et Marc Anthony sont tombés sur Ben Affleck au bord de la piscine et il paraît que Marc leur a fait une scène. Et c'est là que John Belushi est mort d'overdose. C'est un lieu légendaire !

— Oui, et devine la suite…

Julian vint s'asseoir à côté d'elle sur le lit et caressa sa cuisse couverte de résille.

— Langue au chat.

— Ma femme adorée et furieusement sexy va m'y accompagner – à condition toutefois qu'elle me promette de glisser cette babiole en résille dans sa valise, ajouta-t-il en se penchant pour l'embrasser.

— Arrête ! protesta-t-elle d'une voix stridente.

— Uniquement si elle en a envie, naturellement.

— Tu me fais marcher !

— Pas du tout. Je viens de parler à Samara. C'est ma nouvelle *attachée de presse*, précisa-t-il en accompagnant son sourire réjoui d'un haussement de sourcils. Et elle a dit que ça ne posait aucun problème tant que nous prenions ton billet d'avion à notre charge. Leo pensait que ce serait mieux que nous y allions seuls, histoire que je ne sois pas distrait, mais je lui ai répondu qu'il était impensable que je puisse faire un truc aussi énorme sans toi. Alors, qu'en dis-tu ?

Brooke ignora ce qu'il venait de dire sur l'avis de Leo et se jeta à son cou.

— C'est incroyable ! J'ai hâte de te faire des *mamours* au bar et de poursuivre la fête toute la nuit dans les bungalows !

— Ça ressemble vraiment à ça ? demanda Julian en la repoussant contre les oreillers et en s'allongeant sur elle, tout habillé.

— Oh là là, oui ! Et si j'en crois tout ce que j'ai lu, on est en droit d'attendre des piscines remplies de champagne Cristal, des montagnes de cocaïne, des people plus infidèles que toute une agence d'escorts haut de gamme et suffisamment de ragots à l'heure pour remplir dix tabloïds. Ah oui, et des partouzes, aussi. Je n'ai jamais rien lu à ce propos, mais je suis sûre qu'il y en a. Sans doute jusque dans le restaurant.

Walter sauta sur le lit, et museau pointé vers le plafond, se mit à hurler.

— Qu'en dis-tu, Walter ? Ça a l'air dément, non ? demanda Julian en embrassant Brooke dans le cou.

Pour toute réponse Walter continua à hurler à la mort. Julian trempa le bout du doigt dans sa coupe de champagne puis le posa sur les lèvres de Brooke et l'embrassa.

— Et si on s'entraînait un peu ? proposa-t-il.

— C'est de loin la meilleure idée que j'ai entendue depuis très, très longtemps, répondit-elle en lui enlevant sa chemise.

— Souhaitez-vous un autre Coca light ?

Le serveur, vêtu d'un bermuda, vint se poster à côté de la chaise longue de Brooke, lui faisant de l'ombre. Au soleil, il faisait bon, et si Brooke jugeait que 22 °C était une température un peu trop fraîche pour se mettre en maillot, apparemment, ce n'était pas l'avis de tout le monde. Elle contempla les cinq ou six personnes disséminées autour de la piscine, qui sirotaient d'appétissants cocktails, et cela lui rappela que, bien que ce soit encore l'après-midi, et un mardi qui plus est, elle n'en était pas moins en quelque sorte en vacances. Aussi répondit-elle :

— Non, je prendrai un bloody mary, s'il vous plaît. Très relevé, et avec un bâtonnet de céleri.

Une grande fille très souple qui, à en juger par sa silhouette stupéfiante, était sans nul doute mannequin, se glissa dans l'eau avec une élégance féline. Brooke la regarda exécuter de ravissants mouvements – qui tenaient de la nage indienne croisée avec celle d'un chien – en déployant de grands efforts pour ne pas mouiller un seul de ses cheveux, puis elle héla son compagnon en espagnol. Sans détacher les yeux de son ordinateur portable, l'homme lui répondit en français.

La fille fit une moue, l'homme grommela et moins de trente secondes plus tard, il se dirigeait vers le bassin pour lui apporter une paire de lunettes de soleil Chanel immenses. La fille le remercia, et Brooke aurait pu jurer qu'elle s'était adressée à lui en russe.

Son téléphone sonna.

— Allô ? fit-elle d'une voix étouffée, bien que la sonnerie n'ait apparemment dérangé personne.

— Rookie ? Comment ça se passe ?

— Bonjour papa. Je ne vais pas te mentir, c'est assez génial.

— Est-ce que Julian a déjà joué ?

— Leo et lui viennent à peine de partir. L'enregistrement ne débute pas avant 17 heures ou 17 h 30, je crois. Comme j'ai senti que l'après-midi serait plutôt long, j'ai préféré les attendre à l'hôtel.

Le serveur réapparut avec son bloody mary, servi dans un verre aussi longiligne que toutes les femmes que Brooke avait pu voir jusque-là à Los Angeles. Il le déposa sur la table basse, en même temps qu'un assortiment de snacks : des olives marinées, un mélange salé et des chips de légumes. Brooke se retint de l'embrasser.

— Comment est l'hôtel ? Plutôt huppé, je parie.

Brooke trempa les lèvres dans le cocktail, puis but une franche rasade. *Mince alors, quel délice !*

— Oh là là, très huppé. Si tu voyais les gens autour de la piscine… Tous plus sublimes les uns que les autres.

— Savais-tu que Jim Morrison a tenté de sauter du toit de cet hôtel ? Et que les membres de Led Zeppelin ont traversé le hall à moto ? D'après ce que j'ai entendu dire, c'est l'endroit à fréquenter quand tu es un musicien abonné aux frasques.

Brooke éclata de rire.

— D'où tires-tu tes infos, papa ? De Google ?

— Brooke, enfin ! Ne m'insulte pas en suggérant que…

— Wikipédia ?

Il y eut un silence.

— Peut-être, concéda son père.

Tout en bavardant, Brooke observait la sublime naïade, qui poussa des cris perçants de petite fille lorsque son ami sauta dans la piscine dans l'intention de l'arroser. Son père voulait lui parler de la fête d'anniversaire surprise – qui n'en était plus une – que Cynthia tenait absolument à organiser pour lui dans quelques mois, pour fêter ses 65 ans *et* sa retraite, mais Brooke avait un mal fou à se concentrer sur la conversation : la femme-enfant venait d'émerger de l'eau et, de toute évidence, Brooke n'était pas la seule à remarquer que son maillot blanc était devenu entièrement transparent. Elle baissa les yeux et contempla sa robe en coton éponge. *Quels sacrifices serait-elle prête à consentir pour offrir un aussi beau spectacle en bikini – ne serait-ce que pour une heure ?* se demanda-t-elle. Elle rentra le ventre et continua à mater.

Le second bloody mary passa aussi bien que le premier et, très vite, Brooke se retrouva si joyeusement éméchée qu'elle faillit ne pas reconnaître Benicio Del Toro, lorsqu'il sortit d'un des bungalows pour venir s'effondrer sur une chaise longue, pile en face d'elle. Il ne retira hélas ni son jean ni son tee-shirt, mais Brooke était malgré tout ravie de le contempler derrière l'écran de ses lunettes. La piscine et la terrasse qui la bordait n'avaient rien de spécial – Brooke en avait vu de bien plus somptueuses dans des maisons ordinaires de banlieue – mais elles offraient un cadre langoureux et paisible qui était difficile à qualifier. L'hôtel ne surplombait Sunset Boulevard que de quelques dizaines de mètres et pourtant, la piscine donnait l'impression de se dérober aux regards, d'être nichée dans une clairière à l'intérieur d'un enchevêtrement végétal, une sorte de jungle ourlée de tous côtés par des plantes dans d'énormes pots en terre cuite, et ponctuée par des parasols à rayures blanches et noires.

Brooke serait volontiers restée tout l'après-midi au bord de cette piscine à descendre des bloody mary, mais dès que le soleil commença à descendre dans le ciel, la température fraîchit. Elle rassembla son livre et son iPod et regagna la chambre. En faisant un petit tour dans le hall avant de gagner l'ascenseur, elle découvrit LeAnn Rimes, en jean, en train de boire un verre avec une dame âgée et très élégante, et elle dut se faire violence pour ne pas sortir immédiatement son BlackBerry et envoyer une photo à Nola.

Dans leur chambre – une petite suite située dans le bâtiment principal et qui offrait une vue renversante sur les collines –, elle découvrit avec ravissement une imposante corbeille de bienvenue, accompagnée d'une carte : « Bienvenue, Julian ! Avec les amitiés de l'équipe Sony », lut-elle. À l'intérieur se trouvaient une bouteille de veuve-clicquot et une de tequila Patrón ; une boîte de truffes en chocolat aux différents glaçages de couleurs vives ; un assortiment de barres énergétiques et de biscuits ; suffisamment de bouteilles d'eaux vitaminées pour achalander les rayons d'une épicerie et une douzaine de *cupcakes* Sprinkles. Brooke disposa tout le contenu de la corbeille sur la table basse pour l'immortaliser, puis elle envoya la photo à Julian. « Ils t'adorent ! » écrivit-elle en légende, avant de passer à l'action et d'engloutir en moins de dix secondes un *cupcake* au glaçage d'un beau carmin velouté.

C'est le téléphone de la chambre qui la réveilla finalement.

— Brooke ? Tu es toujours vivante ? demanda Julian.

— Oui, oui, répondit-elle, un peu hagarde, en regardant autour d'elle pour reprendre ses esprits.

À sa grande surprise, elle découvrit qu'elle était sous les couvertures, en sous-vêtements, et que la chambre était plongée dans le noir. Des miettes de *cupcakes* étaient éparpillées sur l'oreiller.

— J'essaie de te joindre sur ton portable depuis au moins une demi-heure. Où es-tu ? Tout va bien ?

Elle s'assit d'un coup et regarda le réveil. 19 h 30. Elle avait dormi pendant près de trois heures.

— Ce doit être la faute du second bloody mary, marmonna-t-elle pour elle-même.

Julian éclata de rire.

— Je te laisse seule l'espace d'un après-midi, et tu prends une cuite ?

— Non, ce n'est pas du tout ça ! Peu importe. Comment s'est passé l'enregistrement ?

Dans le bref silence qui suivit, Brooke songea à toutes les choses qui potentiellement auraient pu mal se passer, mais Julian se mit à rire. C'était davantage qu'un simple éclat de rire – on aurait dit qu'il planait.

— Rook, c'était incroyable ! J'ai assuré, j'ai assuré à mort et les musiciens qui m'accompagnaient étaient bien meilleurs que je me l'étais imaginé après aussi peu de répétitions. (Brooke perçut d'autres voix dans la voiture.) À la fin du morceau, Jay est venu me voir, il a passé un bras autour de mes épaules, il m'a montré à la caméra et il a dit que c'était absolument génial et qu'il regrettait que je ne puisse pas revenir tous les soirs.

— Non !

— Si ! Le public applaudissait à tout rompre et une fois l'enregistrement terminé, pendant qu'on traînait en coulisses, Jay m'a même remercié, et il m'a dit qu'il avait hâte d'écouter l'album !

— Julian, c'est incroyable. Félicitations ! C'est *énorme* !

— Je sais. Si tu savais comme je suis soulagé ! Écoute, on sera de retour à l'hôtel d'ici vingt minutes. Tu me retrouves dans le patio pour prendre un verre ?

Même si la seule mention d'un verre d'alcool accentuait le battement dans ses tempes – quand pour la dernière fois avait-elle eu la gueule de bois à l'heure du dîner ? –, Brooke fit l'effort de s'asseoir bien droite sur le lit.

— Il faut que je me change, dit-elle. Je te retrouve en bas dès que je suis prête.

Mais Julian avait déjà raccroché.

S'extraire d'entre les draps doux et tièdes ne fut pas une mince affaire, mais trois Advil et un bref passage sous la douche s'avérèrent salutaires. Elle enfila sans trop réfléchir un jean skinny, aussi moulant qu'un legging, un débardeur en soie et un blazer, mais après un examen plus minutieux il s'avéra que le jean faisait un truc épouvantable à son derrière. Cela lui avait donné un mal de chien pour l'enfiler ; ce fut également l'enfer pour le retirer et Brooke manqua de se donner un coup de genou dans le visage en le tirant centimètre par centimètre. Les bourrelets de son ventre roulaient sur eux-mêmes, ses jambes battaient l'air, sans résultats probants. Mademoiselle Bikini Blanc devait-elle endurer ce type d'humiliation elle aussi ? De dégoût, Brooke envoya valser le jean par terre. Dans sa valise, il ne restait qu'une robe dos nu. Elle n'était pas adaptée à la fraîcheur de la soirée mais associée avec le blazer, une étole en coton et une paire de bottes plates, il faudrait que ça fasse l'affaire.

Pas mal du tout, songea-t-elle en se regardant une dernière fois dans le miroir. Ses cheveux avaient séché à l'air libre et – même Brooke devait le reconnaître –, le résultat était plutôt pas mal, pour une coiffure qui n'avait requis aucun effort. Elle ourla ses cils de mascara, étala quelques gouttes de ce blush liquide scintillant que Nola lui avait glissé dans la main quelques semaines plus tôt, en insistant poliment pour qu'elle l'utilise, puis elle attrapa son téléphone, son sac, et fila. Elle enduisit ses lèvres de gloss dans l'ascenseur et retroussa les manches du blazer en traversant le hall. Elle secoua discrètement la tête et fit bouffer ses cheveux, et lorsqu'elle aperçut Julian, installé à une des tables les plus en vue du patio avec toute une cour autour de lui, elle se sentait fraîche et jolie. Julian se leva et agita la main.

— Brooke !

Même à quinze mètres de distance, elle distingua son sourire radieux, et toute sa timidité s'évanouit tandis qu'elle se ruait vers lui.

— Félicitations ! s'écria-t-elle en se jetant à son cou.

— Merci, mon amour, lui chuchota-t-il à l'oreille. Viens, ajouta-t-il à voix haute, je vais te présenter à tout le monde.

— Bonsoir ! chantonna-t-elle en saluant l'assemblée d'un geste. Brooke.

Le groupe était rassemblé autour d'une table nichée au creux d'un bouquet d'arbustes en fleurs qui semblait former un auvent. Plusieurs petits salons d'extérieur étaient ainsi dispersés dans le patio luxuriant, occupés pour la plupart par une clientèle bronzée, gaie et animée, mais l'ensemble dégageait une sensation de paix, de nonchalance. Les flammes des torches trouaient la pénombre et les ribambelles de chandelles éclairaient tous les visages d'une lumière flatteuse. La musique qui s'échappait discrètement des haut-parleurs cachés dans les arbres était ponctuée par des tintements de verres et en tendant vraiment l'oreille, on pouvait distinguer au loin le grondement sourd et continu de Sunset Boulevard. Brooke n'avait jamais mis les pieds en Toscane mais dans son imagination, c'était exactement à cela que devait ressembler un restaurant dans la campagne du Chianti.

La main de Julian se posa sur ses reins et la guida vers le fauteuil qu'il venait de lui avancer. Distraite par le spectacle féerique du patio illuminé, elle avait un instant oublié ce qu'elle faisait là. Elle balaya le petit groupe du regard et remarqua que Leo la fixait, l'air étonnamment maussade ; la femme d'une trentaine d'années – ou qui avait peut-être la quarantaine et des injections de Botox particulièrement réussies ? – avec une sublime peau mate et des cheveux noir corbeau devait être Samara, la nouvelle attachée de presse de Julian ; et ce type dont le visage lui était vaguement familier, sans pouvoir vraiment le remettre… *Ohmondieu, est-ce que c'est… est-ce que ce ne serait pas…*

— Tu connais déjà Leo, dit Julian, et l'intéressé se fendit d'un rictus. Je te présente l'adorable Samara. Tout le monde m'avait dit que c'était la meilleure et maintenant je peux le confirmer sans l'ombre d'un doute.

Samara sourit et tendit la main par-dessus la table.

— Enchantée, dit-elle d'un ton pète-sec, même si son sourire semblait plutôt chaleureux.

— J'ai énormément entendu parler de vous, répondit Brooke en lui serrant la main et en s'efforçant de se concentrer sur Samara et non sur le quatrième convive. Et je confirme : lorsque Julian a appris que c'est vous qui alliez le représenter, il est rentré à la maison tout excité en s'exclamant : « Tout le monde dit que c'est la meilleure ! »

— C'est gentil à vous, répondit Samara en balayant le compliment d'un geste. Mais il me facilite bien la tâche. Aujourd'hui, il a été un vrai pro.

— Arrêtez immédiatement toutes les deux ! protesta Julian. (Mais Brooke voyait à quel point il était ravi.) Brooke, je voudrais également te présenter Jon. Jon, voici ma femme, Brooke.

Doux Jésus. C'était bien lui. Brooke ignorait comment cela était possible mais le fait est que devant elle, à la table de son mari, une chope à la main et l'air parfaitement détendu, se trouvait Jon Bon Jovi. Qu'était-elle censée dire ? Faire ? Et où était Nola, au moment où elle avait besoin d'elle ? Brooke réfléchit à toute vitesse. Tant qu'elle bannirait toute remarque du genre : « Je suis une de vos plus grandes fans », ou « J'adore et respecte le fait que vous soyez marié avec la même femme depuis toutes ces années », elle s'en sortirait certainement, mais en même temps, ce n'était pas comme si elle buvait des verres avec des superstars tous les jours…

— Salut, dit Jon en la saluant d'un hochement de tête. Vous avez des cheveux magnifiques. C'est leur couleur naturelle ?

Brooke porta machinalement la main à ses boucles, et elle savait, sans avoir besoin d'un miroir, qu'en cet instant, son teint était assorti à ses cheveux. Ils étaient d'un roux si pur, si intensément pigmenté, qu'en général, on les adorait ou on les détestait, sans demi-mesure. Et elle les adorait. Julian les adorait. Et apparemment, Bon Jovi les adorait lui aussi. *Nola !* s'écriat-elle à part elle. *J'aimerais tellement que tu sois là pour entendre ça !*

— Oui, c'est naturel, répondit-elle en levant les yeux au ciel avec fausse modestie. Ça m'a valu beaucoup de plaisanteries cruelles quand j'étais gosse, mais je m'y suis habituée.

Du coin de l'œil, elle vit Julian lui sourire ; avec un peu de chance, il était le seul à savoir qu'il s'agissait de fausse modestie.

— Moi, je les trouve sensass, déclara Jon en levant sa grande chope. À la santé des vraies rousses ! (Il lui adressa un clin d'œil qui, venant de quelqu'un d'autre, l'aurait peut-être offusquée.) À la santé des vraies rousses et des premiers passages chez *Leno* ! Félicitations, mec. C'est énorme.

Jon brandit son verre et chacun trinqua avec lui, Brooke en dernier. Elle se demanda comment faire pour dérober cette flûte à champagne et la rapporter chez elle.

— Santé ! Félicitations ! entonna la tablée à l'unisson.

— Alors, c'était comment ? demanda Brooke à Julian, heureuse de lui offrir l'occasion de briller une fois de plus devant tous ces gens. Raconte-moi tout.

— Il a été parfait, déclara Samara d'une voix pincée et très professionnelle. Sa performance venait après des invités vraiment costauds. J'ai trouvé Hugh Jackman charmant, pas toi ? ajouta-t-elle en se tournant vers Julian.

— Ouais, il a été bon. Et la nana de *Modern Family* aussi, répondit-il en hochant la tête.

— Là-dessus, on a eu du bol, observa Samara. Tomber sur deux invités intéressants et célèbres, et non sur des enfants stars, des magiciens ou des dompteurs… Crois-moi, il n'y a rien de pire que de se faire souffler la vedette par tout un plateau de chimpanzés.

Tout le monde éclata de rire. Un serveur apparut et Leo, sans consulter personne, commanda une autre bouteille de champagne, une tournée de shots de tequila et un grand assortiment d'amuse-gueules – dont des bruschettas aux cèpes et à la truffe, de la burrata et de la roquette. Même Brooke, qui détestait en général ce genre de comportement, aurait été bien en peine de contester ces choix. Lorsque arrivèrent les premières assiettes, des bouchées au crabe accompagnées de purée d'avocat, Brooke replongea dans cet émerveillement euphorique qu'elle avait éprouvé en arrivant à Los Angeles. Julian – son Julian, celui qui ne dormait jamais sans chaussettes – venait de jouer sur le plateau du *Tonight Show*. Ils logeaient dans une somptueuse suite du célèbre Château Marmont, ils mangeaient et buvaient comme des princes du rock'n'roll et un des plus célèbres musiciens du XXᵉ siècle venait de lui déclarer qu'il adorait ses cheveux. Naturellement, son mariage restait le plus beau jour de sa vie – n'était-ce pas ce qu'on devait dire, quoi qu'il arrive ? – mais cette soirée arrivait tout près, en seconde position.

Des stridulations évoquant une alarme d'incendie montèrent de son sac, posé par terre à ses pieds. Son téléphone portable. Après sa sieste, pour être certaine de se rendormir, elle avait modifié sa sonnerie.

— Tu ne veux pas répondre ? lui demanda Julian la bouche pleine, en la voyant fixer l'écran de l'appareil.

Non, elle n'avait pas envie de répondre, mais elle craignait qu'il ne s'agisse d'une urgence. Sur la Côte Est, il était déjà minuit passé.

— Salut maman, dit-elle, aussi doucement qu'elle put. On est à table. Tout va bien ?

— Brooke ! Julian passe à la télé en ce moment, il est incroyable ! Il est adorable, et le groupe joue à la perfection et… oh mon Dieu, il est à croquer ! Je crois qu'il n'a jamais été aussi mignon.

Sa mère parlait si vite que les mots se télescopaient et Brooke eut un mal fou à comprendre le sens de cette logorrhée. Elle consulta sa montre. S'il était 21 h 30 en Californie, cela signifiait que *The Tonight Show* était diffusé en cet instant même sur toute la Côte Est.

— C'est vrai ? Il est bien ?

Cette question lui attira l'attention générale.

— Oui, ça passe en ce moment sur la Côte Est, confirma Samara en sortant son BlackBerry qui, bien évidemment, vibrait avec autant de force qu'une machine à laver.

— … génial, était en train de dire sa mère. Il est absolument génial. Et la présentation de Jay était vraiment sympa. Attends, il vient juste de finir le morceau.

— Maman, je te rappelle plus tard, d'accord ? Je commence à être vraiment impolie.

— D'accord, chérie. Il est déjà tard ici, alors rappelle-moi plutôt demain matin. Et félicite Julian de ma part.

Brooke n'eut pas plus tôt raccroché que le téléphone sonna à nouveau. Nola. Elle balaya la tablée des yeux et remarqua que tout le monde, à l'exception de Jon qui était allé saluer un autre groupe, était pendu au téléphone.

— Salut, je peux te rappeler ? On est à table.

— Il est incroyablement bon ! piailla Nola d'une voix stridente.

— Je sais, répondit Brooke en souriant.

Jamais, jusque-là, Nola n'avait manifesté autant d'enthousiasme à l'égard d'une performance de Julian.

— Putain, Brooke, j'en suis baba ! Quand il se lâche pour de bon et qu'il chante ce dernier couplet, les yeux fermés, la tête renversée… Nom d'un chien, j'en ai eu la chair de poule.

— Quand je te disais qu'il assurait…

À quelques pas d'elle, elle entendit Julian remercier son interlocuteur avec un sourire à la fois gêné et fier. Leo, pour sa part, était en train de crier sur tous les toits que Julian était « un artiste carrément dément ». Quant à Samara, elle répondait à son correspondant qu'elle allait vérifier les disponibilités de Julian et le rappeler le lendemain matin. Le téléphone de Brooke était assailli de textos et d'e-mails ; les messages jaillissaient sans relâche sur son écran alors même qu'elle était en communication avec Nola.

— Écoute, je dois te laisser, c'est un peu la folie ici. Tu crois que je peux te rappeler dans une heure ? Je suis en train de dîner au Château, ajouta-t-elle, dans un murmure à peine audible. Avec Bon Jovi. Et apparemment, il adore les rousses.

— Ferme-la. Fer-me-la ! siffla Nola. Explique-moi d'abord un truc : quand ma meilleure amie est-elle devenue aussi hype ? *Je suis en train de dîner au Château* ? Tu te fiches de moi ? Et secundo… je dois raccrocher à l'instant si je veux avoir le temps de réserver un vol pour Los Angeles et de me teindre en rousse.

Brooke éclata de rire.

— Je ne plaisante pas, Brooke. Si demain je débarque aux aurores, toute rousse, pour squatter ton canapé, tu ne pourras pas dire que je ne t'avais pas prévenue.

— Je t'adore, Nol. Je te rappelle dans un petit moment.

Elle raccrocha, mais cela ne changea rien. Tous les téléphones continuaient à sonner, à vibrer, et chacun continuait à répondre, avide d'entendre une nouvelle salve de compliments et d'éloges. Le message qui se distingua du lot haut la main émanait de la mère de Julian : *Ton père et moi t'avons vu chez Leno ce soir. Si les deux autres invités ne nous ont pas fait grande impression, en revanche, nous avons trouvé ta performance plutôt bonne. Naturellement, compte tenu des opportunités et du soutien dont tu as toujours bénéficié, nous ne sommes pas le moins du monde surpris par ta réussite. Toutes nos félicitations !*

Brooke et Julian le découvrirent en même temps, chacun sur leur téléphone respectif, et furent pris d'un fou rire qui les priva de l'usage de la parole pendant plusieurs minutes.

Les choses mirent une bonne heure à se tasser, et à ce moment-là, Jon les avait rejoints, Samara avait booké Julian sur deux autres émissions et Leo avait commandé une troisième bouteille de champagne. Julian, enfoncé dans son fauteuil, avait l'air à la fois hagard et euphorique. Il leva sa flûte et adressa à chacun un hoche-ment de tête.

— Merci, merci infiniment à vous tous, je suis inca-pable de trouver les mots mais ce, ça, cette… c'est la soirée la plus incroyable de ma vie.

Leo s'éclaircit la voix et leva son verre.

— Désolé de te contredire, mon pote, mais je crois que tu te trompes, dit-il en adressant un clin d'œil au reste de l'assemblée. Ce soir, ce n'est que le début.

Elles vont toutes tomber
comme des mouches

La journée commençait à peine et on n'était que fin mai, mais la chaleur texane était déjà accablante. Le tee-shirt de Julian était humide de transpiration, et Brooke avalait litre d'eau sur litre d'eau, convaincue qu'ils étaient guettés par la déshydratation. Un peu plus tôt, elle avait tenté d'aller courir, avant de renoncer au bout de dix minutes lorsqu'elle s'était sentie tout à la fois prise de vertiges, en hypoglycémie et nauséeuse. Aussi, lorsque Julian, pour la première fois peut-être en cinq ans de mariage, lui avait proposé de consacrer quelques heures à faire du shopping, elle n'aurait pas pu grimper plus vite dans la monstrueuse voiture verte de location. Shopping était synonyme d'air conditionné, et elle était partante à 100 %.

Ils traversèrent le quartier résidentiel dans lequel se trouvait l'hôtel pour rejoindre l'autoroute, qu'ils quittè-rent au bout de vingt minutes pour emprunter une route de campagne sinueuse, dont certains tronçons étaient goudronnés, mais qui la plupart du temps n'était qu'un simple chemin de terre. Brooke eut beau insister, et même le supplier, Julian refusa obstinément de lui révéler leur destination. Pour toute réponse, il lui offrait un sourire, un sourire de plus en plus réjoui.

— Tu aurais imaginé des paysages pareils à dix minutes du centre d'Austin ? demanda Brooke tandis qu'ils longeaient des prés couverts de fleurs sauvages et dépassaient une grange délabrée.

— Jamais. On se croirait dans un décor de film, pas dans la banlieue d'une grande ville cosmopolite. Mais je suppose que c'est précisément pour cette raison qu'ils filment ici.

— Oui, au boulot, personne ne voulait croire qu'ils avaient tourné *Friday Night Lights* [1] ici.

— Tout se passe bien, au boulot ? Tu n'en as pas beaucoup parlé, ces derniers temps.

— Dans l'ensemble, ça va. Tu sais, cette patiente de la Huntley, la petite boursière qui est en première année ? Celle qui vient d'un milieu complètement différent de celui des autres filles ? Elle ne se sent pas dans son élément, dans cette école, pour des tas de raisons, mais ce qui lui pose le plus problème, c'est son poids. À l'heure qu'il est, elle est convaincue de souffrir d'obésité morbide, c'est devenu une hantise, alors qu'elle est franchement proche de la normale.

— Qu'est-ce que tu peux faire pour l'aider ?

Brooke lâcha un soupir.

— Pas grand-chose, hélas. L'écouter, la tranquilliser. Et la garder à l'œil, pour m'assurer qu'elle ne dérape pas. Elle ne souffre pas de troubles graves du comportement alimentaire, j'en suis absolument certaine, mais c'est toujours effrayant de voir quelqu'un à ce point préoccupé par son poids, surtout quand ce quelqu'un est

1. Série télévisée ayant pour cadre une petite ville du Texas.

131

une ado. Et avec les grandes vacances qui arrivent le mois prochain, je m'inquiète un peu pour elle.

— Et à l'hôpital, ça se passe comment ?

— Ça va. Margaret n'était pas ravie que je prenne ces deux jours de congés, mais que peut-on y faire ?

— Deux jours, est-ce que ça pose vraiment un problème ?

— En soi, non. Mais je me suis déjà absentée trois jours pour Los Angeles et *Leno*, une demi-journée pour suivre ta série d'interviews à New York, et encore une journée pour assister au shooting pour la pochette de ton album. Tout ça en quelques semaines à peine. Mais peu importe. Je t'ai à peine vu depuis, alors pour rien au monde je n'aurais loupé ça.

— Rook, je te trouve injuste de dire qu'on s'est à peine vus. Ces dernières semaines, c'était de la folie. Dans le bon sens du terme.

Brooke n'était pas d'accord – ils n'avaient fait que se croiser une heure par-ci, une heure par-là lorsque Julian passait en coup de vent à l'appartement, et personne ne pouvait appeler ça « se voir » –, mais elle n'avait vraiment pas eu l'intention de lui faire de reproches.

— Ce n'est pas ce que je voulais dire, je te le promets, dit-elle de son ton le plus conciliant. Et puis, là, on est ensemble, alors profitons-en, d'accord ?

Ils roulèrent en silence pendant quelques minutes, puis Brooke posa une main sur son front et lança :

— Je n'arrive pas à croire que je vais rencontrer Tim Riggins.

— C'est qui déjà, celui-là ?

— Oh, Julian ! Arrête !

— C'est qui ? L'entraîneur ? Le quarterback ? Je m'y perds, lâcha Julian en souriant.

Comme si *quelqu'un* pouvait ignorer qui était Tim Riggins [1]...

— Mmm... t'inquiète pas. Lorsqu'il arrivera à la fête, ce soir, et que toutes les filles, sans exception, s'évanouiront de désir, tu le sauras. Fais-moi confiance.

Julian frappa le volant du plat de la main en feignant d'être outré.

— Ne sont-elles pas censées se pâmer devant moi ? C'est quand même moi la rock star !

Brooke se pencha par-dessus l'accoudoir pour lui planter un baiser sur la joue.

— Évidemment qu'elles vont toutes tomber comme des mouches à tes pieds, mon cœur. Si elles arrivent à détacher les yeux de Tim Riggins assez longtemps pour te remarquer, ce sera une vraie hécatombe.

— Maintenant, une chose est sûre : je ne suis pas près de te dire où on va, riposta Julian.

Sourcils froncés, il se concentrait pour éviter la kyrielle de nids-de-poule que les orages de la nuit précédente avaient transformés en mares. Julian n'était pas un conducteur très aguerri. Brooke paniqua soudain à l'idée de se retrouver embringuée dans une randonnée, ou une promenade dans la nature, ou encore une excursion de rafting, ou de pêche, mais elle se rappela bien vite que son mari était un New-Yorkais pur sucre : communier avec la nature consistait pour lui à arroser chaque semaine le petit bonsaï qui trônait sur sa table de nuit. En outre, sa connaissance de la vie sauvage était limitée : il était incapable de distinguer un petit rat d'une grosse souris sur un quai de métro, et lorsqu'il croisait un de ces chats qui traînaient dans les bodegas, il semblait

---

1. Un des personnages de la série *Friday Night Lights*.

posséder un sixième sens pour départager ceux qui avaient des intentions pacifiques de ceux qui allaient souffler et griffer si vous approchiez trop près. Pour compléter le tableau, il détestait salir ses chaussures et dormir à la belle étoile, et lorsqu'il s'aventurait en plein air – disons à Central Park, pendant le festival SummerStage, ou encore au Boat Basin si des amis y organisaient une fête –, il n'omettait jamais d'emporter une provision d'antihistaminiques et un téléphone à la batterie dûment chargée. Il détestait que Brooke le traite de prince du macadam, mais il n'avait jamais trouvé d'arguments convaincants pour réfuter l'accusation.

Le centre commercial – hideux, tentaculaire – sembla surgir du maquis, et s'annonça par des néons agressifs : Lone Star Western Wear. Il était composé de deux corps de bâtiment qui partageaient un parking en terre battue, sur lequel étaient garés quelques véhicules.

— Nous y sommes, annonça Julian, en quittant un chemin de terre pour s'engager dans un autre.

— Tu te moques de moi. Dis-moi que c'est une blague, lança Brooke en contemplant les bâtiments bas et trapus, et les camionnettes sur le parking.

— Eh bien quoi ? On va faire du shopping, comme je l'ai dit.

Julian sauta de voiture, la contourna pour lui ouvrir la portière et lui offrit sa main pour l'aider à enjamber les mares de boue sans abîmer ses tongs fantaisie.

— Quand tu as parlé de shopping, j'imaginais quelque chose un peu comme Neiman's.

La toute première chose que Brooke remarqua, après la bouffée d'air climatisé, tout à fait bienvenue, fut la jolie jeune fille en jean moulant, chemisette écossaise très près du corps et santiags, qui s'avança vers eux.

— Bonjour ! lança-t-elle d'une voix chantante. Si jamais vous avez besoin de quoi que ce soit, n'hésitez pas à me le demander !

Brooke la remercia d'un hochement de tête et d'une ébauche de sourire. Julian, lui, lui adressa un grand sourire. Brooke lui asséna un coup de coude dans les côtes. Un son de guitare nasillard dégoulinait des haut-parleurs fixés au plafond.

— Ça tombe bien, nous avons besoin d'aide, répondit Julian à la blonde.

La fille frappa dans ses mains puis en posa une sur l'épaule de Julian, et l'autre sur celle de Brooke.

— D'accord, on y va. Que cherchez-vous ?

— Oui, que cherche-t-on ? répéta Brooke.

— Il nous faut une tenue texane pour ma femme. C'est pour une soirée, expliqua Julian, en évitant soigneusement de croiser le regard de Brooke.

La vendeuse sourit et dit :

— Super. Je sais exactement ce qu'il vous faut !

— Julian, j'ai déjà une tenue pour ce soir, protesta Brooke. Cette robe noire que j'ai essayée devant toi ? Et ce sac ravissant que m'ont offert Randy et Michelle pour mon anniversaire ? Ça te rappelle quelque chose ?

— Je sais…, commença Julian en se tordant les mains. Mais tu vois, je me suis levé très tôt ce matin, et j'ai rattrapé mon retard avec les e-mails et du coup, j'ai ouvert la pièce jointe qui accompagnait l'invitation à la fête de ce soir, et j'ai vu qu'il y avait un *dress code*. « Cowboy Couture ».

— Oh non !

— Ne panique pas ! Tu vois, je savais que tu allais paniquer, mais…

— J'ai acheté une robe bustier noire et des sandales dorées ! s'emporta Brooke, d'une voix assez forte et stridente pour attirer l'attention de quelques clients.

— Je sais, Rook. C'est pour ça que j'ai immédiatement envoyé un mail à Samara, pour lui demander de me donner de plus amples détails. Ce qu'elle a fait. Un luxe de détails, en fait.

— Ah bon ? fit Brooke en penchant la tête, surprise mais un peu radoucie.

— Oui, regarde. (Julian sortit son iPhone. Il fit défiler une longue liste de messages avant d'effleurer son écran et de commencer à lire.) « Salut chéri – elle appelle tout le monde comme ça, précisa-t-il –, l'équipe de *Friday Night Lights* a prévu une soirée costumée pour rendre hommage à ses racines texanes. N'aie pas peur de charger la mule – ce soir, ça va être un festival de Stetson, santiags, jambières en cuir, et jeans archimoulants archisexy. Dis à Brooke qu'il lui faut absolument des Daisy Duke. C'est l'entraîneur Taylor lui-même qui choisira le gagnant ou la gagnante, alors arrachez-vous. Il me tarde de… » (Julian laissa la phrase en suspens et arrêta de lire à voix haute.) Le reste concerne des trucs chiants d'emploi du temps. C'était ça la part importante… Donc, voilà. Tu n'es pas contente ?

— Disons que je suis contente que tu t'en sois aperçu avant qu'on arrive à la soirée… (Elle remarqua que Julian avait l'air anxieux et attendait avec impatience son approbation.) Je te suis infiniment reconnaissante de m'avoir épargné ce fiasco. Et je te remercie de te donner tant de mal.

— C'est avec plaisir, protesta Julian, visiblement soulagé.

— Tu étais censé répéter, aujourd'hui.

— J'ai toute la journée pour ça, c'est pour ça que nous sommes venus ici de bonne heure. Je suis heureux qu'on fasse ça ensemble.

Il lui planta un baiser sur la joue et leva la main pour héler la vendeuse, qui rappliqua avec empressement, tout sourire.

— On est prêts ? demanda-t-elle.

— On est prêts, répondirent-ils en chœur.

Lorsqu'ils quittèrent les lieux une heure plus tard, Brooke était encore sous le coup de l'excitation. Cette virée shopping s'était avérée mille fois plus amusante qu'elle ne l'avait imaginé : quêter l'approbation de Julian lorsqu'elle avait essayé des shorts, des petits hauts moulants et des bottes sexy, combiné au plaisir régressif de se déguiser, avait été euphorisant. La vendeuse, Mandy, s'était montrée habile conseillère et elle lui avait concocté la tenue de soirée idéale : une jupe en jean Daisy Duke, puisque Brooke ne se sentait pas à l'aise en short moulant ; une chemise écossaise identique à celle qu'elle-même portait, nouée avec impertinence au-dessus du nombril (mais, dans le cas de Brooke, par-dessus un débardeur blanc qui lui épargnerait d'exhiber son ventre) ; une ceinture avec une imposante boucle en cuivre en forme d'étoile de shérif ; un Stetson avec les bords relevés et une cordelette coquine ; et les santiags en cuir brodé les plus amusantes que Brooke avait jamais vues. Mandy lui avait également conseillé de natter ses cheveux de part et d'autre de la nuque, et elle lui avait tendu un bandana rouge à nouer autour du cou.

— Et n'oubliez pas de vous lâcher sur le mascara, avait insisté Mandy en agitant l'index. Une cow-girl digne de ce nom doit avoir le regard bien charbonneux.

Quant à Julian, qui n'était pas tenu de se costumer pour monter sur scène, Mandy lui montra comment rouler un paquet de cigarettes dans la manche du tee-shirt, et elle lui fournit une version masculine du chapeau de cow-boy de Brooke.

Ils rigolèrent pendant tout le trajet jusqu'à l'hôtel. Lorsque Julian se pencha pour l'embrasser et lui annonça qu'il repasserait à 18 heures pour se doucher, Brooke eut envie de le supplier de rester, mais elle rassembla ses sacs et lui rendit son baiser.

— Bonne chance. Je me suis bien amusée.

Et elle ne put réprimer un sourire béat lorsque Julian lui assura que lui aussi s'était bien amusé.

Il rentra à l'hôtel plus tard que prévu. Il fonça sous la douche, s'habilla en vitesse, et une fois installés dans la limousine qui les attendait, Brooke sentit le trac le gagner.

— Tu es nerveux ?

— Ouais, un peu, je crois.

— Souviens-toi juste d'une chose : de toutes les chansons de l'univers, ils ont choisi la tienne. Et chaque fois, sans exception, que quelqu'un va allumer sa télé pour regarder un épisode, il va entendre *ta* chanson. C'est incroyable, mon cœur. Vraiment incroyable.

Julian posa la main sur la sienne.

— On va passer une super soirée. Et toi, tu ressembles à un top model. Tu vas te faire mitrailler.

— Mitrailler… ?

Brooke n'eut pas le temps de creuser plus avant la question. La voiture venait à peine de s'arrêter devant l'entrée du Hula Hut, célèbre restaurant d'Austin réputé servir le meilleur *chili con queso* de tout le nord du

Texas, qu'aussitôt une douzaine de paparazzis s'élança à leur rencontre.

— Oh mon Dieu ! Ils vont me photographier ? s'écria Brooke, épouvantée que cette éventualité ne lui ait pas traversé l'esprit plus tôt.

Elle vit qu'on avait déroulé un long tapis orné d'un imprimé peau de vache – sans doute la version texane du tapis rouge –, et à quelques mètres de là, entre la rue et la porte du restaurant, elle aperçut deux des comédiens de la série en train de prendre la pose devant les objectifs.

— Attends, je vais descendre t'ouvrir, dit Julian en mettant pied à terre et en contournant la voiture. (Il ouvrit sa portière et se pencha en lui offrant sa main.) Ne t'inquiète pas, on ne les intéressera pas beaucoup.

Brooke fut soulagée de constater qu'il disait vrai. La nuée de photographes qui s'était précipitée vers leur voiture, avide de découvrir si quelqu'un d'important allait en sortir, s'était dispersée sitôt qu'ils étaient apparus. Un seul des photographes leur demanda s'ils accepteraient de poser devant le grand panneau noir érigé à la gloire de *Friday Night Lights* et de la chaîne NBC à côté de l'entrée. Le type fit quelques clichés, sans grand enthousiasme, puis les pria de prononcer distinctement leur nom dans son dictaphone avant de s'éloigner. Julian entraîna Brooke, agrippée à sa main, vers l'entrée du restaurant. Brooke repéra Samara à l'autre bout de la salle, et elle n'eut besoin que de poser un bref regard sur la robe en soie élégante et sobre, les spartiates et les boucles d'oreilles chandelier pour se sentir ridicule. Pourquoi Brooke était-elle costumée comme pour une fête de village quand cette fille, elle, semblait descendre du podium d'un défilé ? Et s'il y avait eu un horrible quiproquo et que Brooke fût la seule personne déguisée de la soirée ? Elle sentit qu'elle commençait à respirer avec difficulté et la panique s'empara d'elle.

Heureusement, elle trouva le courage de regarder autour d'elle, et découvrit des Daisy Duke et des chapeaux de cow-boy à perte de vue.

Un plateau de cocktails aux couleurs fruitées passa à portée de sa main. Elle en accepta un et l'heure suivante fila sans qu'elle s'en rende compte. On lui présenta des gens, elle se mêla aux invités, elle but et rit. C'était l'une de ces rares soirées où tous les invités semblaient sincèrement ravis d'être là. Il y avait les comédiens et l'équipe de la série qui, à l'évidence, se connaissaient et s'entendaient bien, mais aussi leurs conjoints, leurs amis et quelques people – qui se trouvaient là pour accompagner l'un ou l'autre des comédiens, ou parce que leur attaché de presse avait fait des pieds et des mains pour les faire inviter, histoire de récolter un peu de publicité. Brooke aperçut Derek Jeter qui rôdait devant une pyramide de nachos, l'air un peu perdu, comme s'il essayait de se rappeler qui, dans la distribution de la série, était sa fiancée. Julian vint lui annoncer qu'il avait entr'aperçu Taylor Swift sur la terrasse, à moitié nue, entourée d'une cour d'admirateurs. Mais pour l'essentiel, ce n'était qu'une foule tapageuse affublée de jambières en cuir, nattes et jeans déchirés, qui buvait de la bière et mangeait du fromage en se trémoussant au son d'une musique des années 80. Jamais Brooke ne s'était sentie à ce point à l'aise à aucun des concerts de Julian, et elle s'amusait comme une petite folle, se régalant de cette sensation bien trop rare d'être un peu éméchée et en phase avec le mouvement. Lorsque Julian monta sur la scène de fortune avec ses musiciens, Brooke (qui s'était laissé embringuer un peu plus tôt dans un test comparatif de margaritas par quelques-uns des scénaristes de la série) avait vraiment le sentiment de faire partie de l'équipe. Et ce n'est qu'à cet instant qu'elle réalisa que, mis à part la performance enregistrée de Julian chez Leno, elle n'avait encore jamais vu Julian se produire avec des musiciens.

Tandis qu'ils prenaient possession de leurs instruments et testaient le son, elle songea, avec étonnement, qu'ils ressemblaient moins à un groupe de rock qu'à une bande de très jeunes gens qui se seraient connus dans un de ces très chic pensionnats de la Nouvelle-Angleterre. Le batteur, Wes, arborait les cheveux longs de rigueur, à ce détail près qu'ils ne pendaient pas en mèches graisseuses autour de son visage. Ses boucles acajou étaient épaisses, souples et brillantes – une vraie chevelure de fille. Il portait un jean repassé et propre, avec un polo vert et une paire de New Balance grises classiques. C'était le genre de garçon qui, au lycée, consacrait ses grandes vacances à tirer des caddies sur les terrains de golf – moins pour gagner de l'argent que pour se forger le caractère – et qui ensuite ne se refrottait au monde du travail qu'au moment d'intégrer le cabinet d'avocat de son père. Le guitariste, Nate, était le plus vieux de la bande, il devait avoir une petite trentaine et même s'il faisait moins étudiant studieux que Wes, son pantalon en toile usée, ses Converse noires et son tee-shirt barré du slogan *Just do it !* ne ressemblaient pas vraiment à la panoplie d'un rebelle. À la différence de son copain le batteur, Nate ne correspondait à aucun stéréotype du guitariste : il était trapu, il avait un sourire timide et gardait le regard baissé. Brooke se souvenait que lors de son audition, après un premier jugement hâtif, Julian avait été sidéré : « Quand ce mec monte sur scène, tu comprends immédiatement qu'il en a bavé un max toute sa vie. On dirait qu'il a peur de son ombre. Et puis il commence à jouer et là, ça déchire. C'était hors de ce monde. » Le dernier membre du groupe était Zack, le bassiste, qui ressemblait plus à un musicien que les autres : avec sa coiffure hérissée et stylée, sa chaîne de portefeuille et les traits discrets d'eye-liner, il donnait l'impression d'être plus poseur. C'était le seul membre du groupe avec lequel Julian n'accrochait pas, mais Sony avait jugé que le bassiste qu'il avait proposé – *une* bassiste en l'occurrence – serait de nature à lui faire de l'ombre, et Julian n'avait pas eu envie d'argumenter. Au final, c'était un curieux équipage que cette bande de garçons de styles hétéroclites, et on se demandait ce qui allait bien pouvoir en sortir. Brooke regarda autour d'elle et remarqua que tout le monde dans la salle s'était tu.

Julian ne se présenta pas, ni n'annonça le titre de la chanson comme il le faisait d'habitude. Il regarda simplement ses musiciens, hocha la tête, et attaqua sa reprise de « Achy Breaky Heart ». C'était un pari risqué, mais un calcul intelligent. Il avait choisi une chanson sentimentale archi-rebattue et se l'était appropriée en lui insufflant une gravité, une profondeur qui, au final, la renouvelait entièrement et avait des airs de pied de nez. Le message était clair : *ah, vous vous attendiez à une reprise fidèle de votre chanson de générique ? Et peut-être à un morceau du prochain album ? Eh bien, ne comptez pas sur nous pour jouer les bons élèves.* Le public accueillit la performance avec des rires et des cris d'encouragements tout en reprenant les paroles, avant d'applaudir chaudement.

Brooke ne fut pas la dernière à applaudir. Et si elle se délectait d'entendre, autour d'elle, tous ces gens s'émerveiller du talent de Julian, et dire qu'ils l'auraient volontiers écouté toute la soirée, elle n'était nullement surprise de leur enthousiasme. Comment auraient-ils pu ne pas être enthousiastes ? Elle ne se lassait pas de le voir et de l'entendre. Et lorsque Julian s'approcha du micro et contempla l'assistance avec un immense sourire craquant, Brooke sentit que tout le monde était sous le charme.

— 'Soir tout le monde, lança-t-il en touchant le bord de son chapeau à la façon d'un cow-boy. Merci d'accueillir un jeune Yankee en ville.

Le public se déchaîna de plus belle. Brooke vit Tim Riggins brandir sa bouteille de bière vers Julian, et elle dut se retenir de crier. Derek Jeter mit ses mains autour de la bouche et poussa des « Hou, hou ! ». Les scénaristes avec lesquelles Brooke avait testé les margaritas se mirent en rang devant la scène en sifflant. Julian les remercia tous d'un autre sourire ravageur.

— Je pense parler en notre nom à tous lorsque je dis que je suis immensément fier et honoré que vous ayez adopté ma chanson.

D'autres cris et sifflements fusèrent mais Julian leva la main.

— Et je suis très impatient de la chanter ce soir, ici avec vous tous. Mais j'espère que vous ne m'en voudrez pas si, avant « For the Lost », je dédie une autre petite chanson à mon adorable épouse, Brooke. Elle a été super, ces derniers temps – croyez-moi, vraiment super – et ça fait un moment que je ne l'ai pas remerciée. Rookie, celle-là est pour toi.

Sidérée d'entendre Julian l'appeler par son surnom en public, Brooke se sentit rougir, mais elle n'eut guère le temps de s'appesantir sur son embarras car les musiciens attaquèrent les premières mesures de « Crazy Love », de Van Morrisson – la chanson avec laquelle ils avaient ouvert le bal à leur mariage – et immédiatement, elle fut comme hypnotisée par la performance de Julian. Il ne la quittait pas des yeux tandis que la chanson progressait et ce n'est que juste avant le refrain, lorsqu'il rejeta la tête en arrière pour le chanter de toute la puissance de sa voix, que cette bulle d'intimité éclata et que Brooke remarqua que tous les regards, dans la salle, étaient braqués sur elle. Enfin, non, pas tout à fait. Les hommes regardaient les musiciens, en se balançant d'un pied sur l'autre et en buvant des rasades de bière ; c'était les femmes qui la dévisageaient, avec des expressions ouvertement admiratives et envieuses. C'était une sensation surréaliste. Certes, ce n'était pas la première fois, loin de là, que Julian lui témoignait son amour lorsqu'il se trouvait sur scène, mais jamais elle n'avait senti les feux des projecteurs braqués sur elle. Elle sourit et se trémoussa légèrement en rythme en contemplant Julian donner sa sérénade et, curieusement, malgré les centaines de témoins, il lui sembla que c'était un des moments les plus intimes qu'ils avaient jamais partagés. Un des meilleurs.

Lorsque Julian enchaîna avec « For the Lost », Brooke ne doutait plus que toute la salle était sous le charme. Une énergie intense, palpable, se dégageait du public. À mi-chanson, cependant, il lui sembla percevoir un frisson d'excitation encore plus fort. Une soudaine agitation dans les rangs, des têtes qui se tournaient, des chuchotements. Certains spectateurs se dévissaient carrément le cou, d'autres tendaient leur doigt. Brooke comprit qu'il se passait quelque chose, mais la foule l'empêchait de distinguer ce qui… *Eh !… Non !… Se pourrait-il que ce soit…*

Layla Lawson ? Oh oui, c'était bien elle. Brooke ignorait que Layla Lawson venait à la première de la nouvelle saison de *Friday Night Lights*, mais le fait est qu'elle était là… resplendissante, en robe bustier à fleurs et santiags. Était-ce un déguisement ? Difficile à dire. Mais, costume de circonstance ou pas, une chose était certaine : cette fille semblait très en forme, très heureuse et très, très célèbre. Le public n'eut d'yeux que pour elle tandis qu'elle saluait Samara d'une chaleureuse accolade puis fendait la foule en direction des premiers rangs, pour se poster à deux pas de Brooke, au pied de la scène.

Et puis, sitôt que Julian eut plaqué ses derniers accords et tandis qu'un tonnerre d'applaudissements crépitait dans la salle, Layla grimpa sur scène, prenant tout le monde de court – y compris Julian. Elle s'avança vers lui avec aplomb, le prit dans ses bras puis l'embrassa sur la joue et, emprisonnant son bras entre ses mains, se tourna face au public. Elle semblait littéralement suspendue à lui et le contemplait avec un sourire d'une blancheur scintillante et un regard de pure adoration. Julian resta d'abord comme figé d'incrédulité, puis quelque chose dut faire tilt car la seconde d'après, il lui retournait un regard tout aussi éperdu d'adoration.

Layla se pencha vers le micro, comme s'il n'avait été placé là que pour elle, et cria :

— Est-ce qu'il n'est pas à tomber ? Qu'en pensez-vous ? Je veux vous entendre dire haut et fort combien Julian Alter est à tomber !

Le public se déchaîna. Tout comme les photographes qui les avaient ignorés à leur arrivée et qui soudain se bousculaient les uns les autres pour mitrailler la scène, dans un crépitement de flashes digne d'une soirée des oscars. Et puis le calme revint avec la même soudaineté. Layla chuchota quelques mots à l'oreille de Julian et descendit de scène. Brooke supposa qu'elle allait rester boire un verre ou deux, mais non, la starlette gagna directement la sortie.

Dix minutes plus tard, Julian avait rejoint Brooke, transpirant et souriant comme à chaque fois qu'il sortait de scène, mais encore plus radieux à cause de l'excitation ambiante. Il l'embrassa et Brooke lut dans son regard combien il piaffait d'impatience d'évoquer avec elle ce qui venait de se passer ; il lui prit la main et l'entraîna dans la salle, en acceptant félicitations et claques dans le dos avec des rires enjoués.

Ils n'eurent pas une seule seconde en tête à tête jusqu'à ce que, vers 1 heure du matin, Samara et Leo (au bras d'une « amie » qu'il venait tout juste de rencontrer, évidemment) leur souhaitent bonne nuit et regagnent chacun leur chambre. Dès qu'il eut refermé la porte de la leur, Julian se tourna vers Brooke.

— Tu te rends compte que Layla Lawson est montée sur scène avec moi ?

— Si je ne l'avais pas vu de mes propres yeux, je n'y aurais jamais cru. D'ailleurs, je ne suis pas encore certaine d'y croire, répondit Brooke en retirant ses bottes et en tombant à la renverse sur le lit.

— *Layla Lawson !* C'est surréaliste. Qu'est-ce qu'elle foutait là ?

— Aucune idée. Mais je peux te dire une chose, cette fille sait *bouger*. Tu as vu comment elle dansait à côté de toi, en ondoyant, en se déhanchant ? C'était hypnotisant. C'est comme si c'était plus fort qu'elle, dès qu'elle avait un micro dans les mains.

On frappa à la porte. Julian lança un regard interrogateur à Brooke, qui haussa les épaules. Il se dirigeait vers la porte quand, sans attendre d'y avoir été invité, Leo entra, la chemise ouverte jusqu'au nombril, avec une belle marque sur le col qui ressemblait fort à du rouge à lèvres. Brooke se retint d'éclater de rire.

— Julian, écoute, commença-t-il sans s'excuser le moins du monde de son intrusion. Je sais que je t'annonce ça à la dernière minute, mais Samara vient d'organiser plusieurs trucs pour toi demain à L.A. L'apparition de Layla était un coup de génie, tout le monde en est resté sur le cul. On décolle de l'hôtel demain à 9 heures, d'accord ?

— Demain ? bafouilla Julian, l'air aussi surpris que Brooke.

— Oui, 9 heures pétantes dans le hall. On a déjà les billets d'avion. Tu seras sans doute de retour à New York d'ici trois ou quatre jours. Super boulot ce soir, mon pote. À demain, ajouta-t-il avant de repartir aussi subitement qu'il était entré.

Intérieurement, Brooke remercia la fille, peu importe qui elle était, qui l'attendait dans son lit.

— Bon…, fit-elle lorsque la porte claqua derrière Leo.

— Bon. Apparemment, je pars à Los Angeles demain.

— OK, répondit Brooke, faute de mieux.

Elle allait devoir annuler le dîner prévu le lendemain soir avec des amis de fac de Julian qui étaient de passage en ville. Et il ne pourrait pas l'accompagner à cette soirée au musée à laquelle Nola les avait invités, celle qui était organisée par le comité junior dont elle était membre et dont les places leur avaient coûté une petite fortune.

On frappa à nouveau à la porte.

— Quoi encore ? maugréa Brooke.

Cette fois, c'était Samara, aussi survoltée qu'à son habitude. Elle aussi entra sans y être invitée, les yeux rivés à son gros agenda en cuir.

— Ce petit *photocall* improvisé avec Lawson a marché mieux que je ne l'espérais, ils ont tous embrayé au quart de tour. Tous sans exception.

Julian et Brooke se contentèrent de la regarder fixement.

— Mon téléphone n'a pas arrêté de sonner. J'ai déjà une centaine de demandes d'interviews et de séances photo. Brooke, je suis en train de négocier une demande de sujet sur toi, quelque chose dans l'esprit « Qui est Mrs Julian Alter ? », donc commence à y réfléchir. Julian, tu es booké presque toute la semaine prochaine. C'est une excellente nouvelle, les résultats sont vraiment sensationnels, et je peux te dire que chez Sony, ils sont tous aux anges.

— Waouh ! fit Julian.

— Génial, ajouta Brooke d'une voix faible.

— Les paparazzis sont déjà en train de camper dans le hall, donc préparez-vous à les affronter demain matin. Je peux vous recommander des services de sécurité auxquels vous pourrez vous adresser pour protéger votre vie privée. Ce sont tous des gens formidables.

— Oh, je ne crois pas que ce sera nécessaire, protesta Brooke.

— Mm mm… on en reparlera. En attendant, je vous suggère de toujours réserver vos chambres d'hôtel sous des noms différents dorénavant, et je vous recommande la plus grande prudence sur ce que vous écrivez dans vos mails.

— Heu… Est-ce que c'est vraiment…

Samara coupa la parole à Julian en refermant d'un coup sec son agenda. La réunion était officiellement terminée.

— Brooke, Julian, conclut-elle en étirant chaque syllabe, et avec un sourire qui donna la chair de poule à Brooke. Bienvenue à la fête.

Il aurait pu être docteur

— Vous préférez que je pose ces stores occultants derrière ceux qui sont déjà accrochés, ou que je dépose d'abord ceux-ci ? demanda l'installateur en désignant la chambre de Brooke et de Julian derrière lui.

Ce n'était pas une décision particulièrement importante, mais Brooke était agacée de devoir la prendre seule. Julian se trouvait quelque part sur la Côte Pacifique – depuis un moment, elle avait du mal à suivre le fil de ses déplacements – et n'était guère en mesure de l'aider pour les questions d'ordre domestique.

— Je ne sais pas. Comment font les gens, en général ?

Le type haussa les épaules. Son expression disait : *je m'en contrefiche que ce soit d'une manière ou d'une autre, mais décidez-vous histoire que je puisse me tirer d'ici au plus vite et profiter de mon samedi.* Brooke comprenait très bien son sentiment.

— Bon, posez-les par-dessus les autres. Les nouveaux sont probablement plus beaux.

Le type grogna et disparut dans la chambre, Walter – le traître ! – sur les talons. Brooke rouvrit son bouquin mais fut soulagée d'entendre le téléphone sonner.

— Salut papa, quoi de neuf ?

Il lui semblait qu'ils ne s'étaient plus parlé depuis des siècles. Lors de leur dernière conversation, son père n'avait que le nom de Julian à la bouche.

— Brooke, bonjour, c'est Cynthia.

— Salut Cynthia ! Comment vas-tu ? Vous projetez de venir à New York, un de ces quatre ?

Cynthia lâcha un rire forcé.

— Probablement pas dans l'immédiat. La dernière fois c'était… fatigant. Mais tu sais que vous êtes toujours les bienvenus ici.

— Ouais, ça va sans dire.

Le ton était plus grossier qu'elle ne l'avait souhaité, même si c'était un peu exaspérant de s'entendre inviter chez son propre père, dans la maison où elle avait grandi. Et sans doute cela n'avait-il pas échappé à Cynthia, car elle s'empressa de s'excuser. Brooke se sentit immédiatement coupable de s'être montrée garce sans raison.

— C'est moi qui m'excuse, soupira-t-elle. C'est juste de la folie ici, en ce moment.

— Je n'arrive même pas à l'imaginer. Écoute, je sais que c'est probablement impossible, mais je me dis que ça ne coûte rien de demander. C'est pour une bonne cause, tu vois…

Brooke retint son souffle. *Nous y voilà*, songea-t-elle. Pourquoi personne n'avait jugé bon de la prévenir que la célébrité de Julian – car il était célèbre, maintenant, n'est-ce pas ? – n'irait pas sans dommages collatéraux ?

— Tu l'ignores peut-être, mais je coprésde le comité féminin du temple de Beth Shalom.

Brooke ne répondit rien et attendit la suite. Qui ne vint pas.

— Si… je crois que je le savais, dit-elle en essayant de communiquer le moins d'enthousiasme possible.

— Alors voilà, notre collecte annuelle de fonds a lieu dans quelques semaines, et la conférencière que nous avions engagée vient de nous faire faux bond. C'est cette femme qui écrit des livres de cuisine casher… En ce qui me concerne, je ne les trouve pas casher au sens strict. Disons qu'elle consacre un volume à Pessah, un à Hanukkah, un autre à la cuisine des enfants…

— Mm mm…

— Bref. Elle prétend qu'elle doit se faire opérer la semaine prochaine – des oignons – et qu'elle ne pourra pas marcher pendant un bon moment. Si tu veux mon avis, elle se fait plutôt faire une liposuccion.

Brooke se força à s'armer de patience et inspira profondément, lentement, en veillant à rester discrète. Cynthia était une femme charitable, qui ne cherchait qu'à collecter de l'argent pour des gens moins fortunés qu'elle.

— Bon, peut-être qu'elle a vraiment un problème d'oignons. Ou bien qu'elle a la flemme de faire le voyage depuis l'Ohio, va savoir. Ce n'est pas moi qui vais la juger, hein ? Si quelqu'un m'offrait un lifting du ventre gratuit, je sacrifierais probablement ma propre mère. (Elle marqua une pause.) Seigneur, n'est-ce pas horrible de dire une chose pareille ?

Brooke avait envie de s'arracher les cheveux mais se força à rire.

— Je suis sûre que tu n'es pas la seule à penser ça, mais tu n'en as pas besoin. Tu as une super silhouette.

— Oh, tu es trop mignonne !

Brooke patienta quelques secondes, le temps que Cynthia se souvienne de la raison de son appel.

— Oh ! Voilà, je me doute bien que tu ne sais absolument plus où donner de la tête ces temps-ci, mais si jamais Julian pouvait faire une apparition à notre déjeuner, ce serait extraordinaire.

— Une apparition ?

— Oui, enfin, venir juste comme ça, ou chanter – comme il préfère. Il pourrait peut-être chanter cette chanson qui l'a rendu célèbre ? Le brunch débute à 11 heures par des enchères silencieuses dans l'auditorium, où on servira quelques amuse-gueules, et ensuite, tout le monde se déplacera dans le grand hall où Gladys et moi parlerons du travail que le comité féminin a accompli cette année, de l'état général des adhésions à Beth Shalom, de l'agenda des prochaines ma…

— J'ai compris, c'est bon. Donc, tu voudrais qu'il vienne… chanter ? À un déjeuner caritatif ? Tu sais que cette chanson parle de la disparition de son frère, n'est-ce pas ? Crois-tu que… Est-ce que ça plaira à ces dames ?

Par chance Cynthia ne s'offusqua pas de la question.

— Si ça leur plaira ? Oh, Brooke, mais elles vont adorer !

Deux mois plus tôt, si quelqu'un lui avait dit qu'elle aurait un jour cette conversation, Brooke ne l'aurait jamais cru ; mais ayant déjà été sollicitée par la directrice de la Huntley, par une de ses anciennes camarades de lycée, par une ex-collègue et non pas par une mais *deux* cousines, qui toutes voulaient que Julian chante, signe ou envoie quelque chose, plus rien ne la surprenait. Cela étant, la requête de Cynthia était probablement la plus farfelue de toutes. Brooke essaya d'imaginer la scène : après une présentation enthousiaste de la part du rabbin et de la présidente du comité, Julian grimperait sur la bimah de la synagogue de Beth Shalom pour chanter une version acoustique de « For the Lost » devant une assemblée de cinq cents mères et grands-mères juives. Après quoi, les commentaires iraient bon train : « Bon, il n'est pas docteur, mais au moins, il en vit » ; « Il paraît qu'il avait commencé médecine mais qu'il a abandonné en cours de route. Quel dommage ! » Et sitôt qu'elles remarqueraient son alliance, elles l'assailliraient de questions : Ah, il était marié ? Avec une gentille jeune fille juive, au moins ? Avaient-ils des enfants ? Ah non ? Et pourquoi ? Qu'attendaient-ils donc ? Il y aurait des gloussements – Ah ! que n'avait-il choisi leur fille / leur nièce / la fille de leur amie ! Ils auraient fait un couple bien plus assorti ! Et puis, ces femmes avaient beau habiter à Philadelphie et même si Julian avait, lui, grandi à Manhattan, une bonne douzaine d'entre elles se trouveraient un lien avec ses parents, ou avec ses grands-parents, ou avec les deux. Julian rentrerait le soir à la maison complètement ébranlé, vétéran d'une guerre que peu seraient en mesure de comprendre, et Brooke serait totalement impuissante pour le réconforter.

— Laisse-moi lui en parler. Je sais qu'il sera très flatté que tu aies pensé à lui, et que ça lui plairait énor-mément, mais je suis presque sûre qu'il n'a pas une minute à lui pendant les prochaines semaines.

— Si tu crois que ça lui ferait à ce point plaisir, je peux en toucher deux mots en réunion du comité. On peut envisager de déplacer la date. Peut-être pourrait-on…

— Oh non, je ne veux pas t'obliger à chambouler tout ton programme ! se récria Brooke. (C'était la première fois qu'elle voyait cette facette de Cynthia et elle ne savait pas trop comment réagir.) Julian est totalement imprévisible, ces jours-ci. Il prend tout un tas d'engagements qu'il doit ensuite annuler. Il déteste agir ainsi, mais son emploi du temps ne lui appartient plus vraiment, tu comprends…

— Oui, bien sûr, murmura Cynthia.

Brooke essaya de ne pas s'appesantir sur l'ironie de la situation : n'était-elle pas en train d'invoquer auprès de Cynthia les mêmes excuses que Julian lui servait à elle ?

Quand elle entendit, à l'autre bout du fil, qu'on sonnait à la porte, et que Cynthia s'excusa de devoir raccrocher, Brooke remercia en pensée le visiteur de sa belle-mère et se replongea dans son bouquin. Il traitait de l'affaire Etan Patz, ce petit New-Yorkais de 6 ans dont la disparition, en 1979, avait défrayé la chronique, et qui avait convaincu Brooke que tous les types à l'air louche et malsain qu'on croisait dans les rues étaient des pédophiles en puissance. Elle lut deux chapitres, le temps que l'installateur de stores antilumière/paparazzis lui annonce qu'il avait terminé son travail. Elle sortit en même temps que lui.

Brooke commençait à peine à s'habituer à ces week-ends en solo. Julian étant toujours par monts et par vaux, Brooke plaisantait souvent de ce qu'elle renouait avec sa bonne vieille vie de célibataire – à ce détail près que celle-ci s'était considérablement appauvrie socialement. Elle descendit la 9e Avenue, et lorsqu'elle passa devant la pâtisserie italienne, avec ses rideaux coquets et son enseigne peinte à la main qui annonçait « Pasticceria », elle ne put résister à la tentation de pousser la porte. C'était un endroit ravissant, avec un comptoir à l'ancienne sur lequel les clients consommaient, debout, des cappuccinos le matin et des expressos dans la journée.

Tandis qu'elle examinait attentivement les pâtisseries exposées dans l'imposante vitrine, il lui sembla sentir sur la langue le goût des sablés gorgés de beurre, des croissants fourrés à la confiture, et des tartelettes à la ricotta et aux fruits rouges. Naturellement, et sans l'ombre d'une hésitation, si elle n'avait dû en choisir qu'un, elle aurait pris un sublime *cannoli* débordant de crème et enveloppé dans sa gaufrette frite qui était un péché à elle seule. Elle commencerait par laper l'excédent de crème de part et d'autre puis, après une gorgée de café pour se rincer le palais, elle croquerait franchement de chaque côté, en s'arrêtant pour savourer…

— *Dimmi !* lança la mamma italienne en brisant net le fantasme.

— Un grand crème décaféiné au lait écrémé, s'il vous plaît. Et un croquant aux amandes, soupira Brooke en désignant le plateau de biscuits tristounets, sans glaçage ni crème, à côté de la caisse enregistreuse.

Elle savait que le croquant serait délicieux, croustillant et moelleux tout à la fois, mais il resterait un piètre substitut au *cannoli*. Cela étant, elle n'avait pas le choix. Le week-end à Austin s'était soldé pour elle par deux kilos supplémentaires, et cela la rendait dingue de penser que ces kilos superflus, qu'on aurait à peine remarqués sur une femme lambda, étaient totalement inacceptables chez elle – une diététicienne, épouse d'une vedette de surcroît. À son retour d'Austin, elle avait commencé un journal de bord de ses repas et un régime strict limité à mille trois cents calories par jour. Pour l'instant, ni le journal, ni le régime n'avaient donné de résultats spectaculaires, mais Brooke était résolue à ne pas baisser les bras. Elle venait de payer ses achats et s'attardait devant le comptoir lorsqu'elle entendit son nom.

— Brooke ! Coucou !

Elle se retourna et reconnut Heather, une des conseillères d'orientation de la Huntley. Leurs bureaux respectifs se trouvaient en vis-à-vis et bien que cela n'ait rien d'exceptionnel qu'elles se rencontrent pour discuter d'une élève qu'elles suivaient l'une et l'autre, ces derniers temps, elles s'étaient vues beaucoup plus souvent que d'habitude à cause de Kaylie. C'était Heather qui, la première, avait remarqué l'attention obsessionnelle que Kaylie portait à son poids, et elle encore qui lui avait suggéré de prendre rendez-vous avec Brooke. Depuis, elles étaient deux à se faire du souci pour la jeune fille. Pourtant, même si elles s'étaient beaucoup vues au cours des quelques mois, elles n'étaient pas vraiment amies, et Brooke se sentit un rien mal à l'aise de cette rencontre fortuite, un samedi, dans un café.

— Salut, dit Brooke en se glissant sur une chaise à la table d'Heather. Je ne t'avais pas vue. Comment vas-tu ?

— Très bien ! répondit Heather en souriant. Ravie que ce soit le week-end, je peux te le dire. Tu te rends compte que dans quinze jours on est en vacances ? Pour trois mois ?

— Je sais.

Brooke jugea inutile de mentionner que, pour sa part, vacances scolaires ou pas, elle travaillerait tout l'été à temps plein à l'hôpital, mais Heather s'en souvenait de toute façon.

— Moi aussi, je vais bosser cet été. Je vais donner des cours particuliers, mais au moins, c'est moi qui choisis le nombre d'heures. Je ne sais pas si c'est à cause de cet hiver interminable, ou si c'est du surmenage pur et simple, mais je me sens au bout du rouleau.

— Oui, je vois ce que tu veux dire, répondit Brooke, que la banalité de cette conversation impersonnelle embarrassait un peu.

— Ça fait bizarre de se rencontrer en dehors de l'école, tu ne trouves pas ? lança alors Heather, comme si elle avait lu dans ses pensées.

— Oh oui ! L'idée que je puisse tomber sur une élève dans la rue, ou au restaurant, me rend toujours paranoïaque. Tu te souviens, quand on était gamines et qu'on croisait un de nos profs au centre commercial ? C'était tellement déstabilisant de découvrir qu'il avait une vie en dehors de la salle de classe !

Heather éclata de rire.

— Oui, totalement. Mais par chance, on ne fraye apparemment pas dans les mêmes eaux que les élèves de la Huntley.

Brooke soupira.

— C'est dingue, non ? Tu sais, ajouta-t-elle, j'ai eu une consultation vraiment fructueuse avec Kaylie à la fin de la semaine dernière. Je suis encore mal à l'aise avec l'idée de lui permettre de perdre du poids, mais je lui ai proposé de commencer à tenir un journal nutri-tionnel, afin de voir comment elle pourrait s'alimenter plus sainement. L'idée a semblé lui plaire.

— Je suis ravie de l'entendre. Je pense que nous savons toi et moi que le problème ce n'est pas son poids, mais le sentiment, parfaitement compréhensible, de n'être pas à sa place parmi ses camarades, toutes issues d'un milieu socio-économique complètement différent. C'est un phénomène que l'on observe souvent chez les boursiers, malheureusement. Mais ils finissent presque toujours par faire leur trou.

Brooke n'était pas entièrement d'accord avec cette analyse – elle avait travaillé avec pas mal d'adolescentes et selon elle, Kaylie était bel et bien beaucoup trop préoccupée par son poids –, mais elle n'avait pas envie de se lancer dans cette conversation dans l'immédiat.

— Regarde-nous, en train de parler boulot un samedi. Honte à nous ! lança-t-elle en souriant.

Heather but une gorgée de café.

— Je sais, ça m'obsède. Je songe sérieusement à me refaire muter dans les petites classes d'ici un an ou deux. Ça me convient mieux. Et toi ? Tu envisages de rester longtemps à la Huntley ?

Brooke étudia attentivement le visage de sa collègue. Y avait-il, dans sa question, un sous-entendu à propos de Julian ? Heather insinuait-elle qu'elle pourrait démissionner, maintenant que Julian gagnait de l'argent avec sa musique ? Brooke lui avait-elle révélé les raisons qui, à l'origine, l'avaient poussée à accepter ce poste ? Pour finir, elle décida qu'elle était beaucoup trop paranoïaque, et que si elle-même ne parlait pas de Julian d'une façon normale, elle ne pouvait pas s'attendre à ce que quelqu'un d'autre le fasse.

— Je ne sais pas. Tout est… euh, tout est un peu flou pour l'instant.

Heather la regarda avec sympathie mais eut la gentillesse de ne pas insister et Brooke songea, avec reconnaissance, que c'était la toute première fois depuis trois ou quatre semaines que quelqu'un ne lui parlait pas de but en blanc de Julian. Désireuse de réorienter la conversation sur un sujet moins embarrassant, elle balaya la salle des yeux en cherchant quelque chose à dire.

— Alors, tu vas faire quoi de ta journée ? lança-t-elle, avant de mordre dans son croquant pour n'avoir rien d'autre à ajouter.

— Pas grand-chose. Mon copain est parti passer le week-end en famille, donc je suis seule. Je vais traîner, j'imagine.

Brooke fut à deux doigts de lui répondre qu'elle-même était en train de devenir experte en l'art de meubler au mieux ses week-ends, mais se retint à temps.

— C'est sympa. J'adore ces week-ends en solo, mentit-elle. Que lis-tu ?

— Oh, ça ? fit Heather, en désignant le magazine retourné sur la table à côté de son coude, sans le soulever. Rien. Des potins. Rien d'intéressant.

Brooke comprit immédiatement qu'il s'agissait précisément du numéro de *Last Night* sorti quinze jours plus tôt. La fameuse photo. Elle se demanda si Heather savait qu'elle avait deux trains de retard.

— Ah ! lança celle-ci avec un enjouement forcé dont elle savait qu'il était bien peu crédible. La fameuse photo.

Heather frappa dans ses mains et se mit à fixer ses genoux, comme si elle avait été surprise en flagrant délit de mensonge. Elle ouvrit la bouche, puis se ravisa, hésita, et dit finalement :

— Ouais, c'est une photo un peu bizarre…

— Bizarre ? Que veux-tu dire ?

— Non, non, ce n'est pas ce que je voulais dire. Julian est superbe !

— Je sais ce que tu voulais dire. Il a un truc qui dérange.

Brooke n'aurait su dire pourquoi elle cuisinait cette fille qu'elle connaissait à peine, mais le fait est que, soudain, l'opinion d'Heather lui semblait cruciale.

— Non, ce n'est pas ça. À mon avis, elle a juste été prise pile au moment où il la couvait de ce regard…

C'était donc ça. D'autres personnes avaient fait des commentaires similaires. Des qualificatifs tels que « émerveillé » et « extasié » avaient été lâchés. Des mots tous plus ridicules les uns que les autres.

— Oui, mon mari trouve que Layla Lawson est sexy. Ce en quoi il ne diffère pas des 100 % de ses compatriotes virils et vigoureux, répondit Brooke en rigolant et en essayant de paraître détendue.

— Absolument ! abonda Heather en hochant la tête avec un peu trop d'enthousiasme. Je parie que c'est génial pour sa carrière, ça le propulse sur le devant de la scène.

— Oui, ça, on peut le dire, confirma Brooke en souriant. Du jour au lendemain, cette photo a… tout changé.

Entendre cet aveu de la bouche même de Brooke sembla dégriser Heather.

— Je sais que tout ça doit être excitant, mais je n'arrive pas à imaginer combien ce doit être dur pour toi. Je parie que tout le monde ne te parle que de lui. À tout bout de champ, il ne doit être question que de Julian.

Cette remarque prit Brooke au dépourvu. Personne – ni Randy, ni ses parents, ni même Nola – n'avait envisagé une seule seconde que la célébrité flambant neuve de Julian puisse être autre chose qu'absolument merveilleuse. Elle regarda Heather avec reconnaissance.

— Ouais, mais je suis sûre que ça va se tasser. Deux ou trois semaines sans actu, et tout le monde passera à autre chose.

— Tu sais, tu dois être intransigeante sur le respect de ta vie privée. Tu vois, ma copine de fac, Amber, un jour, elle épouse son petit copain du lycée, à l'église, et moins d'un an plus tard, son mari tout beau tout neuf devient le lauréat de *La Nouvelle Star*. Bonjour le cataclysme !

— Ton amie est mariée avec Tommy ? Celui qui a gagné il y a deux ou trois ans ?

Heather hocha la tête et Brooke laissa échapper un sifflement.

— Waouh ! Je ne savais même pas qu'il était marié.

— Ouais, bon, comment aurais-tu pu le savoir ? Depuis le jour où il a gagné, il s'affiche avec une nouvelle conquête chaque semaine. Cette pauvre Amber était si jeune – elle n'avait que 22 ans à l'époque – et si naïve qu'elle ne voulait pas le quitter, quel que soit le nombre d'aventures qu'on lui prêtait. Elle pensait que si elle se montrait patiente, il finirait par se calmer et que tout redeviendrait comme avant.

— Et alors ? Que s'est-il passé ?

— Oh là là, ça a été horrible. Il a continué à baiser à droite à gauche, en se cachant de moins en moins. Tu te souviens de ces photos sur lesquelles il se baignait à poil avec ce mannequin – celles où ils avaient juste flouté les parties génitales ?

Brooke hocha la tête. En dépit de l'afflux incessant de photos volées, celles-là l'avaient marquée, elle les avait trouvées particulièrement salaces.

— Ça a continué sur cette lancée pendant plus d'un an, sans qu'il y ait aucun signe d'amélioration. La situation s'est tellement envenimée que le père d'Amber a sauté dans un avion pour rejoindre Tommy sur une de ses tournées. Il s'est pointé dans sa chambre d'hôtel et lui a dit qu'il disposait de vingt-quatre heures pour remplir les papiers du divorce. Il savait que sa fille était incapable de le faire elle-même – c'est une fille vraiment gentille, et même à ce stade-là, elle refusait de regarder la vérité en face – et Tommy s'est exécuté. Je ne sais pas si, avant de devenir célèbre, c'était un type fiable, mais une chose est certaine, maintenant : c'est un vrai sale type.

Brooke s'efforça de garder une expression neutre. Pourtant, l'envie de gifler Heather la démangeait.

— Pourquoi me racontes-tu ça ? demanda-t-elle, aussi calmement qu'elle le put. Julian n'est absolument pas comme ça.

Heather écrasa la main sur sa bouche.

— Je ne sous-entendais pas que Julian ressemblait à Tommy ! Bien sûr qu'il n'est pas comme ça. Je te raconte cette histoire uniquement parce que, peu après le divorce, Amber a adressé un mail à tous ses amis et à sa famille, dans lequel elle nous demandait de ne plus lui envoyer de photos, de liens Internet ou de coupures de presse, et de ne plus l'appeler pour lui demander où elle en était avec Tommy. Je me souviens qu'à l'époque, j'ai trouvé la démarche un peu curieuse – franchement, il y avait donc tant de gens que ça qui lui envoyaient des interviews de son ex-mari ? – mais un jour, elle m'a montré sa boîte mail, et là, tu vois, j'ai pigé. Personne ne cherchait à la blesser ; c'était juste de l'indélicatesse. Ils pensaient sans doute que ça l'intéressait de savoir. En tous les cas, depuis, elle s'est entièrement réapproprié sa vie et comprend probablement mieux que quiconque combien… euh, combien tout ce qui touche à la célébrité peut bouleverser ta vie.

— Oui, cet aspect-là n'est pas génial. (Brooke vida sa tasse de café et essuya une trace de mousse au coin des lèvres.) Tu m'aurais raconté cette histoire il y a quelques semaines à peine, je ne l'aurais sans doute pas crue, mais… j'ai passé la matinée à faire installer des stores occultants. Et l'autre soir, je sortais de la salle de bains enveloppée dans un drap de bain pour aller chercher un truc au frigo et tout d'un coup, il y a eu une explosion de flashes. Un photographe était installé sur le toit d'une voiture, en contrebas de nos fenêtres. De toute évidence, il espérait pouvoir voler des photos de Julian. C'est le truc le plus malsain que j'ai jamais vu.

— C'est odieux ! Qu'as-tu fait ?

— J'ai appelé le commissariat pour leur expliquer qu'un type, dans la rue, essayait de prendre des photos de moi en petite tenue. Ils m'ont répondu un truc du genre « Bienvenue à New York » et ils m'ont conseillé de baisser les stores.

Délibérément, elle omit de préciser qu'elle avait d'abord appelé Julian, pour s'entendre dire que sa réaction était disproportionnée, qu'elle devait apprendre à faire front à ce genre d'incident sans paniquer, et sans l'appeler « à tout bout de champ et à propos de tout et n'importe quoi ».

Heather frissonna.

— Ça donne la chair de poule. J'espère que vous avez une alarme.

— Ouais, ça, c'est la prochaine étape.

Brooke espérait secrètement qu'ils auraient déménagé avant que cela devienne nécessaire – pas plus tard que la veille au soir, au téléphone, Julian avait mentionné, incidemment, la possibilité d'emménager dans un appartement plus grand –, mais elle ne savait pas trop si c'était un projet sérieux.

Heather se leva et décrocha son sac du dossier de la chaise.

— Excuse-moi un instant, dit-elle avant de se diriger vers les toilettes.

Brooke la suivit des yeux et dès qu'elle l'entendit verrouiller la porte, elle attrapa le magazine. Elle avait beau avoir regardé cette photo une heure plus tôt, voire peut-être moins, elle ne put s'empêcher d'ouvrir directement *Last Night* à la page quatorze. Machinalement, son regard se posa en bas à gauche de la page, où la photo était logée innocemment entre un cliché d'Ashton en train de peloter le postérieur musclé de Demi et un autre de Suri, perchée sur les épaules de Tom, sous le regard de Katie et Posh.

Brooke ouvrit grand le magazine, l'aplatit sur la table et se pencha pour mieux regarder. La photo était tout aussi dérangeante qu'elle l'avait été une heure plus tôt. Si elle ne lui avait prêté qu'une attention distraite, et si elle n'avait pas représenté son mari et une starlette célèbre dans le monde entier, elle ne lui aurait rien trouvé de sensationnel. Au bas du cliché, on voyait les bras levés du public des premiers rangs. Et Julian brandissait son poing refermé sur le micro, en signe de victoire comme s'il s'était agi d'un sabre magique. Chaque fois qu'elle le voyait prendre cette pose, Brooke avait la chair de poule. Elle n'en croyait pas ses yeux, c'était troublant de constater à quel point son mari ressemblait à une vraie rock star.

Layla arborait une robe d'été effroyablement courte, qui était peut-être une barboteuse, et une paire de santiags blanches cloutées. Rien, dans son look, n'était laissé au hasard – le bronzage, le maquillage, les accessoires, les extensions – et l'expression avec laquelle elle contemplait Julian reflétait une joie pure. C'était écœurant, mais le plus dérangeant de tout, c'était bien sûr l'expression de Julian : une expression qui dégoulinait d'adoration, qui semblait dire, sans aucune ambiguïté possible : *Ohmondieu mais tu es la créature la plus incroyable sur laquelle j'ai jamais posé les yeux* – le tout en couleurs plus vraies que nature grâce au Nikon qualité professionnelle du photographe. C'était le regard que toute épouse espérait voir deux ou trois fois dans sa vie, le jour de son mariage peut-être, puis celui de la naissance de son premier enfant. Mais en aucun cas ce n'était le genre de regard que vous vouliez voir votre mari poser sur une autre femme, encore moins dans un magazine à gros tirage.

Brooke entendit l'eau couler dans le lavabo, derrière la porte des toilettes. Elle s'empressa de refermer ce torchon et de le replacer là où elle l'avait pris, dans la même position, la couverture contre la table. Lorsque Heather revint, elle regarda Brooke, puis le magazine, l'air de se dire : *Je n'aurais pas dû laisser ça là*. Brooke avait envie de lui assurer que ça allait, qu'elle s'habituait peu à peu à tout cela, mais naturellement, elle n'en fit rien. Et bafouilla à la place le premier truc qui lui passa par la tête pour dissiper sa gêne.

— Ça m'a fait plaisir de te croiser. C'est vraiment dommage qu'on passe tant d'heures chaque semaine ensemble à l'école et qu'on ne se voie jamais en dehors. Il faudra qu'on remédie à ça ! On pourrait peut-être planifier un brunch, un week-end, ou même un dîner…

— Excellente idée. Passe une bonne journée. À la semaine prochaine, dit Heather en s'éloignant avec un petit geste d'adieu.

Brooke agita la main, mais Heather avait déjà passé la porte. Alors qu'elle s'apprêtait à partir à son tour, en essayant de ne pas s'interroger sur les raisons du départ précipité de sa collègue – en avait-elle trop dit ? Ou pas assez ? Avait-elle fait autre chose qui ait pu l'effrayer ? – son téléphone sonna. C'était Neha, son amie rencontrée en master. Brooke posa deux dollars sur le comptoir et décrocha en sortant.

— Salut ! Comment vas-tu ?

— Brooke ! J'appelle juste pour te dire bonjour. Ça fait mille ans qu'on ne s'est pas parlé.

— À qui le dis-tu. Comment ça se passe, à Boston ? Tu te plais dans ta clinique ? Quand viens-tu me voir ?

Les deux amies ne s'étaient pas revues depuis six bons mois, depuis le dernier séjour à New York de Neha et Rohan, son mari, à Noël. Elles avaient été très proches tout au long de leurs années de master, vivant à quelques blocs l'une de l'autre à Brooklyn, mais depuis que Neha et Rohan s'étaient installés à Boston deux ans plus tôt, il était devenu plus difficile de garder le contact.

— J'aime bien la clinique – pour tout dire, je m'attendais à bien pire – mais je suis plus que partante pour revenir à New York. Boston, c'est sympa, mais ce n'est pas la même chose.

— Tu envisages de revenir ici ? Quand ? Dis-moi tout !

Neha éclata de rire.

— Bon, ce n'est pas pour tout de suite. Il nous faut trouver chacun du boulot, et ce sera sans doute plus facile pour moi que pour Rohan. Mais on a tous les deux des congés pour Thanksgiving et on va venir à New York. Julian et toi serez là ?

— En général, on part chez mon père en Pennsylvanie, mais cette année, il est question qu'ils fêtent Thanksgiving dans la famille de ma belle-mère. Alors il est possible qu'on décline l'invitation et qu'on reste à New York. Si c'est le cas, vous viendrez ? S'il te plaît !

Brooke savait pertinemment que Neha et Rohan, dont les familles respectives vivaient en Inde, n'étaient pas particulièrement attachés à la célébration de Thanksgiving, mais leur visite pourrait être une distraction bienvenue en cette période exténuante de fêtes familiales.

— Évidemment ! Mais est-ce qu'on peut revenir en arrière une seconde, s'il te plaît ? Tu te rends compte de ce qui se passe dans ta vie en ce moment ? Tu dois te pincer tous les jours, non ? C'est complètement dingue ! Quel effet ça fait, d'avoir un mari célèbre ?

Brooke inspira profondément. Elle songea à répondre à son amie, en toute sincérité, que la photo parue dans *Last Night* avait chamboulé leur vie, que tout ce qui se passait lui inspirait des sentiments ambivalents, mais brusquement une telle confession semblait trop épuisante. Elle se contenta de lâcher un petit rire et préféra mentir.

— C'est dingue, Neha. C'est juste le truc le plus cool du monde.

Il n'y avait rien de pire que de devoir travailler un dimanche. Grâce à son ancienneté dans l'équipe de diététiciennes, Brooke échappait depuis un certain temps aux tours de garde dominicaux, mais elle n'avait pas oublié à quel point c'était une corvée. En cette splendide matinée de la fin juin, tous les gens qu'elle connaissait étaient en train de bruncher en terrasse, de pique-niquer à Central Park ou de courir dans Riverside Park, le long de l'Hudson. Quand, à un bloc de distance de l'hôpital, elle remarqua une bande d'adolescentes, en shorts en jean et tongs, qui papotaient à une terrasse de café en sirotant des smoothies, Brooke dut se retenir d'arracher sa blouse et d'envoyer valser ses immondes sabots en caoutchouc pour s'attabler avec elles devant une assiette de pancakes.

À l'instant où elle allait franchir les portes de l'hôpital, son portable sonna et, voyant s'afficher un numéro précédé du préfixe d'un autre arrondissement, elle hésita à répondre. Sans doute tergiversa-t-elle trop longtemps car la communication bascula sur la boîte vocale. Mais lorsqu'elle constata que son correspondant n'avait pas laissé de message, et ne rappelait pas non plus, elle commença à s'inquiéter, et rappela le numéro.

— Bonjour, ici Brooke…

Elle fut aussitôt convaincue qu'elle était en train de se jeter dans la gueule du loup et que le mystérieux corres-pondant s'avérerait un journaliste.

— Mrs Alter ? piailla une voix timide à l'autre bout de la ligne. C'est Kaylie Douglas, de Huntley.

— Kaylie ! Que se passe-t-il ? Tu vas bien ?

Quinze jours plus tôt, lors de leur dernière consulta-tion avant que l'école ne ferme ses portes pour les grandes vacances, Kaylie lui avait semblé filer un mauvais coton. Elle avait abandonné son journal nutri-tionnel, qu'elle avait pourtant tenu jusque-là avec rigueur, et annoncé sa ferme intention de consacrer l'été à s'infliger des séances de gym punitive et à expéri-menter divers régimes promettant une perte de poids rapide. Aucun argument n'avait semblé pouvoir l'en dissuader ; Brooke n'avait réussi qu'à la faire pleurer et Kaylie lui avait asséné que « personne ne comprenait ce que c'était d'être pauvre et grosse dans une école où toutes les autres filles étaient riches et belles ». Brooke, quelque peu alarmée, lui avait donné son numéro de portable, en lui faisant promettre d'en faire bon usage si jamais quelque chose n'allait pas. Toute sincère qu'ait été sa proposition, elle était cependant surprise d'entendre sa jeune patiente à l'autre bout du fil.

— Ouais, ça va…

— Quoi de neuf ? Tes vacances ont bien commencé ? L'adolescente éclata en sanglots.

— Je… suis… désolée, ânonna-t-elle plusieurs fois, d'une voix haletante et étranglée.

— Kaylie ? Parle-moi ! Dis-moi ce qui ne va pas.

— Oh, Mrs A., c'est une catastrophe ! Je travaille dans un Taco Bell et j'ai droit à un repas à chaque service et mon père m'ordonne d'en profiter parce que c'est gratuit, alors je le fais. Mais ensuite, quand je rentre à la maison, ma grand-mère n'a préparé que des plats qui font grossir, et si je vais chez mes copines de mon ancienne école, je me gave de poulet frit, de *burritos* et de gâteaux, parce que je suis affamée. J'ai déjà pris quatre kilos !

Quatre kilos en trois semaines, c'était à n'en pas douter assez alarmant, mais Brooke conserva une voix apaisante et calme.

— Je suis sûre que tu exagères, ma puce. Ne perds pas de vue le programme dont on a parlé : des portions de viande de la taille de ta paume, salade verte et légumes à volonté tant que tu fais attention à la quantité de vinaigrette, et des gâteaux avec modération. Je ne suis pas chez moi en ce moment, mais si tu veux, je jetterai un œil au menu du Taco Bell pour te proposer des alternatives plus équilibrées. Le plus important, c'est de ne pas paniquer. Tu es jeune, et en bonne santé – va te balader avec tes copines, ou va jouer au ballon dans le parc. Ce n'est pas la fin du monde, Kaylie, je te le promets.

— Je ne peux pas revenir à l'école à la rentrée si je ressemble à ça ! J'ai passé la limite, maintenant ! Avant j'étais à la limite de la normalité, et c'était déjà assez pénible, mais maintenant, je suis carrément obèse ! se récria la gamine d'une voix qui frisait l'hystérie.

— Kaylie, enfin, tu es tout *sauf* obèse ! Et tu verras, tout se passera merveilleusement bien à la rentrée. Écoute, je ferai quelques recherches ce soir, et je te rappelle, d'accord ? S'il te plaît, ma puce, arrête de t'inquiéter.

Kaylie renifla.

— Je suis désolée de vous avoir embêtée, s'excusa-t-elle, d'une voix plus calme.

— Mais tu ne m'embêtes pas du tout ! Je t'ai donné mon numéro pour que tu t'en serves, et je suis heureuse que tu l'aies fait. Ça me donne l'impression d'être populaire, plaisanta Brooke.

Lorsqu'elle eut raccroché, Brooke s'envoya un e-mail pour ne pas oublier de regarder les informations nutritionnelles concernant les fast-foods et de les transférer à Kaylie. Quand elle pénétra dans la salle de repos de l'hôpital avec quelques minutes de retard, seule sa collègue Rebecca était là.

— Brooke ! Que fais-tu ici un dimanche ?

— Je rattrape mes heures. Et malheureusement, le contrat veut que pour trois demi-journées d'absence, je doive un dimanche entier.

— Ouch. C'est dur. Ça valait le coup ?

Brooke lâcha un rire contrit.

— Oui, je crois que je me suis fait avoir, mais le concert de Julian à Bonnaroo était vraiment sympa. (Elle rangea son sac et son déjeuner dans son vestiaire et emboîta le pas à Rebecca dans le couloir.) Sais-tu si Margaret est là, aujourd'hui ?

— Je suis là ! lança une voix enjouée derrière elles.

Leur chef de service portait ce jour-là, sous sa blouse amidonnée, repassée et brodée à ses nom et titre, un pantalon noir habillé, un chemisier bleu vaporeux et des mocassins noirs.

— Bonjour, Margaret, répondirent les deux filles à l'unisson.

Rebecca s'éclipsa en expliquant qu'elle était déjà en retard pour sa première consultation.

— Brooke, voudriez-vous venir un instant dans mon bureau ? demanda Margaret. Nous serons plus tranquilles pour parler.

Le cauchemar. Comment avait-elle pu oublier que Margaret faisait toujours une apparition le dimanche matin, juste pour s'assurer que tout se passait bien ?

— Je euh…, je demandais ça sans raison particulière, bafouilla Brooke. C'était euh… juste pour savoir si j'allais vous croiser.

Margaret s'était déjà éloignée dans le couloir et se dirigeait vers son bureau.

— Allons, venez ! lança-t-elle.

Brooke n'eut d'autre choix que de la suivre. À tous les coups, Margaret avait senti qu'elle souhaitait encore lui demander des jours de congé.

Comme le bureau de son chef de service, tout au bout d'un couloir aveugle, à côté de la réserve de fournitures, se trouvait au même étage que la maternité, il y avait des chances pour que la conversation soit ponctuée de braillements ou de pleurs. Le seul bon côté, c'était qu'en passant, Brooke pouvait jeter un œil à la pouponnière. Et peut-être même, si elle disposait d'une minute en sortant du bureau de Margaret, pourrait-elle y entrer et prendre un ou deux bébés dans ses bras…

— Entrez donc, dit Margaret en ouvrant sa porte et en allumant la lumière. Vous m'avez croisée au bon moment.

Brooke pénétra dans le bureau d'un pas hésitant, et attendit que sa patronne fasse disparaître une pile de dossiers du siège destiné aux visiteurs, avant de s'y installer.

— Qu'est-ce qui me vaut cet honneur ? demanda Margaret.

Elle avait le sourire mais Brooke savait lire entre les lignes et ne fut pas dupe. Ses relations avec sa supérieure avaient toujours été faciles et naturelles mais depuis quelque temps, une tension était palpable. Brooke se força à sourire à son tour et pria pour que cette entrée en matière ne laisse pas mal augurer de leur conversation.

— Un honneur, il ne faut rien exagérer, je voulais juste vous parler de…

— Si, si, la coupa Margaret, sans se départir de son sourire. Je considère que c'est un peu un honneur, car je ne vous ai pas beaucoup vue, ces derniers temps. Je suis contente que vous soyez là parce que nous devons discuter de quelque chose.

Brooke inspira en se rappelant qu'elle devait à tout prix rester zen.

— Brooke, vous savez que j'ai beaucoup d'affection pour vous et il va sans dire que je suis très satisfaite de vos résultats depuis toutes ces années. Naturellement, vos patientes elles aussi sont ravies, comme l'ont prouvé vos excellentes fiches d'évaluation, il y a quelques mois.

— Merci, dit Brooke, ne sachant pas trop quoi répondre à ça, mais certaine que cette conversation partait mal.

— Voilà pourquoi je suis contrariée de voir que votre rapport d'assiduité, qui arrivait en seconde place de tout le programme jusque-là, a aujourd'hui dégringolé à l'avant-dernière place. Seul celui de Perry est pire que le vôtre.

Margaret n'avait pas besoin d'en dire davantage. L'équipe avait fini par être informée des problèmes que rencontrait Perry et tout le monde avait été soulagé que ce ne soit pas pire. Six mois plus tôt, Perry avait fait une fausse couche à un stade avancé de sa grossesse, ce qui expliquait certaines de ses absences. À présent, elle était de nouveau enceinte et on lui avait prescrit un alitement obligatoire pendant son second trimestre. Cela signifiait que les cinq autres diététiciennes à plein-temps de l'équipe devaient faire des heures supplémentaires pour compenser sa défection. Compte tenu des circonstances, personne n'y trouvait à redire. Brooke faisait de son mieux pour assurer son quota d'heures supplémentaires en plus de quelques gardes le week-end – désormais un week-end sur cinq, et non plus un sur six comme par le passé –, mais comme elle s'efforçait également de suivre Julian dans ses déplacements, pour partager l'excitation avec lui, la situation était devenue presque insupportable.

Ne donne pas d'explication ; ne t'excuse pas ; contente-toi de la rassurer, de lui dire que tu vas faire de ton mieux, s'exhorta Brooke. Une amie psychologue lui avait expliqué un jour que les femmes se sentaient obligées de se lancer dans de longues explications et de s'excuser chaque fois qu'elles devaient annoncer une nouvelle négative, alors que pour rester maître du jeu, il fallait au contraire les annoncer avec fermeté, sans excuse ni contrition. Brooke s'y employait, sans grand succès.

— Je suis désolée ! lança-t-elle précipitamment, avant d'avoir pu s'en empêcher. J'ai eu... euh, pas mal de problèmes familiaux ces derniers temps, et je fais de mon mieux pour les gérer. J'ai bon espoir que les choses se calment prochainement.

Margaret haussa un sourcil et la dévisagea avec attention.

— Vous croyez que je ne comprends pas ce qui se passe ?

— Non, bien sûr que non. Simplement, il y a tellement de...

— Il faudrait vivre dans une grotte, reprit Margaret. (Elle sourit, ce qui rasséréna légèrement Brooke.) Mais j'ai une équipe à faire tourner et je commence à me faire du souci. Au cours des six dernières semaines, vous avez pris sept jours de congé – sans compter ces trois jours de congé maladie en début d'année – et je suppose qu'aujourd'hui, vous vouliez me voir pour m'en demander d'autres. Est-ce que je me trompe ?

Brooke passa rapidement en revue ses options. Décidant qu'elle n'en avait aucune, elle se contenta de hocher la tête.

— À quelle date ? Et pour quelle durée ?

— Dans trois semaines, uniquement le samedi. Je sais que je suis de garde tout le week-end, mais Rebecca va permuter avec moi et je prendrai sa garde le week-end suivant. Donc… techniquement, je prends juste un jour.

— Juste un jour.

— Oui. J'ai une… euh, une réunion de famille importante. Sinon, jamais je ne l'aurais demandé.

Brooke nota dans un coin de sa tête qu'elle devrait redoubler de vigilance pour éviter les objectifs des photographes lors de la fête d'anniversaire de Kristen Stewart à Miami, où Julian était invité pour interpréter quatre chansons. Lorsqu'il avait regimbé à l'idée d'apparaître à l'anniversaire d'une starlette, Leo l'avait imploré et Brooke n'avait pas pu s'empêcher de se sentir un peu désolée pour Julian ; le moins qu'elle pouvait faire, c'était de l'accompagner pour le soutenir.

Margaret s'apprêtait à répondre, mais se ravisa, et elle dévisagea Brooke tout en tapotant son crayon à papier contre ses lèvres gercées.

— Vous êtes consciente que vous avez déjà presque épuisé votre quota annuel de congés et que nous ne sommes qu'en juin ?

Brooke hocha la tête et lorsque Margaret se mit à tambouriner sur le bureau avec son crayon – *tap tap tap*… – elle eut l'impression que ce martèlement faisait écho aux élancements dans ses tempes.

— Et je n'ai pas besoin de vous rappeler que prétendre une indisposition pour accompagner votre mari à une soirée ne doit pas se reproduire, n'est-ce pas ? Je suis navrée, Brooke, mais je ne peux pas vous accorder de traitement de faveur.

Aïe. Brooke n'avait eu recours qu'une seule fois à ce subterfuge et, persuadée que Margaret ne s'était aperçue de rien, elle avait bel et bien eu l'intention de piocher dans ses dix jours restants de congé maladie, une fois épuisé son capital de congés payés. Force était de constater que ce n'était plus possible. Elle fit de son mieux pour demeurer imperturbable et répondit :

— Oui, bien sûr.

— Parfait. Tout va bien alors. Prenez ce samedi. Autre chose ?

— Non, c'est tout. Merci de votre compréhension.

Sous le bureau, Brooke renfila discrètement ses sabots et se leva. Elle prit congé avec un petit signe de la main et passa la porte avant que Margaret puisse ajouter quoi que ce soit d'autre.

Trahie par une bande d'ados prépubères

Lorsque Brooke poussa la porte de Lucky's Nail Design, sur la 9e Avenue, sa mère était déjà installée sur un siège et plongée dans la lecture du dernier numéro de *Last Night*. Comme Julian était une fois de plus par monts et par vaux, Mrs Greene avait proposé à sa fille de venir à New York, de lui offrir une manucure et une pédicure à la sortie du travail, de manger quelques sushis et de passer la nuit avant de repartir à Philadelphie le lendemain matin.

— Salut, dit Brooke en se penchant pour l'embrasser. Désolée d'être en retard. Le métro était incroyablement lent aujourd'hui.

— Ne t'inquiète pas, ma chérie. J'en ai profité pour rattraper mon retard en matière de potins. (Elle brandit son exemplaire de *Last Night*.) Sois sans crainte, il n'y a rien sur Julian, ni sur toi.

— Merci, mais je l'ai déjà lu, répondit Brooke en plongeant ses pieds dans l'eau tiède et savonneuse. Je suis abonnée et je le reçois un jour avant sa sortie en kiosque. Je pense que tu peux me considérer comme une autorité officielle en la matière.

Mrs Greene éclata de rire.

— Si tu es aussi experte que tu le prétends, peut-être alors pourrais-tu m'aider à m'y retrouver dans ces flopées de stars de la télé-réalité. Je les confonds toutes.

Elle soupira et tourna la page, pour découvrir, étalée sur la double suivante, la brochette de très jeunes acteurs qui constituaient la distribution du tout dernier film de vampires.

— Je regrette le bon vieux temps où on pouvait compter sur Paris Hilton pour montrer sa culotte et où George Clooney collectionnait les serveuses. J'ai l'impression d'avoir été trahie par une bande d'ados prépubères.

Brooke entendit son téléphone sonner et songea un instant à laisser l'appel basculer sur la boîte vocale, mais dans l'espoir que ce soit Julian, elle plongea la main dans son sac.

— Salut ! J'espérais bien que ce soit toi. Quelle heure est-il là-bas ? (Elle regarda sa montre.) Comment se fait-il que tu appelles maintenant ? Tu n'es pas en train de te préparer pour ce soir ?

Bien que ce fût la cinquième ou sixième fois que Julian retournait à Los Angeles depuis la soirée de *Friday Night Lights*, Brooke s'embrouillait encore dans les calculs du décalage horaire. Lorsque Julian se réveillait le matin sur la Côte Ouest, Brooke avait terminé sa pause déjeuner et repris ses consultations de l'après-midi. En général, elle l'appelait le soir, une fois rentrée à la maison, à une heure où lui se trouvait généralement en pleine réunion, et quand elle partait se coucher, il était systématiquement au restaurant, en train de dîner, et ne pouvait guère que lui chuchoter un « bonne nuit » tandis qu'en fond sonore, il y avait des tintements de verres et des rires. Il n'y avait que trois heures de décalage entre les deux côtes, mais pour des gens dont les horaires de travail étaient à ce point opposés, il aurait tout aussi bien pu s'agir d'une communication transatlantique. Brooke avait essayé de faire preuve de patience, mais pas plus tard que la semaine précédente, elle avait dû se contenter, trois soirs de suite, de quelques textos et d'une communication de vive voix qui s'était résumée à « Je te rappelle plus tard ».

— Brooke, c'est de la folie, il se passe tout un tas de choses, ici, lâcha Julian.

À sa voix, il semblait à cran, comme s'il n'avait pas dormi depuis plusieurs jours.

— Des bonnes choses, j'espère ?

— Plus que bonnes ! Je voulais t'appeler hier soir, mais le temps que je rentre à l'hôtel, il était déjà 4 heures du mat' pour toi.

La pédicure, après en avoir terminé avec les cuticules, lui souleva le pied droit, le posa sur ses genoux, frotta un savon vert vif sur une pierre ponce, et entreprit de lui frictionner énergiquement la peau fragile de la voûte plantaire. Brooke lâcha un petit cri aigu.

— Aïe ! Bon, je suis preneuse de bonnes nouvelles. De quoi s'agit-il ?

— Je vais faire une tournée. C'est officiel.

— Non ! Tu n'avais pas dit que tes chances d'en faire une avant la sortie de l'album étaient minces, voire inexistantes ? Qu'aujourd'hui, les maisons de disques rechignaient à les sponsoriser ?

Il y eut un silence, et lorsque Julian reprit la parole, il y avait une certaine irritation dans sa voix :

— Je sais que j'ai dit ça, mais là, c'est différent. Je vais rejoindre la tournée de Maroon 5. Le chanteur du groupe qui assure leur avant-première partie a fait une sorte de dépression nerveuse, Leo a pris contact avec son équipe chez Live Nation, et devine qui a décroché le créneau ? Et il y a, soi-disant, une chance que je remplace carrément le groupe de la première partie si jamais ils partent en tournée de leur côté, mais même si ça n'arrive pas, ça reste un tremplin incroyable.

— Oh, Julian ! Félicitations !

Brooke avait fait de son mieux pour avoir l'air enthousiaste et non au bord du désespoir. Au vu du regard bizarre que lui décocha sa mère, il lui fut difficile de juger si elle avait réussi.

— Ouais, c'est vraiment dingue. On va passer la semaine à répéter, et ensuite, on prend la route. La sortie de l'album va coïncider avec les premières semaines de la tournée, on ne pouvait pas rêver meilleur timing. Et tu sais, Rook ? Ça va me rapporter gros.

— Ah bon ?

— Oui. J'ai un pourcentage sur chaque billet vendu. Qui grimperait encore plus si jamais on faisait la première partie. Et vu que Maroon 5 remplit systématiquement des lieux comme le Madison Square Garden… ça fait un sacré paquet de thunes à l'arrivée. Et tu sais, c'est super bizarre, ajouta-t-il en baissant la voix. On dirait que les gens passent leur temps à me regarder dans la rue. Et me reconnaissent.

La pédicure lui enduisit les pieds de crème tiède et commença à lui pétrir les chevilles. À cet instant, Brooke n'eut qu'une seule envie : raccrocher son téléphone, renverser le dossier de son fauteuil, savourer le massage et oublier l'angoisse qui lui nouait la gorge. Elle savait qu'elle aurait dû questionner Julian – à propos de ses fans, des articles dans la presse – mais ne parvint qu'à dire :

— Donc, les répétitions commencent cette semaine ? Alors tu ne rentres pas ce soir par le vol de nuit ? Je pensais te voir demain matin avant de partir bosser.

— Brooke.

— Quoi ?

— Arrête.

— Que j'arrête de faire quoi ? De te demander quand est-ce que tu rentres à la maison ?

— S'il te plaît, ne me gâche pas mon plaisir. Je suis super excité. C'est probablement le truc le plus énorme qui me soit arrivé depuis que j'ai signé pour l'album, l'an dernier. C'est peut-être même encore plus énorme. Et à l'échelle de toute ma carrière, est-ce qu'une semaine de plus ou de moins fait une différence ?

Une semaine de plus avant son retour – non, peut-être pas. Mais s'il partait en tournée ? Cette seule pensée la rendit malade. Comment géreraient-ils cette situation ? En étaient-ils seulement capables ? Mais au même instant, elle se remémora ce concert, des années plus tôt à Sheepshead Bay, qui n'avait déplacé que quatre specta-teurs. C'était à peine si Julian avait pu retenir ses larmes. Et tous les sacrifices – toutes ces heures passées loin l'un de l'autre à cause de leurs emplois du temps délirants, tout ce stress à cause de l'argent et du temps qui filaient, tous ces « oui, mais si… » que chacun sortait à tour de rôle de sa manche quand l'autre commençait à voir tout en noir –, ne les avaient-ils pas consentis justement pour ça ? Pour ce qui était en train de se passer maintenant ?

L'ancien Julian lui aurait demandé des nouvelles de Kaylie. Un mois plus tôt, lorsqu'elle lui avait raconté le coup de fil hystérique de sa jeune patiente, et qu'elle lui avait parlé de ses recherches sur les alternatives qu'offraient les fast-foods, Julian l'avait serrée dans ses bras et lui avait dit qu'il était immensément fier d'elle. Justement, la semaine précédente, Brooke avait envoyé un e-mail à Kaylie pour prendre de ses nouvelles. Inquiète de ne pas recevoir de réponse, elle était revenue à la charge le lendemain, et cette fois, Kaylie lui avait répondu qu'elle commençait un jeûne dont elle avait entendu parler dans un magazine et qui, elle en était certaine, serait la réponse qu'elle cherchait. Brooke avait été à deux doigts de plonger tête la première dans son écran d'ordinateur pour l'en empêcher.

Ces maudits jeûnes ! S'ils étaient néfastes à la santé d'un adulte normal, ils devenaient carrément dangereux pour des adolescentes en pleine croissance. Elles se laissaient séduire par les témoignages de célébrités, et berner par les promesses de résultats rapides et miraculeux. Brooke avait immédiatement appelé Kaylie pour la chapitrer – son discours était parfaitement rodé puisqu'à la Huntley, jeûnes et régimes éclairs à base de jus de fruits et de légumes étaient très en vogue – et à son grand soulagement, elle avait découvert que la jeune fille, contrairement à la plupart de ses camarades, se montrait réceptive à ses arguments. Elle s'était engagée à recontacter Brooke une fois par semaine tout au long de l'été, et cette dernière avait bon espoir, dès la rentrée et la reprise de consultations régulières, de pouvoir reprendre la jeune fille en main.

Mais Julian ne lui demanda pas de nouvelles de Kaylie, ni de son travail à l'hôpital, ni de Randy, ni même de Walter, et Brooke tint sa langue. Elle s'abstint de lui rappeler qu'il n'avait passé que quelques nuits à la maison au cours des dernières semaines, et que, presque à chaque fois, il avait passé la soirée soit au studio, soit au téléphone à palabrer avec Leo ou Samara. Mais surtout

– et ce fut là son plus grand défi – elle s'interdit de lui demander quelles étaient les dates de la tournée, et sa durée.

Presque suffoquée par cet effort surhumain, elle répondit simplement :

— Non, Julian. Tout ce qui compte, c'est que tu réussisses. C'est vraiment une super nouvelle.

— Merci, ma puce. Je te rappelle plus tard dans la journée, quand j'aurai plus de détails, d'accord ? Je t'aime, Rookie, ajouta-t-il avec plus de tendresse qu'elle n'en avait entendu de sa part depuis un bon moment.

Dès le tout début de leur relation, Julian l'avait surnommée « Rook » – diminutif qui, naturellement, s'était transformé en « Rookie ». Après l'avoir entendu dans la bouche de Julian, ses amis et sa famille avaient eux aussi adopté ce surnom, et même si, souvent, Brooke levait les yeux au ciel et feignait de s'en agacer, elle était incroyablement reconnaissante à Julian d'avoir inventé cette marque d'affection. Elle essaya de se concentrer là-dessus, et non sur le fait qu'il avait raccroché sans même lui demander comment elle allait.

La pédicure était en train d'appliquer la première couche de vernis, et Brooke trouva la couleur trop voyante. Elle songea à en faire la remarque, mais décida que ça n'en valait pas la peine. Sa mère avait choisi pour ses orteils une teinte blanc rosé, qui était à la fois élégante et naturelle.

— On dirait que Julian avait une bonne nouvelle à t'annoncer, observa Mrs Greene en reposant son magazine sur les genoux.

— On peut dire ça. (Brooke espéra que sa voix véhiculait plus d'enthousiasme qu'elle n'en éprouvait.) Sony l'envoie suivre une tournée – comme pour un tour d'échauffement. Ils vont répéter cette semaine à Los Angeles et ensuite, ils feront l'avant-première partie de Maroon 5. Ça leur donnera l'occasion de s'entraîner devant un public avant de partir eux-mêmes en tournée. De la part de Sony, c'est une énorme marque de confiance.

— Mais ça signifie qu'il sera encore plus absent.

— Oui. Toute cette semaine, il reste à Los Angeles, pour répéter. Ensuite, il rentrera peut-être pour quelques jours, avant de repartir à nouveau.

— Comment vis-tu ça ?

— On pourrait difficilement espérer meilleure nouvelle.

Mrs Greene sourit et glissa les pieds dans les mules en papier fournies par le salon.

— Tu n'as pas répondu à ma question.

Le téléphone de Brooke émit un bip.

— Sauvée par le gong ! lança-t-elle d'une voix enjouée.

C'était un texto de Julian : « Oublié de te dire : ils veulent que j'achète des fringues ! Il paraît que mon look ne passe pas. Le cauchemar absolu ! »

Brooke éclata de rire.

— Qu'y a-t-il ? demanda sa mère.

— Bon, peut-être y a-t-il une justice, finalement. Quelqu'un – son attachée de presse, ou les gens du marketing – a décrété que son look vestimentaire ne fonctionnait pas. Il doit revoir sa garde-robe.

— Comment veulent-ils le voir habillé ? J'imagine assez mal Julian avec une veste militaire à la Michael Jackson, ou en sarouel comme MC Hammer, observa-t-elle, l'air assez fier de l'étendue de sa culture pop.

— Tu rigoles ? En cinq ans de mariage, je peux compter sur mes dix doigts les fois où je l'ai vu habillé autrement qu'en jean et tee-shirt blanc. Il va être au supplice. Un grand moment.

— Eh bien, en ce cas, aidons-le ! lança Mrs Greene.

Elle tendit sa carte de crédit à l'employée qui lui présentait la facture. Brooke voulut sortir son porte-feuille, mais sa mère s'y opposa.

— Fais-moi confiance, il est hors de question que Julian accepte d'adopter un nouveau look, répondit-elle. Il préférerait mourir plutôt que d'aller faire les boutiques, et il tient plus à son uniforme jean et tee-shirt blanc que certains hommes à leurs enfants. À mon avis, chez Sony, ils sont loin de se douter à quoi ils s'attaquent, mais une chose est sûre : ils ne réussiront *jamais* à le convaincre de s'habiller comme Justin Timberlake.

— Brooke, ma puce, puisque Julian déteste faire du shopping, faisons-en à sa place. Ça pourrait être amusant. (Elle emboîta le pas à sa mère qui, sitôt passée la porte du salon, s'engagea dans la bouche de métro.) J'ai une idée géniale. Nous allons lui acheter les mêmes vêtements que ceux qu'il porte déjà, mais en plus beau.

Après une correspondance et deux arrêts supplémentaires, elles descendirent à la station 59e Rue et pénétrèrent directement chez Bloomingdale par l'accès au sous-sol. Brooke suivit sa mère tandis qu'elle se dirigeait avec assurance vers le rayon homme.

Mrs Greene lui désigna un jean droit, de coupe classique, en toile uniformément délavée, ni trop foncée, ni trop claire, dépourvu de toute fantaisie agaçante – patch, zips, lacération ou autre poche incongrûment placée. Brooke tâta la toile. Elle était étonnamment légère, et douce, plus douce peut-être même que celle des Levi's que Julian affectionnait tant.

— Waouh ! s'exclama-t-elle. Je pense qu'il adorerait celui-là. Comment es-tu aussi calée ?

— Je vous habillais drôlement bien, quand vous étiez petits, répondit sa mère en souriant. J'imagine que je n'ai pas perdu la main.

Ce n'est qu'à ce moment-là que Brooke avisa l'étiquette et ouvrit des yeux ronds.

— Deux cent cinquante dollars ! Ses Levi's en coûtent quarante ! Je ne peux pas lui acheter ça !

— Bien sûr que si, lui rétorqua sa mère en lui arrachant le pantalon des mains avec brusquerie. Et tu vas même faire mieux : en plus de celui-là, tu vas lui en acheter deux autres. Ensuite, on lui achètera les tee-shirts blancs les plus doux et les mieux coupés qu'on pourra trouver et qui, sans doute, coûteront soixante-dix dollars pièce, ce qui n'est pas un problème. Je peux t'en payer une partie. (Voyant que Brooke la dévisageait, médusée, elle hocha la tête.) C'est important, insista-t-elle. Pour toutes sortes de raisons, mais surtout et avant tout parce qu'en ce moment, selon moi, il est crucial que tu sois là pour lui, que tu l'aides, que tu le soutiennes.

Un vendeur qui avait l'air de s'ennuyer ferme daigna enfin s'approcher, mais Mrs Greene lui signifia d'un geste que son aide était inutile.

— Tu sous-entends que je ne le soutiens pas ? Que je ne l'aide pas ? Pourquoi crois-tu que je jongle avec deux boulots depuis quatre ans, si je ne suis pas complètement et absolument derrière lui ? Et qu'est-ce que quelques jeans ont à voir avec tout ça ?

Brooke entendait une note d'hystérie grossir dans sa voix, mais elle était incapable de la contenir.

— Viens par là, dit sa mère en ouvrant grand les bras.

Était-ce à cause de la compassion qui brillait dans le regard maternel, ou plus simplement du fait qu'elle n'était pas habituée à ces étreintes ? À l'instant où les bras de sa mère se refermèrent autour d'elle, Brooke se mit à sangloter. Sans savoir vraiment pourquoi. Certes, Julian venait de lui annoncer qu'il serait absent une semaine de plus, mais cela n'avait rien d'une tragédie – au contraire même, les nouvelles étaient plutôt excellentes – mais une fois qu'elle eut commencé à pleurer, elle fut incapable de s'arrêter. Sa mère resserra son étreinte et lui caressa les cheveux, en lui murmurant des paroles de réconfort, comme quand elle était petite.

— Il y a énormément de changements dans ta vie, en ce moment, ma chérie.

— Oui, mais des changements qui vont dans le bon sens.

— Ils n'en sont pas moins effrayants. Brooke, je sais que tu n'as pas besoin de l'entendre, mais Julian est sur le point de devenir un musicien célèbre, à l'échelle nationale. Quand cet album va sortir, c'est toute votre vie qui sera chamboulée. Jusque-là et pour l'instant, ce n'est qu'un échauffement.

— Mais c'est justement pour en arriver là qu'on a bossé toutes ces années.

— Bien sûr. (Mrs Greene lui tapota le bras puis lui prit le visage au creux d'une main.) Mais ça ne change rien : c'est un total bouleversement. Julian est déjà très souvent absent, votre quotidien est devenu complètement chaotique et toutes sortes de nouveaux visages sont apparus dans votre vie – des gens qui pèsent sur les décisions, qui donnent leur avis, qui interfèrent dans vos affaires. Tout ça ne va probablement aller qu'en s'intensifiant, le bon comme le moins bon, alors je veux que tu sois préparée.

Brooke sourit et brandit le jean.

— Et je m'y prépare en lui achetant des jeans plus chers que ceux que je porte moi-même ? Vraiment ?

Sa mère avait toujours été plus intéressée par les vêtements qu'elle-même, mais elle n'était pas non plus du genre à jeter l'argent par les fenêtres.

— Parfaitement. Au cours des prochains mois, il y a pas mal de choses dont tu seras exclue, ne serait-ce que parce qu'il sera en voyage et que toi tu seras ici, en train de travailler. Julian risque fort de n'avoir guère de contrôle sur sa propre vie, pas plus que toi tu n'en auras. Ça va être dur. Mais je te connais, Rook, et je connais aussi Julian. Vous n'allez pas vous laisser abattre, et une fois que tout sera bien en place, que vous aurez trouvé votre rythme de croisière, vous serez formidablement heureux. Et s'il te plaît, pardonne-moi de me mêler de tes histoires de couple – on sait toutes les deux que je suis une piètre experte en la matière –, mais jusqu'à ce que cette période de folie soit passée, tu peux faciliter les choses en t'impliquant de toutes les manières que tu peux. Aide-le à réfléchir à des idées de marketing. S'il t'appelle au milieu de la nuit, et même si tu es épuisée, réveille-toi – il t'appellera plus souvent s'il sait que tu as envie de l'entendre. Et quand on lui dit qu'il doit s'acheter des fringues, et puisque tu sais qu'il ne saura pas par où commencer, achète-lui de beaux vêtements. Et ça coûtera ce que ça coûtera ! Si son album se vend aussi bien que tout le monde le prédit, cette petite orgie de shopping ne sera même pas un signal sur l'écran du radar.

— Tu aurais dû l'entendre me raconter combien il allait toucher pour cette tournée. Je ne suis pas très bonne en calcul, mais je pense qu'il parlait d'un cachet à six chiffres.

Sa mère sourit.

— Vous le méritez tous les deux, tu le sais, n'est-ce pas ? Vous avez travaillé dur, et longtemps, pour en arriver là. Donc oui, tu vas dépenser sans compter des sommes faramineuses, tu vas t'offrir des luxes dont tu ignorais même jusqu'à l'existence, et tu vas adorer ces nouvelles expériences. Pour commencer, en ce qui me concerne, je me porte volontaire pour t'accompagner dans toutes les expéditions dispendieuses, et je mets mes cartes de crédit, et mes bras, à ta disposition. Certes, le vrai succès n'arrive pas en un jour, et tu vas devoir avaler quelques couleuvres, mais tu es une battante, ma chérie. Je le sais.

Lorsqu'elles quittèrent enfin Bloomingdale, une heure et demie plus tard, elles n'étaient pas trop de deux pour rapporter leur moisson chez Brooke. En unissant leurs efforts, elles avaient sélectionné quatre jeans en denim bleu, un autre en toile noire délavée, ainsi qu'un pantalon en velours à fines côtes – Mrs Greene avait convaincu Brooke que sa coupe droite était assez proche de celle d'un jean pour passer comme une lettre à la poste auprès de Julian. Elles avaient manipulé des piles impressionnantes de tee-shirts blancs de créateurs, comparé la douceur du jersey et celle du coton égyptien, débattu pour savoir si l'un ne serait pas trop transparent, ou un autre trop moulant, avant d'en sélectionner une douzaine, dans des coupes et matières différentes. De retour au rez-de-chaussée, elles s'étaient séparées et Mrs Greene avait filé au stand Khiel's, en jurant qu'elle n'avait jamais rencontré d'homme qui n'adorait pas leur crème à raser et leur after-shave. Brooke douta fort que Julian consente à répudier sa bonne vieille bombe de mousse à raser Gillette, vendue deux dollars dans n'importe quel drug-store, mais elle avait été sensible à l'enthousiasme de sa mère et pendant ce temps, elle avait gagné le rayon des accessoires. Elle y avait choisi cinq bonnets tricotés, tous dans des couleurs sourdes – dont un noir avec de discrètes rayures ton sur ton – qu'elle avait pris soin de frotter sur son visage pour s'assurer qu'ils n'étaient pas trop chauds, ou qu'ils ne grattaient pas.

L'expédition s'était terminée par un coup de massue, avec une facture de 2 260 dollars – soit la plus grosse somme que Brooke ait jamais dépensée jusque-là d'un seul coup, meubles inclus. Au moment de signer le reçu de la transaction, elle eut le souffle coupé, mais elle s'obligea à rester concentrée sur ce qui importait le plus : Julian se trouvait à un tournant décisif de sa carrière, il était sur le point de percer, et elle lui devait, comme pour elle-même, un soutien total et inconditionnel. De plus, elle était heureuse d'être restée fidèle à son look, d'avoir respecté son attachement à un style intemporel, sans cher-cher à projeter quelque nouvelle image que ce soit sur lui. Cela faisait très, très longtemps qu'elle n'avait pas passé un après-midi aussi grisant. Et même si ces vêtements ne lui étaient pas destinés, ce n'en avait pas été moins amusant.

Le dimanche suivant, lorsque Julian appela pour annoncer qu'il était dans le taxi qui le ramenait de l'aéro-port, l'excitation de Brooke était à son comble. Dans un premier temps, elle exposa tous les nouveaux achats dans le salon : elle disposa les jeans sur le canapé et les tee-shirts sur les chaises de la salle à manger, et, comme on décore un sapin de Noël, suspendit les bonnets aux lampes et aux étagères. Mais quelques instants avant l'arrivée de Julian, elle changea d'avis et se hâta de tout rassembler, de replier les vêtements et de les ranger dans les sacs d'origine, qu'elle alla cacher au fond de leur dressing, en se disant que ce serait beaucoup plus amusant pour lui de découvrir chaque pièce une par une. Lorsqu'elle entendit la porte d'entrée s'ouvrir et les aboiements de Walter, elle sortit en trombe de la chambre pour se jeter au cou de Julian.

— Bébé, si tu savais comme tu m'as manqué, murmura-t-il en enfouissant le visage au creux de son épaule et en inspirant profondément.

Il lui sembla plus mince, plus émacié même que d'habitude. Julian pesait dix bons kilos de plus qu'elle, mais Brooke se demandait toujours comment cela était possible. Ils avaient exactement la même taille, et elle avait toujours l'impression de l'envelopper, de l'écraser. Elle le toisa, puis se pencha pour l'embrasser sur la bouche.

— Tu m'as affreusement manqué. Ton vol s'est bien passé ? Et le taxi ? Tu as faim ? J'ai fait des pâtes, on peut les réchauffer.

Walter aboyait si fort qu'ils avaient du mal à s'entendre. Sachant qu'il ne se calmerait pas avant d'avoir été salué dans les règles, Julian se laissa choir sur le canapé et tapota le coussin à côté de lui, mais Walter avait déjà sauté sur sa poitrine et cherchait à lui manifester sa joie à coups de langue.

— Hou la ! Doucement ! Sage ! se récria Julian en rigolant. Tu sais que tu n'as pas l'haleine très fraîche, mon grand ? Personne ne te brosse les dents, Walter Alter ?

— Il attendait que son papa rentre pour s'en occuper, lança Brooke avec bonne humeur tandis qu'elle leur servait du vin dans la cuisine.

Lorsqu'elle retourna dans le salon, Julian avait disparu dans la salle de bains. Par la porte restée entrouverte, elle le vit, debout devant les toilettes tandis que Walter, à ses pieds, l'observait avec fascination.

— J'ai une surprise pour toi ! chantonna Brooke. Tu vas a-do-rer.

Julian remonta sa braguette, fit semblant de se laver les mains et la rejoignit sur le canapé.

— Moi aussi j'ai une surprise pour toi. Et toi aussi tu vas adorer.

— C'est vrai ? Tu m'as acheté un cadeau !

Brooke savait qu'elle se comportait comme une gamine, mais qui n'aimait pas recevoir de cadeaux de son amoureux ?

Julian sourit.

— Bon… oui, j'imagine qu'on peut appeler ça un cadeau. Disons que c'est un cadeau pour nous deux, mais à mon avis, tu vas l'apprécier encore plus que moi. Mais à toi l'honneur. C'est quoi, ta surprise ?

— Non, non, toi d'abord ! protesta Brooke.

Il était hors de question que sa présentation vestimentaire se fasse voler la vedette ; Julian devait lui accorder une attention sans partage.

Il la regarda avec un grand sourire radieux, avant de repartir dans l'entrée chercher une valise que Brooke n'avait jamais vue. Une valise noire, énorme. Il la fit rouler jusque devant elle, et la lui désigna d'un geste.

— Tu m'as acheté une valise ? demanda-t-elle, déconcertée.

Certes, c'était une très belle valise, mais ce n'était pas exactement le genre de cadeau auquel elle s'attendait. D'autant qu'elle semblait déjà pleine à craquer.

— Ouvre-la, dit Julian.

Avec hésitation, Brooke se pencha et commença à tirer délicatement sur la fermeture éclair. Celle-ci refusa de coulisser. Elle insista, un peu plus énergiquement, sans davantage de succès.

— Attends, intervint Julian en soulevant le mastodonte pour le dresser sur sa tranche.

Il actionna la fermeture éclair d'un coup sec et souleva le rabat… faisant apparaître des piles et des piles de vêtements soigneusement pliés et rangés. Brooke était plus perdue que jamais.

— Ça ressemble à, euh… des vêtements, dit-elle en se demandant pourquoi Julian avait l'air aussi content.

— Oui, c'est des fringues, mais pas n'importe lesquelles. Ma chère Rookie, ce que tu vois là, c'est l'image retravaillée et améliorée de ton mari, grâce aux bons offices de sa styliste personnelle appointée par le label. C'est pas classe, ça ?

Julian la regarda, attendant visiblement une réaction, mais il lui fallut un certain temps pour comprendre de quoi il retournait.

— Tu es en train de me dire qu'une *styliste* t'a acheté une nouvelle garde-robe ?

Julian hocha la tête.

— « Un nouveau style, unique et sur mesure » – c'est comme ça que la nana me l'a décrit. Et crois-moi, Rook, cette fille connaît son affaire. Elle n'a eu besoin que de quelques heures, et je n'ai rien eu à faire, sinon m'installer dans un immense salon privé chez Barney's et regarder défiler des cohortes de filles et de gays qui apportaient des portants croulant sous les fringues. Ils ont composé des tenues et m'ont montré comment les assortir. On a bu deux ou trois bières pendant que j'essayais tous ces trucs dingues. Tout le monde avait son mot à dire, sur ce qui fonctionnait, ce qui ne fonctionnait pas, et une fois qu'ils ont tous été d'accord, je suis reparti avec ce barda. (Il désigna la valise.) Regarde juste quelques trucs, c'est une hallu.

Il plongea les mains dans les piles et extirpa une pleine poignée de vêtements, qu'il posa sur le canapé, entre eux. Brooke faillit lui crier d'être plus soigneux, de faire attention aux plis, mais même elle s'aperçut à quel point c'était ridicule. Elle se pencha pour attraper un pull à capuche en cachemire vert mousse, matelassé, aussi doux qu'un plaid pour bébé. L'étiquette indiquait 495 dollars.

— Tu as vu comme il est canon ? lança Julian avec l'excitation qu'il réservait normalement aux instruments de musique ou aux nouveaux gadgets électroniques.

— Tu ne portes jamais de pulls à capuche, observat-elle, faute de mieux.

— Oui, mais n'est-ce pas le moment ou jamais de commencer ? lui rétorqua Julian avec un sourire béat. Je crois bien que je pourrais m'habituer aux pulls à capuche à 500 dollars. Tu as senti comme il est doux ? Et tiens, regarde ça.

Il brandit cette fois un blouson en cuir gras et une paire de boots noirs John Varvatos, entre les bottes de motard et les santiags. Brooke n'aurait su trancher, mais savait qu'elles avaient de la gueule.

— Ça assure, non ?

Une fois de plus, elle hocha la tête. Épouvantée à l'idée qu'elle pourrait se mettre à pleurer si elle ne faisait pas *quelque chose*, elle se pencha pour attraper une autre pile, qu'elle posa sur ses genoux. C'était une montagne de tee-shirts, certains de créateurs, d'autres vintage, déclinés dans toutes les couleurs possibles et imaginables. Elle aperçut une paire de mocassins Gucci – le modèle à semelles souples et sans logo apparent – et une paire de baskets Prada blanches. Et puis, il y avait des bonnets, en quantité invraisemblable – ces gros bonnets en laine auxquels il était abonné, sauf que ceux-là étaient en cachemire – et aussi des chapeaux, des panamas, et des feutres blancs. Au total, il devait y avoir dix ou douze couvre-chefs, tous différents, tous stylés, tous originaux. Il y avait également de pleines brassées de pulls en cachemire décolletés en V légers comme une plume, des vestes italiennes cintrées dont on voyait à l'œil nu qu'elles étaient à la fois élégantes et décontractées, et des jeans. Tellement de jeans, dans toutes les coupes et tous les coloris, que Julian allait sans doute pouvoir en changer tous les jours pendant quinze jours. Brooke se força à déplier chaque paire pour l'examiner, jusqu'à ce qu'elle tombe – comme elle se doutait que ça arriverait – sur le même modèle que celui que sa mère avait choisi chez Bloomingdale, celui que Brooke avait jugé parfait pour un début.

— Waouh…, voulut-elle murmurer, mais seul un son étranglé sortit de sa gorge.

— N'est-ce pas incroyable ? demanda Julian, d'une voix où perçait de plus en plus d'excitation tandis qu'elle fouillait dans les vêtements. Je vais enfin ressembler à un adulte. Un adulte sapé à prix d'or. Tu as une idée du prix que tous ces trucs ont coûté ? Essaie de deviner.

Ce n'était pas bien difficile. Au vu de la quantité et de la qualité des marchandises, Brooke savait que Sony avait claqué au bas mot 10 000 dollars. Cependant, elle répugnait à saboter la joie de Julian.

— Je ne sais pas… 2 000 dollars ? 3 000, peut-être ? C'est de la pure folie ! lâcha-t-elle avec autant d'enthousiasme qu'elle put en rassembler.

Julian éclata de rire.

— Je sais, c'est probablement ce que j'aurais dit moi aussi. 18 000, asséna-t-il. Tu te rends compte ? 18 000 dollars de fringues !

Elle frictionna un des pulls en cachemire entre ses paumes.

— Ça ne t'embête pas qu'ils aient changé ton look ? Tu es d'accord pour porter des trucs complètement différents ?

Julian s'accorda un temps de réflexion et Brooke retint sa respiration.

— Non, je ne peux pas leur en vouloir, répondit-il finalement. Il est temps de passer à autre chose, tu vois. Mon vieil uniforme a fonctionné pendant un moment, mais là, je prends un nouveau départ. Je dois me couler dans ce nouveau style, et avec un peu de chance, une nouvelle carrière suivra. Je dois t'avouer que je me surprends un peu moi-même, mais je suis totalement partant pour ce changement. Par ailleurs, ajouta-t-il avec un sourire diabolique, si je dois en passer par là, mieux vaut sauter le pas maintenant, non ? Alors, tu es contente ?

Brooke se força à sourire une fois de plus.

— Ravie. C'est ahurissant qu'ils soient disposés à investir autant en toi.

Il arracha le vieux bonnet qu'il portait et le remplaça par le feutre blanc orné d'un ruban de chambray, puis il se leva d'un bond pour aller se regarder dans le miroir du couloir. Il se tourna plusieurs fois, à gauche, à droite, afin de s'admirer sous différents angles.

— Alors, c'est quoi ta surprise ? lança-t-il à tue-tête. Si je me souviens bien, je ne suis pas le seul à en avoir une.

Bien qu'il n'y eût personne pour le voir, Brooke fit un sourire, empreint de tristesse.

— Rien, répondit-elle, en espérant que sa voix était plus enjouée que ses états d'âme.

— Non, arrête ! Tu voulais me montrer quelque chose, n'est-ce pas ?

Elle croisa les mains sur ses genoux et contempla la valise qui débordait.

— Ce n'est rien d'aussi excitant que ça, mon chéri. Une bonne chose à la fois. Je garde ma surprise pour un autre soir.

Julian revint vers elle, le feutre toujours en place, et l'embrassa sur la joue.

— Ça me va, Rookie. Je vais déballer mon butin. Tu me donnes un coup de main ? demanda-t-il en commençant à transbahuter sa nouvelle garde-robe dans la chambre.

— J'arrive dans une minute, répondit-elle en priant pour qu'il ne remarque pas les sacs de Bloomingdale cachés dans le placard.

Un moment plus tard, il réapparut et vint s'asseoir à côté d'elle sur le canapé.

— Tu es sûre que tout va bien, bébé ? Quelque chose te tracasse ?

Brooke sourit une fois de plus et secoua la tête, en s'efforçant de ne pas pleurer.

— Oui, tout va très bien, mentit-elle en lui serrant la main. Tout va très bien.

Mon petit cœur fragile ne peut pas encaisser un autre plan à trois

— Tu crois que j'ai tort de redouter ce qui nous attend ? demanda Brooke au moment où elle s'engagea dans la rue de Randy et Michelle.

— Ça fait un petit moment qu'on ne les a pas vus, marmonna Julian, en pianotant furieusement sur son téléphone.

— Non, je parlais de la fête. J'appréhende la fête. Tous ces gens que je n'ai pas revus depuis des lustres, qui vont nous assaillir de questions et me raconter par le menu la vie de leurs gosses, qui étaient mes amis d'enfance mais qui ont mille fois mieux réussi que moi dans la vie.

— Je te garantis qu'aucun n'a fait un aussi beau mariage que toi.

Du coin de l'œil, Brooke vit qu'il souriait.

— Ah, j'aurais pu être de ton avis, si je n'étais pas tombée sur la mère de Sasha Philips, en ville, il y a six mois. En sixième, Sasha était la reine de l'école. C'était le genre de gamine qui pouvait liguer tout le monde contre toi d'un seul mouvement de gourmette et qui, soit dit en passant, avait toujours des chaussettes nickel et des Keds en cuir blanc absolument immaculés.

— Où veux-tu en venir ?

— Avant d'avoir pu me planquer, je vois la mère de Sasha à Century 21, au rayon maison.

— Brooke ?

— Elle me coince entre les rideaux de douche et les serviettes de toilette, et commence à me raconter, en se gargarisant, que Sasha a épousé un garçon qui a été « formé » pour occuper une « position très influente » dans « les affaires familiales » d'un clan italien très connu – et tout ça à grand renfort de clins d'œil entendus. Elle me dit que ce type – cet excellent parti – aurait pu avoir n'importe quelle femme sur terre, mais qu'il est tombé fou amoureux de sa merveilleuse Sasha. Qui, au passage, a hérité des quatre enfants d'un précédent mariage. Elle en faisait des gorges chaudes ! Avec un tel talent, qu'au final, j'en étais presque à déplorer que tu ne sois pas l'héritier d'une famille de mafieux, et que tu n'aies pas une tripotée de marmots avec une précédente épouse.

Julian éclata de rire.

— Tu ne m'avais jamais raconté ça.

— Je ne tenais pas à mettre ta vie en péril.

— On va traverser cette épreuve ensemble. Quelques petits fours, un dîner rapide, un petit discours, et on file. D'accord ?

— Si tu le dis.

Elle se gara dans l'allée devant l'immeuble de Randy, et vit immédiatement que le coupé Nissan 350Z que son frère chérissait comme la prunelle de ses yeux n'était nulle part en vue. Elle s'apprêtait à en faire la remarque à Julian, quand le téléphone de ce dernier sonna pour la millième fois en deux heures. De toute façon, il était déjà descendu de voiture.

— Je reviendrai chercher nos sacs, d'accord ? lui lança-t-elle, mais Julian était déjà au bout de l'allée, téléphone collé à l'oreille, hochant énergiquement la tête.

— Bon, génial, maugréa-t-elle tout en se dirigeant à son tour vers la porte d'entrée.

À l'instant où elle arrivait à hauteur du perron, la porte de l'immeuble s'ouvrit à la volée et Randy dévala les marches pour venir la serrer entre ses bras.

— Rookie, bonjour ! Quel plaisir de te voir. Michelle descend tout de suite. Où est Julian ?

— Pendu au téléphone. Je peux t'assurer qu'en voyant son relevé, T-Mobile va se mordre les doigts de lui avoir proposé un forfait illimité.

Ils tournèrent la tête vers Julian qui, un sourire aux lèvres, glissait le téléphone dans sa poche tout en rebroussant chemin vers le coffre ouvert de la voiture.

— Tu as besoin d'un coup de main ? lança Randy.

— Non ça ira, répondit Julian en hissant un sac sur chaque épaule. Tu as une super mine, mec. Tu as maigri ?

Randy tapota sa bedaine, dont il était difficile de dire si elle avait vraiment fondu.

— La patronne m'a mis au régime strict.

Il y avait dans sa voix une fierté manifeste. Chose que Brooke n'aurait jamais crue possible un an plus tôt, Randy semblait ravi d'avoir une relation d'adulte, un appartement plus ou moins meublé et un bébé en route.

— Mais tu as encore du chemin à faire, le taquina Brooke tout en faisant un pas de côté pour esquiver une bourrade dans les côtes.

— Viens donc par là, mademoiselle la grande gueule. J'ai encore quelques kilos à perdre, je le reconnais, mais toi qui es diététicienne, quelle est ton excuse ? N'es-tu pas censée être anorexique au dernier degré ?

Randy tendit le bras pour lui ébouriffer les cheveux.

— Eh bien dis donc ! Un commentaire désobligeant sur mon poids et une insulte à ma profession en une seule et même phrase. Tu es en forme, aujourd'hui !

— Oh, ne le prends pas mal ! Tu sais bien que je plaisante. Tu es superbe.

— Mm… deux ou trois kilos en moins ne me feraient pas de mal, mais Michelle, elle, a sous la main un vrai cas d'école, répondit-elle avec un grand sourire.

— Et fais-moi confiance, son cas n'est pas encore réglé, lança celle-ci en dévalant justement le perron d'un pas guilleret.

Malgré les sept semaines qui la séparaient encore du terme, son ventre semblait la précéder d'un bon mètre. En quelques secondes, la chaleur écrasante du mois d'août recouvrit son visage d'un voile de transpiration, qui n'altéra en rien sa bonne mine et son expression presque euphorique. Brooke avait toujours cru que ces histoires de teint radieux chez les femmes enceintes relevaient d'un mythe, mais indéniablement, la grossesse réussissait très bien à Michèle.

— Moi aussi, je bosse sur le cas de Brooke, dit Julian en embrassant sa belle-sœur sur la joue.

— Mais Brooke est magnifique comme elle est ! protesta aussitôt Michelle, d'un air choqué prouvant que la pique ne lui avait pas échappé.

Brooke, oubliant que cette scène se déroulait devant témoins, se retourna vers Julian.

— Qu'est-ce que tu viens de dire ?

Julian haussa les épaules.

— Rien, Rook. Je déconnais. C'était juste une plaisanterie.

— Tu bosses sur mon cas ? Ça veut dire quoi ? Que tu essaies de garder mon obésité pathologique sous contrôle ?

— Brooke, on en reparlera plus tard, d'accord ? Je plaisantais, tu le sais.

— Non, je préférerais qu'on en reparle tout de suite. Qu'as-tu voulu dire, exactement ?

Julian s'approcha d'elle, l'air penaud.

— Rookie, c'était juste une vanne idiote. Tu sais pertinemment que je t'aime comme tu es, et que pour rien au monde je ne voudrais que tu changes. C'est juste que, euh… je ne voudrais pas que *toi*, tu te sentes mal à l'aise.

Randy tendit la main à Michelle et annonça :

— On va préparer votre chambre. Je m'occupe des sacs. Entrez quand vous voulez.

Brooke attendit qu'ils aient refermé la porte derrière eux.

— Pourquoi devrais-je me sentir mal à l'aise, exactement ? Je sais que je ne suis pas un top model, mais qui l'est ?

— Je sais, c'est juste que…

Il donna un coup de pied dans le perron du bout de sa Converse, et s'assit sur une marche.

— Juste quoi ?

— Rien. Tu sais que je te trouve magnifique. Mais Leo pense que tu pourrais te sentir mal à l'aise, rapport à la pub et… ce genre de truc, tu vois.

Il releva la tête et la regarda. Il semblait attendre une réponse, mais Brooke était trop hébétée pour parler.

— Brooke…

Elle sortit un chewing-gum de son sac et fixa le trottoir.

— Rookie, viens ici. Et merde ! J'aurais mieux fait de me taire. Ce n'est pas du tout ce que je voulais dire.

Brooke s'obstina dans son silence et attendit que Julian lui explique ce qu'il avait vraiment voulu dire, mais il ne semblait pas décidé à le faire. Et après tout, ne serait-ce pas plus simple d'en rester là ?

— Rentrons, finit-elle par dire en essayant de retenir ses larmes.

— Non, attends un instant, viens ici. (Il la tira par la main pour l'obliger à s'asseoir à côté de lui, sur une marche.) Rook, je suis désolé d'avoir dit ça, s'excusa-t-il en prenant ses mains dans les siennes. Leo et moi ne passons pas nos réunions à parler de toi, et je sais que toutes ces conneries à propos de mon « image » ne sont rien d'autre que *des conneries* justement. Mais je flippe, à cause de tout ce qui se passe en ce moment, et j'ai besoin de lui. L'album vient de sortir, et j'essaie de faire en sorte que ça ne me prenne pas la tête. Mais je suis terrifié à l'idée que ça marche, et que l'album fasse un carton. Si, ce qui est plus vraisemblable, tout cela n'a été qu'un miroir aux alouettes, et qu'il n'en sorte pas grand-chose, alors c'est encore plus terrifiant. Hier, j'étais seul, peinard, bien à l'abri dans mon petit studio d'enregistrement, avec mon piano, à jouer la musique que j'aime, j'étais dans ma bulle, et d'un coup d'un seul, c'est le cirque : les télés, les dîners avec les dirigeants du label, les interviews. Je ne suis pas… préparé. Et si ça signifie que je me suis comporté comme le dernier des connards ces derniers temps, j'en suis vraiment, *vraiment* désolé.

Il y avait un million de choses que Brooke voulait lui dire : combien elle souffrait de ses absences à répétition, s'inquiétait de toutes leurs récentes disputes, de ces montagnes russes qui faisaient se succéder crises d'euphorie et crises tout court ; elle voulait le remercier de s'être confié, de lui avoir laissé entrevoir ses doutes, mais au lieu de l'inciter à se dévoiler davantage, de lui faire part des questions qui la tourmentaient, de lui révéler ses propres sentiments, elle se força à apprécier à sa juste valeur le minuscule pas qu'il venait de faire. Elle serra ses mains et lui planta un baiser sur la joue.

— Merci, dit-elle doucement en croisant son regard pour la toute première fois de la journée.

— Merci à toi, répondit-il en l'embrassant à son tour.

En dépit de tous ces non-dits qui laissaient flotter comme un sentiment de malaise, Brooke attrapa la main que lui tendait Julian pour l'aider à se relever et se laissa entraîner à l'intérieur. Elle ferait de son mieux pour oublier le commentaire désobligeant à propos de son poids.

Randy les attendait dans la cuisine, avec Michelle, qui achevait de disposer sur un plat un assortiment de garnitures de sandwichs : tranches de filets de dinde et de rosbif froid, pain de seigle, mayonnaise, tomates, laitue et cornichons. Il y avait des canettes de soda à la cerise, et une bouteille d'eau pétillante aromatisée au citron vert. Michelle tendit à chacun une assiette en carton et, d'un geste, les invita à confectionner leur sandwich.

— À quelle heure commencent les festivités ? s'informa Brooke en piochant quelques tranches de dinde, sans pain, en espérant que Randy et Julian le remarqueraient et se sentiraient coupables de leurs plaisanteries.

— 19 heures, mais Cynthia veut que nous arrivions une heure avant pour l'aider à tout installer, répondit Michelle qui se mouvait avec une grâce étonnante en dépit de son état.

— Vous croyez qu'il sera surpris ? demanda Brooke.

— J'ai du mal à croire que ton père a 65 ans, observa Julian en étalant de la mayonnaise sur une tranche de pain.

— Moi, j'ai du mal à croire qu'il a enfin pris sa retraite ! renchérit Randy. Ça me fait bizarre de penser qu'en septembre, pour la première fois en quinze ans, nous n'allons pas faire la rentrée ensemble.

Tout le monde se déplaça dans la salle à manger et Brooke posa son assiette et une canette de soda à côté de son frère.

— Ah, il va te manquer, n'est-ce pas ? Avec qui vas-tu déjeuner, désormais ?

Un téléphone se mit à sonner. Julian se leva en s'excusant.

— Il a l'air plutôt serein, pour quelqu'un dont l'album vient juste de sortir, observa Randy en mordant, tel un ogre, dans son énorme sandwich.

— C'est l'impression qu'il donne, mais ce n'est qu'une façade. Il est pendu au téléphone depuis ce matin, mais personne ne peut encore avancer de chiffres. Je pense qu'on en saura davantage en fin de journée, ou demain. Julian dit que tout le monde est très optimiste, et que l'album devrait démarrer dans le top 20 du hit-parade, mais j'imagine qu'on ne peut jamais être sûr de rien, expliqua Brooke.

— C'est tout de même incroyable, intervint Michelle en grignotant une tranche de pain de seigle. Imaginais-tu qu'un jour, tu dirais ça ? Démarrer dans le *top 20* ?

Certains artistes passent leur vie entière à atteindre ce but, et lui, ce n'est que son premier…

Brooke but une gorgée de soda et s'essuya les lèvres.

— Rien n'est encore fait… Et je ne veux pas lui porter la poisse. Mais oui, c'est le truc le plus dingue que j'aie jamais vu.

— En fait, non, il y a encore plus dingue, rectifia Julian en les rejoignant, avec un de ces grands sourires dont il avait le secret – un sourire tellement radieux que Brooke en oublia la tension qu'avait fait naître leur accrochage.

Michelle leva la main, en signe de protestation.

— Ne sois pas si modeste, Julian. Objectivement, entrer dans le top 20 avec un premier album, c'est dingue.

— Non, ce qui est dingue, c'est quand ton album se place directement à la quatrième place, corrigea-t-il posément.

— Quoi ? s'étrangla Brooke, en restant bouche bée.

— C'était Leo. Il m'a dit qu'on n'a pas encore de chiffres officiels, mais qu'apparemment, l'album est parti pour entrer directement à la quatrième place. Quatrième ! Je n'arrive même pas à le concevoir.

Brooke se leva d'un bond et se précipita dans ses bras.

— Ohmondieu, Ohmondieu, Ohmondieu…

Michelle lâcha un petit cri aigu, serra Brooke puis Julian dans ses bras, puis fila chercher une bouteille de bourbon hors d'âge pour fêter la nouvelle. Randy réapparut avec trois verres à cognac remplis d'un liquide ambré, et un verre de jus d'orange pour Michelle.

— À Julian ! dit-il en levant son verre.

Tous trinquèrent et portèrent le verre à leurs lèvres. Brooke grimaça et reposa le sien, mais son frère et Julian vidèrent le leur en quelques gorgées. Randy tapa dans le dos de Julian.

— Tu sais, mon vieux, je suis content pour toi, et je me réjouis de ton succès etc., etc., mais je dois dire un truc : c'est carrément super cool d'avoir une rock star dans la famille.

— Oh, ça va, arrête, ce n'est pas...

Brooke asséna une petite tape sur l'épaule de Julian.

— Ils ont raison, chéri. Tu es une star. Combien de gens peuvent dire que leur premier album a débuté à la quatrième place du hit-parade ? Cinq ? Dix ? En gros, il y a Les Beatles, Madonna, Beyoncé... et Julian Alter ! C'est de la démence !

Ils portèrent plusieurs toasts à son succès, bavardèrent et pressèrent Julian de questions pendant trois quarts d'heure encore et puis Michelle annonça qu'il était temps de se préparer, qu'ils devaient être au restaurant dans une heure. Elle leur apporta des serviettes de toilette et dès qu'elle eut refermé la porte de la chambre d'amis derrière elle, Brooke se jeta au cou de Julian avec tant de fougue qu'ils tombèrent à la renverse sur le lit.

— Bébé, ça y est, c'est réel. C'est bien réel ! exulta-t-elle en lui couvrant le front, les paupières, les joues et les lèvres de baisers.

Julian l'embrassa sur les lèvres puis se dressa sur les coudes.

— Tu sais ce que ça signifie d'autre ?

— Que tu es un people patenté ? hasarda-t-elle en l'embrassant dans le cou.

— Non, que tu peux enfin donner ta dem' à la Huntley. Et même à l'hôpital, si tu le veux.

Brooke s'écarta et le dévisagea.

— Pourquoi ferais-je une chose pareille ?

— Eh bien, pour commencer, parce que tu te tues à la tâche depuis plusieurs années, et que tu mérites selon moi de t'accorder un break. Et parce que, financièrement, tout commence à se mettre en place. Entre le pourcentage que je touche sur la tournée de Maroon 5, les soirées privées que me dégote Leo et, maintenant, les royalties de l'album… Eh bien, je pense que tu devrais te détendre et en profiter un peu.

Tous ces arguments étaient parfaitement sensés. Pourtant, pour des raisons que Brooke avait du mal à articuler, ils la hérissèrent.

— Je ne travaille pas que pour l'argent, tu sais. Ces filles ont besoin de moi.

— Brooke, le timing est idéal ! La rentrée n'est que dans quinze jours, je suis sûr qu'ils pourront trouver quelqu'un pour te remplacer. Et même si tu décides de continuer tes consultations à l'hôpital, espérons que tu auras plus de temps libre.

— « Si » je décide de continuer mes consultations à l'hôpital ? Julian, on parle de ma carrière, là ! Pourquoi crois-tu que j'ai fait autant d'études ? Et même s'il n'a pas le panache d'une quatrième place au hit-parade, il se trouve que j'adore mon boulot.

— Je le sais, que tu l'adores. Je me disais simplement que tu pourrais avoir envie de l'adorer de loin pendant un petit moment.

Il la poussa du coude et sourit. Brooke le dévisagea, paupières étrécies.

— Qu'es-tu en train de suggérer ?

Il voulut la ramener contre lui mais elle se tortilla pour se dégager. Julian soupira.

— Ma suggestion n'a rien d'une torture, Brooke. Si tu étais moins stressée par ton boulot et par ton emploi du temps, tu pourrais apprécier de pouvoir prendre quelques vacances. Voyager plus souvent avec moi, par exemple. M'accompagner aux soirées…

Voyant qu'elle ne répondait rien, il lui prit la main.

— Tu es en colère ?

— Non, mentit-elle. J'ai l'impression d'avoir fait énormément d'efforts pour jongler au mieux entre mon boulot et tout ce qui se passe pour toi. On est allés à Los Angeles ensemble pour l'enregistrement de *Leno*, je t'ai accompagné à la soirée de *Friday Night Lights*, et à la fête d'anniversaire de Kristen Stewart à Miami, et au festival de Bonnaroo. Les soirs où tu travailles tard, je passe te voir au studio. Je ne sais pas ce que je peux faire de plus, mais je suis à peu près certaine que la réponse ne consiste pas à abandonner ma carrière pour te suivre dans tes déplacements. Je ne pense pas que ça te plairait, même si au début, ce serait sans doute amusant. Et franchement, si je faisais ça, je crois que ma propre estime en pâtirait.

Julian se leva, retira sa chemise et se dirigea vers la salle de bains.

— Réfléchis-y, c'est tout ce que je te demande. Promets-moi d'y réfléchir.

Sa réponse se noya dans le bruit de l'eau qui coulait. Brooke décida qu'elle allait se sortir cette question de la tête pour la soirée ; il n'y avait pas d'urgence à prendre une décision et le fait de n'être pas exactement sur la même longueur d'onde ne signifiait pas qu'il y avait un problème pour autant. Brooke se déshabilla, écarta le rideau et entra dans la douche. Julian, le visage barbouillé de savon, plissa les yeux.

— Qu'est-ce qui me vaut ce plaisir ?

— Le fait que nous disposions de moins d'une demi-heure pour nous préparer, répondit-elle en ouvrant d'un geste franc le robinet d'eau chaude.

— Pitié ! glapit Julian.

Elle se glissa autour de lui, en prenant plaisir au contact de sa poitrine savonneuse contre la sienne et accapara immédiatement le filet d'eau chaude.

— Mmmmm… C'est bon… (Julian battit en retraite dans l'angle le plus éloigné de la douche en faisant mine de bouder et elle éclata de rire.) Allons, viens, l'asticota-t-elle, sachant pertinemment qu'il ne pouvait rien tolérer de plus chaud qu'une eau tiédasse. Il y a largement de la place pour deux.

Elle versa quelques gouttes de shampooing dans sa paume, ramena l'eau à une température plus clémente et embrassa Julian sur la joue.

— C'est mieux comme ça, mon chéri ?

Elle s'écarta pour lui ménager une place et commença à se savonner les cheveux. Un sourire aux lèvres, elle observa comment Julian s'avançait prudemment avant de s'offrir à ce jet d'eau à peine tiède. C'était là une, parmi des centaines, voire des milliers, de ces minus-cules choses que chacun savait sur l'autre, et Brooke ne se lassait pas de s'émerveiller de cette intimité. Elle adorait se dire qu'elle était probablement la seule personne sur terre à savoir que Julian détestait s'immerger dans de l'eau très chaude – et fuyait tout ce qui était bains, jacuzzi, sources chaudes –, mais qu'il pouvait supporter sans se plaindre des climats très chauds et humides ; que ses papilles étaient insensibles à la chaleur (si on posait devant lui une tasse de café brûlant, ou un bol de soupe fumante, il était capable de vider son contenu sans ciller) ; qu'il avait un seuil de

211

tolérance à la douleur impressionnant (comme il l'avait prouvé la fois où il s'était cassé la cheville et n'avait réagi que par un simple « Merde ! ») ; qu'en revanche, il braillait et se tortillait comme une petite fille chaque fois que Brooke s'armait de la pince à épiler et tentait d'arracher un poil rebelle de ses sourcils. Tout comme elle savait qu'à cet instant précis, il appréciait d'avoir sous la main un savon plutôt qu'un gel douche, mais qu'il aurait cependant utilisé n'importe quel produit qu'on lui aurait proposé, tant que celui-ci n'était pas parfumé à la lavande ou, pire, au pamplemousse.

Elle se pencha pour embrasser sa joue mal rasée, et récolta une giclée d'eau dans les yeux.

— Bien fait pour toi, dit Julian en lui tapotant les fesses. Ça t'apprendra à chercher des poux à un artiste classé numéro quatre au hit-parade.

— Et qu'est-ce que Mr Numéro Quatre dirait d'une petite galipette aquatique ?

Julian lui rendit son baiser, mais sortit aussitôt de la douche.

— Je refuse de devoir expliquer à ton père que nous sommes en retard à sa fête d'anniversaire parce que sa fille m'a sauté dessus dans la douche.

— Mauviette ! lança Brooke en rigolant.

Lorsqu'ils arrivèrent au restaurant, Cynthia s'y trouvait déjà et vibrionnait dans le salon privé, tel un tourbillon d'énergie d'où fusaient des ordres. Selon elle, Ponzu était la table la plus en vue du moment de tout le sud-est de la Pennsylvanie. Selon Randy, la carte se revendiquait de la tendance « asian fusion » pour décrire un méli-mélo exagérément ambitieux de sushis et teriyakis japonais, de rouleaux de printemps d'inspiration vietnamienne et de pad thai que très peu de Thaïs seraient en mesure de reconnaître. Quant à leur spécialité – un poulet aux brocolis – elle ne se distinguait guère, affirmait-il, du plat que lui livrait son boui-boui asiatique attitré. Cependant, comme personne ne déplorait apparemment l'absence de plats réellement « fusion », ils se gardèrent de tout commentaire et se mirent immédiatement en devoir d'aider Cynthia.

Pendant que les garçons suspendaient deux banderoles géantes en feuille d'aluminium sur lesquelles on pouvait lire « Joyeux anniversaire ! » et « Bonne retraite ! », Brooke et Michelle se chargèrent de composer les centres de table dans les vases fournis par le restaurant, et au vu de la quantité de fleurs que Cynthia avait apportées, il y aurait deux centres par table. Elles venaient de terminer le premier bouquet lorsque Michelle demanda soudain :

— Vous avez réfléchi à ce que vous alliez faire de tout ce *fric* ?

Sa surprise fut telle que Brooke faillit lâcher sa paire de ciseaux. Jamais, à ce jour, Michelle et elle n'avaient abordé des sujets personnels, et une conversation sur les nouvelles ressources financières de Julian semblait complètement déplacée. Elle haussa les épaules.

— Oh, tu sais, on a encore plein de prêts étudiants à rembourser et toutes sortes de factures à payer. Ce n'est pas aussi sexy qu'il y paraît.

Michelle permuta une rose et une pivoine et puis contempla le résultat, tête légèrement de côté.

— Arrête, Brooke ! Ne te raconte pas d'histoires. Vous allez rouler sur l'or !

Ne sachant absolument pas quoi répondre à ça, Brooke se contenta de lâcher un petit rire gêné.

Les amis de son père et de Cynthia se présentèrent à 18 heures tapantes et s'égaillèrent dans la salle, piochant dans les plateaux de petits fours qui circulaient tout en sirotant du vin. Lorsque Mr Greene arriva à son tour, escorté par le maître d'hôtel, les invités étaient, comme il se devait, d'humeur festive et ils le prouvèrent en criant « Surprise ! » et « Félicitations ! ». Le roi de la fête eut la réaction attendue de celui qui feint d'être étonné par une surprise qui n'en est pas une. Il accepta le verre de vin que lui tendait Cynthia et même s'il le vida avec l'enthousiasme de celui qui veut se mettre au diapason de l'ambiance, Brooke savait qu'il aurait préféré être chez lui, pour se préparer à assister aux matchs éliminatoires du championnat qui débutaient le lendemain.

Par chance, Cynthia avait prévu que les discours auraient lieu sitôt le cocktail terminé. Brooke, qui craignait de s'exprimer en public, aurait détesté passer tout le dîner à redouter ces deux minutes de prise de parole. Une vodka tonic et la moitié d'une autre lui facilitèrent amplement la tâche, et elle parvint à délivrer son discours sans trébucher. Les invités semblèrent apprécier tout particulièrement son anecdote à propos de la première visite qu'elle et Randy avaient rendue à leur père après le divorce, lorsqu'ils l'avaient trouvé, le matin, en train de remplir son four de vieux magazines et de factures archivées, histoire de ne pas « gaspiller » un espace de rangement dans un appartement qui en offrait si peu. Randy puis Cynthia suivirent le mouvement, et en dépit de la remarque bizarrement déplacée de celle-ci sur « l'attirance immédiate qu'ils avaient éprouvée l'un pour l'autre lors de leur première rencontre » – qui, incidemment, datait d'une époque où ses parents étaient encore mariés – Brooke jugea que tout s'était déroulé sans anicroche.

Mr Greene, qui présidait au milieu de la grande table, se leva.

— Mes amis, puis-je avoir un instant votre attention, s'il vous plaît ? (Le silence se fit dans l'assistance.) Je veux d'abord tous vous remercier d'être là. Et je voudrais remercier tout particulièrement ma charmante épouse pour avoir programmé cette fête un samedi et non un dimanche – elle a enfin compris la différence entre les championnats universitaires, et les matchs professionnels – et mes quatre merveilleux enfants pour leur présence ce soir. Rien que pour ça, ça valait le coup.

Tout le monde applaudit. Brooke rougit, vit Randy lever les yeux au ciel, et lorsqu'elle tourna la tête vers Julian, elle s'aperçut qu'il pianotait frénétiquement sur son téléphone, sous la table.

— Une dernière chose, reprit Mr Greene. Certains d'entre vous savent peut-être déjà que nous avons une étoile montante dans la famille…

Cette dernière remarque capta l'attention de Julian.

— Eh bien, j'ai l'immense plaisir de vous annoncer ce soir que l'album de Julian entrera directement à la quatrième place du hit-parade *Billboard* la semaine prochaine ! (Cris de félicitations et applaudissements fusèrent de toutes parts.) Alors je vous demande de lever votre verre à la santé de mon gendre, Julian Alter, qui a réussi un exploit qui relève presque de l'impossible. Julian, et je sais que je m'exprime au nom de nous tous ici, sache que nous sommes incroyablement fiers de toi.

Brooke éprouva un grand élan de gratitude envers son père en le voyant aller serrer son mari dans ses bras, surpris mais visiblement ravi. C'était exactement le genre de geste de reconnaissance que Julian avait attendu toute sa vie de la part de son propre père, et puisqu'il risquait de l'attendre encore longtemps, elle était heureuse que sa famille pallie ce manquement. Julian remercia son beau-père et s'empressa de se rasseoir, et Brooke remarqua combien, tout en étant visiblement embarrassé de se retrouver au centre de l'attention, il était aux anges. Elle serra sa main, qu'il serra à son tour, deux fois plus fort.

Tandis que les serveurs commençaient à servir les entrées, Julian se pencha vers Brooke et lui demanda de bien vouloir l'accompagner un instant dans la grande salle du restaurant, pour lui dire un mot en privé.

— C'est une façon de m'attirer aux toilettes ? lui chuchota-t-elle en lui emboîtant le pas. Tu imagines un peu le scandale, si on se fait surprendre ? Mais si ça doit arriver j'espère que ce sera par la mère de Sasha…

Julian bifurqua dans le couloir qui conduisait justement aux toilettes et Brooke tira sur son bras.

— Arrête, je plaisantais.

Julian s'arrêta et s'appuya contre un banc.

— Rook, je viens d'avoir un coup de fil de Leo…

— Ah oui ?

— Il est à L.A. en ce moment. Je crois qu'il a pas mal de gens à voir, pour moi.

Julian semblait vouloir en dire davantage, mais il se tut.

— Et ? Il y a du nouveau ? Des nouvelles excitantes ?

Comme si c'était là la perche qu'il attendait, son visage s'éclaira d'un immense sourire et, bien que Brooke ait le pressentiment que la nouvelle n'allait pas lui plaire, elle l'imita et sourit à son tour.

— C'est quoi ? Dis-moi !

— Eh bien, voilà… (Il s'interrompit et écarquilla les yeux.) *Vanity Fair* veut m'inclure dans son sujet sur les jeunes artistes qui montent, pour le numéro d'octobre, ou de novembre. On va faire la couv' ! Une *couverture* ! Tu te rends compte ? (Brooke enroula les bras autour de son cou. Julian effleura ses lèvres d'un baiser et s'écarta.) Attends, ce n'est pas tout. Devine qui fait le shooting ? Annie Leibovitz.

— Tu plaisantes ?

— Pas du tout, dit-il avec un sourire radieux. Je serai en compagnie de quatre autres artistes. Des gens qui bossent dans d'autres domaines, sans doute. D'après Leo, ils vont sûrement prendre un musicien, un peintre, un écrivain, mélanger les registres, quoi. Et devine où on va faire la photo ? Au Château !

— Évidemment. On va devenir des habitués ! s'exclama Brooke, en calculant déjà comment elle allait se débrouiller pour l'accompagner en manquant un minimum d'heures – et puis, il y avait aussi le problème de la valise…

— Brooke…

Contrairement à sa voix qui ne trahissait rien, il avait une expression peinée.

— Qu'est-ce qui ne va pas ?

— Je suis navré de te faire ça, mais je dois partir tout de suite. Leo m'a réservé une place sur le vol qui part demain à 6 heures de JFK, et je dois absolument repasser en ville. J'ai des trucs à prendre au studio.

— Tu pars *maintenant* ? bredouilla-t-elle.

Elle venait de comprendre que tout était déjà organisé, qu'un seul billet avait été réservé, et elle voyait bien que même s'il faisait de son mieux pour garder un visage impassible, Julian avait du mal à contenir son euphorie. Il l'attira contre lui, la serra dans ses bras et chatouilla le creux entre ses omoplates.

— Je sais, mon amour, c'est nul. Je suis désolé de t'annoncer ça à la dernière minute, et désolé de devoir partir au beau milieu de la fête de ton père, mais…

— Avant.

— Quoi ?

— Tu ne pars pas au milieu de la fête, tu pars avant même qu'elle ait commencé.

Julian ne répondit rien et l'espace d'un instant, elle se demanda s'il n'allait pas lui dire que c'était une énorme farce, que rien ne l'obligeait à aller nulle part.

— Comment vas-tu rentrer à New York ? demanda-t-elle finalement d'une voix résignée.

— Je viens d'appeler un taxi pour m'amener à la gare, comme ça, tu ne seras pas contrainte d'interrompre ton dîner, expliqua-t-il en la serrant fort contre lui. Et puis, ça te permet de garder la voiture pour rentrer demain. Ça te va ?

— Oui, bien sûr.

— Brooke ? Je t'aime, mon bébé. Dès mon retour, on sortira fêter tout ça. Ce ne sont que des bonnes choses, tu sais.

Brooke se força à sourire pour lui faire plaisir.

— Je le sais. Et je suis excitée pour toi.

— Je pense être de retour mardi, mais rien n'est sûr pour l'instant, ajouta-t-il en embrassant délicatement ses lèvres. Laisse-moi tout organiser, d'accord ? J'aimerais qu'on marque le coup.

— Ça me plairait aussi.

— Tu peux m'attendre ici deux secondes ? demanda-t-il. Je vais aller dire discrètement au revoir à ton père et je file. Je ne voudrais pas attirer l'attention générale…

— Très franchement, il vaut mieux que tu partes sans rien dire à personne, le coupa Brooke et elle vit immédiatement que sa proposition le délestait d'un poids. J'expliquerai ce qui se passe. Tout le monde comprendra.

— Merci.

Elle hocha la tête.

— Allez, viens, je t'accompagne au taxi.

Ils descendirent les escaliers main dans la main et réussirent à gagner le parking sans croiser aucun des invités, ni aucun membre de la famille. Une fois de plus, Brooke assura à Julian qu'il valait mieux qu'il parte en catimini, qu'elle expliquerait la situation à son père et Cynthia, remercierait Randy et Michelle de leur hospitalité, que c'était bien mieux que des au revoir qui l'obligeraient à expliquer cent fois de suite les raisons de son départ. Julian essaya de prendre un air grave lorsqu'il l'embrassa une dernière fois en lui murmurant qu'il l'aimait, mais à la seconde où il aperçut le taxi qui arrivait, il se précipita à sa rencontre avec la fougue d'un golden retriever lancé aux trousses d'une balle de tennis. Brooke pensa à accompagner ses gestes d'adieu d'un grand sourire, mais c'était peine perdue. Le taxi redémarra en trombe, et disparut avant que Julian ait pu se retourner. Brooke regagna le restaurant, seule.

Brooke consulta sa montre et se demanda si, après sa dernière consultation et avant de rejoindre Nola chez elle, elle aurait le temps d'aller courir. Oui, décidat-elle, elle allait faire en sorte de le trouver. Mais à ce moment-là, elle se souvint que dehors, le thermomètre affichait 33 °C et qu'il aurait fallu être fou pour songer à courir par cette chaleur.

Le coup frappé à la porte lui annonça l'arrivée de Kaylie. Ce serait leur première séance depuis que les cours avaient repris, et Brooke attendait avec impatience de revoir la jeune fille. Les e-mails qu'elle avait reçus de sa part témoignaient d'un regard de plus en plus positif et Brooke était confiante : Kaylie était en bonne voie d'adaptation à son environnement scolaire. Mais lorsque la porte s'ouvrit, ce fut Heather qui entra.

— Salut, quoi de neuf ? Merci encore pour le café de ce matin.

— Oh, avec plaisir. Écoute, je voulais te prévenir que Kaylie ne viendra pas à votre rendez-vous. Elle est rentrée chez elle, elle a attrapé un genre de gastro.

Brooke consulta une liste sur son bureau.

— Ah bon ? Son nom ne figure pas sur le registre d'absences.

— Oui, je sais. Elle est venue dans mon bureau, tout à l'heure, et elle avait une mine épouvantable. Je l'ai envoyée à l'infirmerie, et l'infirmière l'a renvoyée chez elle. Je suis certaine que ce n'est rien de grave, je voulais juste te prévenir.

— Merci, c'est gentil.

Au moment où Heather tournait les talons, Brooke ajouta :

— Tu l'as trouvée comment ? Hormis le fait qu'elle était barbouillée.

— C'est difficile à dire, répondit Heather après un instant de réflexion. C'était notre premier rendez-vous depuis les vacances, et elle est restée sur sa réserve. J'ai entendu des commérages, des filles qui râlaient parce que Kaylie s'était liée d'amitié avec Whitney Weiss – ce qui m'a alertée pour des raisons évidentes. Mais Kaylie elle-même ne m'en a rien dit. Et je dirais qu'à première vue, elle a pas mal maigri.

— « Pas mal » ? répéta Brooke en relevant brusquement la tête. Ça veut dire quoi, « pas mal » ?

— Je ne sais pas… Dix kilos ? Douze, peut-être. Elle est superbe, pour tout dire. Et elle a l'air très contente d'elle. Pourquoi ? ajouta-t-elle en voyant l'air inquiet de Brooke. C'est un problème ?

— Non, pas forcément, mais c'est une grosse perte de poids en un court laps de temps. Et son amitié avec Whitney ? Quand je réunis les deux informations, je dirais qu'il faut tirer la sonnette d'alarme.

Heather hocha la tête.

— C'est possible… Il y a des chances pour que tu la revoies avant moi, alors tiens-moi au courant, d'accord ?

Heather partie, Brooke se renversa dans son fauteuil. Douze kilos en deux mois et demi, ça n'avait rien d'une perte de poids anodine, et l'association avec Whitney n'avait rien de rassurant. Whitney était une jeune élève très, très mince qui, l'année précédente, avait pris trois ou quatre kilos après avoir arrêté de jouer dans l'équipe de hockey sur gazon. Sa mère – une femme d'une maigreur effroyable – avait immédiatement débarqué dans le bureau de Brooke, en exigeant que celle-ci lui indique un « camp pour obèses » (comme elle l'avait crûment nommé) réputé pour ses résultats. Brooke avait protesté avec véhémence et expliqué qu'il était parfaitement normal, et même souhaitable, qu'une adolescente de 14 ans en pleine croissance s'étoffe un peu – en pure perte. Whitney avait été expédiée dans un centre d'amaigrissement huppé du nord de l'État de New York, avec ordre de « se dégraisser ». Comme il fallait s'y attendre, tous les signes indiquaient que la jeune fille alternait depuis des crises de boulimie et des séances de purge, ce qui constituait sans aucun doute un très mauvais exemple pour Kaylie. Brooke nota dans un coin de sa tête qu'il lui faudrait passer un coup de fil au père de sa patiente à l'issue de leur première séance, pour savoir s'il avait remarqué quoi que ce soit d'inhabituel dans le comportement de sa fille.

Elle prit quelques notes concernant les séances de la journée, puis quitta les lieux. La lourdeur suffocante des premiers jours de l'été indien, en s'abattant sur elle avec la force d'un mur qui s'effondre, précipita aux oubliettes son projet de prendre le métro. Comme par miracle – un ange, en passant par là, aurait-il lu dans ses pensées ? ou bien était-ce simplement parce qu'elle agitait frénétiquement son bras tendu ? –, un taxi jaune se gara devant l'entrée de l'école pour déposer un client, et Brooke s'engouffra à l'arrière de l'habitacle climatisé.

— Je vais à l'angle de Duane et de Hudson, s'il vous plaît, indiqua-t-elle au chauffeur en collant ses mollets contre la sortie d'air conditionné.

Elle passa la totalité du trajet la tête renversée et les yeux fermés. Juste avant que le taxi ne la dépose devant l'immeuble de Nola, elle reçut un message de Julian : *Je viens de recevoir un e-mail de John Travolta !!! Il « adore » l'album et me félicite !!!* L'excitation de Julian était palpable à travers l'écran. *John Travolta ?! répondit-elle aussitôt. Non ! Hallucinant.*

Il l'a envoyé à son agent, qui l'a fait suivre à Leo, expliqua Julian.

Félicitations ! Très classe. Archive-le ! J'arrive chez Nola, je t'appelle dès que je peux. XoXo.

L'appartement de Nola se trouvait à l'extrémité d'un long couloir, et ses fenêtres donnaient sur la terrasse d'un café branché. Brooke poussa la porte que son amie avait laissée entrouverte au moyen d'une cale, lâcha son sac par terre en même temps qu'elle se débarrassait de ses chaussures, et fonça vers la cuisine.

— Je suis là ! cria-t-elle à tue-tête en sortant une canette de Coca light du réfrigérateur – un de ses plaisirs coupables préférés, qu'elle ne se permettait que chez Nola.

— Il y a du Coca light dans le frigo ! Sors-en un pour moi aussi ! lui cria Nola depuis la chambre. Je termine ma valise. J'arrive tout de suite.

Brooke décapsula les canettes et alla retrouver Nola, qu'elle découvrit assise au beau milieu d'un grand déballage de vêtements, chaussures, cosmétiques, gadgets électroniques et guides de voyage.

— Je voudrais bien qu'on m'explique comment je suis censée caser tout ce bordel dans un sac à dos ! pesta-t-elle en essayant de faire entrer de force une brosse ronde dans une poche à l'avant du sac. (L'opération s'étant avérée impossible, la brosse fit un vol plané dans la chambre.) Et je me demande où j'avais la tête lorsque j'ai signé pour ce truc !

— Je n'en ai pas la moindre idée, répondit Brooke en contemplant le chaos. D'ailleurs, ça fait quinze jours que je me pose la même question.

— C'est le genre de décision que tu prends lorsque tes dates de vacances te sont imposées, et que tu n'as pas de mec. Seize jours en compagnie de onze inconnus en Asie du Sud-Est ? Franchement, Brooke, c'est de ta faute.

Brooke éclata de rire.

— Bien tenté. Je te rappelle que je t'ai dit que c'était la pire idée que j'avais jamais entendue à l'instant où tu l'as évoquée, mais tu étais très déterminée.

Nola se releva, but une gorgée de Coca et gagna le salon.

— Je devrais servir d'exemple édifiant pour toutes les femmes célibataires, toutes contrées du globe confondues : éviter les voyages organisés choisis à la dernière seconde, sous le coup d'une impulsion. Le Vietnam ne va pas disparaître du jour au lendemain, quel besoin avais-je de me précipiter ?

— Arrête, tu vas t'amuser. Et puis, il y aura peut-être un mec mignon, dans le groupe.

— Ouais, c'est ça ! Pas de couples d'Allemands grisonnants, ni de hippies apprentis bouddhistes, ni de contingent de lesbiennes. Non, ce sera un groupe exclusivement composé de mecs charmants et friqués qui auront tous entre 30 et 35 ans.

— J'adore quand tu positives ! plaisanta Brooke avec un sourire hilare.

Quelque chose accrocha soudain le regard de Nola, et elle se précipita vers la fenêtre. Brooke la rejoignit, mais ne remarqua rien qui sortait de l'ordinaire.

— La première table, tout à gauche, Natalie Portman, indiqua Nola. Elle croit vraiment qu'un calot de groom et une paire de lunettes de soleil peuvent masquer son aura de star ?

Brooke regarda plus attentivement, et remarqua cette fois la fille au calot. Elle but une gorgée de vin, puis éclata de rire, sans doute à cause de ce que lui racontait son compagnon.

— Mm mm, oui, je crois aussi que c'est elle.

— Évidemment que c'est elle ! Et elle est sublime. Je n'arrive pas à comprendre pourquoi je ne la déteste pas. Je devrais la haïr, mais ce n'est pas le cas.

— Pourquoi devrais-tu la haïr ? Elle semble être des plus normales.

— Raison de plus ! Non contente d'être follement séduisante – même quand elle se rase la tête – elle est diplômée d'Harvard, elle parle quinze langues, elle a sillonné la planète pour encourager le microcrédit, et elle aime tellement l'environnement qu'elle a renoncé aux chaussures en cuir. Pour couronner le tout, tous ceux qui ont bossé avec elle, ou qui l'ont eue pour voisine dans l'avion, jurent qu'ils n'ont jamais rencontré une nana aussi simple, qui a autant les pieds sur terre. Alors dis-moi, s'il te plaît, comment c'est possible de ne pas détester une fille comme ça ?

Nola se résolut enfin à quitter son perchoir sur la fenêtre pour s'installer sur une des causeuses. Brooke se laissa choir dans celle qui lui faisait face, but une gorgée de soda et, songeant à ces photographes qui faisaient le pied de grue devant chez elle, haussa les épaules.

— C'est bon pour Natalie Portman, j'imagine.

Nola secoua lentement la tête.

— Bon Dieu, tu es difficile à suivre.

— Qu'est-ce que j'ai dit ? protesta Brooke. Je ne comprends pas. Est-elle censée m'obséder ? Devrais-je être jalouse d'elle ? Elle n'est même pas réelle.

— Évidemment qu'elle est réelle ! Elle est assise là, sur le trottoir d'en face, et elle a l'air sublime.

Brooke replia un bras sur son front et gémit.

— Oui, et nous, on est en train de l'espionner, je ne suis pas très fière de moi. Fichons-lui la paix, d'accord.

— La vie privée de Natalie est un sujet qui te tient à cœur ? demanda Nola, d'un ton radouci.

— Oui, je crois. C'est bizarre, je me sens un peu schizo. D'un côté, la fille qui lit tous ces magazines people depuis des années, qui a vu tous ses films et peut te réciter le nom de tous les couturiers qui l'ont habillée pour les cérémonies a envie de passer la soirée assise devant cette fenêtre, à l'espionner. Et puis, il y a l'autre Brooke…

Nola braqua la télécommande vers la télé, fit défiler les chaînes jusqu'à ce qu'elle trouve celle qui diffusait du rock alternatif, puis elle se redressa et se cala sur un coude.

— Bon d'accord, j'entends ce que tu dis, lança-t-elle. Mais il y a autre chose. Pourquoi es-tu d'une humeur si massacrante ?

Brooke soupira.

— J'ai dû encore demander un jour de congé pour partir à Miami ce week-end, et disons que Margaret n'était pas vraiment ravie.

— Elle ne peut pas demander aux membres de son équipe de tirer un trait sur leur vie privée.

— Certes, renifla Brooke. Mais c'est légitime de sa part d'attendre que l'on se montre de temps en temps.

— Tu es trop sévère avec toi-même. Tu permets qu'on change de sujet ? Qu'on parle d'un truc plus drôle ? Sans vouloir te vexer.

— De quoi veux-tu parler ? De la fête de ce week-end ?

— Suis-je invitée ? demanda Nola avec un grand sourire. Je pourrais être ta cavalière.

— Tu rigoles ? J'aurais adoré, mais franchement, je n'ai même pas envisagé que ça pourrait t'intéresser.

— Tu crois que je préfère rester à New York boire des verres avec un pauvre type quand je pourrais grignoter du caviar avec l'épouse d'une rock star en herbe ?

— Tu as raison. Marché conclu. Je suis sûre que Julian sera ravi de ne pas avoir à jouer les baby-sitters toute la soirée. (Le téléphone de Brooke vibra sur la table basse.) Tiens, quand on parle du loup… Salut ! lança-t-elle. Nola et moi parlions justement de la fête de ce week-end…

— Brooke ? Tu ne devineras jamais ! Je viens d'avoir Leo, qui a parlé au vice-président de Sony. Il paraît que les premiers chiffres de ventes de l'album dépassent de loin leurs attentes.

Brooke entendait, en arrière-plan, un brouhaha de musique et de voix confus, mais elle était incapable de se souvenir où se trouvait Julian cet après-midi-là. À Atlanta ? Ou bien jouait-il ce soir-là à Charleston ? Oui, c'était ça. Atlanta, c'était la veille ; elle se rappela qu'ils s'étaient parlé, que Julian l'avait appelée vers une heure du matin. À sa voix, il avait semblé un peu ivre, mais d'assez bonne humeur. Il se trouvait alors au Ritz, à Buckhead, le quartier d'affaires d'Atlanta.

— Personne ne veut s'avancer sur des chiffres définitifs puisque le classement Airplay ne tombera que dans trois jours, mais celui des meilleures ventes s'arrêtait aujourd'hui, et apparemment, tout roule.

La veille au soir, Brooke avait consacré deux heures à potasser le classement de tous les chanteurs et groupes ayant sorti un album au cours des quinze jours précédents, mais elle avait encore un mal fou à comprendre les subtilités des différents systèmes de classement

hebdomadaire. Devait-elle demander des éclaircisse-
ments ? Son ignorance ne risquait-elle pas d'agacer
Julian ?

— Pour passer *au moins* de la quatrième à la troisième place, reprit Julian. Et peut-être plus haut !

— Je suis tellement fière de toi ! Vous vous amusez
bien, à Charleston ? demanda-t-elle avec enjouement.

Il y eut un blanc, suffisamment long pour qu'elle
commence à paniquer. Il n'était pas à Charleston ? Et
puis Julian répondit :

— Crois-le ou non, mais on marne comme des bêtes.
On répète, on joue, on recommence le lendemain, on se
pose chaque soir dans un hôtel différent. Tout le monde
est là pour *bosser*.

Brooke ne répondit pas tout de suite.

— Je ne sous-entendais pas que vous passiez votre
temps à faire la bringue.

Elle avait réussi, sans trop savoir comment, à ne pas
lui faire remarquer que la veille, lorsqu'il l'avait
appelée, très tard dans la nuit, il était ivre. Nola attira son
attention et lui fit signe qu'elle partait dans l'autre pièce.
Brooke la rappela d'un geste et lui décocha un regard qui
signifiait : *Ne sois pas ridicule.*

— Tu m'en veux parce que je n'ai pas pu rester à la
fête d'anniversaire de ton père ? Combien de fois vais-je
devoir m'excuser pour ça ? Je n'arrive pas à croire que
tu me le fasses encore payer !

— Non, ça n'a rien à voir, même si je te signale au
passage que tu m'as plantée là sans préavis, que tu n'es
pas revenu à la maison depuis et que cela remonte à
presque quinze jours. Je croyais, ajouta-t-elle d'une voix
radoucie, que tu reviendrais pour un jour ou deux, après
la séance photos, avant de reprendre la tournée.

— Pourquoi tu le prends comme ça ? C'est quoi, ton problème ?

La question lui fit l'effet d'une gifle.

— Mon *problème* ? Tu me trouves désagréable parce que je te souhaite de bien t'amuser ? Parce que je te demande quand est-ce qu'on va se voir ? À t'entendre, je suis une mégère.

— Brooke, je n'ai pas trop le temps d'écouter tes caprices.

La façon dont il avait prononcé son prénom lui donna un frisson.

— Des caprices, Julian ? *Tu crois ça ?*

Puisqu'elle ne lui confiait que rarement ses vrais états d'âme – parce qu'il était trop stressé, trop occupé, trop distrait ou trop loin –, elle s'efforçait aussi de ne pas se plaindre. Mais afficher une bonne humeur perpétuelle et faire toujours preuve de compréhension, comme le lui avait conseillé sa mère, ce n'était pas tous les jours facile.

— Bon, alors, qu'est-ce qui t'énerve autant ? Je suis désolé de ne pas pouvoir rentrer cette semaine. Je fais ça pour nous deux, tu sais. Ce serait bien que tu t'en souviennes, parfois.

Brooke sentit que l'angoisse était à deux doigts de la submerger.

— Je crois que tu ne comprends pas, répondit-elle doucement.

— Je vais essayer de rentrer un soir plus tôt, avant le week-end à Miami, soupira-t-il. D'accord ? Ça arrangera les choses ? Deux semaines après la sortie d'un album, tout est un peu compliqué, tu vois.

Elle brûlait d'envie de lui répondre d'aller *lui* se faire voir, au lieu de quoi, elle inspira profondément, compta jusqu'à trois et dit :

— Ce serait génial si tu y arrivais. J'adorerais que tu rentres.

— Je vais essayer, Rook. Écoute, faut que je file, mais sache que je t'aime. Et que tu me manques. Je te rappelle demain, d'accord ?

Et sans lui laisser le temps d'ajouter quoi que ce soit, il raccrocha.

— Il m'a raccroché au nez ! hurla Brooke, en lançant rageusement son téléphone sur le canapé, où il rebondit sur les coussins avant de s'écraser par terre.

— Ça va ? demanda Nola, d'une voix douce et apaisante, depuis le seuil du salon.

Elle tenait à la main tout un assortiment de cartes de restaurants livrant à domicile, et une bouteille de vin. En entendant les premières mesures de « For the Lost », les deux filles tournèrent la tête vers la télévision.

He was a brother's dream, he was a fist of sand
He slipped away with the second hand

— Tu peux arrêter ça, s'il te plaît ? lança Brooke en s'effondrant sur le canapé et en se couvrant les yeux, même si elle ne pleurait pas. Qu'est-ce que je vais faire ? gémit-elle.

Nola s'empressa de changer de station.

— Pour commencer, tu vas décider si tu veux du poulet à la citronnelle ou des gambas au curry et, ensuite, tu vas m'expliquer ce qui se passe entre vous. Non, non, laisse tomber, se ravisa-t-elle en se souvenant qu'elle avait une bouteille à la main. On va d'abord boire un coup. Tu es encore en rogne à cause de cette connerie de photo avec Layla ?

Brooke renifla et accepta le verre de vin rouge que lui tendit Nola. Les règles de bienséances auraient exigé qu'il soit rempli avec plus de parcimonie mais, compte tenu des circonstances, la quantité était juste parfaite.

— Quelle photo ? Celle où mon mari enlace la taille de guêpe d'une starlette avec un sourire tellement béat qu'on le croirait au beau milieu d'un orgasme ?

Nola but une gorgée de vin et cala ses pieds sur la table basse.

— Une petite buse de starlette qui cherche à profiter de la presse qu'attire une nouvelle étoile montante de la chanson. Elle n'en a strictement rien à fiche de Julian.

— Je le sais. D'ailleurs, c'est moins la photo que… Tu vois, tout a changé du jour au lendemain. Hier, il jouait chez Nick et il était stagiaire à mi-temps et aujourd'hui… *ça* ? Nola, je n'étais pas prête.

À quoi bon s'obstiner dans le déni d'un fait désormais évident, incontestable ? Julian Alter, son mari, était célèbre. Intellectuellement, Brooke était consciente que la route qui l'avait mené jusque-là avait été affreusement longue et ardue. Que d'années il avait consacrées aux répétitions quotidiennes et à la composition, pour se produire dans des petites salles – et ce depuis bien avant leur rencontre ! Sans compter les innombrables cassettes démo, morceaux de promo et *singles* qui avaient failli marcher, sans jamais percer. Et même lorsqu'il avait réussi à décrocher ce contrat chez Sony, le succès était tout sauf acquis d'avance. Des semaines, des mois durant, il avait épluché des ouvrages juridiques, consulté des avocats spécialisés dans les industries du divertissement, contacté des artistes plus expérimentés pour recueillir leurs conseils, leur demander de bien vouloir le guider. Ensuite, il avait passé tous ces mois enfermé dans un studio d'enregistrement *midtown*, à remanier cent fois, mille fois peut-être, partitions et voix pour arriver au son juste. Il y avait eu aussi ces interminables réunions avec les producteurs, l'équipe de direction artistique et les cadres dirigeants du label – tous ces gens intimidants qui savaient – et qui ne se privaient pas de le montrer – qu'ils tenaient son avenir entre leurs mains. Quand Sony avait organisé un casting pour recruter des musiciens, il avait fallu procéder aux entretiens, puis aux auditions. Ensuite, il y avait eu ces allers-retours incessants entre Los Angeles et New York pour veiller à ce que tout se passe sans anicroche ; les discussions avec l'équipe de la communication qui allait guider la réception de l'album auprès du public ; et les entraînements avec les spécialistes en image pour apprendre comment se comporter face aux objectifs. Et puis bien sûr, la styliste en charge de l'image de Julian.

Des années durant, pour subvenir à leurs besoins, Brooke avait cumulé deux boulots, et ç'avait été un sacrifice librement consenti, en dépit de ces bouffées de ressentiment quelque peu déstabilisantes qui l'assaillaient parfois lorsqu'elle était épuisée et qu'elle se retrouvait seule dans l'appartement, telle une épouse sacrifiée sur l'autel de l'art. Par choix, elle avait mis sur la touche ses propres rêves : créer son cabinet de diététicienne indépendante, voyager davantage, faire un enfant. Elle avait accepté la pression financière, l'obligation d'investir et réinvestir, interminablement et jusqu'au dernier dollar, tous leurs revenus dans les différents secteurs de la carrière de Julian. Elle avait enduré ces journées de studio qui ne se terminaient que tard dans la nuit. Et ces innombrables soirées passées dans des bars bruyants et enfumés pour assister aux concerts de Julian, quand ils auraient pu rester à la maison, pelotonnés sur le canapé, ou partir en week-end avec des amis. Et maintenant, il y avait les voyages ! Cette vie de barreau de chaise que menait Julian, ces déplacements de ville en ville, ces perpétuels va-et-vient d'une côte à l'autre. Tous deux avaient essayé, ils avaient *vraiment* essayé, mais ça semblait de plus en plus dur. Ces derniers temps, une conversation téléphonique que rien ne venait interrompre semblait un luxe.

Nola les resservit et décrocha son téléphone.

— Tu as choisi ?

— Je n'ai pas très faim, répondit Brooke, elle-même étonnée de ce constat.

— Je vais commander des gambas et un poulet, qu'on partagera, et quelques rouleaux de printemps. Ça te va ?

Brooke agita son verre, manquant de renverser du vin au passage. Elle avait bu le premier vraiment très vite sans s'en apercevoir.

— Oui, très bien. (Elle réfléchit un instant et songea qu'elle se comportait avec Nola exactement comme Julian le faisait avec elle.) Et toi, comment vas-tu ? Du nouveau avec…

— Drew ? Affaire classée. J'ai eu une petite… distraction ce week-end, qui m'a rappelé qu'il y a des tas de mecs beaucoup plus excitants que Drew McNeil.

Brooke se couvrit les yeux une fois de plus.

— Oh non. C'est reparti.

— Où est le problème ? C'était juste une petite récréation.

— Où as-tu trouvé le temps ?

Nola feignit d'être vexée.

233

— Tu te souviens que samedi soir, après le dîner, tu voulais rentrer chez toi et que Drew et moi sommes sortis ?

— Seigneur. S'il te plaît, ne me dis pas que tu as encore fait un plan à trois ! Mon petit cœur fragile ne peut pas encaisser un autre plan à trois.

— Brooke ! Drew est parti juste après toi, mais moi j'avais envie de rester un peu. J'ai bu un autre verre, puis je suis partie toute seule comme une grande vers une heure et demie du matin, et je suis sortie pour prendre un taxi.

— Tu ne crois pas qu'on a passé l'âge des coups d'un soir ? Je ne sais même pas si les jeunes appellent encore ça comme ça.

Nola se prit la tête dans les mains.

— Bon sang, quelle prude tu fais ! Donc, après avoir poireauté vingt minutes, j'allais enfin monter dans le premier taxi libre quand ce mec a essayé de me le faucher. Il a sauté dans la voiture par l'autre côté.

— Non !

— Si. Mais bon, comme il était vraiment mignon, je lui ai proposé de le partager, à condition qu'il me dépose en premier. Et l'instant d'après, va-t'en savoir comment, on était en train de se peloter.

— Et ensuite ? demanda Brooke, même si elle connaissait la réponse.

— C'était gé-nial.

— Tu connais au moins son nom ?

— Arrête ! se récria Nola en levant les yeux au ciel.

Brooke dévisagea son amie et essaya de se souvenir de l'époque où elle-même était célibataire. Elle avait fréquenté tout un tas de garçons, et elle avait eu son lot de petits copains, mais jamais elle n'avait été aussi…

aussi *libérée* dans son désir de coucher avec un homme. Parfois, et lorsqu'elle n'était pas terrifiée par les risques que prenait Nola, elle enviait la confiance en soi, l'assurance avec laquelle son amie abordait sa sexualité. L'unique fois où elle-même avait eu une aventure d'une nuit, elle s'était forcée à tenter l'expérience, en se martelant que ce serait drôle, excitant, et que ça l'aiderait à s'assumer. L'entreprise s'étant soldée par un préservatif déchiré, une pilule du lendemain et vingt-quatre heures de nausée, six semaines à se morfondre d'angoisse avant de pouvoir faire un test HIV dont le résultat serait fiable, et zéro appel de son soi-disant amant, Brooke avait compris qu'elle n'était pas faite pour ce genre de vie.

Elle inspira un grand coup, et fut soulagée d'entendre la sonnette de l'interphone qui annonçait l'arrivée de leur dîner.

— Nola, tu te rends compte que tu aurais pu…

— Peux-tu, s'il te plaît, me faire grâce du sermon « tu aurais pu tomber sur un tueur en série » ?

Brooke leva les mains en signe de reddition.

— D'accord, d'accord. Tu vois, je suis contente que tu t'amuses. Peut-être est-ce juste ma jalousie qui parle.

Nola accueillit la confession avec un petit cri perçant. Elle releva ses genoux sous le menton et tendit le bras pour taper sur la main de Brooke.

— Qu'ai-je fait pour mériter ça ? demanda celle-ci avec un regard peiné.

— Ne redis jamais que tu es jalouse ! s'écria Nola avec une violence dont elle n'était pas coutumière. Tu es belle, tu as du talent, et tu ne peux même pas imaginer combien c'est merveilleux, pour moi qui suis ton amie, de voir le regard que Julian pose sur toi. Je sais que je n'ai pas toujours été sa fan la plus zélée, mais il t'aime, c'est indéniable. Tu ne t'en rends peut-être pas compte, mais pour moi, vous êtes des modèles. Je sais que ça vous a demandé beaucoup de boulot à tous les deux, mais au bout du compte, c'est payant.

On frappa à la porte. Brooke se pencha vers Nola pour la serrer dans ses bras.

— Je t'adore. Merci d'avoir dit ça, j'avais besoin de l'entendre.

Nola sourit, attrapa son portefeuille et se dirigea vers la porte.

Les deux filles mangèrent en vitesse, et Brooke, épuisée par sa journée de travail et la demi-bouteille de vin qu'elle avait bue, prit congé sitôt le dîner terminé. Par habitude, elle fonça jusqu'à la station de métro, et ce n'est qu'à mi-trajet qu'elle se souvint qu'elle aurait pu se permettre le luxe de rentrer en taxi. Pendant qu'elle parcourait les trois blocs qui la séparaient de chez elle, elle filtra l'appel de sa mère et commença à penser à son rituel vespéral de célibataire : tisane, bain chaud, chambre à la température polaire, somnifère, et sommeil de plomb sous la couette volumineuse. Peut-être même allait-elle éteindre son portable afin que Julian ne la réveille pas par un de ses appels sporadiques et totalement imprévisibles, avec sans aucun doute en arrière-plan sonore, de la musique, des filles, voire les deux.

Perdue dans ses rêveries, tout à sa hâte d'arriver enfin chez elle et de pouvoir se déshabiller, Brooke ne remarqua le bouquet déposé sur son paillasson que lorsqu'elle trébucha dessus. Le vase cylindrique avait la taille d'un enfant de 2 ans, et était recouvert de feuilles de bananier d'un vert intense. Le bouquet était composé d'arums violets et blanc cassé, et ponctué d'une unique branche de bambou.

Brooke avait déjà reçu des fleurs, comme toute femme en reçoit un jour ou l'autre – une brassée de tournesols, le jour où on lui avait extrait les dents de sagesse, en première année de fac (ses parents) ; les douze roses de rigueur pour la Saint-Valentin (divers petits amis peu imaginatifs) ; les bouquets de l'épicerie du coin destinés à la maîtresse de maison (les copains) – mais jamais elle n'avait reçu de bouquet tel que celui-là. C'était une sculpture. Une œuvre d'art. Brooke le souleva et entra chez elle, puis détacha la petite enveloppe discrète scotchée à la base du vase tandis que Walter bondissait pour renifler cette nouvelle acquisition odorante.

Chère Brooke,

Tu me manques affreusement. Je compte les jours en attendant de te voir ce week-end. Baisers. J.

Elle sourit et se pencha pour humer les sublimes arums, et se délecta de leur parfum pendant très exactement dix secondes, au terme desquelles elle fut assaillie de doutes. Pourquoi avait-il écrit *Brooke* quand, la plupart du temps, il ne l'appelait que Rookie, surtout lorsqu'il voulait se montrer romantique ou intime ? Était-ce sa façon de s'excuser d'avoir été un sale con ces dernières semaines, et si oui, pourquoi ne s'excusait-il pas en toutes lettres ? Comment quelqu'un qui s'enorgueillissait d'avoir un don pour les mots avait-il pu écrire de telles platitudes ? Et surtout, sachant combien Julian détestait les bouquets composés de la main des fleuristes, pourquoi choisissait-il ce moment, entre tous, pour lui en envoyer un, pour la toute première fois ? À ses yeux, les compositions florales n'étaient que des clichés vendus à prix d'or dans le commerce, des béquilles à l'usage des handicapés de la parole ou de l'imagination, de gens incapables d'exprimer leurs émotions. Sans compter que, les fleurs étant éphémères, n'était-ce pas un drôle de symbole à offrir à l'être aimé ? Brooke ne lui avait jamais tenu rigueur de mettre en pratique cette opinion, et en revanche, sachant de quel milieu Julian venait, elle avait toujours chéri les lettres, les chansons et les poèmes qu'il avait soigneusement pris le temps de composer pour elle. Alors, à quoi rimaient ces sornettes – « *je compte les jours* » ?

Walter colla sa truffe au creux de son genou et lâcha un jappement triste. Brooke attrapa la laisse.

— Pourquoi ton papa ne peut-il pas te sortir ? demanda-t-elle en l'accrochant au collier. Oh, je sais pourquoi ! Parce qu'il n'est jamais là.

Elle avait beau se sentir effroyablement coupable d'avoir laissé Walter seul à la maison pendant autant de temps, elle n'en écourta pas moins la promenade. Pour se faire pardonner, elle lui servit une généreuse ration au dîner et lui offrit une carotte particulièrement charnue en dessert. Puis elle reprit la carte, la relut deux fois, avant de la poser délicatement au-dessus du tas d'ordures dans la poubelle. Et de revenir aussitôt la récupérer. Julian ne s'était peut-être pas surpassé côté style, mais bon, le geste était là.

Elle composa son numéro, en préparant ce qu'elle allait dire, mais l'appel bascula directement sur son répondeur.

« Salut, c'est moi. Je viens de rentrer et j'ai trouvé les fleurs. Elles sont… incroyables ! Je ne sais pas quoi dire… » *Au moins*, *je suis honnête*, songea-t-elle. Elle faillit lui demander de la rappeler pour bavarder, mais la perspective d'une conversation lui sembla soudain trop épuisante. « Bon, eh bien… bonne nuit. Je t'aime. »

Elle remplit la baignoire d'eau aussi chaude qu'elle pourrait le tolérer, attrapa le dernier numéro de *Last Night* qui venait d'arriver, et se glissa dans le bain, par paliers. Au bout de cinq minutes de cette très lente immersion, elle eut enfin de l'eau par-dessus les épaules et elle poussa un énorme soupir de soulagement. *Dieu merci cette journée touche à sa fin.*

À l'époque d'Avant-la-Photo, elle n'aimait rien tant que s'installer dans un bain avec le dernier numéro de *Last Night* tout juste sorti des presses. À présent, elle l'ouvrait toujours avec une vague appréhension, mais il lui était difficile de renoncer à ses vieilles habitudes. Elle feuilleta les premières pages, et s'interrompit un instant pour réfléchir à cet empressement avec lequel tant de couples célèbres se répandaient sur leur vie intime. Certaines confidences étaient de vraies perles : « Notre secret pour garder du piment dans notre vie de couple ? Il m'apporte le petit déjeuner au lit le dimanche, et là, je lui montre *vraiment* ma gratitude. » Et celle-là : « Que voulez-vous que je vous dise ? Je suis un gars verni. Ma femme est super bonne. » La page qui montrait des stars vaquant à des activités de « gens normaux » était généralement à bâiller d'ennui : Dakota Fanning faisant ses courses dans un centre commercial de Sherman Oaks ; Kate Hudson pendue au bras de l'élu du jour ; Cameron Diaz en train de choisir un bikini ; Tori Spelling qui sortait d'un salon en traînant en remorque un petit blondinet. Suivait une double page sans grand intérêt sur ce qu'étaient devenus les enfants stars des années 80. En revanche, en découvrant la page suivante, et la rubrique qui se targuait de proposer des « portraits », Brooke retint sa respiration. Sous le titre « Les nouveaux trouvères », il y avait, rassemblés sur plusieurs doubles pages, les photos d'une demi-douzaine d'artistes. Elle parcourut la première d'un regard avide. John Mayer, Gavin DeGraw, Colbie Caillat, Jack Johnson. Rien. Elle tourna la page. Bon Iver, Ben Harper, Wilco. Rien là non plus. *Non, attends ! Ohmondieu...* Tout en bas de la dernière page, dans un encadré jaune, s'étalait, en lettres violettes, le titre suivant : « QUI EST JULIAN ALTER ? » L'ignoble photo de Julian et Layla Lawson occupait la partie supérieure de l'encadré ; du texte remplissait le reste. *Oh mon Dieu*, songea Brooke, et elle remarqua – un peu comme dans une expérience de sortie du corps – que son cœur battait à tout rompre et qu'elle retenait sa respiration. Elle était déchirée entre le désir de dévorer ce qui était écrit, et celui de voir ce texte disparaître à jamais de sa conscience, s'évaporer, s'évanouir. Quelqu'un l'avait-il déjà lu ? *Julian* l'avait-il déjà lu ? Au titre d'abonnée, elle recevait le magazine la veille de sa sortie en kiosque, mais comment était-ce possible que personne ne se soit débrouillé pour la prévenir ? Elle attrapa une serviette pour éponger la transpiration sur son front. Elle se sécha les mains, inspira profondément et commença à lire.

Après s'être fait remarquer en début d'été par sa performance chez Leno *et une photo sexy en diable, Julian Alter ne s'est pas arrêté là : son premier album s'est placé directement à la quatrième place du hit-parade la semaine dernière. Alors aujourd'hui, on ne peut que se demander... Mais d'où sort-il ?*

Brooke changea de position. Elle se sentait de plus en plus nauséeuse, une sensation qu'elle s'empressa de mettre sur le compte de la combinaison d'un abus de vin et d'une eau trop chaude. *Dis-toi que c'est ça...*, s'encouragea-t-elle. Elle inspira profondément.

N'était-ce pas naturel de se sentir un peu bizarre, quand on tombait par hasard sur un article concernant son mari dans un magazine à gros tirage ? Elle se força à poursuivre sa lecture.

Formation. *Né à Manhattan, dans l'Upper East Side, en 1977, Julian fait ses classes préparatoires à la prestigieuse Dalton School, et passe ses étés dans le Sud de la France. Son destin de petit étudiant modèle semble alors tout tracé, d'autant que l'intérêt qu'il porte à la musique ne cadre guère avec l'univers de ses parents mondains.*

Carrière. *Diplômé de Amherst en 1999, Alter abandonne la fac de médecine pour poursuivre ses ambitions musicales. En 2008, il signe chez Sony, après un stage de deux ans au sein du département artistique du label. Son premier album devrait être un des plus gros succès de l'année.*

Passions. *Quand il n'est pas au studio, Julian aime se balader avec son toutou, Walter Alter, et traîner avec ses copains. Ses amis du lycée affirment qu'à Dalton, il était la star des courts de tennis, un sport auquel il a renoncé parce qu'il « ne colle plus à son image ».*

Vie privée. *On comprendra votre déception, mais une idylle avec Layla Lawson n'est pas à l'ordre du jour. Julian est marié depuis cinq ans à celle qui a depuis longtemps ravi son cœur, Brooke – bien qu'il se murmure que les exigences de son nouvel emploi du temps font gronder des orages au paradis. « Brooke a été d'un soutien exemplaire du temps où il était un illustre inconnu, mais elle supporte maintenant très mal toute l'attention dont il fait l'objet », précise une source qui connaît bien Julian et Brooke. Le couple vit pour l'instant dans un modeste deux-pièces près de Times*

Square, mais des personnes bien informées assurent qu'un déménagement serait dans l'air.

Tout en bas de l'encadré, il y avait une photo d'eux que Brooke n'avait encore jamais vue, à la soirée de *Friday Night Lights*. Elle la dévora des yeux et poussa un immense soupir de soulagement en découvrant que, par miracle, elle était flatteuse, tant pour lui que pour elle : Julian inclinait la tête pour lui embrasser l'épaule, et on devinait sur ses lèvres l'ébauche d'un sourire ; Brooke avait une main glissée derrière sa nuque et tenait dans l'autre une margarita de couleur vive ; tête légèrement rejetée en arrière, elle était en train de rire. En dépit du cocktail, des chapeaux de cow-boys et du paquet de cigarettes que Julian avait roulé dans sa manche pour sacrifier au *dress code*, ils donnaient l'image d'un couple heureux et insouciant – et non pas ivre et débraillé. Si elle avait dû pointer un défaut dans cette photo, sans doute aurait-elle désigné son estomac : à cause, sans doute, d'une contorsion inhabituelle de son corps, des jeux d'ombres et d'une brise venue du patio, derrière eux, sa chemise écossaise semblait gonflée sur le ventre, donnant une impression de léger embonpoint. Oh, rien de dramatique – ça suggérait juste l'existence d'une petite bouée qui, en réalité, n'existait pas. Franchement, elle n'allait pas se laisser miner par un angle de prise de vue qui lui avait joué un mauvais tour. N'aurait-ce pas pu être bien pire ?

Ce dont elle était moins ravie, c'était du contenu de l'article. Par où commencer ? Une chose était sûre, Julian n'allait pas être content qu'on ait mentionné son passage à la Dalton School. Brooke avait beau lui répéter que tout le monde se fichait pas mal qu'untel ait fréquenté tel ou tel établissement, Julian se hérissait dès que quiconque semblait suggérer qu'il devait sa réussite à une éducation extrêmement privilégiée. Il y avait également cette remarque, concernant ses passions, sur le temps qu'il consacrait à son chien – lourde de sous-entendus humiliants pour elle, pour leur famille, et même pour Julian. Quant à la suggestion que toutes les midinettes d'Amérique risquaient d'être déçues par l'improbabilité d'une idylle entre Julian et Layla, elle était tout à la fois flatteuse et déconcertante. Restait enfin cette citation, affirmant qu'elle l'avait toujours soutenu mais qu'elle était stressée par l'attention dont il faisait l'objet. Ça, c'était vrai, indéniablement ; alors pourquoi le présenter comme une accusation insidieuse ? Un ou une de leurs amis avait-il vraiment dit ça, ou bien ces magazines avaient-ils pour habitude d'inventer, à leur convenance, des propos qu'ils attribuaient à des sources anonymes ? De tout l'encadré, une seule phrase la choquait : d'où sortaient-ils que Julian et elle cherchaient un nouvel appartement ? Certes, Julian savait qu'elle rêvait de se réinstaller à Brooklyn, mais une chose était certaine : ils n'avaient pas encore commencé à chercher.

Brooke laissa tomber le magazine par terre, se leva – lentement, pour éviter un vertige – et sortit de la baignoire. Elle ne s'était pas savonnée, elle n'avait pas non plus lavé ses cheveux, mais ça n'avait plus d'importance. La seule chose qui comptait, c'était d'appeler Nola avant que celle-ci ne déconnecte son téléphone pour la nuit. Brooke drapa une serviette autour de sa poitrine et tout en laissant Walter lécher l'eau qui ruisselait sur ses chevilles, elle attrapa le combiné sans fil et composa de mémoire le numéro de son amie. Celle-ci répondit à la quatrième sonnerie, juste avant que l'appel ne soit renvoyé sur la messagerie.

— Quoi encore ? On n'a pas assez parlé, ce soir ?

— Je t'ai réveillée ?

— Non, mais je suis au lit. Qu'est-ce qu'il y a ? Tu t'en veux à mort pour avoir sous-entendu que j'étais la plus grosse catin de tous les temps ?

— Loin de moi cette idée, renifla Brooke. Est-ce que tu as vu *Last Night* ?

— Ah non. Pourquoi ?

— Tu es abonnée, non ?

— Dis-moi de quoi il s'agit.

— S'il te plaît, va le chercher.

— Brooke, ne sois pas ridicule ! Je suis au pieu, le visage tartiné de crème de nuit et je viens de gober mon Lunesta. Rien au monde ne peut me convaincre de descendre aux boîtes aux lettres *maintenant*.

— Il y a un énorme encadré intitulé « Qui est Julian Alter ? » et une photo de nous deux en page douze.

— Je te rappelle dans deux minutes.

En dépit de son anxiété, Brooke sourit. À peine eut-elle le temps de suspendre sa serviette et de se glisser nue entre les draps que le téléphone sonna.

— Tu l'as lu ? demanda Brooke.

— Hélas.

— Arrête de me faire flipper. Ça craint tant que ça ?

Silence.

— Nola ! Dis quelque chose ! Je suis en train de paniquer, moi ! C'est pire que ce que je pensais, c'est ça ? Tu crois que je vais me faire virer de l'hôpital parce que je suis une source de publicité gênante ? C'est sûr que Margaret ne va pas aimer ça…

— J'ai jamais rien vu de plus cool.

— Est-ce qu'on lit bien la même page ?

— « Qui est ce chanteur sexy ? » Ouais, on lit bien la même page. Et c'est génial !

— *Génial !* se récria Brooke. Géniale, la phrase qui dit que notre couple est en difficulté ? Ou celle qui prétend qu'on cherche un nouvel appart, quand c'est la première fois que j'en entends parler ?

— Chuuuut… Inspire, profondément, et calme-toi. Tu as l'art de tout tourner en négatif, et je ne vais pas te laisser faire. Accorde-toi une seconde pour te souvenir que ton mari – *ton mari* – est assez célèbre pour mériter un encadré entier dans *Last Night*, un encadré qui, soit dit en passant, d'après moi, est extrêmement flatteur. Ce qu'ils disent, en gros, c'est que toutes les nanas du pays se pâment devant lui, mais qu'il est *à toi*. Tu veux bien méditer ça une seconde ?

Brooke considéra en silence l'argument de Nola. Bon, effectivement, elle n'avait pas vu la chose sous cet angle…

— Et essaie d'avoir une vision d'ensemble. Julian joue dans la cour des grands, maintenant, et ce n'est pas de la superficialité ou de la méchanceté de ta part si tout ça te déconcerte.

— Oui, je suppose…

— Moi, je sais ! S'il en est arrivé là, c'est en grande partie grâce à toi. C'est exactement ce qu'on disait plus tôt. C'est grâce à *ton* soutien, *ton* boulot, *ton* amour. Alors, vas-y, fonce, et sois fière de lui. Réjouis-toi de ce que ton mari est célèbre et de ce que toutes les gamines du pays sont jalouses de toi en ce moment. Où est le problème ? Nulle part ! Profite !

Brooke écouta attentivement ce prêche, sans rien dire.

— Et tout le reste, c'est des conneries, enchaîna Nola. Peu importe ce qu'ils écrivent, ce qui compte, c'est qu'on parle de lui. Et si tu as du mal à gérer quelques lignes dans *Last Night*, que se passera-t-il lorsqu'il sera en couverture de *Vanity Fair* le mois prochain ? Hein ? Bon, et maintenant, qu'est-ce que Julian dit de tout ça ? Je parie qu'il est euphorique. Qu'est-ce qu'il en pense ?

Brooke réalisa qu'elle n'en savait rien.

— On n'en a pas encore parlé.

— En ce cas, laisse-moi te donner un conseil : appelle-le pour le féliciter. C'est super ! C'est un cap ! C'est la preuve absolue qu'il a réussi. Arrête de t'empêtrer dans les détails insignifiants, d'accord ?

— Je vais essayer.

— Prends ce magazine, mets-toi au lit, et pense au fait qu'en ce moment, toutes les gamines d'Amérique rêvent d'être à ta place.

Brooke éclata de rire.

— Ça, je n'en mettrais pas ma main à couper.

— Bien sûr que si. Bon, Brooke, il faut que je dorme. Arrête de stresser et profite de ce que tu as, d'accord ?

— Oui. Merci. Je t'adore.

— Moi aussi.

Brooke rouvrit le magazine et réexamina la photo, en se concentrant cette fois sur le visage de Julian. C'était vrai, indéniable même, qu'à l'instant de ce cliché, il offrait l'image d'un mari amoureux, tendre, béat d'adoration. Que pouvait-elle demander de plus ? Elle ne l'aurait jamais reconnu devant personne, mais c'était assez enivrant de voir sa photo dans un magazine people, et de savoir que son mari était une icône. Nola avait raison, elle devait se détendre et apprécier ce qui lui arrivait. C'était un plaisir inoffensif.

Elle attrapa son portable pour écrire un message à Julian.

Je viens de voir Last Night. *C'est génial, je suis super fière de toi. Merci pour ce bouquet hallucinant, je l'adore, je t'adore.*

Voilà. Une bonne chose de faite. C'était exactement ce dont Julian avait besoin en cet instant : d'amour et de soutien. Certainement pas de critiques, ni d'angoisses. Fière d'avoir réussi à mater sa panique initiale, Brooke reposa son téléphone et ouvrit son bouquin. *Tous les couples connaissent des hauts et des bas*, se dit-elle en commençant à lire. Dans leur cas, ils étaient décuplés par des circonstances hors du commun, sans aucun doute, mais avec un peu d'abnégation et des efforts de leur part à tous les deux, rien ne serait insurmontable.

Une brioche dans le four
et un verre à la main

Walter Alter posa le museau sur la cheville de Brooke et poussa un gros soupir d'aise.

— C'est confortable, hein ?

Le chien cligna des yeux. Elle lui tendit un gros pop-corn, qu'il renifla avant de le cueillir avec délicatesse d'un coup de langue.

C'était tellement agréable d'attendre le retour de Julian, pelotonnée dans le canapé, en songeant qu'ils allaient enfin pouvoir profiter l'un de l'autre. Malheureusement, ses pensées la ramenaient sans cesse à Kaylie. La première fois qu'elle avait revu la jeune fille, Brooke avait eu un choc. Heather n'avait pas exagéré : Kaylie avait perdu beaucoup de poids – beaucoup trop. Lorsque l'adolescente était entrée dans son bureau, Brooke en avait presque eu le souffle coupé. Immédiate-ment, elle avait entrepris de lui expliquer la différence qu'il y avait entre une nourriture saine et équilibrée et les régimes express – conversation qui s'était poursuivie au cours des quelques semaines suivantes, et qui, commen-çait-elle à croire, allait bientôt porter ses fruits.

Son portable émit un bip qui la ramena à la réalité. C'était un texto de Julian, annonçant qu'il serait là vingt minutes plus tard. Brooke fonça à la salle de bains tout en se déshabillant en chemin, résolue à éliminer, au moins, les relents d'odeur de produits ménagers de ses cheveux et de ses mains après cette séance de ménage particulièrement intensive, qui avait même frôlé la crise de trouble obsessionnel compulsif. Elle venait d'ouvrir l'eau de la douche lorsqu'elle entendit Walter aboyer avec une frénésie qui ne pouvait signifier qu'une seule chose.

— Julian ? J'arrive dans deux minutes ! lança-t-elle à tue-tête, tout en sachant pertinemment qu'il ne l'entendrait pas depuis le salon.

Un instant plus tard, avant même d'avoir vu la porte de la salle de bains s'ouvrir, elle sentit une bouffée d'air frais et, immédiatement après, elle le vit se matérialiser dans le nuage de vapeur. En dépit du fait qu'il l'avait déjà vue nue des milliers et des milliers de fois, elle éprouva un désir presque irrépressible de se couvrir. Abritée par le seul rideau de douche en plastique transparent, il lui semblait être aussi exposée que si elle s'était douchée au beau milieu d'Union Square.

— Salut Rook, lança Julian en haussant la voix pour couvrir le bruit de l'eau et les aboiements exaltés de Walter.

Sa première réaction fut de lui tourner le dos, avant de s'en vouloir d'être aussi ridicule.

— Salut, j'ai presque fini. Pourquoi n'irais-tu pas euh… te chercher un Coca en attendant ? J'arrive tout de suite.

Sa proposition fut accueillie d'abord par un silence, et lorsque enfin il dit « Okay », Brooke comprit qu'elle l'avait froissé. Mais flûte ! Elle avait tout de même le droit d'avoir ses humeurs, qu'elle n'était pas obligée de justifier, et rien ne l'obligeait non plus à s'excuser…

— Je suis désolée ! lança-t-elle, sans se retourner, même si elle sentait qu'il n'était déjà plus là.

Ne t'excuse pas ! pesta-t-elle.

Elle se rinça en quatrième vitesse, et se sécha plus vite encore. Par chance, Julian n'était pas dans la chambre, et furtivement – comme si elle risquait de tomber accidentellement sur des invités – elle enfila un jean et un tee-shirt à manches longues. Pour ce qui était de ses cheveux mouillés, elle n'avait guère le choix, ce serait un démêlage grossier et une queue de cheval. Elle jeta un coup d'œil dans le miroir, en espérant, sans trop y croire cependant, que la carnation rosée de son visage sans maquillage passerait auprès de Julian pour un teint sain et radieux. Ce n'est que lorsqu'elle arriva dans le salon et vit son mari installé sur le canapé, en train de consulter les petites annonces immobilières de l'édition dominicale du *Times*, Walter à ses côtés, que l'enthousiasme la frappa enfin.

— Bienvenue à la maison ! lança-t-elle en souhaitant que sa voix soit, à l'oreille, moins tendue qu'elle-même ne l'était.

Elle le rejoignit sur le canapé. Julian leva la tête et la serra dans ses bras avec, lui sembla-t-il, une certaine tiédeur.

— Bonjour, ma puce. Tu ne peux pas imaginer combien je suis heureux d'être là. Si je vois encore une autre chambre d'hôtel…

Depuis le jour où il avait filé à l'improviste de la fête d'anniversaire de son père, Julian n'était rentré à New York que l'espace de deux nuits, fin septembre, dont une qu'il avait passée au studio. Il avait enchaîné avec des déplacements pour la promotion de l'album, et passé trois autres semaines en tournée, et même si Brooke et lui faisaient bon usage des e-mails, de Skype et du téléphone, la distance commençait à sembler impossible à combler.

— Tu trouves des trucs sympa ?

Elle avait envie de l'embrasser, mais n'arrivait pas à surmonter une espèce de gêne indéfinissable.

Il lui désigna un encart publicitaire intitulé « Lofts de luxe à Tribeca », comprenant trois chambres, deux salles de bains, un bureau, un accès partagé au toit terrasse, une cheminée à gaz, un portier à plein-temps et une possibilité d'abattements fiscaux, soit « le meilleur investissement *downtown* » – pour la modique somme de 2,6 millions de dollars.

— Regarde celui-là. Les prix dégringolent, c'est de la folie !

Brooke essaya de jauger s'il plaisantait, ou pas. À l'instar de beaucoup de couples new-yorkais, ils s'amusaient parfois à entourer, dans les pages d'annonces immobilières, des offres d'appartements vendus à des prix astronomiques et totalement hors de leur portée, en se demandant comment ce serait d'en posséder un. Mais Brooke sentit que là, il ne s'agissait pas de ça.

— Oui, c'est une super affaire. On pourrait même en acheter deux, et les réunir. Voire trois, dit-elle en rigolant.

— Sérieusement, Brooke, 2,6 millions, c'est très raisonnable pour un trois-pièces avec portier à Tribeca.

Elle dévisagea l'homme assis à ses côtés, en se demandant où diable était passé son mari. Comment ne pouvait-il faire qu'un avec celui qui, dix mois plus tôt, s'était démené pour faire renouveler le bail de cet appartement de Times Square qu'ils détestaient l'un et l'autre, parce qu'il refusait de claquer mille dollars en frais de déménagement ?

— Tu vois, Rook, argumenta-t-il (en dépit du fait qu'elle n'avait rien dit), je sais que ça paraît surréaliste quand tu y réfléchis, mais on peut se payer un appartement comme ça. Avec tout ce qui commence à tomber, on pourrait facilement donner l'apport de 20 %. Et avec toutes les performances rémunérées que je vais faire, plus les royalties du disque, les traites mensuelles seraient largement abordables.

Une fois de plus, Brooke ne sut pas quoi répondre.

— Tu n'aimerais pas vivre dans un appart comme ça ? insista-t-il en lui désignant la photo d'un loft ultramoderne avec tuyauteries apparentes au plafond ; un pur produit pour bobos. C'est génial, tu ne trouves pas ?

Tout en elle voulait hurler : *Non ! Non*. Elle ne voulait pas habiter dans un entrepôt transformé en appartement. *Non*, elle ne voulait pas vivre dans un quartier aussi excentré et branché que Tribeca, avec ses colonies de galeries d'art internationales et ses restaurants de luxe, et pas un seul troquet en bas de chez soi où acheter une tasse de café ou un hamburger. *Non*, ce n'était, *en aucun cas*, l'appartement qu'elle choisirait si elle avait deux millions de dollars à dépenser pour se loger. Il lui semblait presque avoir cette conversation avec un parfait inconnu, vu le nombre de fois où ils avaient rêvé ensemble d'acheter une maison à Brooklyn, ou, s'ils n'avaient pas les moyens de réaliser ce projet – et jusque-là, ils ne les avaient pas – juste un appartement dans une de ces maisons de ville, dans une rue paisible et arborée, avec peut-être un petit jardin à l'arrière, et de belles moulures au plafond. Un lieu chaleureux et confortable, datant de préférence d'avant la Seconde Guerre mondiale, avec de beaux volumes, du charme et du caractère. Une maison familiale, dans un vrai quartier, où il y avait des librairies indépendantes, des petits bars accueillants et quelques bons restaurants pas trop chers dont ils pourraient devenir des habitués. Tout le contraire, en deux mots, de ce loft sans âme qu'il lui proposait. Brooke ne put s'empêcher de se demander à quel moment l'idéal de Julian avait basculé de façon aussi radicale, et surtout : pourquoi ?

— Leo vient d'emménager dans un immeuble neuf, sur Duane Street. Il y a un jacuzzi sur le toit terrasse, reprit-il. Il dit que c'est un véritable repaire de gens sublimes, qu'il n'en a jamais vu autant dans un même endroit. Et il dîne au Nobu Next Door, genre, trois fois par semaine. C'est sa cantine. Tu imagines ?

Il lui fallait couper court à cette conversation, à tout prix. Chaque mot que Julian prononçait ne faisait que la contrarier davantage.

— Tu veux du café ? bafouilla-t-elle.

— Ça va ? demanda-t-il en relevant la tête.

Il lui sembla qu'il la dévisageait et elle s'empressa de lui tourner le dos pour gagner la cuisine.

— Oui, ça va, lança-t-elle tout en comptant les cuillerées de café qu'elle versait dans le filtre.

Elle entendait l'iPhone de Julian émettre des petits bruits tandis qu'il envoyait des textos ou des messages instantanés. Submergée par une inexplicable tristesse, elle s'adossa au comptoir et contempla le café couler goutte à goutte. Puis elle leur servit deux tasses, comme elle le faisait toujours et alla en tendre une à Julian, qui l'accepta sans détacher les yeux de son téléphone.

— Coucou ! lança-t-elle en essayant, sans grand succès, de masquer son agacement.

— Excuse-moi, c'est un message de Leo. Il me demande de le rappeler tout de suite.

— Mais je t'en prie…, répondit-elle, d'un ton cassant.

Julian la regarda d'un air intrigué et, pour la première fois depuis son arrivée, fit disparaître le téléphone dans sa poche.

— Non, non, je suis là avec toi. Leo peut attendre. Je veux qu'on parle.

Il marqua une pause, comme s'il attendait qu'elle réponde quelque chose. Bizarrement, Brooke eut l'impression d'être ramenée à l'époque où ils commençaient tout juste à sortir ensemble. Jamais, pourtant, même au tout début de leur relation, quand ils n'étaient encore que des inconnus l'un pour l'autre, elle n'avait ressenti une telle gêne, une telle distance.

— Je suis tout ouïe, répondit-elle.

Elle n'avait qu'un seul désir : qu'il la serre tendrement dans ses bras, lui déclare son amour éternel et lui jure que leur vie allait retrouver un cours normal. Redevenir ce train-train prévisible et désargenté. Et heureux. Ce qui était improbable, elle le savait. Et de toute façon, elle ne le souhaitait pas vraiment, puisque cela aurait signifié pour Julian la fin de sa carrière. Mais elle aurait aimé qu'il prenne l'initiative d'une vraie conversation sur les défis auxquels ils se trouvaient confrontés, et qu'il lui expose une stratégie pour les surmonter.

— Rook, viens par là, dit-il avec tant de tendresse que son cœur se souleva d'espoir.

Merci, mon Dieu. Il avait pigé. Il sentait lui aussi la tension qui résultait de ses absences à répétition, et il voulait trouver un moyen d'améliorer la situation. Elle sentit un éclair d'espérance.

— Dis-moi à quoi tu penses, dit-elle avec douceur, en espérant transmettre un sentiment d'ouverture, d'attention. Ces dernières semaines ont été dures, n'est-ce pas ?

— Oui, convint Julian avec dans le regard cette étincelle qu'elle connaissait bien. C'est pour ça que je pense que nous méritons des vacances.

— Des vacances ?

— Oui, partons en Italie ! Ça fait une éternité qu'on en parle, et octobre, c'est la saison idéale. Je pense que je peux me débrouiller pour dégager six ou sept jours à partir de la fin de la semaine prochaine. Il faut juste que je sois de retour pour *Today*. On ira à Rome, à Florence, à Venise… On fera des promenades en gondole, on se gavera de pâtes, on boira du bon vin. Juste toi et moi. Qu'est-ce que tu en dis ?

— C'est une idée géniale, répondit-elle, avant de se souvenir que le bébé de Randy et Michelle devait naître le mois suivant.

— Je connais ta passion pour les salaisons et les fromages, plaisanta-t-il et Brooke lui enfonça le coude dans les côtes. Tu auras des tonnes de charcuterie et de parmesan.

— Julian…

— Et tant qu'à le faire, on ne va pas le faire à moitié. On devrait voyager en première : les nappes blanches, le champagne à gogo, les sièges qui se transforment en lit… On va se faire vraiment plaisir.

— Ça semble incroyable.

— Alors pourquoi tu me regardes comme ça ? demanda-t-il en retirant son bonnet et en se passant la main dans les cheveux.

— Parce que je n'ai plus un seul jour de vacances, et que pour les filles de la Huntley, ça tombe pile au milieu du trimestre. Et si on décalait ça plutôt à Noël ? En partant le 23, ça nous laisserait presque…

Julian se laissa tomber à la renverse contre le dossier du canapé en lâchant un soupir d'exaspération.

— Je n'ai aucune idée de ce qui se passera en décembre, Brooke. Je sais que je peux partir là, tout de suite. J'ai du mal à croire que tu laisses un détail se mettre en travers d'une opportunité comme celle-là.

Elle le dévisagea, abasourdie.

— Le détail, comme tu dis, il se trouve que c'est mon boulot, Julian. J'ai pris plus de jours de congé que n'importe qui d'autre, cette année. Je ne peux pas me pointer et demander encore une autre semaine de vacances. Je serais virée immédiatement.

— Et ce serait une si mauvaise nouvelle ? demanda-t-il avec un regard glacial.

— Je vais faire comme si je n'avais rien entendu.

— Non, je suis sérieux, Brooke. Est-ce que ce serait la pire chose au monde ? Entre Huntley et l'hôpital, tu te tues à la tâche. Qu'y a-t-il de si abominable à te suggérer de lever un peu le pied ?

Tout devenait incontrôlable. Personne ne savait mieux que Julian qu'elle devait attendre encore un an avant d'espérer ouvrir son propre cabinet. Sans parler du fait qu'elle s'était attachée à quelques élèves – à Kaylie, en particulier. Elle inspira un grand coup.

— Ce n'est pas abominable, Julian, c'est juste impossible. Tu sais que j'ai besoin encore d'un an, et qu'ensuite…

— Ce pourrait être un break temporaire, l'interrompit-il en agitant les mains. D'après ma mère, ils accepteraient même le principe d'un congé sabbatique, si c'est ce que tu veux, mais je ne pense pas que ce soit nécessaire. Ce n'est pas comme si tu allais avoir du mal à retrouver…

— Ta mère ? Depuis quand discutes-tu avec *ta mère* de ce genre de choses ?

Julian la regarda.

— Je ne sais pas, tout ce que je vois, c'est que c'est dur d'être en permanence séparés, et je trouve qu'elle a de bonnes idées.

— La bonne idée en question étant que je démissionne ?

— Rien ne t'oblige à démissionner, Brooke. Encore que si tu souhaitais le faire, tu pourrais compter sur moi. Mais peut-être que dans l'immédiat, la solution, c'est juste un break.

C'était inimaginable. Certes, être débarrassée des contraintes dues à un emploi du temps chargé, aux gardes, à la nécessité de cumuler des heures sup, cela avait des airs de paradis – qui ne l'aurait pas désiré ? Mais Brooke aimait sincèrement son travail, et elle était portée par le désir d'être un jour sa propre patronne. Elle avait réfléchi au nom qu'elle donnerait à son cabinet – Healthy Mom & Baby – et elle visualisait déjà son futur site Internet. Elle avait même une idée pour le logo : deux paires de pieds, côte à côte, l'une appartenant à l'évidence à la maman, et une main tendue vers celle de l'enfant.

— Je ne peux pas, Julian, dit-elle en lui prenant la main, en dépit de la colère que lui inspirait son incompréhension. Je fais de mon mieux pour participer à tout ce qui se passe pour toi, pour partager toute cette excitation, toute cette folie, mais j'ai une carrière moi aussi.

Julian fit mine de méditer cette réponse, puis il se pencha vers elle et l'embrassa.

— Assieds-toi et réfléchis, Rook. L'Italie ! Une semaine en Italie !

— Julian, vraiment…

— Assez parlé, la coupa-t-il en posant un doigt sur ses lèvres. Si tu n'en as pas envie – si c'est impossible pour toi, se reprit-il en voyant son expression –, on oublie. J'attendrai qu'on puisse faire ce voyage ensemble, je te le jure. Mais promets-moi que tu vas y réfléchir.

Ne sachant trop si elle pourrait contenir son émotion, Brooke se contenta de hocher la tête.

— Bien, et maintenant si on décidait où on va dîner ce soir ? Un petit truc simple, mais sympa. Sans journalistes. Sans paparazzis. Rien que toi et moi. Qu'en dis-tu ?

Elle s'était imaginé qu'ils passeraient cette première nuit de retrouvailles à la maison, mais elle avait beau se creuser la tête, elle ne se souvenait pas à quand remontait leur dernier dîner en tête à tête au restaurant. Ils avaient encore tant de choses à se raconter ! Ils pourraient le faire devant une bouteille de bon vin. Peut-être se montrait-elle trop dure, trop intransigeante. Peut-être que si elle arrivait à se détendre, cela leur ferait le plus grand bien à tous les deux.

— D'accord. Laisse-moi juste le temps de me sécher les cheveux, sinon ils vont friser.

Julian l'embrassa avec un sourire radieux.

— C'est top. Walter et moi allons passer quelques coups de fil et trouver le restau idéal. (Il se tourna vers Walter, qu'il embrassa également.) Walter, mon garçon, où dois-je emmener ma chérie ?

Brooke se sécha rapidement les cheveux et enfila sa plus jolie paire de ballerines. Elle étala un peu de gloss sur ses lèvres, glissa une double chaîne en or à son cou, et après quelques hésitations, se décida en faveur d'un cardigan long et doux plutôt que d'une veste qui l'engonçait. Ce look ne lui vaudrait pas les félicitations d'un jury de mode, mais c'était le mieux qu'elle pouvait faire sans se déshabiller entièrement et tout reprendre à zéro. À son retour dans le salon, Julian parlait au téléphone mais raccrocha immédiatement et s'approcha d'elle.

— Viens par là, ma toute belle, murmura-t-il en l'embrassant.

— Mmh, tes lèvres ont bon goût.

— Et toi, tu es un régal pour les yeux. Bon, on va aller dîner, boire un peu, et ensuite que dirais-tu de rentrer directement pour refaire connaissance ?

— Je n'en dirais que du bien, répondit Brooke en lui rendant son baiser.

Le malaise qu'elle avait éprouvé dès l'instant où Julian était arrivé – cette impression qu'il se passait trop de choses, que tout allait trop vite, et qu'ils n'avaient encore rien résolu – continuait à la chiffonner, mais elle s'efforça de l'ignorer.

Julian avait choisi un excellent petit restaurant espagnol sur la 9e Avenue, et la température était encore assez clémente pour dîner en terrasse. Après avoir bu la moitié de leur bouteille de vin, ils commandèrent les plats. Maintenant qu'ils étaient tous les deux détendus, la conversation redevint aisée, fluide. Les sujets ne manquaient pas : le bébé de Randy et Michelle allait bientôt naître ; les parents de Julian partaient passer le nouvel an au soleil et leur avaient proposé leur maison des Hamptons ; la mère de Brooke tenait absolument à voir une pièce d'avant-garde à Broadway et insistait pour qu'ils l'accompagnent.

Ce n'est qu'une fois de retour à l'appartement, lorsqu'ils se déshabillèrent, que tout redevint bizarre. Julian avait évoqué une réconciliation sur l'oreiller et Brooke s'était attendue à ce qu'il tienne parole et lui saute dessus sitôt passée la porte – après tout, cela faisait trois semaines – mais il se laissa distraire d'abord par son téléphone, puis par ses e-mails. Lorsqu'il la rejoignit enfin dans la salle de bains pour se brosser les dents, il était déjà minuit passé.

— À quelle heure te lèves-tu demain ? demanda-t-il en retirant ses lentilles de contact.

— Je dois être à l'hôpital à sept heures et demie pour une réunion d'équipe. Et toi ?

— Je retrouve Samara dans un hôtel de SoHo pour une séance de photos.

— Message reçu. Je mets ma crème de nuit tout de suite, ou j'attends ? demanda-t-elle tandis que Julian se brossait les dents.

Comme Julian détestait le parfum de sa crème de nuit super hydratante et se refusait à tout contact lorsqu'elle l'avait sur le visage, c'était devenu une phrase codée pour : « Allons-nous coucher ensemble ce soir ? »

— Je suis crevé, mon cœur. Avec le nouveau *single* qui sort bientôt, j'ai des journées de fou.

Il reposa la brosse sur le lavabo, et l'embrassa sur la joue. Brooke ne put s'empêcher de se sentir insultée.

Oui, elle comprenait parfaitement qu'il soit épuisé, après toutes ces semaines passées à sillonner le pays. Elle aussi elle était crevée, à force de se réveiller tous les jours à 6 heures pour sortir Walter, mais Julian était un homme, et cela faisait *trois semaines*.

— Message reçu, dit-elle en commençant aussitôt à étaler son épaisse crème jaune sur le visage – cette crème que toutes les consommatrices, sur le forum de Beauty.com, avaient décrite comme absolument inodore, mais que son mari jurait pouvoir sentir depuis l'autre bout du salon.

Bon, d'accord, elle voulait bien le reconnaître : elle était vexée, mais également soulagée. Non pas parce qu'elle n'aimait pas faire l'amour avec Julian, loin de là. Depuis la toute première fois, le sexe avait été un des points forts de leur couple, et indubitablement un des plus stables. Naturellement, faire l'amour tous les jours (parfois deux fois par jour) n'avait rien d'exceptionnel à 24 ans quand découcher chez l'un ou chez l'autre conservait un parfum d'interdit, mais leur enthousiasme était resté le même lorsque leur relation avait pris un tour plus routinier, et même une fois qu'ils avaient été mariés. Des années durant, Brooke avait écouté ses amies échanger en plaisantant leurs tactiques de dérobade aux ardeurs conjugales, et elle avait ri avec elles, sans cependant les comprendre. Pourquoi ces dérobades ? Pour elle, le moment où elle se glissait dans le lit pour faire l'amour avec son mari avant de s'endormir avait toujours été l'un des meilleurs moments de la journée. Mince alors ! N'était-ce pas justement tout l'intérêt d'être adulte et en couple ?

Eh bien maintenant, elle comprenait mieux. Rien n'avait changé entre Julian et elle – le sexe demeurait aussi génial qu'il l'avait toujours été –, mais l'un comme l'autre étaient perpétuellement *crevés*. (La nuit qui avait précédé son départ, Julian s'était endormi au-dessus d'elle, en pleine action, et Brooke n'avait guère eu le temps de remâcher cette vexation car elle avait sombré à son tour.) Ils passaient leur temps à courir à droite et à gauche, rarement ensemble, sans pouvoir se poser une seule seconde. Il fallait espérer que ce ne soit que temporaire et qu'une fois que Julian serait plus souvent à la maison, et qu'elle pourrait plus facilement choisir ses horaires, ils se redécouvriraient.

Elle éteignit la lumière de la salle de bains et rejoignit Julian au lit, où il feuilletait un numéro de *Guitar Player*, Walter couché à ses pieds.

— Regarde, mon cœur, dit-il en lui désignant le magazine. Ils parlent de ma nouvelle chanson.

Elle hocha la tête mais, en réalité, elle était déjà en train de se préparer au sommeil. Elle avait mis au point une tactique, aussi efficace qu'un entraînement militaire, pour sombrer dans l'inconscience en un laps de temps aussi bref que possible. Elle poussa le thermostat du climatiseur – bien que la fraîcheur qui régnait dans la chambre soit déjà agréable –, se déshabilla et se faufila sous l'énorme couette archiconfortable. Elle avala sa pilule avec une gorgée d'eau, glissa des bouchons en mousse bleue dans ses oreilles, posa son masque en satin à côté du réveil et, satisfaite, attrapa son bouquin.

Lorsqu'elle frissonna, Julian se pencha vers elle et posa la tête sur son épaule.

— Ma petite folle, murmura-t-il en feignant l'exaspération. Qui n'arrive pas à comprendre qu'elle pourrait avoir plus chaud si elle le voulait. Il lui suffirait de monter un peu le chauffage ou – mais qu'est-ce que je vais dire là ! – éteindre la clim. Ou peut-être enfiler un tee-shirt pour dormir…

— Certainement pas.

Il était de notoriété publique que de bonnes conditions de sommeil exigeaient une pièce fraîche, sombre et tranquille. Par conséquent, une température polaire, une obscurité totale et un silence absolu, ce ne pouvait être que mieux. Brooke dormait nue depuis qu'elle était en âge d'enlever ses pyjamas, et toutes les circonstances (colonies de vacances, dortoir de la fac, premières fois, vers 20 ans, où elle avait dormi avec des garçons mais était encore vierge) qui exigeaient le port d'une chemise de nuit nuisaient à la qualité de son sommeil.

Elle essaya de lire pendant un petit moment, mais son esprit la ramenait obstinément vers des motifs d'anxiété. Elle savait bien qu'elle aurait dû se retourner, se pelotonner contre Julian et lui demander de lui masser le dos, ou le crâne, mais, sans trop savoir comment, elle posa une tout autre question :

— Tu crois qu'on fait l'amour assez souvent ? lança-t-elle en ajustant le masque sur ses yeux.

— Assez souvent ? répéta Julian. Selon quels critères ?

— Julian, je suis sérieuse.

— Moi aussi. On se compare à qui, là ?

— À personne en particulier, répondit-elle avec une pointe audible d'exaspération. Je ne sais pas, à la norme.

— La norme ? Franchement, Brooke, je nous trouve parfaitement normaux. Pas toi ?

— Mm mm.

— Tu dis ça à cause de ce soir ? Parce qu'on est tous les deux complètement crevés ? Ne sois pas aussi dure avec nous.

— Ça fait trois semaines, Julian. La plus longue période qu'on ait connue jusque-là, c'était peut-être cinq jours, et encore, parce que j'avais une pneumonie ambulatoire.

Julian soupira, reprit sa lecture puis reposa son magazine.

— Rook, s'il te plaît, pourrais-tu arrêter de te faire du souci à notre sujet ? Tout va bien. Je te le promets.

Elle ne répondit rien. Elle réfléchissait. Ce qu'elle voulait, ce n'était pas faire l'amour plus souvent, ni là tout de suite, alors qu'ils étaient l'un et l'autre épuisés, mais que Julian *en ait envie*.

— Tu as fermé la porte à clef ? demanda-t-elle.

— Oui, je crois, murmura-t-il sans relever la tête.

Il était plongé dans un article sur les meilleurs luthiers d'Amérique spécialistes de la guitare. Brooke savait pertinemment qu'il ne se souvenait pas du tout s'il avait, ou pas, verrouillé la porte.

— Tu l'as fait, oui ou non ?

— Oui, je l'ai fait.

— Parce que si tu n'en es pas sûr, je préfère me relever plutôt que de me faire assassiner, dit-elle avec un grand soupir théâtral.

— C'est vrai ? (Il se blottit sous la couette.) Je n'en crois pas un mot.

— Julian, je ne rigole pas. Pas plus tard que la semaine dernière, il y a un type qui est mort, à notre étage. Tu ne crois pas qu'on devrait essayer d'être un peu plus prudents ?

— Brooke, ma chérie, ce type avait bu jusqu'à ce que mort s'ensuive. Même s'il avait verrouillé sa porte, ça n'aurait rien changé.

Elle le savait, évidemment. Le concierge étant une pipelette, elle était au courant de tout ce qui se passait dans l'immeuble, mais Julian ne pouvait-il pas lui accorder un peu d'attention ? Avait-il peur que ça ne le tue ?

— Je crois que je suis enceinte.

— Mais non, répondit-il machinalement en continuant à lire.

— Ah ouais ? Et si je l'étais vraiment ?

— Mais tu ne l'es pas.

— Qu'en sais-tu ? Une erreur est si vite arrivée. Je pourrais l'être. Que ferait-on, alors ?

Elle fit mine de renifler, et Julian sourit et enfin – enfin ! – reposa son magazine.

— Oh, ma chérie, viens par là ! Excuse-moi. J'aurais dû le comprendre plus tôt. Tu veux un câlin.

Elle hocha la tête. Elle se comportait comme une gamine immature, mais elle était prête à tout. Julian roula vers elle et l'enveloppa dans une étreinte.

— Et il ne t'est pas venu à l'esprit de dire : « Julian, mon petit mari adoré, j'ai envie d'un câlin. Voudrais-tu faire attention à moi, s'il te plaît ? », plutôt que de chercher la dispute ?

Elle secoua la tête.

— Évidemment, soupira-t-il. Es-tu vraiment inquiète à propos de notre vie sexuelle, ou bien est-ce juste une partie de ton plan pour me faire réagir ?

— Ouais, c'est ça, mentit-elle. Je voulais te faire réagir.

— Et tu n'es pas enceinte ?

— Non ! répondit-elle, avec plus de véhémence qu'elle n'en avait eu l'intention. Absolument pas.

Elle résista à l'envie pressante de lui demander si ç'aurait été la pire des choses qui puisse leur arriver. Après tout, ils étaient mariés depuis cinq ans…

Ils s'embrassèrent pour se souhaiter bonne nuit – Julian endura avec stoïcisme le contact avec l'emplâtre hydratant, mais ne put s'empêcher de froncer le nez en toussotant avec exagération –, puis elle patienta dix minutes, et sitôt qu'elle entendit sa respiration, elle se leva, enfila son peignoir et gagna la cuisine sur la pointe des pieds. Après avoir vérifié si la porte d'entrée était bien verrouillée (elle l'était), elle s'installa devant l'ordinateur pour surfer un peu.

Au tout début de Facebook, quelques années plus tôt, elle s'était contentée de traquer méthodiquement ses ex. Elle avait commencé par rechercher ses anciens petits copains du lycée ou de la fac (ceux, du moins, qui avaient duré le plus longtemps), ainsi que ce Vénézuélien avec lequel elle était sortie pendant deux ou trois mois, en master (une aventure sans importance qui aurait peut-être pu évoluer en vraie relation, si seulement son anglais avait été meilleur…) pour voir ce qu'ils étaient devenus, et elle avait découvert avec ravissement que tous, sans exception, ne s'étaient pas améliorés avec les années. Comme bien des femmes à l'approche de la trentaine, Brooke s'était demandé pourquoi, au juste, toutes les filles qu'elle avait connues à la fac avaient embelli avec l'âge, quand les garçons, eux, n'avaient fait qu'engraisser, se dégarnir, et accuser physiquement plus d'années qu'ils n'en avaient vécues.

Au bout de quelques mois, cependant, lassée de contempler les photos des jumeaux qui l'avaient escortée au bal de la promo, elle était passée à autre chose. Assez rapidement, elle avait réuni une belle brochette d'amis, représentatifs des différentes époques de sa vie : ses camarades du jardin d'enfants de Boston, du temps où ses parents terminaient leurs études universitaires ; les copains de la colonie de vacances dans les Poconos ; ceux du lycée, dans la banlieue de Philadelphie ; des dizaines et des dizaines d'amis et de connaissances, rencontrés à Cornell puis à NYU. S'y ajoutaient désormais des collègues, à la fois de l'hôpital et de la Huntley School. Et même si bien des amis de son enfance s'étaient effacés de sa mémoire jusqu'à ce que leur nom refasse surface sur sa page de messages, elle était toujours partante pour renouer le contact, et voir ce qu'il était advenu d'eux au cours des dix ou vingt dernières années.

Ce soir-là ne fit pas exception : elle valida la requête d'une camarade d'enfance dont la famille avait déménagé à la fin de l'école primaire, éplucha avec avidité ce nouveau profil, en notant tous les détails : célibataire, diplômée de UC Boulder, domiciliée à Denver, très portée apparemment sur les randonnées à VTT et les types chevelus. Puis elle renvoya à la fille un petit message enjoué et neutre, dont elle savait qu'il marquerait très certainement le début et la fin de leurs retrouvailles.

Elle cliqua sur sa page d'accueil et se laissa happer par le fil d'actualité tellement addictif de ses amis : les résultats du match des Dallas Cowboys, la perle du jour du petit bout de chou, les idées de déguisement pour Halloween, les cris de soulagement « Dieu merci, c'est vendredi ! », les photos de vacances. Et puis, tout en bas, elle tomba sur la mise à jour de Leo, postée comme de bien entendu en lettres capitales et qui semblait lui hurler directement dans l'oreille :

Leo Moretti… SE MET EN CONDITION POUR LE SHOOTING DE JULIAN ALTER DEMAIN !!! À SOHO. MANNEQUINS SEXY AU MENU. ENVOYEZ-MOI UN MESSAGE SI ÇA VOUS TENTE DE PASSER VOIR…

Beurk. Beurk, beurk, beurk. Par chance, elle entendit le signal de notification de sa messagerie électronique – une distraction bienvenue qui allait lui épargner de s'appesantir sur la grossièreté du message de Leo.

C'était un e-mail de Nola. Le premier que Brooke recevait depuis son départ (enfin, en réalité, c'était le second ; mais le tout premier s'était résumé à « Sauve-moi de cet enfer !!! »), et elle l'ouvrit avec empressement. Peut-être Nola avait-elle trouvé finalement le moyen de s'amuser ? Non, il ne fallait pas rêver. En matière de vacances, Nola était plutôt portée sur le ski en Suisse, les bains de soleil à Saint-Tropez ou les bringues à Cabo – des escapades fréquentes, onéreuses, en compagnie, presque invariablement, d'un homme très amateur de corps à corps, rencontré depuis peu et appelé à s'évanouir dans la nature une fois de retour à New York. Lorsque Nola lui avait annoncé qu'elle partait seule en voyage organisé, pour un grand tour de l'Asie du Sud-Est (Vietnam, Cambodge, Thaïlande et Laos), Brooke ne l'avait tout simplement pas crue. Des hôtels deux étoiles – voire des pensions ? Des déplacements en bus ? Un seul et unique sac à dos pour quinze jours ? Pas l'ombre d'un restau étoilé au Michelin, ni d'un service de limousines, ni d'un spa à 100 dollars la manucure ? Zéro perspective de sabrer des bouteilles de champagne sur le yacht d'un « ami » rencontré la veille ? Aucune occasion d'enfiler une paire de Louboutin ? Brooke avait essayé de la dissuader de se lancer dans cette entreprise en lui montrant les photos de sa propre lune de miel en Asie du Sud-Est : un vrai reportage en images, avec gros plans sur des insectes exotiques et des animaux domestiques transformés en dîner, sans oublier un collage de toutes les toilettes à la turque qu'ils avaient expérimentées au cours du périple. Mais Nola s'était entêtée. Brooke allait résister à l'envie de lui répondre « Je t'avais prévenue », même si, à en croire cet e-mail, elle avait vu juste :

Mes meilleurs souvenirs de Hanoi, une ville tellement grouillante que le métro new-yorkais à l'heure de pointe a des airs de terrain de golf. Je n'en suis qu'au cinquième jour, et rien ne dit que je vais tenir jusqu'au bout. Les paysages sont beaux, mais la vie en groupe me flingue. Ces braves gens sont increvables, chaque matin, on dirait qu'ils ont rajeuni pendant la nuit, aucun voyage en bus n'est trop long pour eux, aucun marché n'est jamais trop surpeuplé, jamais l'absence de clim ne les incommode. Hier, j'ai pété les plombs et annoncé à l'accompagnateur qu'il me fallait une chambre pour moi toute seule, et que j'étais prête à payer : cinq jours que la fille qu'ils m'avaient collée dans les pattes se réveillait systématiquement une heure et demie plus tôt, pour courir trois bornes avant le petit déj. C'est le genre de nana qui t'explique : « Je ne suis pas dans mon assiette si je ne fais pas de sport. » Je n'en pouvais plus. Elle me démoralisait. C'était un environnement complètement toxique pour mon estime de moi-même, tu t'en doutes. Donc, exit la nuisance, et franchement, jamais je n'ai claqué 500 dollars pour une meilleure raison. À part ça, pas grand-chose. Le pays est beau, naturellement, il offre des intérêts inépuisables, mais je me dois de signaler que le seul célibataire de moins de 40 ans du groupe voyage avec maman (qui, soit dit en passant, me plaît beaucoup – tu crois que je devrais changer mon fusil d'épaule ???). Je t'aurais bien demandé comment va la vie de ton côté, mais puisque tu n'as pas pris la peine de m'écrire une seule fois depuis mon départ, j'imagine que tu ne répondras pas non plus à ce mail. Sache que tu me manques et j'espère que tu en baves encore plus que moi ! Grosses bises. Moi.

Brooke s'attela aussitôt à sa réponse.

Très chère Nola,
Non, je ne vais pas te dire : « je t'avais prévenue. » En fait, si, je te le dis. JE T'AVAIS PRÉVENUE ! Tu t'imaginais quoi, au juste ? Ma photo de scorpion est donc restée sans effet sur toi ? Mille excuses pour ne t'avoir pas écrit plus tôt. Je n'ai même pas une seule excuse valable. Ici, rien de notable. Au boulot, c'est de la folie : je remplace tout un tas de collègues en vacances, en espérant pouvoir récupérer des jours plus tard, lorsque nous partirons. Julian a passé la semaine à voyager, mais j'imagine que c'est payant parce que l'album fait un carton. Entre nous, l'ambiance est un peu bizarre. Je le trouve distant. Je mets ça sur le compte de… bon, justement, je n'en sais trop rien. Où est ma meilleure amie quand j'ai besoin d'une séance de décryptage ? Quelqu'un a besoin de tes lumières, ici !!!
Bon, je préfère briser là et abréger nos souffrances à toutes les deux. Je compte déjà les jours qui me séparent de ton retour, quand nous irons dîner dans un vietnamien. J'apporterai une flasque d'un truc bien fort et rustique, et tu auras l'impression d'être encore en

vacances. Ça va être le pied. Fais attention à toi, et
mange un bol de riz à ma santé. Grosses bises. Moi.

P.S. : Fais-tu bon usage de ces ignobles sarongs
qu'on m'avait offerts et que tu as eu la bonté d'embar-
quer pour les soustraire à ma vue ?

P.P.S. : Je te signale au passage que je t'encourage
vivement à draguer un mec qui voyage avec maman.

À l'instant où elle envoyait le message, elle entendit
Julian approcher.

— Qu'est-ce que tu fabriques, ma puce ? demanda-
t-il d'une voix ensommeillée tout en se servant un verre
d'eau. Facebook sera toujours là demain matin.

— Je ne suis pas sur Facebook ! s'insurgea-t-elle.
Comme je n'arrivais pas à dormir, j'en ai profité pour
écrire à Nola. Je crois que ce n'est pas le grand amour
avec ses compagnons de voyage.

Julian reprit le chemin de la chambre tout en buvant
son verre d'eau.

— Reviens te coucher.

— J'arrive tout de suite, lança-t-elle, mais il avait
déjà disparu dans la chambre.

Brooke se réveilla en sursaut, alertée par des bruits
dans l'appartement. Elle s'assit bien droite dans le lit,
aux aguets, paniquée, jusqu'à ce qu'elle se souvienne
que Julian était à la maison, cette nuit-là. Le voyage en
Italie était tombé à l'eau ; à la place, Julian s'était lancé
dans une tournée, de ville en ville, des principales
stations de radio, pour rencontrer des DJ, chanter un titre
ou deux en direct à l'antenne et répondre aux questions

des auditeurs. Une fois de plus, il avait été absent deux semaines d'affilée.

Elle se pencha pour regarder le réveil. Ses lunettes demeurant introuvables, ce n'était pas une tâche aisée. 3 h 19, déchiffra-t-elle. Que pouvait-il bien fabriquer, alors qu'ils devaient se lever à 4 heures ? Walter, qui lui aussi s'était réveillé, la regardait en remuant la queue, tout excité par cet événement nocturne inattendu.

— Bon d'accord, viens avec moi, roucoula-t-elle.

Elle enfila son peignoir et gagna le salon. Julian, assis dans le noir, en caleçon, était au piano, un casque sur les oreilles. À première vue, il rêvassait plus qu'il ne s'exerçait ; son regard semblait perdu sur le mur en face de lui, et ses mains se déplaçaient comme machinalement sur le clavier. Si elle ne l'avait pas connu aussi bien, Brooke aurait pu croire qu'il était en proie à une crise de somnambulisme, ou sous l'emprise de drogues. Elle réussit à s'asseoir à côté de lui avant même qu'il remarque sa présence.

— Hé, fit-il en abaissant son casque autour du cou. Je t'ai réveillée ?

Brooke hocha la tête, puis désigna le clavier, et le fil qui le reliait au casque.

— Oui, mais comme tu as coupé le son, je ne comprends pas d'où vient le bruit que j'ai entendu.

— C'est ça, expliqua Julian en brandissant une pile de CD. J'ai trébuché dessus il y a une minute. Désolé.

— Ce n'est pas grave. (Elle se pelotonna contre lui.) Ça va ? Que se passe-t-il ?

Julian glissa un bras autour de ses épaules, mais il avait l'air ailleurs.

— Je crois que j'ai le trac, c'est tout. J'ai déjà fait plein de télés à l'heure qu'il est, mais aucune pour une émission aussi importante que *Today*.

Brooke lui prit la main et la serra.

— Tu vas t'en tirer merveilleusement bien. Franchement, tu es doué avec les médias.

Peut-être n'était-ce pas l'exacte vérité – les quelques interviews télévisées que Julian avait données jusque-là avaient été selon Brooke, un peu laborieuses –, mais le moment était mal choisi pour la sincérité…

— Tu ne peux pas me dire le contraire. Tu es ma femme.

— Tu as entièrement raison, je ne peux pas te dire le contraire. Mais il se trouve que je le pense. Tu vas t'en tirer comme un chef.

— C'est du direct, et c'est une audience nationale. Des millions de gens regardent cette matinale. Tu ne serais pas terrifiée, toi ?

Brooke se blottit à nouveau contre sa poitrine, afin de dissimuler son expression.

— Tu vas y aller, et faire ce que tu as à faire. Tu monteras sur la scène qu'ils ont installée en extérieur, et il y aura plein de touristes qui s'amuseront à pousser des cris, et ce sera comme les concerts que tu as donnés en tournée. Pour tout dire, il y aura même beaucoup moins de gens.

— De public.

— Quoi ?

— Ces gens dont tu parles, c'est le public, expliqua Julian avec un sourire pâle.

Brooke lui donna un petit coup dans les côtes.

— J'essaie de te remonter le moral et toi, tu me donnes des leçons de vocabulaire ? Allez, viens, retournons au lit.

— À quoi bon ? On doit se lever bientôt.

Brooke regarda l'horloge du lecteur DVD. Elle indiquait 3 h 35.

— On peut dormir encore... disons cinquante minutes, avant de devoir nous lever et nous préparer. Ils envoient une voiture à cinq heures et quart.

— Putain. C'est inhumain.

— Non, oublie ce que j'ai dit. En fait, il ne te reste que quarante-cinq minutes de sommeil. N'imagine pas une seconde que maintenant que tu es célèbre, tu es dispensé de sortir ton chien.

Julian grogna. Walter jappa.

— Allons, viens, même si tu n'arrives pas à dormir, tu seras mieux allongé, insista Brooke en le tirant par le bras.

Julian se leva et l'embrassa sur la joue.

— Vas-y, je te rejoins tout de suite.

— Julian...

Il lui sourit, et cette fois, c'était un vrai sourire, sincère.

— Arrête de jouer les tyrans. Dois-je te demander la permission d'aller aux chiottes ? J'arrive.

— Tyran, ah oui ? riposta-t-elle avec une feinte irritation. Viens Walter, partons nous coucher, et laissons papa aller aux toilettes pour télécharger en paix des applications sur son iPhone.

Elle lui planta un baiser sur les lèvres et en égrena quelques autres bien sonores dans l'air pour inviter Walter à lui emboîter le pas.

Et puis, sans transition, elle se retrouva assise dans le lit, réveillée en sursaut par le radio-réveil qui hurlait « All the Single Ladies », et elle fut immédiatement convaincue qu'ils avaient tout raté. À son grand soulagement, elle vit que le réveil indiquait 4 h 15, et lorsqu'elle se retourna pour secouer Julian, elle ne trouva à sa place qu'un enchevêtrement de couette et un épagneul, vautré de tout son long sur le dos, les quatre fers en l'air, la tête calée sur l'oreiller de son maître. Walter ouvrit une paupière et regarda Brooke, l'air de dire, *je pourrais y prendre goût*, avant de la rabattre et de lâcher un soupir d'aise. Brooke lui grattouilla la gorge puis gagna le salon sur la pointe des pieds, bien certaine de trouver Julian exactement à l'endroit où elle l'avait laissé une heure plus tôt. Au lieu de quoi, elle aperçut un rai de lumière sous la porte de la petite salle de bains, et lorsqu'elle s'en approcha pour lui demander si tout allait bien, elle entendit, sans méprise possible, qu'il vomissait. *Le pauvre, il a les nerfs en pelote*, songea-t-elle, avec une compassion teintée de soulagement. Si elle s'était trouvée à la place de Julian, en cet instant, sur le point de devoir donner une interview télévisée, pas de doute qu'elle aussi serait dans cette salle de bains, à vomir tripes et boyaux et à appeler de ses vœux une intervention divine.

Elle entendit l'eau couler pendant un petit moment, puis la porte s'ouvrit, livrant passage à une version livide et transpirante de son mari. Julian s'essuya les lèvres d'un revers de main, puis la regarda avec une grimace mi-nauséeuse, mi-amusée.

— Comment te sens-tu ? Qu'est-ce que je peux faire pour toi ? T'apporter du *ginger ale*, peut-être ?

Julian se laissa choir sur un tabouret, devant leur micro-table de cuisine et se passa la main dans les cheveux. Brooke remarqua que sa chevelure semblait plus fournie depuis quelque temps, comme si le début de calvitie sur le sommet de son crâne s'était atténué. Sans doute était-ce le résultat des coupes de qualité dont il bénéficiait désormais, et d'un art du camouflage de la part des coiffeurs et maquilleurs. Quoi qu'ils aient pu faire, ça marchait. Lorsque le regard n'était pas distrait par cette naissance de calvitie, il était immédiatement attiré par ces fossettes absolument craquantes.

— Je me sens comme une merde, annonça-t-il. Je crois que je ne suis pas capable de faire ça.

Brooke s'agenouilla à côté de lui, l'embrassa sur la joue et prit ses mains entre les siennes.

— Tu vas t'en sortir haut la main, mon amour. Et ça va être un coup de pouce absolument dément pour toi, et pour ton album.

L'espace d'une seconde, Brooke crut qu'il allait se mettre à pleurer. Fort heureusement, il se contenta de piocher une banane dans la coupe de fruits. Il la pela et commença à la manger, en mastiquant longuement.

— Je suis sûre que l'interview va passer comme une lettre à la poste. Tout le monde sait que tu es invité pour *chanter*. Tu vas chanter « For the Lost », la foule va devenir zinzin, tu oublieras la présence des caméras, et ensuite, les présentateurs te rejoindront sur scène pour te demander l'effet que ça fait d'être soudain une star, ou une banalité du même genre. Tu leur serviras ton petit couplet sur l'affection et l'amour que tu portes à tous tes fans, et en deux temps trois mouvements, Monsieur Météo prendra la relève. Je te promets, ça va être du gâteau.

— Tu crois ?

En le voyant la contempler d'un regard implorant, Brooke se rappela qu'il y avait bien longtemps qu'elle n'avait pas eu à le réconforter comme ça, et songea que ça lui avait manqué. Son mari était peut-être une rock star, mais il n'en restait pas moins le garçon dévoré d'anxiété qu'elle avait épousé.

— Je le sais ! Allons, va te doucher pendant que je te prépare des œufs et des tartines. La voiture sera là dans une demi-heure et on ne peut pas être en retard. D'accord ?

Julian hocha la tête. Il lui ébouriffa les cheveux puis se leva et gagna la salle de bains sans rien répondre. Certes, il était nerveux chaque fois qu'il devait se produire sur scène, qu'il s'agisse d'un petit concert bien rodé dans un bar d'étudiants, d'un *showcase* dans un lieu intime ou d'une performance devant une foule immense dans un stade du Midwest, mais Brooke ne se souvenait pas de l'avoir déjà vu dans un tel état.

Elle fonça sous la douche dès qu'il en sortit. Elle songea à lui délivrer un petit discours d'encouragement supplémentaire, mais décida qu'un peu de silence vaudrait peut-être mieux. Lorsqu'elle eut terminé sa toilette, Julian était parti promener Walter, et elle se rua dans la chambre pour enfiler une tenue simple et confortable sans être trop hideuse pour autant : un pull tunique par-dessus un legging noir, et des bottines plates. Elle avait mis du temps à adopter les leggings, mais depuis le jour où elle avait finalement craqué pour une paire dans un beau stretch merveilleusement indulgent, elle n'avait jamais plus fait machine arrière. Après tant d'années à se contorsionner pour entrer dans des jeans taille basse aussi moulants qu'une seconde peau, des jupes crayon aussi asphyxiantes que des gaines et des pantalons qui lui donnaient la sensation d'avoir la taille emprisonnée dans un étau, il lui semblait que les leggings étaient la compensation que Dieu offrait à l'ensemble de la population féminine de la planète. Pour la première fois, il existait un vêtement à la mode qui flattait sa silhouette, camouflait sa taille et son derrière qui n'avaient rien de sublime, tout en accentuant ses jambes raisonnablement fuselées. Chaque fois qu'elle enfilait un legging, elle adressait *in petto* un grand merci à leur inventeur, et priait pour qu'ils restent à la mode encore quelque temps.

Le trajet jusqu'au Rockefeller Center ne prit guère de temps. À une heure aussi matinale, il n'y avait pas de circulation, et le seul bruit provenait des doigts de Julian, qui pianotaient nerveusement sur l'accoudoir. Leo appela pour dire qu'il les attendait au studio, mais à part ce bref échange, aucun d'eux ne parla. Ce n'est que lorsque la voiture se gara devant l'entrée des artistes que Julian agrippa la main de Brooke, si fort qu'elle dut écraser son autre main sur la bouche pour s'empêcher de crier.

— Tu vas être formidable, lui chuchota-t-elle tandis qu'un jeune homme en tenue de groom et équipé d'un casque les conduisait vers le studio d'enregistrement.

— C'est du direct et c'est une chaîne nationale, répliqua Julian, le regard rivé droit devant lui.

Il paraissait encore plus pâle que quelques heures plus tôt, et Brooke pria pour qu'il ne vomisse pas à nouveau. Elle attrapa un paquet de chewing-gums dans son sac et en sortit discrètement deux, qu'elle lui glissa dans la main.

— Mâche ça, chuchota-t-elle.

Ils dépassèrent deux studios d'où filtrait l'atmosphère glaciale, caractéristique des plateaux de télévision, qui protégeait les présentateurs des grills de projecteurs. Julian serra un peu plus fort la main de Brooke. Au détour d'un angle du couloir, ils longèrent un espace où on avait recréé un salon de coiffure et où trois femmes déballaient leur matériel et leurs produits, puis on les installa dans un salon, meublé de quelques fauteuils et canapés, et où trônait un buffet de petit déjeuner. C'était la première fois de sa vie que Brooke pénétrait dans une loge. Celle-ci était décorée dans une palette beige, mauve et verte. Elle se retourna vers Julian, et il lui sembla que lui aussi avait verdi.

— Le voilà ! barrit Leo, avec plus de décibels dans la voix que nécessaire.

— Je… euh, je reviens vous chercher dès que le reste du groupe arrive, pour vous conduire à la coiffure et au maquillage, annonça le groom, l'air mal à l'aise. Servez-vous du café, et de tout ce qui vous fait plaisir, ajouta-t-il avant de s'éclipser.

— Julian ! Comment ça va ? Tu es prêt ? Dis, t'as pas l'air prêt, mec. Ça va ?

Julian hocha la tête. Il semblait aussi peu ravi de voir Leo que Brooke.

— Ça va, murmura-t-il.

Leo lui asséna une tape dans le dos puis l'entraîna à part dans le couloir pour lui administrer un discours de motivation. Brooke se servit une tasse de café et alla s'asseoir dans un coin de la loge, à l'écart des autres invités. Elle les observa, en essayant de deviner qui ils étaient : la gamine, à en croire l'étui à violon qu'elle serrait contre elle et son attitude hautaine, devait être une musicienne prodige ; le type qui passait en revue avec son attaché de presse une liste de dix conseils de régime qu'il comptait évoquer devait être le rédacteur en chef d'un magazine masculin ; l'autre femme était une romancière connue, auteur de chick-lit. Elle tenait son dernier opus dans une main et faisait défiler la liste d'appel de son téléphone de l'autre, et elle semblait s'ennuyer à mourir.

Les musiciens de Julian arrivèrent au compte-gouttes pendant le quart d'heure suivant. Tous sans exception avaient l'air à la fois hagards de fatigue et surexcités. Ils avalèrent du café, passèrent à tour de rôle entre les mains de la coiffeuse et de la maquilleuse, et sans que Brooke ait l'occasion de juger une dernière fois si Julian tenait le coup, on les conduisit sur le promenoir extérieur, pour saluer leurs fans et procéder aux derniers réglages de son. C'était une fraîche matinée d'automne mais la foule était là. Lorsqu'ils commencèrent à jouer, vers 8 heures, des centaines de personnes étaient venues grossir les rangs du public, presque exclusivement féminin, des filles et des femmes entre 12 et 50 ans, qui semblaient toutes hurler le nom de Julian. Brooke regarda la scène sur le moniteur de la loge en essayant de ne pas oublier que Julian passait, en cet instant même, sur tous les écrans de télévision partout en Amérique, lorsque le groom revint pour lui demander si elle aimerait assister à l'interview depuis le plateau.

Sans se faire prier, Brooke suivit le jeune garçon, et déboucha sur un plateau qui lui était familier puisqu'elle regardait l'émission depuis des années. Immédiatement, elle sentit l'air glacial l'envelopper.

— Waouh ! C'est génial. Je ne sais pas pourquoi, je m'étais imaginé que l'interview se ferait dehors, sur la scène.

Le groom la regarda en lui désignant son oreillette du doigt, puis se tourna pour écouter ce qu'on lui disait. Il hocha la tête, se retourna vers elle et répondit, en la regardant, mais sans vraiment la voir lui sembla-t-il :

— Oui, c'est ce qu'on fait en général, mais aujourd'hui, il y a du vent, ça allait dérégler les micros.

— Je comprends.

— Vous pouvez vous installer ici, lui proposa-t-il en lui indiquant une chaise pliante coincée entre deux énormes caméras. Ils vont rentrer d'une minute à l'autre, et seront à l'antenne… (Il consulta le chronomètre pendu à son cou.) dans un peu moins de deux minutes. Vous avez bien éteint votre téléphone portable ?

— Oui, je l'ai laissé dans la loge. Ah, c'est tellement cool !

Jamais de sa vie elle n'avait mis les pieds sur un plateau de télévision – et encore moins le plateau d'une émission aussi célèbre que le *Today Show*. Être assise là, au milieu des cameramen, des ingénieurs du son et des producteurs qui trottaient dans tous les sens avec leurs oreillettes était pour le moins impressionnant. Elle était en train d'observer un homme qui échangeait les gros coussins d'un canapé contre un modèle moins volumineux, lorsqu'elle sentit une bourrasque d'air frais, suivie d'une soudaine agitation. Dans la foulée, une douzaine de personnes pénétrèrent dans le studio et Brooke aperçut Julian flanqué d'un côté par Matt Lauer, de l'autre par Meredith Vieira. Il avait l'air légèrement hébété et un filet de transpiration luisait au-dessus de sa lèvre supérieure, mais il était en train de rire d'une remarque qu'il venait d'entendre.

— Une minute trente ! annonça une puissante voix féminine dans les haut-parleurs.

Le petit groupe passa devant Brooke et, un bref instant, elle n'eut d'yeux que pour les deux présentateurs, dont les visages lui étaient si familiers. Puis Julian croisa son regard et lui adressa un sourire crispé. Il articula silencieusement quelques mots, que Brooke échoua à déchiffrer, et deux hommes se précipitèrent sur lui. L'un l'aida à fixer le micro sur son col et à passer le fil derrière son dos tandis que l'autre appliquait quelques retouches de poudre sur son visage. Matt Lauer s'approcha, se pencha vers lui et lui chuchota quelques mots, qui le firent rire. Aussitôt après, Meredith vint s'installer dans le fauteuil qui lui faisait face. Brooke ne pouvait entendre leur conversation, mais il lui sembla que Julian était assez à l'aise avec elle. Elle songea combien il devait être nerveux en cet instant, voire complètement paniqué, combien toute cette scène devait lui sembler surréaliste, et cette seule pensée lui retourna l'estomac. Elle enfonça les ongles dans ses paumes, en priant pour que tout se passe bien.

— Antenne dans quarante-cinq secondes !

Brooke eut pourtant l'impression qu'il s'était à peine écoulé dix secondes depuis la dernière annonce. Un silence recueilli s'installa sur le plateau et Brooke vit défiler, sur le moniteur en face d'elle, un spot publicitaire pour un médicament ; presque dans la foulée, elle entendit les premières mesures du générique de l'émission et immédiatement, tout le monde dans le studio sembla se mettre au garde-à-vous. Tout le monde sauf Meredith, qui continua à parcourir ses notes et effaça, d'un coup de langue, une hypothétique trace de rouge à lèvres sur ses dents. Dans les haut-parleurs, la voix entama le compte à rebours.

— Cinq. Quatre. Trois. Deux. Et antenne !

À l'instant précis où la voix prononça ce « et », les projecteurs, au plafond, s'illuminèrent, baignant le plateau d'une lumière chaude et intense, puis Meredith se tourna, en souriant de toutes ses dents, vers la caméra sur laquelle clignotait un voyant vert et commença à lire le texte qui défilait sur son prompteur.

— Nous voilà de retour. Pour ceux d'entre vous qui viennent tout juste de nous rejoindre, nous avons la chance d'accueillir aujourd'hui, sur le plateau du *Today Show*, une des jeunes stars les plus en vue de la scène musicale du moment, l'auteur-compositeur-interprète Julian Alter ! Il a déjà effectué une tournée avec Maroon 5, et entamera très prochainement son propre tour de chant. Son premier album s'est placé immédiatement à la quatrième place du hit-parade de *Billboard*. (Elle se tourna vers Julian, et son sourire redoubla d'éclat.) Il vient juste de nous interpréter, ici dans les studios du *Today Show* au Rockefeller Center, son tube le plus célèbre, « For the Lost », et c'était sensationnel ! Vous avez été génial, Julian ! Merci d'être avec nous aujourd'hui !

Julian la remercia d'un large sourire, mais Brooke remarqua à quel point ses lèvres étaient crispées, et avec quelle force sa main gauche se cramponnait à l'accoudoir du fauteuil.

— Merci de me recevoir. Je suis ravi d'être ici.

— Je dois vous avouer que j'ai un très gros faible pour cette chanson, enchaîna Meredith avec un enthousiasme débordant. (Brooke était fascinée de constater que le maquillage de la présentatrice, qui *de visu* ressemblait à un emplâtre, ou à un masque, offrait une beauté exempte de défaut à l'image.) Pourriez-vous nous en dire un peu plus sur les évènements qui vous l'ont inspirée ?

Le visage de Julian sembla reprendre vie instantanément et tout son corps semblait nettement plus détendu lorsqu'il se lança dans l'histoire de la genèse de la chanson.

Les quatre minutes suivantes filèrent à la vitesse d'un éclair. Julian répondit avec aisance aux questions sur les circonstances de sa découverte par le label, le temps qu'il avait consacré à l'enregistrement de l'album, et il évoqua son incrédulité face à l'accueil sidérant que lui avait réservé le public. L'entraînement média était incontestablement payant : ses réponses étaient teintées d'humour et d'une charmante autodérision, sans paraître avoir été écrites par une équipe de spécialistes en communication (ce qui était pourtant le cas). Il soutenait sans ciller le regard de son interlocutrice, il était décontracté sans paraître irrespectueux et, à un moment donné, il décocha un de ses sourires qui tuent à Meredith Vieira, qui étouffa aussitôt un gloussement.

— Je commence à comprendre pourquoi les jeunes femmes se bousculent dans les rangs de votre fan-club.

Mais le sourire de Julian s'évanouit lorsque Meredith attrapa sur la table basse un magazine people que Brooke ne parvint pas à identifier, et l'ouvrit à une page marquée d'un signet.

Brooke se souvint que le soir où Julian était rentré à la maison après son entraînement média, il lui avait dit qu'il avait appris ce jour-là une chose capitale : « Rien ne t'oblige à répondre à la question qu'on te pose, et si elle ne te plaît pas, tu passes outre et tu réponds à une autre question, n'importe laquelle. Tout ce qui compte, c'est de communiquer une information que tu as envie de partager. Tu dois reprendre le contrôle de l'interview. Tu ne dois pas te laisser martyriser en te forçant à répondre à des questions déplaisantes ou qui te mettent mal à l'aise. Tu te contentes de sourire, et de changer de sujet. Le présentateur a pour mission de faire en sorte que l'interview avance, qu'elle paraisse sans heurts ni cahots, et personne ne va te blâmer d'avoir refusé de répondre à une question. C'est une matinale, pas un débat présidentiel, donc tant que tu restes souriant et détendu, tu as tout bon. Et jamais tu ne te feras acculer, ni coincer, si tu ne réponds qu'aux questions qui te plaisent. » Brooke pria pour que Julian puisse rassembler la même confiance en soi en cet instant. *Colle au script*, l'adjura-t-elle silencieusement. *Ne la laisse pas voir que tu transpires.*

Meredith replia le magazine en deux – Brooke vit au passage qu'il s'agissait d'*US Weekly* – et brandit une page sous les yeux de Julian avant de lui désigner une photo, dans l'angle en haut à droite. Brooke en conclut que ce n'était pas la fameuse photo avec Layla. Julian sourit, mais il avait l'air dérouté.

— Ah oui, fit-il, comme s'il anticipait la question que Meredith n'avait pas encore posée. Ma superbe épouse.

Oh non ! songea Brooke. La caméra zooma sur la photo que Meredith désignait du doigt : c'était un cliché sur lequel on les voyait Julian et elle bras dessus, bras dessous, en train de sourire à l'objectif, l'air heureux. Brooke portait sa robe en maille noire, Julian semblait peu à l'aise dans un pantalon et une chemise habillés, et chacun levait un verre de vin… Où avait-elle été prise, déjà ? Brooke se pencha légèrement pour se rapprocher du moniteur, et cela lui revint d'un coup. La fête d'anniversaire de son père ! Cette photo avait dû être prise alors qu'elle venait de terminer son petit discours, puisque Julian et elle étaient les deux seules personnes debout à une table où tous les autres convives étaient assis. Qui avait bien pu la prendre ? Et, surtout, en quoi cela intéressait-il *US Weekly* ?

Puis, la caméra s'étant déplacée de quelques centimètres vers le bas, elle vit que la photo était accompagnée d'une légende. Elle lut : « Une brioche dans le four et un verre à la main ? », et sentit son estomac se nouer en comprenant qu'il s'agissait du tout dernier numéro, sans doute sorti le matin même, et que personne dans l'équipe de Julian n'avait encore vu.

— Oui, j'ai lu que vous étiez marié avec Brooke depuis… cinq ans, c'est ça ? demanda Meredith en regardant Julian.

Ne sachant trop où la présentatrice voulait en venir, celui-ci se contenta de hocher la tête avec une nervosité manifeste. Meredith se pencha vers lui et poursuivit, avec un immense sourire :

— Pouvez-vous d'abord nous confirmer ça ?

Confirmer quoi ? se demanda Brooke, et à en croire le regard intrigué que Julian décocha à Meredith, il était tout aussi dérouté qu'elle. Sans doute n'avait-il pas eu le temps de comprendre les subtilités de cette histoire de brioche, et s'imaginait-il que la question concernait la santé de son couple.

— Pardon ? fit-il.

La réponse ne brillait pas par son à-propos mais Brooke pouvait difficilement l'en blâmer. Quel était l'objet de la question de la présentatrice, exactement ?

— Eh bien, nous n'avons pas pu nous empêcher de nous demander si ce petit ventre rond ne serait pas l'indice d'un futur heureux événement ? développa

Meredith avec un grand sourire satisfait, comme si une réponse par l'affirmative n'était à ce stade qu'une simple formalité.

Brooke inspira profondément. Celle-là, elle ne l'avait pas vue venir. D'une part, le pauvre Julian était aussi susceptible d'utiliser une périphrase telle que « heureux événement » que de répondre à la question en russe. Et d'autre part, en ce qui la concernait, si sa silhouette n'était pas au top, elle n'avait tout de même pas l'air enceinte. Ce n'était jamais encore qu'une photo prise selon un angle peu flatteur, en contre-plongée, qui accentuait le volume d'un plissé disgracieux au niveau des pinces de la taille. *Et alors ?*

Julian se tortilla sur son fauteuil et sa détresse sembla confirmer l'insinuation de la présentatrice.

— Oh, allons Julian, vous pouvez nous le dire ! Ce serait une sacrée année pour vous : un premier album et un bébé ! Je suis certaine que vos fans adoreraient savoir…

Brooke ne s'aperçut qu'après un certain temps qu'elle était en apnée. Cette scène était-elle *vraiment* en train de se passer ? Mais pour qui les prenait-on, au juste ? Brangelina ? Qui cela concernait-il, qu'elle soit enceinte ? Paraissait-elle si bedonnante, sur cette photo, qu'une grossesse soit la seule hypothèse possible ? Mais surtout, *surtout*, si jamais tout le monde se mettait à croire qu'elle était enceinte, elle passerait pour une femme enceinte *et alcoolique*.

Quand Julian ouvrit la bouche, il sembla qu'il s'était souvenu des instructions reçues – sourire et donner la réponse qui lui plairait :

— J'aime énormément ma femme. Rien de tout ça ne serait jamais arrivé sans son incroyable soutien.

Rien de quoi ? avait envie de hurler Brooke. *Cette grossesse imaginaire qui tombe au pire moment ? Le fait que sa femme continue à boire pendant sa prétendue grossesse ?*

Il y eut un silence embarrassé qui ne dura probablement que quelques secondes mais qui lui sembla interminable, puis Meredith remercia Julian, se tourna vers la caméra pour enjoindre tous les téléspectateurs à courir acheter son nouvel album et annonça la coupure pub. Brooke eut vaguement conscience qu'on avait baissé l'intensité des éclairages, que Meredith avait décroché son micro et s'était levée. La présentatrice tendit la main à Julian, qui semblait en état de choc, lui adressa quelques mots que Brooke ne put entendre et quitta aussitôt le plateau. Une douzaine de techniciens commença à s'agiter, à vérifier des câbles, à déplacer des caméras, à remplacer des fiches. Julian, lui, n'avait pas bougé de son fauteuil. Il avait la tête de celui qui vient de se faire assommer à coups de pelle.

Brooke se leva et s'apprêtait à le rejoindre lorsque Leo se matérialisa devant elle.

— Il s'en est plutôt très bien sorti, le petit, tu ne trouves pas ? Bon, un peu tangent sur la dernière question, mais rien de dramatique.

— Mouais.

Elle était résolue à rejoindre Julian, quand, du coin de l'œil, elle vit Samara, le coach média et deux attachées de presse l'escorter vers le promenoir. Il devait encore chanter deux autres chansons, à 8 h 45 et 9 h 30, avant que cette matinée infernale se termine enfin.

— Tu nous accompagnes dehors ou tu préfères regarder depuis la loge ? Tu veux peut-être y aller mollo, t'installer confortablement et surélever les jambes ?

demanda Leo avec un regard concupiscent qui, en cet instant précis, lui sembla plus répugnant que jamais.

— Tu penses que je suis enceinte ? lui lança-t-elle incrédule.

Leo leva les mains au ciel.

— Je ne te demande rien. C'est ton affaire, d'accord ? Certes, en termes de timing, ce ne serait pas idéal pour la carrière de Julian, mais j'imagine que les bébés viennent quand ils sont prêts…

— Leo, j'apprécierais vraiment…

Le téléphone de Leo sonna. Il le dégaina de sa poche et le contempla, niché au creux de sa main, comme s'il avait été la sainte Bible.

— Je dois prendre l'appel, dit-il en tournant les talons.

Brooke resta comme clouée sur place. Assommée. Julian venait, ni plus ni moins, de confirmer une grossesse imaginaire en direct, sur une chaîne d'audience nationale. Le groom qui les avait accueillis le matin se matérialisa à ses côtés.

— Puis-je vous raccompagner en loge ? Ils préparent le plateau pour le prochain segment, alors c'est un peu la folie, expliqua-t-il en consultant son bloc-notes.

— Oui, bien sûr, merci, acquiesça Brooke avec reconnaissance.

Elle grimpa les escaliers et le suivit en silence le long de l'interminable couloir. Lorsqu'il lui ouvrit la porte de la loge, et avant de tourner les talons, Brooke crut l'entendre dire « Félicitations ». Comme le fauteuil qu'elle avait occupé plus tôt accueillait à présent un chef cuisinier en tenue d'apparat, elle prit la seule chaise libre.

La violoniste prodige leva la tête et demanda, d'une voix si haut perchée qu'on aurait dit qu'elle venait d'inhaler de l'hélium :

— Vous savez ce que c'est ?

Brooke regarda la gamine, convaincue de n'avoir pas entendu correctement la question.

— Je vous demande pardon ?

— Savez-vous déjà si c'est un garçon ou une fille ? répéta-t-elle d'une voix surexcitée.

Brooke resta bouche bée. La mère se pencha vers la fillette et lui murmura quelque chose à l'oreille – sans doute pour lui faire observer que sa question était grossière ou déplacée, mais ne récolta qu'un regard exaspéré.

— Je demandais juste si c'était un garçon ou une fille ! protesta-t-elle d'une voix stridente.

Brooke essaya de se détendre. *Autant s'amuser un peu*, songea-t-elle. D'autant que sa famille et ses amis n'allaient pas trouver ça amusant du tout. Elle balaya la pièce des yeux pour s'assurer que personne d'autre n'écoutait cette conversation, et elle se pencha vers la petite violoniste.

— C'est une fille, chuchota-t-elle, sans trop de remords à l'idée de mentir à un enfant. Je ne peux qu'espérer qu'elle sera aussi mignonne que toi.

Les coups de fil commencèrent à pleuvoir pendant le trajet de retour jusque chez eux, et se succédèrent sans relâche pendant plusieurs jours. Sa mère annonça que, bien que blessée d'avoir appris la nouvelle devant sa télévision, elle n'en était pas moins aux anges que sa fille unique devienne enfin mère elle-même. Son père se déclara ravi qu'on ait montré une photo de sa fête d'anniversaire à la télévision et se demandait comment

Cynthia et lui ne s'en étaient pas doutés plus tôt. La mère de Julian, comme attendu, pondéra l'enthousiasme général par un : « Ah ! mais on ne se sent pas encore assez vieux pour être des grands-parents ! » Randy proposa très gentiment d'inclure son futur neveu dans la petite équipe de foot des enfants Greene qu'il constituait dans sa tête et Michelle se proposa pour décorer la chambre du petit. Nola, verte de rage de n'avoir pas été la première dans la confidence, finit par reconnaître qu'elle serait plus encline au pardon si la petite fille portait son prénom. Et tous, sans exception – plus ou moins gentiment – firent des commentaires sur le verre de vin.

Brooke dut faire des pieds et des mains pour convaincre sa famille, celle de Julian, ses collègues et tous leurs amis que primo, elle n'était pas enceinte, et que secundo, *jamais* elle n'aurait bu si elle l'avait été. Elle se sentit insultée. Pire : humiliée. D'autant que, elle le voyait bien, ses démentis étaient accueillis avec scepticisme. Le seul argument de poids – celui qui incita tout le monde à lui ficher la paix pendant une demi-seconde – ce fut la publication d'une photo volée dans *US Weekly*, la semaine suivante, qui montrait Brooke faisant ses courses au supermarché du coin. Sur ce cliché, son ventre semblait plat, indiscutablement, mais ce n'était pas là l'infirmation. Dans son panier, on voyait des bananes, quatre yaourts, une bouteille de Poland Spring, du nettoyant pour vitres et – *contre toute attente* – une boîte de Tampax. Le format Pearl, pour règles abondantes, pour ceux qui tenaient absolument à le savoir. On avait entouré ce dernier détail d'un épais trait noir, et la légende annonçait : « Pas de bébé pour les

Alter ! » comme si le magazine, par un travail d'enquête approfondi, avait éclairci le fond du problème.

Donc, grâce à ce remarquable travail journalistique, la planète entière sut que Brooke n'était pas enceinte, et qu'elle avait des règles plus abondantes que la moyenne. Nola avait beau trouver ce pataquès immensément drôle, Brooke était mortifiée à l'idée que tout le monde, de son petit copain de 6ᵉ à son grand-père de 91 ans – sans compter tous les lecteurs d'*US Weekly*, les abonnés comme ceux qui le consultaient chez le coiffeur, chez la manucure ou à bord d'un avion – était au courant des détails de son cycle menstruel. Elle n'avait même pas remarqué le paparazzi ! À compter de ce jour, elle décida qu'elle commanderait en ligne tous les produits liés à sa vie de couple, son cycle menstruel ou ses problèmes digestifs.

Mais la distraction radicale, ce fut le bébé de Randy et Michelle. La petite Ella vint au monde – tel un cadeau des cieux – quinze jours après le début de tout ce cirque, et eut même l'obligeance de faire coïncider sa naissance avec Halloween, leur offrant ainsi une excuse idéale pour se défiler de la fête costumée qu'organisait Leo. Brooke était éperdue de reconnaissance à l'égard de sa nouvelle nièce. Entre le récit de cette épopée que personne ne se lassait d'entendre (Michelle perdant les eaux pendant le dîner dans un restaurant italien, la course jusqu'à l'hôpital, pour finalement attendre douze heures de plus, et la promesse d'une table ouverte à vie pour la petite de la part du propriétaire du restaurant), les leçons de langes, le décompte des doigts des mains et des pieds, l'attention s'était détournée d'eux. Enfin, du moins celle de la famille.

Brooke et Julian étaient la tante et le tonton modèles : ils étaient arrivés à l'hôpital avant la délivrance, avec assez d'authentiques bagels new-yorkais et de saumon fumé pour ravitailler toute la maternité. Julian lui aussi semblait heureux de cette diversion. Il roucoulait dans l'oreille de la petite Ella, lui assurait que ses menottes avaient tout de mains de pianiste. Pour Brooke, la naissance d'Ella demeurerait le dernier merveilleux moment de calme, avant que la tempête ne vienne tout dévaster.

Ses fossettes de gentil garçon tout simple

Brooke venait de hisser la dinde – un spécimen de onze kilos – sur le comptoir et commençait à vider le réfrigérateur de tout le superflu pour faire de la place à l'énorme volatile quand son téléphone sonna.

— Allô ?

— Brooke ? C'est Samara.

Brooke fut prise au dépourvu. Jamais auparavant Samara ne l'avait appelée. Peut-être voulait-elle savoir ce qu'elle pensait de la couverture de *Vanity Fair* ? Le magazine venait de sortir en kiosque et Brooke n'arrivait pas à en détacher les yeux. C'était Julian tout craché, en jean et tee-shirt blanc près du corps, arborant un de ses bonnets préférés, avec un sourire qui mettait en valeur ses fossettes effroyablement craquantes. De toute la bande d'artistes en photo sur la couverture, il était de loin le plus mignon.

— Oh salut ! Tu as vu comme il est beau sur la couverture de *Vanity Fair* ? Bon, ça ne me surprend pas, mais il est tellement…

— Brooke, tu as une minute, s'il te plaît ?

De toute évidence, il ne s'agissait pas d'un appel de courtoisie pour s'extasier sur une couverture de magazine. Si jamais cette fille essayait de lui dire que Julian ne serait pas en mesure de rentrer à la maison pour le tout premier Thanksgiving qu'ils organisaient *chez eux*, ça allait barder.

— Mm... oui, attends, laisse-moi juste une seconde.

Elle referma la porte du frigo et s'assit à leur minuscule table de cuisine, ce qui lui rappela qu'il lui faudrait passer un coup de fil pour s'assurer que la table et les chaises soient livrées à temps.

— C'est bon, je suis posée. Que se passe-t-il ?

— Brooke, je t'appelle à propos d'un article qui vient de paraître, et qui n'est pas agréable, annonça Samara avec cette brusquerie inimitable qui, compte tenu de la nouvelle, était finalement presque réconfortante.

Brooke s'efforça de réagir avec légèreté et éclata de rire.

— Je commence à y être habituée, ces temps-ci, ça n'arrête pas ! Hé, je suis la future maman qui picole, tu te souviens ? Qu'est-ce que Julian a dit ?

Samara s'éclaircit la voix.

— Je ne l'ai pas encore mis au courant. Je sens que ça va terriblement le contrarier, et je voulais t'en parler d'abord.

— Oh, merde. Que dit-on sur lui ? On se moque de ses cheveux ? De ses parents ? Une ex a refait surface ? Une pétasse qui cherche à attirer l'attention en criant sur les toits que...

— L'article n'est pas à propos de Julian, Brooke. Mais de toi.

Silence. Brooke sentit ses ongles s'enfoncer dans ses paumes, sans pouvoir s'en empêcher.

— Et que dit-on sur moi ? demanda-t-elle enfin avec un filet de voix.

— C'est un ramassis d'ignobles mensonges, répondit Samara avec une insolente décontraction. Je voulais que tu l'apprennes de ma bouche. Et je veux également que tu saches que nous avons mis notre équipe de juristes sur le coup, pour tout contester en bloc. Nous prenons ça très au sérieux.

Brooke resta sans voix. Si Samara se donnait autant de mal, l'article devait être, indubitablement, horrible.

— Où est-il ? demanda-t-elle enfin. Je dois le lire.

— Il paraîtra demain dans *Last Night*, mais il est déjà en ligne. Brooke, sache bien que tout le monde ici est derrière toi et nous te promettons que…

Pour la première fois peut-être depuis qu'elle n'était plus une ado rebelle – et certainement pour la première fois avec quelqu'un d'autre que sa mère –, Brooke raccrocha sans laisser son interlocutrice achever sa phrase et se précipita sur l'ordinateur. Elle trouva la page concernée en quelques secondes et tomba immédiatement, en page d'accueil, sur une énorme photo d'elle et Julian en train de dîner en terrasse d'un restaurant. Elle scruta l'image, en se creusant la tête pour rameuter ses souvenirs, avant de remarquer une plaque de rue en arrière-plan. Ah oui, bien sûr, le restau espagnol où ils avaient dîné le soir du retour de Julian. Elle commença à lire.

L'homme et la femme qui partagent une paella sur cette terrasse de Hell's Kitchen ressemble à n'importe quel autre couple, mais un regard averti reconnaîtra le nouveau chouchou de l'Amérique, l'auteur-composi- teur-interprète Julian Alter, et sa femme, Brooke. Le premier album d'Alter a fait un début fracassant dans les charts *tandis que, d'une côte à l'autre, ses fossettes*

de gentil garçon tout simple font se pâmer ces demoiselles. Mais qui est vraiment la femme qui partage sa
vie ? Et comment le couple survit-il à la célébrité toute
neuve de Julian ?

Pas très bien, selon une source proche du jeune
couple : « Ils se sont mariés très, très jeunes et, certes,
ils ont tenu le coup cinq ans mais là, ils sont à deux
doigts de la rupture. Julian est accaparé par un emploi
du temps très exigeant, et Brooke ne se montre pas très
accommodante. »

Les deux jeunes gens se sont rencontrés peu après les
attaques terroristes du 11 septembre et se sont
rapprochés l'un de l'autre à la faveur du contrecoup qui
a laissé toute la ville en état de choc. « Brooke a quasiment traqué Julian pendant des mois. Elle sillonnait
Manhattan pour assister à tous ses concerts, où elle
allait toujours seule, jusqu'à ce qu'il soit bien obligé de
la remarquer. L'un comme l'autre souffraient d'un
sentiment de solitude », explique notre source. Un
proche des Alter confirme : « Lorsque Julian a annoncé
ses fiançailles avec Brooke à ses parents, ils étaient
effondrés. Cela ne faisait même pas deux ans qu'ils
sortaient ensemble ! Quel besoin avaient-ils de se précipiter ? » Bien que les docteurs Alter « aient toujours
soupçonné que Brooke, une fille sortie d'un patelin de
Pennsylvanie, n'agisse que par intérêt », le mariage ne
s'en est pas moins fait, donnant lieu à une cérémonie
sans tralala dans leur résidence secondaire des
Hamptons.

Au cours des dernières années, Brooke a cumulé deux
emplois pour soutenir financièrement les aspirations
artistiques de son mari, mais une personne, dans leur
cercle d'amis, souligne que « Brooke était prête à tout

pour que Julian accède à la célébrité à laquelle elle-même a toujours aspiré. Deux postes, ou dix, peu importait, du moment qu'elle était mariée à un homme célèbre. » La mère d'une élève du très sélect établissement privé de l'Upper East Side où Brooke officie à titre de diététicienne conseil rapporte : *« À première vue, elle semble charmante, même si ma fille m'a dit qu'elle a une tendance tire-au-flanc, qu'elle écourte ses journées de travail, annule des rendez-vous. »* Mais il y a plus grave. Ainsi que nous l'a confié une de ses collègues du centre médical de NYU, *« Brooke a longtemps été la plus performante de toute notre équipe, mais récemment, il y a vraiment eu du relâchement. Qu'elle soit distraite par la carrière de son mari, ou qu'elle en ait simplement marre de la sienne, c'est un bien triste spectacle. »*

Et qu'en est-il de ces rumeurs de grossesse, qui ont débuté sur le plateau du Today Show, *avant d'être rapidement démenties par* US Weekly *la semaine suivante, preuve en image à l'appui ?* Eh bien, l'annonce d'un heureux événement ne serait pas pour si tôt. Un ami de longue date de Julian affirme que Brooke *« a beau le tanner pour faire un enfant depuis le jour où ils se sont rencontrés, Julian repousse perpétuellement cette décision car il n'est pas encore sûr et certain qu'elle soit la femme de sa vie ».*

Avec tous ces orages dans l'air, qui songerait à le lui reprocher ?

« Je ne m'inquiète pas, je sais que Julian fera le bon choix, a récemment déclaré un de ses proches. C'est un mec épatant ; il a la tête bien faite, et bien calée sur les épaules. Il saura choisir ce qui est le mieux pour lui. »

Brooke n'aurait su dire à quel moment ses larmes avaient commencé à couler mais, lorsqu'elle fut arrivée à la toute fin de l'article, elles baignaient ses joues, ses lèvres, son menton et avaient formé une petite flaque à côté du clavier. Il n'existait aucun mot susceptible de décrire ce qu'on éprouvait à lire de telles ignominies sur son propre compte. Et certes, ce n'était qu'un ramassis d'odieux mensonges, mais comment s'empêcher de douter ? Se pouvait-il qu'il y ait quelques parcelles de vérité là-dedans ? Naturellement, tout ce qui était dit sur les circonstances de leur rencontre était ridicule, mais qu'en était-il de cette remarque sur les parents de Julian ? La détestaient-ils à ce point ? Et sa réputation professionnelle ? Était-il vrai qu'elle l'avait irrémédiablement compromise par ses absences répétées ? Et enfin, se pouvait-il qu'il y ait une once de vérité dans la raison alléguée par l'article concernant les réticences de Julian pour faire un bébé ? Comment pouvait-on dire, écrire de telles atrocités ?

Elle relut l'article une deuxième fois, puis une troisième. Elle aurait pu passer la journée à le lire, mais le téléphone sonna à nouveau. Et cette fois c'était Julian.

— Rook, tu ne peux pas savoir dans quelle rage je suis ! Qu'ils écrivent des conneries sur moi, c'est une chose, mais s'ils commencent à s'en prendre à toi…

— Julian, je n'ai pas envie d'en parler.

Pur mensonge, évidemment. Elle n'avait qu'un désir : lui demander, point par point, s'il confirmait chacune des déclarations tordues de l'article, mais elle n'en avait pas l'énergie.

— Je viens de discuter avec Samara. Elle m'a promis que l'équipe de juristes de Sony était en train de préparer…

— Julian, je n'ai vraiment pas envie d'en parler, répéta-t-elle. C'est horrible, c'est haïssable, c'est faux de A à Z – enfin, j'espère – et quoi que je fasse, ça n'y changera rien. Demain, c'est Thanksgiving, nous serons neuf à table et je dois commencer à préparer le repas.

— Brooke, je ne veux pas que tu penses une seule seconde que…

— Je sais, je sais. Tu rentres toujours demain, n'est-ce pas ? demanda-t-elle en retenant son souffle.

— Évidemment ! Par le premier vol. J'arrive à La Guardia vers 8 heures, et je viendrai directement. Tu veux que je m'arrête acheter un truc en chemin ?

Brooke referma l'article méprisable et ouvrit sa liste de courses.

— Je crois que j'ai déjà tout… Tu pourrais peut-être apporter deux autres bouteilles de vin. Disons une de rouge et une de blanc.

— Bien sûr, ma puce. Je serai à la maison dans quelques heures et on pourra démêler tout ça, d'accord ? Je te rappelle plus tard.

— Mm… d'accord, fit-elle, d'une voix qui lui sembla froide et distante.

Même si rien de tout ça n'était la faute de Julian, elle ne pouvait se défendre d'un certain ressentiment.

Quand elle eut raccroché, elle songea à appeler Nola puis sa mère mais, finalement, elle décida que la situation serait plus supportable si elle s'en abstenait. Elle passa un coup de fil au loueur, pour s'assurer qu'il n'avait pas oublié la livraison de la table et des chaises, puis elle se mit au boulot. Elle assaisonna la dinde, lava les pommes de terre pour la purée, prépara la sauce aux canneberges et éplucha les asperges. Cela fait, elle s'attaqua à un grand ménage et à un rangement tous azimuts en écoutant à fond un vieux CD de hip-hop qu'elle avait depuis le lycée. Elle avait prévu de faire un saut chez la manucure vers 17 heures mais lorsqu'elle jeta un coup d'œil par la fenêtre et avisa deux, voire quatre types équipés d'escabeaux et d'appareils photo en train de rôder dans la rue, elle examina ses cuticules, regarda de nouveau les paparazzis, et décida que le jeu n'en valait pas la chandelle.

Lorsqu'elle se glissa sous la couette, elle avait réussi à se convaincre que toute l'histoire se tasserait d'elle-même. Et même si à son réveil elle pensa immédiatement à l'article, elle parvint à ressusciter cette illusion et à se concentrer sur les préparatifs du déjeuner ; et lorsque Julian arriva, peu après 9 heures, elle lui demanda instamment de ne pas aborder le sujet.

— Mais enfin, Rook, ce n'est pas sain de ne pas en parler ! protesta-t-il en l'aidant à repousser les meubles du salon contre les murs pour libérer de la place pour la table de location.

— Je ne sais tout simplement pas quoi en dire. Ce n'est qu'un ramassis de mensonges et oui, c'est très dérangeant – et mortifiant, aussi – de lire des trucs pareils sur moi, et sur notre couple, mais tant qu'il n'y a pas une once de vérité là-dedans, à quoi ça servirait d'examiner tout ça par le menu… ? répondit-elle en regardant Julian d'un air interrogateur.

— Évidemment qu'il n'y a pas un seul mot de vrai ! Les conneries à propos de mes parents, le fait que je puisse penser que tu n'es peut-être pas la femme de ma vie – tout est faux, archifaux.

— Alors concentrons-nous sur aujourd'hui, d'accord ? À quelle heure tes parents ont dit qu'ils devaient filer ? Je préférerais que Neha et Rohan arrivent après leur départ. Je ne pense pas qu'on pourra caser tout le monde en même temps.

— Ils passent boire un verre à 13 heures et je leur ai dit qu'ils devaient être partis à 14 heures. Ça ira comme ça ?

Brooke ramassa une pile de magazines, qu'elle alla planquer dans le placard du couloir.

— C'est parfait. Tous les autres arrivent à 14 heures. Redis-moi que je ne devrais pas culpabiliser de les chasser.

— Les chasser ? ricana Julian. Tu plaisantes ! Ils vont déjeuner chez les Kamen. Crois-moi, ils n'auront pas envie de faire de vieux os.

Brooke aurait pu s'épargner toute inquiétude les concernant. Les Alter furent ponctuels, n'acceptèrent de goûter qu'au vin qu'ils avaient apporté (« Oh, mes chéris, gardez donc le vôtre pour les autres invités – pourquoi ne pas commencer par une bonne bouteille ? »), se contentèrent d'un seul commentaire dépréciatif à propos de l'appartement (« Il a du *charme*, c'est sûr. Mais on se demande comment vous faites pour vivre encore là. ») et prirent congé avec un quart d'heure d'avance sur leur programme. Trente secondes après leur départ, l'interphone sonna à nouveau.

— Montez ! lança Brooke dans l'interphone.

Julian lui prit la main et la serra, fort.

— Tout va se passer à merveille.

Brooke ouvrit la porte d'entrée et sa mère passa devant elle comme une fusée, en la saluant à peine.

— Le bébé dort, dit-elle, du même ton qu'elle aurait annoncé l'arrivée du couple présidentiel. Où allons-nous la mettre ?

— Eh bien… vu qu'on va déjeuner dans le salon, et comme j'imagine que tu n'as pas envie de l'enfermer dans la salle de bains, ça ne laisse qu'une option : notre lit.

Randy et Michelle entrèrent à leur tour, avec la petite Ella installée dans un cosy.

— Le lit, ça ira très bien, dit Michelle en se penchant pour embrasser Julian. Elle est encore trop petite pour rouler par terre.

— Hors de question ! protesta Randy qui trimbalait ce qui ressemblait à une toile de tente repliée. J'ai apporté le lit pliant, ce n'est pas pour les chiens !

Michelle décocha à Brooke un regard qui semblait dire : *À quoi bon vouloir tenir tête à un papa poule ?*, et les deux filles éclatèrent de rire. Randy et Mrs Greene partirent installer Ella dans la chambre et Julian entreprit de servir le vin.

— Alors…, fit Michelle. Ça va ?

Brooke referma le four, reposa la pipette d'arrosage et se retourna vers sa belle-sœur.

— Ouais, ça va. Pourquoi ?

Michelle prit immédiatement un air contrit.

— Je suis désolée, je n'aurais pas dû parler de ça mais cet article était tellement… méchant.

Brooke inspira vivement.

— Ah. Oui, l'article. Je m'imaginais que personne ne l'aurait lu. Puisqu'il n'est pas encore sorti, tu vois ?

— Je suis sûre que personne d'autre ne l'a lu ! se récria Michelle. C'est une de mes amies qui me l'a fait suivre, mais elle, elle est complètement accro aux sites de ragots. Personne n'en lit autant qu'elle !

— Pigé. Dis, tu voudrais bien apporter ça dans le salon ? demanda Brooke en lui tendant une assiette de fromage, avec des coupelles de confiture de figues et un assortiment de biscuits secs.

— Oui, bien sûr. (Brooke pensa qu'elle avait compris le message, mais sitôt franchi le seuil de la cuisine, elle se retourna et ajouta :) Tu sais, il y a quelqu'un qui n'arrête pas d'appeler pour me poser des questions sur vous, mais je n'ai rien dit. Pas un seul mot.

— Qui ? demanda aussitôt Brooke, avec une petite voix, prise à la gorge par cette panique qu'elle avait réussi à contenir jusque-là. N'oublie pas ce que je vous ai demandé : pas un mot sur nous à quelque journaliste que ce soit. Ni au téléphone, ni en personne. *Jamais*.

— On le sait. Et on ne ferait jamais ça. Je voulais juste que tu saches qu'il y a des gens qui font la chasse aux infos.

— Ouais, et vu l'exactitude de leurs infos, on ne peut pas dire qu'ils aient l'art de choisir leurs sources, répondit Brooke en se reservant un verre de vin blanc.

Il y eut un silence embarrassé, et lorsque Mrs Greene pénétra dans la cuisine, Michelle décampa avec le plateau de fromage.

— Que se passe-t-il, ici ? demanda Mrs Greene en embrassant les cheveux de Brooke. Quel soulagement que tu aies pris la relève et décidé de faire Thanksgiving chez toi ! Quand vous le fêtiez chez ton père, je me sentais de plus en plus seule et abandonnée.

Brooke se garda de lui préciser que si elle avait proposé de le fêter chez eux, c'était uniquement parce que son père et Cynthia étaient partis dans la famille de cette dernière, en Arizona. Mais cela dit, c'était assez sympathique d'endosser une vraie responsabilité d'adulte, même si ce n'était que l'espace d'une journée.

— On verra si ton soulagement tient toujours, une fois que tu auras goûté à la dinde, plaisanta-t-elle.

On sonna à la porte et, dans la chambre, Ella commença à pleurnicher. Tout le monde se dispersa : Randy et Michelle coururent s'occuper de leur bébé, Julian se mit en devoir d'ouvrir une autre bouteille de vin, et Brooke alla ouvrir, Mrs Greene sur les talons.

— Rappelle-moi qui sont ces amis ? demanda celle-ci. Je sais que tu me l'as déjà dit, mais ça m'échappe à nouveau.

— Neha et moi étions ensemble en master et maintenant, elle se consacre à la nutrition prénatale dans un cabinet de gynécologie, à Brookline. Son mari, Rohan, est comptable. Ils vivent depuis trois ans à Boston. Leurs familles sont toujours en Inde, et ils ne fêtent pas vraiment Thanksgiving, mais j'ai pensé que ce serait gentil de les inviter à se joindre à nous, chuchota Brooke.

Mrs Greene hocha la tête, mais Brooke savait pertinemment qu'elle allait oublier la moitié des informations et finirait par demander à Neha et Rohan de lui répéter toute l'histoire. Brooke ouvrit la porte et immédiatement Neha se suspendit à son cou.

— Il me semble que ça fait une éternité ! Pourquoi ne nous voyons-nous pas plus souvent ?

Brooke la serra chaleureusement dans ses bras puis se hissa sur la pointe des pieds pour embrasser Rohan.

— Entrez, entrez. Neha, Rohan, je vous présente ma mère. Maman, voici des amis de longue date.

Neha éclata de rire.

— Oui, on s'est rencontrées à l'époque où on était encore jeunes, fraîches et sexy.

— Mais aujourd'hui, on porte la blouse blanche et les sabots en caoutchouc mieux que personne, lui rétorqua

Brooke. Donnez-moi vos manteaux, ajouta-t-elle en les poussant vers le salon.

Julian émergea de la cuisine.

— Salut mec, lança-t-il en serrant la main de Rohan et en lui tapant sur l'épaule. Ça fait plaisir de te voir. Comment va la vie ?

Julian était particulièrement adorable ce jour-là, avec son jean noir, son pull en cachemire gris et ses tennis vintage. Son discret bronzage californien lui conférait un teint éclatant et, tout épuisé qu'il était, il avait un regard pétillant et se mouvait avec une assurance et une décontraction toutes nouvelles, que Brooke venait à peine de remarquer.

Rohan baissa les yeux, contempla son pantalon bleu marine, sa chemise habillée et sa cravate, et rougit. Julian et lui n'avaient jamais été des amis proches – Julian le trouvait beaucoup trop terne et conservateur – mais, en présence de leurs épouses, ils avaient toujours réussi à parler de tout et de rien. Ce jour-là, Rohan semblait avoir le regard fuyant.

— Oh, rien de neuf de notre côté. Rien d'aussi excitant que ce qui t'arrive. On a carrément vu ta photo sur un panneau d'affichage, l'autre jour.

Il y eut un silence embarrassé, que rompit l'apparition d'Ella, qui avait arrêté de pleurer et arborait la plus ravissante grenouillère que Brooke ait jamais vue. Tout le monde put s'extasier pendant un petit moment.

— Alors, Neha, vous vous plaisez à Boston ? demanda Mrs Greene tout en étalant du bleu sur un biscuit.

— Eh bien, on aime notre quartier, et on a rencontré quelques personnes sympathiques. Je me plais beaucoup dans notre appartement. Boston est une ville qui offre une grande qualité de vie.

— Ce qu'elle veut dire, c'est que c'est d'un ennui indescriptible, traduisit Brooke tout en piquant une olive.

— Elle a raison, agréa Neha en hochant la tête. C'est carrément mortel.

Mrs Greene éclata de rire et Brooke vit que sa mère était tombée sous le charme de son amie.

— En ce cas, pourquoi ne revenez-vous pas vous installer tous les deux à New York ? Je sais que Brooke en serait ravie.

— Quand Rohan aura décroché son MBA, l'an prochain, si ça ne tient qu'à moi, on vend la voiture – je déteste conduire –, on laisse notre ravissant appartement, on prend congé de nos voisins extrêmement polis, et on rentre dare-dare ici, où on ne pourra s'offrir qu'un appart minable, dans un immeuble sans ascenseur, dans un quartier excentré, peuplé de gens grossiers et agressifs. Mais je serai aux anges.

Rohan, qui avait pris la conversation en route, décocha un regard à sa femme.

— Neha…

— Quoi ? Tu n'espères tout de même pas que je vais croupir toute ma vie à Boston ? (Elle se tourna vers Brooke et sa mère et ajouta, en baissant la voix :) Lui aussi déteste cette ville, mais il culpabilise de la détester. Personne ne dit jamais de mal de Boston, vous comprenez.

Lorsque tout le monde eut pris place autour de la table pliante recouverte d'une nappe, Brooke ne pensait plus du tout au maudit article. Le vin coulait à flots, la dinde était moelleuse, rôtie à point, et même si la purée de pommes de terre était, pour sa part, un peu fade, ses invités lui assurèrent que jamais ils n'en avaient mangé de meilleure. La conversation roulait aisément, passant du nouveau film avec Hugh Grant au futur voyage de Neha et Rohan à Bombay et Goa, pour rendre visite à leur famille. L'ambiance était si détendue, en fait, que lorsque sa mère se pencha vers elle pour lui demander, de but en blanc, comment elle tenait le coup, Brooke faillit en lâcher sa fourchette.

— Tu l'as lu ? cracha-t-elle en dévisageant sa mère.

— Oh, ma chérie, bien évidemment. Pas moins de quatre connaissances me l'ont fait suivre, ce matin. Des concierges, toutes autant qu'elles sont, qui n'ont rien d'autre à fiche que scruter la vie des autres. Je ne peux même pas imaginer à quel point tu as dû être dévastée de lire…

— Maman, je n'ai pas envie d'en parler.

— … de telles sornettes à ton sujet, mais n'importe qui vous ayant déjà rencontrés tous les deux saura immédiatement que c'est – pardonne mon langage – des conneries.

Sans doute Neha avait-elle entendu la fin de cet échange car elle se pencha vers elles.

— Franchement Brooke, on voit bien que c'est inventé de toutes pièces, abonda-t-elle. Il n'y a pas un seul mot de vrai là-dedans. N'y pense plus.

Brooke eut l'impression de recevoir une nouvelle gifle. Pourquoi s'était-elle imaginé que personne ne l'aurait lu ? Comment avait-elle pu se bercer d'illusions, au point de se convaincre que toute l'histoire se tasserait d'elle-même ?

— C'est ce que je m'efforce de faire, répondit-elle, et Neha hocha la tête.

Brooke savait que son amie comprenait. Si seulement sa mère pouvait en faire autant !

— Vous avez vu ces photographes, dehors, lorsque vous êtes arrivés ? repartit Mrs Greene à l'adresse de Neha et Rohan. On dirait des vautours !

Sans doute Julian avait-il remarqué qu'elle avait soudain les traits tendus car il s'éclaircit la voix, mais Brooke ne lui laissa pas le temps d'ouvrir la bouche. Elle était résolue à clore le sujet une bonne fois pour toutes, afin qu'ils puissent tous passer à autre chose.

— C'est moins pénible qu'il y paraît, dit-elle en passant le plat d'asperges braisées à Randy. Ils ne sont pas là tout le temps, et nous avons fait installer des stores occultants, ça limite considérablement les clichés volés. On s'est mis sur liste rouge, aussi – ça aide. Je suis certaine que tout ça est lié uniquement à l'excitation créée par la sortie de l'album. D'ici le nouvel an, ils en auront tous marre de nous.

— Je n'espère pas ! protesta Julian avec un sourire qui creusa ses fossettes. Leo vient de me dire qu'il fait du forcing pour que je chante aux Grammys. D'après lui, il y a de grandes chances pour que ça marche.

— Toutes nos félicitations ! s'écria Michelle avec plus d'enthousiasme qu'elle n'en avait montré depuis son arrivée. Est-ce que c'est un secret ?

Julian et Brooke échangèrent un regard, puis Julian toussota.

— Eh bien, je ne sais pas... Mais comme le programme des musiciens ne sera annoncé qu'après le nouvel an, ce serait peu judicieux de vendre la mèche.

— C'est formidable, mec, dit Randy avec un grand sourire. Si tu y vas, on t'accompagne tous. Tu le sais, pas vrai ? Chez nous, quand t'épouses la fille, tu as toute la famille pour le même prix.

Julian avait déjà évoqué avec elle, au téléphone, l'éventualité d'une invitation à participer aux Grammys, mais l'entendre l'annoncer à la cantonade donnait un surcroît de réalité à une information que Brooke avait encore du mal à assimiler : son mari, chantant à la soirée des Grammys, devant le monde entier.

Ella, installée dans son baby relax à côté de la table, se mit à brailler et ses cris rompirent le charme. Brooke en profita pour aller disposer les desserts, tous faits maison, sur des plats : deux tartes, une à la citrouille et l'autre à la rhubarbe (l'œuvre de sa mère) ; des brownies menthe-chocolat (apportés par Michelle), et une assiette de *burfi* à la noix de coco (la spécialité de Neha), qui, sous des airs de friandises au riz soufflé, avaient en fait un goût de cheese-cake.

— Et toi, Brooke, comment ça se passe, au boulot ? s'enquit Rohan, la bouche pleine de brownie.

Brooke but une gorgée de café, et répondit :

— Ça se passe bien. J'adore travailler en institution, mais j'espère me mettre à mon compte dans les deux ans qui viennent.

— Neha et toi devriez vous associer. Elle n'a plus que ce projet en tête.

Brooke se tourna vers son amie.

— C'est vrai ? Tu songes à ouvrir ton propre cabinet ?

Neha opina avec tant d'enthousiasme que sa queue de cheval brune se balança d'un côté à l'autre.

— Et comment ! Mes parents m'ont proposé de me prêter une partie de la somme dont j'ai besoin pour me lancer, mais il me faut tout de même trouver un ou une associé(e) pour que ça puisse marcher. Évidemment, je me suis remise à y penser dès qu'on est arrivés en ville…

— Je ne savais pas ! s'exclama Brooke, avec enthousiasme.

— Je ne vais pas rester toute ma vie dans un cabinet de gynéco. Si tout se passe bien, un jour, nous aurons une famille, et j'aurai besoin d'un emploi du temps plus souple. (En remarquant le regard que Neha lança à son mari, qui détourna aussitôt le sien en rougissant, Brooke songea qu'un bébé était peut-être déjà en route.) Dans l'idéal, ce serait un petit cabinet spécialisé dans la nutrition pré et postnatale, pour les mamans et les bébés. Et je me dis que ce serait pas mal de faire aussi équipe avec une consultante en allaitement…

— C'est exactement ce que j'ai en tête moi aussi ! s'exclama Brooke. Il me faut encore neuf à douze mois d'expérience en pratique clinique, mais ensuite…

Neha croqua délicatement dans un *burfi* et, en souriant, se tourna vers Julian, assis à l'autre bout de la table.

— Hé, Julian, tu penses pouvoir lâcher un peu de cash pour aider ta femme à s'installer ? lança-t-elle, et tout le monde éclata de rire.

Plus tard, quand les invités furent partis, que la vaisselle fut faite et les chaises pliées, Brooke se pelotonna à côté de Julian sur le canapé.

— C'est dingue, non, que Neha et moi ayons exactement le même projet ? lança-t-elle avec excitation. Je n'arrête pas d'y penser depuis tout à l'heure !

— Ça m'a tout l'air du plan idéal, approuva Julian en déposant un baiser sur le sommet de sa tête.

Son téléphone sonnait sans discontinuer depuis plusieurs heures, mais il n'avait pas pris un seul appel. Il prétendait que tout allait pour le mieux, mais Brooke voyait bien qu'il était distrait.

— Et ce qui sera encore plus idéal, c'est que dès que je serai à mon compte, je disposerai d'un emploi du temps plus souple, et de beaucoup plus de temps libre pour voyager avec toi. Ce sera génial, non ?

— Mm mm. Carrément.

— Tu vois, se lancer dans une aventure pareille en solo, ça réclame un temps fou et une énergie de dingue, sans parler de l'aspect financier, mais à deux, ce serait parfait. En plus de doubler notre clientèle, on pourrait se remplacer l'une l'autre. Oh oui, c'est vraiment le scénario rêvé !

C'était pile le genre de bonnes nouvelles dont elle avait besoin en ce moment. Les absences à répétition de Julian, les journalistes fouineurs, l'immonde article – tout cela était encore difficile à digérer. Avoir un objectif l'aiderait à minimiser leur impact.

Le téléphone de Julian sonna à nouveau.

— Réponds, à la fin ! lança-t-elle, avec plus d'irritation qu'elle n'en avait eu l'intention.

Julian regarda l'écran, sur lequel s'affichait le nom de Leo, et décrocha.

— Salut, Leo, joyeux Thanksgiving. (Il opina à plusieurs reprises, rigola, puis reprit :) Pas de problème, d'accord. Ouais, je vois avec elle, mais je suis sûr qu'elle pourra se débrouiller. Absolument. Compte sur nous. À plus.

Julian se retourna vers Brooke avec un sourire jusqu'aux oreilles.

— Devine.

— Langue au chat.

— Ma très chère épouse, nous sommes invités à la réception de fin d'année de Sony, avec le gratin. Leo dit qu'ils invitent la terre entière à leur soirée de la veille, en ville, mais que seuls leurs artistes les plus importants ont accès à ce déjeuner. Ça se passe dans les Hamptons, dans une maison démente – genre la baraque à trois millions –, en compagnie de toutes les huiles de l'industrie du disque. Il y aura des concerts, des invités surprise. Et nous ferons le voyage aller et retour en *hélicoptère*. On n'entend jamais parler de cette fête dans la presse, parce que c'est archisecret, et super exclusif. Et on y sera !

— Waouh ! Ça paraît incroyable. Quand est-ce ? demanda Brooke qui réfléchissait déjà à ses options vestimentaires.

Julian se leva d'un bond et se dirigea vers la cuisine.

— Le vendredi avant Noël. Je ne connais pas la date exacte.

Brooke attrapa le téléphone de Julian et fit défiler les pages du calendrier.

— Le 20 décembre ? Julian, c'est mon dernier jour avant les vacances à la Huntley.

— Et alors ? lança Julian en sortant une bière du réfrigérateur.

— Et alors, c'est le soir de *notre* fête de Noël. À l'école. Cette année, ils veulent que le dîner soit festif *et* équilibré, et ils m'ont demandé de leur concocter un menu. En outre, j'ai promis à Kaylie de rencontrer son père et sa grand-mère ce jour-là. Les parents sont invités à la fête, et elle est surexcitée à l'idée de me les présenter.

Brooke était fière des progrès foudroyants que l'adolescente avait réalisés en quelques mois. En augmentant la fréquence de leurs séances, et en posant tout un tas de questions lourdes de sous-entendus sur Whitney Weiss, Brooke avait pu déterminer que Kaylie flirtait avec la pratique des purges, mais qu'en aucun cas elle n'offrait les symptômes d'un trouble du comportement alimentaire déclaré. Grâce à d'innombrables heures de dialogue et d'écoute, et un surcroît de vigilance, Kaylie avait repris quelques kilos, juste ceux nécessaires à une bonne santé, et elle semblait avoir acquis assez de confiance en soi pour les accepter. Mais le plus important de tout, probablement, c'était sa décision de s'inscrire au club théâtre, où elle avait déjà décroché un second rôle très convoité dans le spectacle qui se préparait pour la fin de l'année, *West Side Story*. Elle avait enfin des amies.

Julian revint s'asseoir sur le canapé et alluma la télévision.

— Tu ne veux pas éteindre ça, s'il te plaît ? demanda Brooke, en essayant de ne pas trahir, à sa voix, l'exaspération que lui inspirait ce parasitage sonore.

Julian s'exécuta, non sans lui avoir décoché un regard agacé.

— Sans vouloir passer pour un mec indélicat, est-ce que tu ne pourrais pas prétendre que tu es malade ? Ce dont je te parle ici, c'est d'un voyage en hélicoptère pour rencontrer le big boss de Sony Music. Tu ne crois pas que quelqu'un d'autre pourrait se charger d'éplucher les livres de recettes ?

De mémoire, jamais, en cinq ans de mariage, Brooke ne l'avait vu faire montre d'une telle condescendance. Et pour ne rien arranger, il la dévisageait d'un air interrogateur, inconscient du fait qu'il passait pour un odieux nombriliste.

— Tu sais quoi ? riposta-t-elle. Tu as entièrement raison. Je ne suis pas la seule à être capable « d'éplucher des livres de recettes », comme tu viens si sottement de le dire. Que vaut mon boulot sans intérêt et frivole, comparé à ta carrière internationale, n'est-ce pas ? Mais tu oublies un détail. J'aime ce que je fais. J'aide ces filles. J'ai investi des tonnes de temps et d'énergie en Kaylie, et devine quoi ? C'est payant. Aujourd'hui, elle est plus heureuse, et en meilleure santé. Elle a arrêté de se faire du mal, elle ne passe plus ses journées à pleurer. Je sais que, à l'aune de ton microcosme, ça n'a rien de comparable avec une quatrième place au hit-parade de *Billboard*, mais dans mon microscosme à moi, c'est un super résultat. Alors non, Julian, je ne t'accompagnerai pas à ta super fête entre VIP. Parce que ce jour-là, je dois assister à ma propre fête.

Elle se leva et le dévisagea avec courroux. Elle attendait une excuse, une riposte, une réaction, n'importe laquelle, mais sûrement pas celle qui était la sienne en cet instant : un regard vide rivé à l'écran muet de la télé, un mouvement de tête incrédule et une expression qui semblait dire : *J'ai épousé une dingo.*

— Bon, eh bien, je suis contente que nous ayons éclairci ce point, reprit-elle froidement en gagnant la chambre.

Elle attendit qu'il vienne la rejoindre pour reparler de cette algarade, la serrer dans ses bras, lui rappeler qu'ils ne s'endormaient jamais sans s'être d'abord réconciliés, mais lorsqu'elle revint à pas de loup dans le salon, plus d'une heure plus tard, Julian était roulé en boule sur le canapé, sous le plaid afghan, et ronflait doucement. Elle fit demi-tour et repartit se coucher, seule.

Tequila à gogo et donzelles à tire-larigot

En voyant le plus gros des deux homards réussir une échappée, Julian éclata d'un rire jubilatoire.

— Les concurrents vont bientôt franchir la ligne d'arrivée, et notre ami 750 Grammes vient tout de juste de prendre la tête ! Il mène ! trompeta-t-il en imitant le débit d'un commentateur sportif. Je crois bien que c'est cuit.

Son rival, de taille plus modeste, avec une carapace noire, luisante et des yeux que Brooke trouvait affreusement expressifs, accéléra, comme pour combler la distance.

— Oh, oh, doucement ! Rien n'est joué, protesta-t-elle.

Assis par terre dans la cuisine, dos contre l'îlot, ils encourageaient leur candidat respectif. Brooke éprouvait une vague culpabilité à faire cavaler son homard avant de le plonger dans une marmite d'eau bouillante, mais le crustacé ne semblait pas s'en émouvoir. Ce n'est que lorsque Walter le bouscula d'un coup de truffe, et que l'animal cala définitivement, que Brooke vola à son secours pour lui épargner un surcroît de torture.

— Victoire par abandon ! exulta Julian en brandissant le poing, avant de féliciter son homard d'une petite tape sur ses pinces emprisonnées dans un élastique.

Walter jappa.

— Au vainqueur l'honneur de les plonger dans l'eau, se vengea-t-elle en désignant la marmite qu'ils venaient d'exhumer de l'office. Je ne pense pas en être capable.

Julian se leva et lui tendit la main pour l'aider à se relever.

— Va voir le feu, je m'occupe de ces zozos.

Elle s'empressa d'accepter la proposition et de gagner le salon où, quelques heures plus tôt, Julian lui avait enseigné l'art d'allumer un feu de cheminée. Chez les Greene, c'était une mission qui incombait toujours à son père ou à Randy, et Brooke venait de découvrir combien c'était gratifiant de savoir disposer les bûches de façon stratégique avant de les réajuster avec les pinces. Elle en sortit une de taille moyenne du panier, la déposa délicatement sur les autres, en diagonale, puis s'installa sur le canapé et contempla les flammes, hypnotisée. Dans la cuisine adjacente, elle entendit le portable de Julian sonner. Quelques instants plus tard, il la rejoignit, avec deux verres de vin rouge.

— Ils seront prêts dans un quart d'heure. Ils n'ont rien senti, je te le promets.

— Mm mm. Je suis sûre qu'ils ont même adoré. C'était qui ?

— Au téléphone ? Oh, je ne sais plus. Aucune importance.

— Santé ! lança Brooke.

Ils trinquèrent et Julian lâcha un gros soupir de satisfaction qui semblait dire que tout allait pour le mieux dans le meilleur des mondes.

317

— On n'est pas bien, là ?

Le soupir avait le ton juste, le sentiment était bien vu, mais Brooke avait l'intuition que quelque chose clochait dans ce tableau idyllique. Julian était presque *trop* gentil.

Au cours des quelques semaines qui avaient précédé la fête de Sony, la tension entre eux avait été palpable. Julian s'attendait à ce que Brooke finisse par céder et se dédise de ses engagements vis-à-vis de l'école. Et il avait été carrément choqué qu'elle n'en fasse rien – et le contraigne à s'envoler pour les Hamptons sans cavalière. L'incident remontait à dix jours ; depuis, ils en avaient un peu reparlé, du mieux qu'ils avaient pu, mais Brooke avait le sentiment tenace que Julian ne comprenait toujours pas son point de vue, et en dépit d'efforts héroïques, de leur part à tous les deux, pour se comporter comme si tout était au beau fixe, un certain malaise planait.

Elle but une gorgée de vin et sentit aussitôt cette tiédeur familière dans son ventre.

— Bien, c'est peu dire, renchérit-elle. C'est un moment délicieux.

La remarque avait un petit côté mondain quelque peu incongru.

— Ça me dépasse que mes parents ne viennent jamais ici en hiver, observa Julian. Les paysages sont sublimes sous la neige, ils ont cette cheminée incroyable et il n'y a pas un chat.

Brooke sourit.

— C'est justement là que ça pèche. À quoi bon aller dîner chez Nick et Toni s'il n'y a personne pour t'envier la meilleure table ?

— Ouais, de ce point de vue, ils sont bien mieux à Anguilla, à se débattre au milieu des hordes de vacanciers. Je suis sûr qu'ils sont ravis. Et tout doit coûter deux fois plus cher en ce moment, ce qu'ils adorent. Ça leur donne le sentiment d'être cent coudées au-dessus de la mêlée.

Même si aucun d'eux n'aimait le reconnaître, ils étaient extrêmement reconnaissants aux Alter de posséder cette maison à East Hampton. Non pas qu'ils y aient déjà passé un week-end en leur compagnie, ni qu'ils aient été conviés à leur rendre visite en été (même leur mariage avait eu lieu début mars, en pleine saison morte). Mais six bons mois par an, cette maison leur offrait une luxueuse échappée loin de la ville, gratuite de surcroît. Les deux premières années, ils en avaient souvent profité : les balades dans la campagne refleurie au printemps, la tournée des vignobles locaux, les promenades le long de la plage en automne, lorsque le temps commençait à tourner… Mais il y avait plus d'un an qu'ils n'étaient pas revenus, victimes de leurs emplois du temps démentiels. C'était Julian qui avait lancé l'idée d'y passer le réveillon du nouvel an, en tête à tête. Tout en suspectant que la proposition tenait plus de la manœuvre diplomatique que de l'expression d'un vrai désir, Brooke s'était empressée d'accepter.

— Je vais préparer la salade, annonça-t-elle en se levant. Tu veux quelque chose ?

— Je viens t'aider.

— Qu'est-ce que tu as fait de mon mari ?

Le portable se remit à sonner. Julian jeta un coup d'œil à l'écran, et rangea l'appareil dans sa poche.

— Qui était-ce ?

— J'en sais rien. Numéro privé. Je ne vois pas qui pourrait appeler ce soir, ajouta-t-il en lui emboîtant le pas dans la cuisine où, sans que Brooke ne lui ait rien demandé, il égoutta les pommes de terre bouillies et commença à les écraser.

Grâce au vin, probablement, la conversation autour du dîner fut plus fluide et plus détendue. Comme par une entente tacite, tout sujet ayant trait au boulot de l'un ou de l'autre s'en trouva banni. À la place, ils parlèrent de Nola et de sa toute nouvelle promotion à la banque, de Randy et du bonheur que semblait lui avoir procuré la naissance d'Ella, et de ce week-end qu'ils espéraient pouvoir dégager dans leurs emplois du temps respectifs pour filer quelques jours au soleil, avant que les dates de la tournée de Julian ne soient définitivement fixées, courant janvier.

Le moelleux au chocolat que Brooke avait fait en dessert était un peu trop fondant à son goût, et une fois nappé de crème fouettée, accompagné de glace à la vanille et parsemé de pépites de chocolat, il se transforma dans l'assiette en une mixture d'aspect indéfinissable – mais néanmoins délicieuse. Ensuite, pendant qu'elle faisait la vaisselle et préparait le café, Julian, harnaché comme un skieur, sortit une dernière fois Walter, avant de la retrouver devant la cheminée. Le portable sonna à nouveau, mais une fois de plus, il filtra l'appel, sans même regarder l'écran.

— Ça te fait quoi de ne pas jouer, ce soir ? demanda Brooke en posant sa tête sur ses genoux. Ça a dû te faire bizarre, de refuser.

Julian avait été invité à l'émission spéciale « Nuit de la Saint-Sylvestre » que MTV organisait à Times Square pour les douze coups de minuit, puis à jouer l'hôte d'honneur d'une soirée farcie de célébrités, au très chic et très luxueux Hotel On Rivington. Le projet l'avait enthousiasmé lorsque Leo lui en avait parlé au tout début de l'automne, mais plus la date approchait, plus cet enthousiasme déclinait. Et lorsque, pour finir, la semaine précédente, il avait demandé à Leo d'annuler tout le truc, personne n'avait été plus choqué – ou plus ravi – que Brooke. Et ce, d'autant plus qu'il lui avait proposé dans la foulée de passer le réveillon en amoureux dans les Hamptons.

— On n'est pas obligés de parler boulot, ce soir, observa Julian.

Elle voyait bien qu'il essayait d'être délicat, mais il était évident que quelque chose le tarabustait.

— Je sais. Je veux juste m'assurer que tu ne regrettes pas ta décision.

— Tu es folle, ma fille ? répondit-il en lui caressant les cheveux. Entre le micmac à cause du *Today Show*, les voyages et la vie de fou qui m'attend l'an prochain, j'avais besoin de souffler. *Nous* avions besoin de souffler tous les deux.

— C'est sûr, murmura-t-elle, avec un sentiment de plénitude qu'elle n'avait plus éprouvé depuis des mois. J'imagine que Leo n'est pas ravi, mais moi je le suis.

— Leo en a profité pour sauter dans le premier avion pour Punta del Este. Crois-moi, à l'heure qu'il est, c'est Tequila à gogo et donzelles à tire-larigot. Ne sois pas désolée pour lui.

Ils terminèrent leurs verres, puis Julian rabattit avec précaution les portes vitrées de la cheminée sur les flammes mourantes et ils montèrent se coucher main dans la main. Un téléphone sonna. Cette fois, c'était la ligne fixe. Avant que Julian ait pu dire quoi que ce soit, Brooke décrocha le combiné de la chambre d'invités dans laquelle ils s'installaient toujours.

— Oh, salut Samara. Oui, il est là. Une seconde.

— Brooke, attends. Écoute, je sais que tu ne pourras pas venir aux Grammys à cause du boulot, mais je voulais te rassurer : après la cérémonie, il y aura plein de super soirées à New York auxquelles je vais vous faire inviter.

Brooke pensa avoir mal entendu.

— Quoi ?

— Les Grammys. Où Julian est invité à chanter.

— Samara, pourrais-tu patienter une minute, s'il te plaît ? (Elle mit la communication en attente et passa dans la salle de bains, où Julian était en train de remplir la baignoire.) Quand comptais-tu me parler des Grammys ? demanda-t-elle en essayant de contrôler sa rage.

Julian releva la tête.

— J'attendais demain. Je ne voulais pas qu'on se sente obligés de parler de ça toute la soirée.

— Arrête tes salades, Julian ! Tu ne veux pas que je t'accompagne, et c'est pour ça que tu ne m'as rien dit.

À ces mots, il eut l'air vraiment paniqué.

— Qu'est-ce qui te fait penser une chose pareille ? Évidemment que je veux que tu m'accompagnes.

— Eh bien, apparemment, Samara a compris le contraire. Elle vient de me dire qu'elle comprend parfaitement que je sois trop débordée de boulot pour trouver le temps d'y assister. Tu te fiches de moi ? Mon mari va chanter aux Grammys et elle pense que je suis incapable de lâcher mon travail pour ça ?

— Brooke, je suppose qu'elle pense ça uniquement parce que tu n'as pas pu euh… te libérer pour la fête de Sony. Mais je te jure que la seule raison pour laquelle je ne te l'ai pas encore dit, c'est parce que je pensais qu'une soirée sans parler boulot ne nous ferait pas de mal. Je lui dirai que tu viens.

Brooke tourna les talons et fonça dans la chambre.

— Je vais le lui dire moi-même ! Samara ? Il y a certainement eu un malentendu, parce que je compte accompagner Julian.

Il y eut une longue pause.

— Tu sais qu'il est invité, pas nominé, n'est-ce pas ?

— Je sais, j'ai compris la différence.

Une autre pause.

— Es-tu certaine que tes propres engagements ne vont pas interférer, cette fois ?

Brooke avait envie de hurler à cette fille qu'elle était vraiment bouchée, mais elle se força à garder le silence.

— Bon, c'est d'accord. Je m'en occupe, reprit Samara.

Brooke essaya d'ignorer l'hésitation – la déception ? – dans la voix de l'attachée de presse. Pourquoi aurait-elle dû accorder de l'importance à l'opinion de Samara ?

— Génial. Dis-moi, comment vais-je devoir m'habiller ? C'est sûr que je n'ai rien d'assez chic… Tu crois que je devrais louer quelque chose ?

— NON ! On s'occupe de tout, d'accord ? Il te suffira d'être là six heures avant, et nous aurons la robe, les chaussures, les sous-vêtements, le sac, les bijoux. Tu auras un coiffeur et un maquilleur. Ne lave pas tes cheveux pendant les vingt-quatre heures qui précèdent, et évite à tout prix les autobronzants, sauf si notre styliste te recommande spécifiquement un institut. Offre-toi une bonne manucure – pour le vernis, tu choisis Allure d'Essie ou Bubble Bath d'OPI – et, une semaine avant la date, tu fais une épilation jambes entières et aisselles. L'avant-veille, tu te fais un masque capillaire très nourrissant. Pour la couleur, je t'enverrai une recommandation pour le salon new-yorkais avec lequel nous travaillons, on va commencer à travailler sur un balayage dès la semaine prochaine.

323

— Ah… waouh ! D'accord. Est-ce que tu…

— Ne t'inquiète pas, je te mets tout ça par écrit dans un e-mail, et on passera tout en revue ensemble. Écoute, tu sais que tous les objectifs vont être braqués sur Julian, et je sais que Leo lui a suggéré une pose d'appareil ortho-dontique, pour vous deux, vous avez eu le temps d'y réfléchir ? Alors, laisse-moi prendre rendez-vous pour toi dans le cabinet dentaire où on a fait soigner Julian. Cet homme est un génie, il pose des couronnes indécelables tellement elles ont l'air naturelles. Tu seras sidérée par le résultat.

— Mm mm, d'accord. Tu me diras juste ce que…

— Tout est à notre charge. Je te recontacte très vite pour te tenir au courant dès que tout est calé. Est-ce que je peux parler à Julian ? Je te promets que j'en ai pour deux minutes.

Brooke hocha la tête, hébétée, sans réaliser que Samara ne pouvait pas la voir, et elle tendit le téléphone à Julian qui venait d'entrer dans la chambre pour se déshabiller. Il dit « Oui », « Non », et encore « Ça me paraît bien, je te rappelle demain », puis il raccrocha et se tourna vers elle.

— Pourrais-tu venir dans le bain ? S'il te plaît ? demanda-t-il avec un regard implorant.

Brooke s'efforça de chasser les Grammys de son esprit. Ils avaient passé une soirée tellement agréable ! Elle décida de ne laisser aucun malaise la gâcher. Elle le suivit dans la salle de bains et se déshabilla. Jamais ils ne dormaient dans le lit des parents de Julian – beaucoup trop malsain –, mais ils adoraient faire bon usage de leur vaste salle de bains. C'était le paradis sur terre, le luxe à l'état pur : un chauffage par le sol, une immense baignoire, une cabine de douche et de hammam et, le meilleur de tout, une petite cheminée à gaz. Même s'il était incapable de s'immerger dans une eau presque brûlante, Julian faisait toujours couler un bain à Brooke, après avoir lui-même pris sa douche, puis il allumait la cheminée et grimpait sur la plate-forme de la baignoire, une serviette autour des reins, pour lui tenir compagnie.

Brooke rajouta quelques cuillerées de sels à la lavande dans l'eau et s'allongea, tête calée contre l'oreiller en tissu éponge. Julian était en train d'évoquer le premier bain qu'ils avaient pris ensemble, au tout début de leur relation, la souffrance qu'il avait éprouvée à se plonger dans l'eau bouillante et qu'il avait endurée avec stoïcisme, pour l'impressionner. Brooke, anesthésiée par la chaleur, le regardait et l'écoutait, sans rien dire.

Plus tard, enveloppée dans un drap de bain aussi immense qu'épais, elle suivit Julian dans leur chambre, où il avait allumé une bougie sur chaque table de nuit, et mis de la musique douce. Ils firent l'amour avec délicatesse, lentement, comme deux personnes qui sont ensemble depuis des années et qui savent tout l'une de l'autre et, pour la première fois depuis très longtemps, ils s'endormirent, membres emmêlés.

Ils ne s'éveillèrent qu'un peu avant 9 heures, pour découvrir quinze centimètres de neige dehors, le signe qu'ils allaient passer une autre nuit dans les Hamptons. Ravie, Brooke fit un chignon de ses cheveux emmêlés, enfila ses Uggs et son gros manteau d'hiver, et grimpa dans la Jeep que les Alter laissaient là à l'année. Julian avait un petit air benêt adorable avec un vieux bonnet à oreilles de son père dégoté dans un placard. Il se gara devant le Starbucks d'East Hampton afin que Brooke coure acheter le *Times*, puis ils gagnèrent le Golden Pear Café pour y prendre le petit déjeuner.

Confortablement installée dans un box, mains refermées sur une tasse de café bien chaud, Brooke soupira de contentement. Si elle avait dû écrire le scénario du réveillon idéal, il aurait ressemblé exactement aux dernières vingt-quatre heures. Julian était en train de lui lire le journal à haute voix – un article à propos d'un homme emprisonné pendant vingt-huit ans avant d'être innocenté par des prélèvements d'ADN – lorsque le portable de Brooke sonna.

Julian releva la tête.

— C'est Nola, dit Brooke en fixant l'écran.

— Tu ne veux pas répondre ?

— Ça ne t'embête pas ? J'imagine qu'elle veut me raconter sa soirée.

Julian secoua la tête.

— Ça ne m'embête absolument pas. Je vais continuer à lire.

— Salut Nol ! lança Brooke à voix aussi basse que possible – elle ne supportait pas les malotrus qui hurlaient dans leur portable en public.

— Brooke ? Où es-tu ?

— Comment ça, où je suis ? On est dans les Hamptons, tu le sais. Et je crois qu'avec toute cette neige, on va rester coincés jusqu'à…

— Est-ce que tu as vu l'édition en ligne de *Last Night* ? l'interrompit Nola.

— *Last Night* ? Non, le WiFi ne marche pas, à la maison. Mais j'ai le *Times* sous les yeux…

— Écoute, je te dis ça uniquement pour amortir le choc. *Last Night* a sorti ce matin un papier abject, qui disserte sur toutes les raisons possibles et imaginables qui ont poussé Julian à annuler son concert à New York hier soir.

— Un papier *sur quoi* ?

Julian releva la tête et l'interrogea des yeux.

— Bien entendu, elles sont toutes plus ridicules les unes que les autres. Mais je me souviens que tu as dit que Leo était quelque part en Amérique du Sud, alors je me suis dit que vous aimeriez être au courant si ce n'était pas déjà fait.

Brooke inspira profondément.

— Génial. Absolument génial. Tu peux me lire ce qu'ils racontent ?

— Écoute, lis-le toi-même sur l'iPhone de Julian, d'accord ? Je suis vraiment navrée de vous gâcher la matinée, mais il est écrit également que vous êtes sans doute planqués dans les Hamptons, alors je voulais aussi vous prévenir de ça : vous risquez d'avoir de la compagnie sous peu.

— Oh non ! gémit Brooke.

— Je suis désolée, mon chou. Rappelle-moi si je peux faire quoi que ce soit, d'accord ?

Ce ne fut qu'après avoir raccroché que Brooke s'aperçut qu'elle n'avait même pas demandé à son amie comment s'était passée sa soirée. Avant même qu'elle ait terminé d'expliquer à Julian ce dont il retournait, il se connecta au site de *Last Night* pour chercher l'article en question.

— Le voilà.

— Lis-le à voix haute.

Julian parcourut l'écran des yeux.

— Waouh ! lâcha-t-il en faisant défiler la page d'un effleurement de l'index. Où sont-ils allés chercher ça ?

— Julian ! Lis, ou donne-moi ce téléphone !

Une jeune fille timide qui ne devait pas avoir plus de 16 ans se présenta à leur table avec deux assiettes. Elle regarda Julian, mais Brooke n'était pas certaine qu'elle l'ait reconnu.

— L'omelette blanche végétarienne ? demanda-t-elle dans un quasi-chuchotement.

— Ici, indiqua Brooke en levant la main.

— Alors, l'assiette mixte est pour vous ? demanda la serveuse à Julian avec un sourire si béat qu'il n'y avait plus de doute permis. Brioche caramélisée, deux œufs au plat, et du bacon bien grillé. Avez-vous besoin d'autre chose ?

— Non merci, on a tout, répondit Julian en plantant immédiatement sa fourchette dans la tranche de brioche aérienne.

Si Brooke avait complètement perdu l'appétit, Julian dévora son petit déjeuner avec un bel entrain et but une grande gorgée de café avant de reprendre son téléphone.

— Tu es prête ?

Brooke hocha la tête.

— Okay. Ça s'intitule : « Où est passé Julian Alter ? » et à côté, il y a une photo de moi, prise Dieu sait où, l'air transpirant et bourré, dit-il en lui montrant l'écran.

Brooke mastiqua une bouchée de son toast nature et regretta de n'avoir pas choisi du pain de seigle.

— Je la reconnais. C'était trente secondes avant que tu descendes de scène, à la soirée de Kristen Stewart à Miami. Il faisait 35 °C et tu venais de chanter pendant près d'une heure.

Julian commença à lire.

— *Si plusieurs sources affirment que le célèbre chanteur, après avoir annulé sa performance au réveillon organisé par MTV, se cache dans la résidence secondaire de ses parents à East Hampton, personne, en revanche, ne semble s'accorder sur les raisons de cette retraite. Plusieurs soupçonnent que, pour le crooner sexy qui a connu une célébrité foudroyante avec son premier album* For The Lost, *serait venu le temps des orages au paradis. Selon un de nos informateurs, bien introduit dans le milieu de l'industrie musicale, Julian Alter connaîtrait « l'heure de la tentation », cette passe dangereuse qui incite les stars propulsées du jour au lendemain au sommet de la gloire à céder aux sirènes des drogues. En dépit de l'absence de rumeurs précises à ce sujet, « un centre de désintoxication est l'un des premiers endroits où je cherche, lorsqu'un nouvel artiste disparaît du radar ».*

Julian releva la tête et regarda Brooke, bouche bée, le téléphone posé mollement au creux de sa main.

— Ils sous-entendent que je suis en cure de désintox ?

— Je ne pense pas qu'ils *sous-entendent* que tu es en cure de désintox, observa Brooke avec circonspection. Mais à vrai dire, je ne pige pas trop ce qu'ils racontent. Continue.

— « Un de nos informateurs bien introduit dans le milieu de l'industrie musicale » ? relut Julian. Ils se moquent du monde !

— Continue !

Brooke enfourna une bouchée d'omelette et essaya de paraître insouciante.

— *D'autres affirment que Julian et Brooke, son épouse nutritionniste, souffrent des tensions liées à la célébrité. « Selon moi, aucun couple ne peut prospérer en des circonstances aussi éprouvantes », a souligné Ira Melnick, psychanalyste à Beverly Hills, qui n'a pas traité les Alter personnellement mais possède une grande expérience de ces couples « à statut disparate » (où l'un est célèbre, et l'autre est un illustre inconnu). « Toutefois, s'ils consultent sans tarder, ils ont peut-être une chance de s'en sortir », ajoute le thérapeute.*

— « Une chance de s'en sortir » ? grinça Brooke. Qui est ce docteur Melnick, et comment se permet-il des observations sur notre couple, alors qu'on ne l'a jamais rencontré ?

— Et d'où sortent-ils que nous souffrons de tensions liées à la célébrité ? renchérit Julian en secouant la tête.

— Je ne sais pas. Ils font peut-être référence à ce pataquès au sujet de ma prétendue grossesse ? Continue !

— Waouh ! lâcha Julian qui apparemment n'avait pas attendu cette injonction. J'ai toujours su que ces torchons ne racontaient que des conneries, mais là, ils y vont fort. Écoute ça : *Cependant, si une cure de désintoxication ou une thérapie de couple restent les causes les plus probables de la disparition de Julian* (Julian cracha le mot « disparition » d'une voix dégoulinante de sarcasme), *il existe néanmoins une troisième option. D'après une source familiale, le chanteur serait courtisé par des scientologues célèbres, notamment par John Travolta : « J'ignore si c'était juste un geste amical ou une perche tendue pour le recruter, mais je peux affirmer qu'ils ont été en contact. » Ce qui nous conduit à nous demander : JBro vont-ils marcher dans les pas de TomKat et garder confiance ? On vous tiendra au courant… »*

— J'ai bien entendu ? Tu viens vraiment de dire *JBro* ? demanda Brooke, convaincue qu'il avait inventé ce dernier détail.

— La scientologie ! s'insurgea Julian avec tant de pétulance que Brooke lui fit signe de se taire. Ils croient qu'on est des scientologues !

Brooke réfléchissait pour tenter d'assimiler tout ce qu'elle venait d'entendre. Cure de désintox ? Thérapie de couple ? La scientologie ? *JBro* ? Que ce ne soit là qu'un tissu de mensonges, ce n'était finalement pas le plus dérangeant. Ce qui l'était bien davantage, c'était les miettes de vérité. Qui était cette source familiale qui avait parlé de John Travolta, avec qui Julian avait effectivement été en contact, mais sans rapport aucun avec la scientologie ? Et qui sous-entendait, pour la seconde fois dans cette même publication, qu'ils avaient des problèmes de couple ? Brooke faillit poser ces questions à voix haute, mais en voyant l'accablement sur le visage de Julian, elle jugea préférable de ne pas en rajouter.

— Écoute, je ne sais pas ce que tu en penses, mais entre la scientologie, le psy internationalement connu que nous n'avons jamais rencontré, et JBro, je dirais que tu as bien réussi ton coup. Franchement, si ce ne sont pas là des indicateurs de gloire, je ne sais pas ce que c'est.

Elle regarda Julian avec un grand sourire mais celui-ci semblait toujours aussi abattu. À cet instant, du coin de l'œil, elle capta un flash lumineux, et elle se fit la réflexion qu'un éclair au beau milieu d'une tempête de neige était un phénomène décidément étrange. Avant qu'elle puisse en faire la remarque à Julian, la jeune serveuse réapparut.

— Je… euh… waouh, marmotta-t-elle en se débrouillant pour paraître à la fois embarrassée et excitée. Je suis navrée pour les photographes sur le trottoir…

Brooke tourna la tête et avisa quatre hommes qui collaient leur objectif contre la vitrine du café. Et sans doute Julian les avait-il aperçus aussi car il empoigna sa main en lançant :

— On doit partir. Tout de suite.

— Le… euh…, le responsable leur a dit qu'ils ne pouvaient pas entrer, mais on ne peut pas les chasser du trottoir, reprit la serveuse.

En remarquant que la jeune fille avait la mine de la groupie sur le point de demander un autographe, Brooke comprit qu'ils devaient filer sans traîner. Elle sortit précipitamment deux billets de vingt dollars de son portefeuille, les fourra dans la main de la fille et demanda :

— Est-ce qu'il y a une sortie à l'arrière ? (La fille hocha la tête et Brooke pressa la main de Julian.) Allons-y !

Ils attrapèrent manteaux, gants et écharpes et foncèrent vers le fond de la salle. Brooke s'efforça de ne pas penser au fait qu'elle était habillée en dépit du bon sens, et qu'à aucun prix elle ne voulait que son vieux pantalon de survêtement et son chignon improvisé fassent le tour du pays. Le plus important, c'était de protéger Julian. Par chance, la Jeep était justement garée à l'arrière du restaurant. Julian réussit à démarrer et manœuvrer pour sortir du parking avant que les paparazzis ne les aperçoivent.

— On fait quoi, maintenant ? demanda-t-il d'une voix plus que légèrement paniquée. On ne peut pas rentrer, ils vont nous suivre et faire le pied de grue devant la maison.

— Parce que tu ne crois pas qu'ils ont déjà repéré la maison ? Ils sont venus pour ça.

— Pas forcément. Ils nous ont peut-être trouvés par hasard. Si tu cherches quelqu'un dont tu sais qu'il est dans les Hamptons en plein hiver, East Hampton, c'est carrément le bon endroit où commencer tes recherches. À mon avis, ils ont juste eu du bol.

Il bifurqua pour s'engager sur la Route 27, à l'opposé de la maison de ses parents. Deux autres véhicules au moins les suivaient.

— On pourrait rentrer directement en ville.

Julian écrasa avec rage les paumes sur le volant.

— Toutes nos affaires sont restées à la maison ! Et d'autre part, les routes sont trop casse-gueule. On va se tuer. (Ils ne dirent plus rien pendant un moment, et puis

Julian reprit :) Appelle le commissariat d'East Hampton et met le haut-parleur.

Brooke ne comprit pas ce qu'il avait derrière la tête, mais elle préféra ne pas discuter. Elle s'exécuta et lorsque la réceptionniste du commissariat répondit, c'est Julian qui parla :

— Bonjour madame, je m'appelle Julian Alter et, en ce moment, je roule sur la Route 27, en direction d'Amagansett. Je viens juste de quitter East Hampton Village. Il y a plusieurs voitures – des photographes – qui me poursuivent et roulent à une vitesse dangereuse. J'ai peur, si je rentre chez moi, qu'ils n'essaient d'entrer de force. Serait-il possible qu'un officier vienne m'attendre devant chez moi pour leur rappeler que ce serait une effraction ?

La femme accepta d'envoyer une voiture dans les vingt minutes. Julian indiqua l'adresse et raccrocha.

— Bien joué, observa Brooke. Comment as-tu eu cette idée ?

— Ce n'est pas la mienne. C'est ce que Leo m'a dit de faire si un jour, on se faisait suivre. On va bien voir si ça marche.

Ils tournèrent en rond sur les petites routes pendant vingt minutes, puis Julian consulta sa montre et bifurqua pour s'engager sur un chemin vicinal qui coupait à travers champs et débouchait devant la propriété des Alter. En dépit du jardin en façade, plutôt grand et joliment arboré, la maison manquait de recul pour faire obstacle aux téléobjectifs. À leur grand soulagement, une voiture de police était garée au croisement de la route et de l'allée privative. Julian s'arrêta à sa hauteur et baissa sa vitre. Le cortège des poursuivants (qui s'était étoffé – il y avait maintenant quatre véhicules à leurs trousses) pila net. Tandis que le

policier s'approchait de la Jeep, ils distinguèrent le crépitement frénétique des déclencheurs.

— Bonjour monsieur. Je suis Julian Alter, et voici mon
épouse Brooke. Nous essayons juste de rentrer chez nous
sans encombre. Pouvez-vous nous aider, s'il vous plaît ?

Le policier était jeune, à peine 30 ans, et il ne paraissait
pas particulièrement contrarié d'avoir été dérangé un
1ᵉʳ janvier. Brooke envoya une prière silencieuse de
remerciements à qui de droit et se surprit à espérer que le
flic reconnaisse Julian.

Ce en quoi il ne la déçut pas.

— Julian Alter, hein ? Ma copine est super fan. On
avait entendu dire que vos parents avaient une maison
dans le coin, mais on ne savait pas si c'était vrai. C'est ici ?

Julian plissa les yeux pour déchiffrer le nom indiqué sur
son badge.

— Oui, agent O'Malley. Je suis ravi d'apprendre que
votre copine aime ce que je chante. Croyez-vous qu'un
album signé lui ferait plaisir ?

À quelques mètres de là, les photographes continuaient
à mitrailler la scène. Brooke se demanda comment ces
photos seraient légendées : « Julian Alter arrêté pour
excès de vitesse sous l'emprise de drogue » ? Ou « Le
policier à Alter : "Nous ne voulons pas de gens comme
vous ici." » Ou mieux encore : « Alter essaie de convertir
un représentant de l'ordre à la scientologie. »

Le visage de l'agent O'Malley s'éclaira.

— Sans l'ombre d'un doute, répondit-il en soufflant
sur ses mains rougies et gercées. Elle serait aux anges.

Sans que Julian ait besoin de le lui demander, Brooke
ouvrit la boîte à gants et tendit à son mari un exemplaire de
For the Lost, qu'ils avaient laissé là pour voir si les parents
de Julian l'écouteraient avant l'été suivant. Il était toujours

dans son emballage d'origine. Brooke songea qu'il était promu à un bien meilleur usage, et elle fouilla dans son sac pour en extraire un stylo.

— Elle s'appelle Kristy, indiqua le policier avant d'épeler le prénom à deux reprises.

Julian déchira la cellophane, sortit la pochette et griffonna « Pour Kristy, avec les amitiés de Julian Alter ».

— Merci infiniment. Ça va lui en boucher un coin ! se réjouit O'Malley en rangeant soigneusement le CD dans la poche intérieure de sa veste. Maintenant, que puis-je faire pour vous ?

— Embarquer ces types ? hasarda Julian en ébauchant un sourire.

— Ça, malheureusement, je ne peux pas le faire. En revanche, je peux leur dire de décamper. Vous allez rentrer, et moi, je vais aller leur rafraîchir la mémoire quant aux réglementations sur la propriété privée. N'hésitez pas à rappeler s'il y a un quelconque autre problème.

— Merci mille fois ! dirent Brooke et Julian à l'unisson.

Ils prirent congé du policier et, sans un regard en arrière, entrèrent dans le garage et refermèrent le ventail derrière eux.

— Il était sympa, observa Brooke tandis qu'ils pénétraient dans la buanderie pour se débarrasser de leurs bottes.

— J'appelle immédiatement Leo, annonça Julian en filant vers le bureau de son père, à l'arrière de la maison. Nous sommes en état de siège, et lui est en train de se prélasser sur une plage.

Brooke entreprit de faire le tour de toutes les pièces pour fermer les volets. L'après-midi commençait à peine mais la lumière avait déjà baissé. Tout en se déplaçant d'une fenêtre à l'autre, elle voyait les flashes crépiter dans sa direction. Elle écarta l'un des stores de la chambre d'amis, à l'étage, pour risquer un œil à l'extérieur et étouffa un cri en voyant un homme braquer son zoom, équipé d'une lentille de la taille d'un ballon de football. Il n'y avait dans la maison qu'une fenêtre qui n'était pas dotée de volets, celle des toilettes du deuxième étage. Personne ne les utilisait, mais Brooke était résolue à ne prendre aucun risque. Elle scotcha un sac-poubelle extra-résistant sur la vitre, puis regagna le rez-de-chaussée et alla voir ce que faisait Julian. Elle frappa à la porte du bureau et, comme elle ne recevait pas de réponse, la poussa.

— Ça va ? demanda-t-elle

Julian détacha les yeux de l'écran de son ordinateur.

— Ouais, bien. Et toi ? Je suis désolé de ce cirque. Je sais que ça gâche tout, s'excusa-t-il, d'un ton que Brooke avait du mal à qualifier.

— Mais non, mentit-elle. (Julian reporta les yeux sur l'écran, sans rien répondre.) Et si j'allais faire du feu ? On pourrait regarder un film. Ça te dit ?

— Très bien. Parfait. J'arrive dans cinq minutes, d'accord ?

— Impec, répondit-elle avec un enjouement forcé.

Elle referma doucement la porte derrière elle et, dans son for intérieur, maudit ces satanés photographes, cette saleté d'article de *Last Night* et – mais en partie seulement – son mari et sa fichue célébrité. Elle ferait tout pour ne pas se laisser abattre, elle le ferait pour Julian. Il avait raison sur un point : leur retraite merveilleusement paisible était terminée. Aucune voiture n'osait s'engager dans l'allée, aucun photographe ne s'aventurait à traverser la pelouse, mais sur la route, leurs rangs ne cessaient de grossir. Toute la nuit, ils furent dérangés par des bruits distants de conversation, des rires, des grondements de moteurs et des allées et venues de voitures qu'ils firent de leur mieux pour ignorer, sans grand succès. Le lendemain, lorsque la neige eut assez fondu pour leur permettre de prendre la route, ils n'avaient dormi qu'une heure ou deux d'un mauvais sommeil, et il leur semblait avoir couru deux marathons d'affilée. À peine échangèrent-ils quelques mots durant le trajet. Et les photographes leur filèrent le train jusqu'à Manhattan.

Plus compromettantes
que les photos de Sienna ?

— Allô ?

— Brooke, c'est moi ! Tu es habillée ? Laquelle as-tu choisie ? demanda Nola d'une voix essoufflée, vibrante d'excitation.

Brooke regarda à la dérobée la femme d'une trentaine d'années qui se tenait à côté d'elle, et qui fit de même. Le service de sécurité du Berverly Wilshire faisait tout son possible pour tenir en respect les paparazzis, mais de très nombreux journalistes et photographes contournaient le problème en louant des chambres. Un instant plus tôt, dans le hall, tandis qu'elle revenait de la boutique où elle avait acheté des pastilles mentholées, Brooke avait surpris cette même femme en train de l'observer. Et comme de bien entendu, quand Brooke était entrée dans l'ascenseur, la femme s'était glissée dans la cabine juste avant que les portes ne se referment. À son allure – un débardeur en soie, rentré dans un pantalon très bien coupé, des escarpins de luxe et des bijoux d'une élégance discrète – Brooke déduisit qu'elle n'était ni blogueuse, ni chroniqueuse mondaine, ni voleuse d'images, comme ce type qui surveillait leur immeuble, ou encore celui qui l'avait suivie dans les allées du supermarché. Ce qui, quelque part, la rendait encore plus menaçante : elle pouvait être une vraie journaliste, dotée de vraies facultés d'observation et de réflexion.

— Je serai de retour dans ma chambre dans une minute. Je te rappelle à ce moment-là, dit-elle, avant de raccrocher au nez de son amie.

La femme lui sourit, révélant une rangée de dents blanches et nacrées. C'était un sourire affable, un sourire qui disait : *Je sais ce que c'est ! Moi aussi, je suis harcelée de coups de fil par ma meilleure amie.* Mais depuis ces derniers mois, Brooke avait appris à écouter ses intuitions, et en cet instant, son intuition lui soufflait qu'en dépit de son apparence inoffensive et de ses mimiques de sympathie, cette femme était une prédatrice, une chasseuse de scoop, une vampire qui voyait, entendait, enregistrait tout. Brooke savait qu'elle ne devait pas attendre, bras ballants, que l'adversaire passe à l'attaque.

— Vous êtes ici pour les Grammys ? demanda gentiment la femme, comme si elle était elle aussi rompue aux préparatifs exténuants de cet événement.

— Mm mm, murmura Brooke avec réticence.

Pour avoir déjà fait les frais de cette tactique qui consistait à désarmer sa proie avant de l'attaquer (après le passage de Julian au *Today Show*, une blogueuse particulièrement agressive l'avait approchée en se faisant passer pour une fan inoffensive), elle était convaincue que cette femme était à deux doigts de la bombarder de questions, mais elle avait encore du mal à se montrer grossière sans raison avérée.

L'ascenseur s'arrêta au dixième étage et Brooke endura l'échange inepte (« Ah bon, il monte ? Mince alors, moi je descends ! ») qui s'engagea entre la femme et un couple dont les tenues vestimentaires trahissaient leur origine européenne. Les deux arboraient des corsaires, celui de l'homme étant plus moulant encore que celui de la femme, et chacun trimballait le même modèle de sac à dos, en toile fluo, décliné dans deux couleurs différentes. Brooke retint sa respiration en adjurant silencieusement l'ascenseur de la conduire au plus vite à destination.

— Vous devez être très excitée d'assister pour la première fois aux Grammys, et ce d'autant plus que la performance de votre mari est très, très attendue.

Nous y voilà, songea Brooke. Elle relâcha son souffle et contre toute attente se sentit momentanément soulagée. Maintenant que ses soupçons étaient confirmés, plus personne n'avait besoin de s'embarrasser de faux-semblants. Brooke se maudit de n'avoir pas laissé l'assistante de Leo descendre acheter les pastilles à sa place, mais au moins savait-elle maintenant ce qu'on lui voulait. Elle regarda fixement la barre de chiffres lumineux au-dessus de la porte et fit de son mieux pour feindre de n'avoir pas entendu la question.

— Je me demandais juste, Brooke... (En entendant son nom, elle tourna la tête, par réflexe)... si vous auriez un commentaire sur les photos qui viennent de paraître ?

« Les photos qui viennent de paraître » ? De quoi parlait-elle ? Brooke continua à fixer les portes de la cabine, et se rappela que ces gens-là étaient capables de dire n'importe quoi pour vous extorquer une phrase – une phrase qu'ils prendraient un malin plaisir, ensuite, à déformer pour la faire coïncider avec les abjections qu'ils auraient inventées. Elle se jura qu'elle n'allait pas tomber dans le piège.

— Ce doit être vraiment dur pour vous, ces rumeurs affreuses sur votre mari et ses prétendues conquêtes féminines ; je n'arrive même pas à imaginer à quel point ! Pensez-vous qu'elles vous empêcheront d'apprécier les festivités de ce soir ?

L'ascenseur arriva enfin à l'étage du *penthouse*. Les portes coulissèrent et Brooke s'avança dans le hall qui desservait leur suite – trois pièces qui figuraient en cet instant l'épicentre d'un branle-bas de combat géant. Elle brûlait d'envie de se retourner, de lever les yeux au ciel et de rétorquer à cette fouineuse que si Julian collectionnait autant d'aventures féminines que le suggéraient les tabloïds, en plus de ravaler Tiger Woods au rang de petit joueur, il n'aurait plus eu une seule seconde pour chanter. Que lorsque autant de sources anonymes abreuvaient la presse de révélations sur les innombrables fétichismes dont souffrait votre mari – des strip-teaseuses tatouées aux hommes obèses – on ne prêtait plus guère attention à une prétendue rumeur de bonne vieille infidélité. Qu'elle était mieux placée que quiconque pour savoir à quoi s'en tenir, et que son mari, en dépit de son immense talent et de sa célébrité désormais incontestable, continuait systématiquement de rendre tripes et boyaux avant de monter sur scène et de se liquéfier d'embarras en entendant des hordes de petites ados hystériques à sa vue, et avait la manie inexplicable de se couper les ongles de pieds pendant qu'il était aux toilettes. Que Julian n'était pas de la race des maris infidèles, et que c'était évident pour toute personne qui le connaissait vraiment.

Naturellement, elle ne dit rien de tout ça. Elle mit sa langue dans sa poche, comme d'habitude, et ne prit même pas la peine de se retourner tandis que les portes de l'ascenseur se refermaient.

Ne pense pas à ça ce soir, s'ordonna-t-elle en déverrouillant la porte de la suite avec sa carte magnétique. *Ce soir, seul Julian compte*. Cette soirée était sa consécration. N'était-ce pas pour en arriver là qu'elle avait enduré les intrusions dans leur vie privée, les galères d'emploi du temps et le barnum qu'était devenue leur vie ? Quoi qu'il arrive – une nouvelle rumeur odieuse, une photo volée mortifiante, un commentaire désobligeant d'un membre du staff de Julian qui pensait « bien faire » – Brooke était résolue à apprécier chaque seconde de cette soirée mémorable. Quelques heures plus tôt, sa mère s'était lancée dans un petit couplet lyrique « une soirée comme celle-là ne se produit qu'une fois dans une vie, il est de ton devoir de profiter au maximum de cette expérience » et Brooke se jura de suivre le conseil à la lettre.

Elle pénétra dans la suite et sourit à l'une des assistantes – qui était encore capable de les distinguer les unes des autres, ces temps-ci ? – qui, sans prendre le temps de la saluer, l'orienta vers le fauteuil de la maquilleuse. Une tension palpable, comme une brume moite, flottait dans la pièce, mais Brooke décida que pour rien au monde elle ne laisserait ces préparatifs lui gâcher son plaisir.

— Quelle heure ? brailla une assistante d'une voix stridente et rauque à la fois.

Trois réponses fusèrent simultanément : « 13 h 10 ! », « 1 heure passée de quelques minutes ! », « 1 h 10 ! », toutes proférées d'une voix étranglée de panique.

— Bon, les amis, *faut se bouger le cul* ! On est à une heure et cinquante minutes du top départ. (Elle marqua une pause, balaya la chambre des yeux en pivotant exagérément sur elle-même, les posa sur Brooke et conclut :) Nous sommes *très, très loin* du compte.

Brooke leva délicatement la main, en veillant à ne pas gêner les deux maquilleuses qui s'affairaient sur ses yeux, et fit signe à l'assistante d'approcher.

— Ouais ? fit Natalya, sans faire aucun effort pour cacher son agacement.

— À quelle heure pensez-vous que Julian sera de retour ? Je dois lui…

Natalya bascula tout son poids sur une jambe, faisant saillir une hanche quasi inexistante, et consulta son bloc-notes.

— Voyons voir… il finit en ce moment son massage relaxant et de là, il part direct chez le barbier. Il sera de retour à 14 heures précises, mais il doit voir avec le tailleur si ce problème de revers est enfin sous contrôle.

Brooke la remercia d'un sourire affable et décida de changer de tactique.

— Il doit vous tarder que cette journée se termine. Vous n'avez pas arrêté une seule seconde de courir.

— C'est votre façon de dire que je ne ressemble à rien ? riposta Natalya en portant machinalement la main à ses cheveux. Parce que si c'est ça, dites-le carrément.

Brooke soupira. Pourquoi ces gens-là prenaient-ils toujours tout de travers ? Un quart d'heure plus tôt, lorsqu'elle avait demandé à Leo si l'hôtel dans lequel ils se trouvaient était celui où avait été tourné *Pretty Woman*, il l'avait rembarrée en lui disant qu'elle n'était pas là pour faire du tourisme.

— Je ne voulais pas du tout dire ça, se défendit-elle. Je vois juste que c'est de la folie, aujourd'hui, et je trouve que vous gérez tout ça incroyablement bien.

— Il faut bien que quelqu'un s'y colle, répondit Natalya en tournant les talons.

Brooke fut tentée de la rappeler pour lui rafraîchir la mémoire quant au minimum de courtoisie exigé mais elle se ravisa en se souvenant que, à moins de trois mètres de là, un journaliste observait toute la scène. Celui-là avait été hélas accrédité pour suivre les préparatifs de la cérémonie, au motif qu'il lui fallait réunir de la matière pour un grand article que son magazine préparait sur Julian. Leo avait négocié avec la rédaction une sorte de contrat qui, en échange de la couverture du numéro, garantissait au reporter un libre accès à Julian tout au long de la semaine. Donc, depuis quatre jours, tout le staff trimait pour afficher des sourires de façade et jouer aux employés épanouis, et échouait lamentablement. Chaque fois que le regard de Brooke se posait sur le journaliste – un type au demeurant plutôt sympa, à première vue –, il lui venait des envies de meurtre. Elle était impressionnée par son habileté à se fondre dans le décor. À l'époque où elle n'était qu'une citoyenne anonyme, elle avait toujours jugé ridicules ces couples célèbres qui se disputaient, réprimandaient un employé, ou même répondaient au téléphone en présence d'un journaliste à l'affût d'un scoop, n'importe lequel. Désormais, elle éprouvait de la compassion pour eux. En se comportant comme un aveugle, sourd et muet, ce type qui les suivait comme leur ombre depuis quatre jours avait fini par paraître aussi peu menaçant qu'un papier peint. Et c'était en ça, Brooke le savait pertinemment, qu'il était justement dangereux.

Elle entendit sonner à la porte de la suite, mais ne pouvait pas tourner la tête sans risquer de se faire défigurer avec le fer à friser.

— Y a-t-il une chance que ce soit le déjeuner ? demanda-t-elle.

— Ça m'étonnerait, ricana une des maquilleuses. Nourrir les troupes ne semble pas être la priorité du sergent-chef. Maintenant, plus un mot, le temps que je camoufle vos rides d'expression.

Brooke avait arrêté de se formaliser de ce genre de remarques. Elle était même reconnaissante à la fille de ne pas lui avoir encore demandé si elle envisageait un traitement éclaircissant pour se débarrasser de ses taches de rousseur – un sujet de conversation qui avait drôlement la cote, depuis quelque temps. Elle essaya de se distraire en feuilletant le *Los Angeles Times*, mais la frénésie ambiante l'empêchait de se concentrer. Pour se divertir, elle entreprit de dénombrer les personnes présentes dans la suite : deux maquilleuses, deux coiffeuses, une manucure, une styliste, une attachée de presse, un agent, un directeur commercial, un chef d'atelier de chez Valentino, et autant d'assistants qu'à la Maison-Blanche. Sans oublier le journaliste.

Tout ce cirque était indéniablement ridicule, mais il l'excitait, quoi qu'elle fasse pour s'en défendre. Elle était aux Grammys – les Grammys ! –, sur le point de fouler le tapis rouge avec son mari, sous les yeux de la planète entière ! Dire qu'elle avait l'impression de vivre un moment surréaliste était un doux euphémisme. Un tel événement pourrait-il jamais se parer du visage de la réalité ? Elle avait toujours dit, depuis le soir où elle l'avait entendu chanter pour la première fois à la Rue B, presque neuf ans plus tôt, que Julian deviendrait une star. Ce qu'elle n'avait pas anticipé une seule seconde, c'était la réalité que recouvrait ce mot « star ». Rock star. Superstar. Son mari, le même homme que celui qui achetait encore ses slips par packs de trois au drugstore, adorait les gressins d'Olive Garden et se curait le nez quand il croyait que Brooke ne le regardait pas, était une star adulée à travers le monde par des *millions* de fans en transe. Et ça, Brooke se disait qu'elle n'arriverait jamais à l'intégrer complètement.

On sonna à nouveau à la porte. L'une de ces assistantes invraisemblablement jeunes fila ouvrir et poussa un glapissement.

— Qui est-ce ? demanda Brooke, incapable d'ouvrir les yeux à cause de la maquilleuse qui ourlait ses paupières d'eye-liner.

— L'agent de sécurité de Neil Lane, répondit Natalya. Il apporte vos bijoux.

— Mes bijoux ?

Par crainte de glapir elle aussi de joie, Brooke écrasa une main sur sa bouche et essaya de ne pas sourire.

Lorsque vint enfin le moment d'enfiler sa robe, Brooke crut défaillir d'excitation (et d'hypoglycémie puisque personne, dans cette armée de petites mains, ne semblait se soucier de se nourrir). Pas moins de trois assistantes l'aidèrent à se glisser délicatement dans le somptueux fourreau Valentino qui, une fois la fermeture Éclair remontée sans encombre, moulait ses hanches nouvellement affinées et rehaussait sa poitrine comme s'il avait été réalisé sur mesure – ce qui était bien évidemment le cas. La coupe sirène de la jupe soulignait la finesse relative de sa taille tout en camouflant les « courbes » de son postérieur, tandis que le décolleté, festonné et ouvert en V, mettait sa poitrine en valeur.

Sans même parler de sa couleur (un lamé mordoré qui donnait l'impression qu'elle était revêtue d'un superbe bronzage scintillant), cette robe était une leçon de savoir-faire – la preuve qu'avec une étoffe somptueuse et une coupe irréprochable, il n'était pas besoin de volants, de perles, de manches, de larges ceintures à nœud, de paillettes, et de strass pour hisser une belle robe au rang de vêtement spectaculaire. Quand le modéliste dépêché par la maison Valentino et sa styliste attitrée hochèrent la tête d'approbation, Brooke songea avec ravissement qu'elle n'avait pas redoublé d'efforts en vain à la gym au cours des deux derniers mois. Au final, sa détermination avait été payante.

Quand la styliste ouvrit les trois coffrets en velours que lui tendait l'agent de sécurité de Neil Lane – un type plus petit que la moyenne, avec une carrure de rugbyman –, Brooke crut une fois de plus défaillir d'émerveillement.

— Parfait, déclara sobrement la styliste en les sortant des coffrets.

— Oh, mon Dieu ! s'exclama Brooke en découvrant les boucles d'oreilles – des gouttes de diamants délicatement serties qui évoquaient les grandes heures du glamour hollywoodien.

— Tournez-vous ! ordonna la styliste.

Elle lui clipa habilement les boucles sur les lobes, et attacha un bracelet assorti à son poignet droit.

— C'est sublime, souffla Brooke en contemplant cette débauche étincelante de diamants à son bras. Je vous conseille de ne pas me lâcher d'une semelle, j'ai la fâcheuse habitude de « perdre » les bijoux !

Elle éclata de rire pour montrer qu'elle plaisantait mais l'agent de sécurité, lui, conserva le sérieux d'un pape.

— Votre main gauche ! aboya la styliste.

Brooke tendit son bras et, avant qu'elle ait pu protester, la fille lui avait retiré son alliance – un anneau en or tout simple sur lequel Julian avait fait graver la date de leur mariage – pour la remplacer par un solitaire de la taille d'un macaron.

Revenue de sa surprise, elle retira précipitamment la main.

— Non, ça, je ne suis pas d'accord, parce que vous comprenez euh… c'est…

— Julian comprendra, répondit la fille, et pour montrer que sa décision était irrévocable, elle referma le coffret d'un mouvement sec. Je vais chercher le Polaroïd pour faire quelques tests et m'assurer que tout sortira bien sur la pellicule. Ne bougez pas !

Brooke profita de ce qu'elle était enfin seule pour pivoter sur elle-même devant le miroir en pied qu'on avait apporté spécialement pour l'occasion. Jamais, à aucun moment de sa vie, elle ne s'était sentie aussi belle. Son maquillage, lui sembla-t-il, l'embellissait sans trahir sa personnalité, et sa peau rayonnait de santé. Les diamants brillaient de mille feux, sa coiffure – un chignon bas sans trop d'apprêt – était à la fois chic et naturelle, et sa robe était la perfection incarnée.

Brooke s'adressa un sourire radieux et attrapa son téléphone, sur la table de chevet, pour partager cet instant.

Mais avant qu'elle ait pu composer le numéro de sa mère, il sonna, et lorsqu'elle vit s'afficher sur l'écran le numéro du centre médical de NYU, une crampe par trop familière lui serra l'estomac. Pourquoi diable l'appelait-on ? Une collègue, Rebecca, avait accepté de la remplacer pendant deux jours, si Brooke promettait de la délester de deux gardes, un week-end normal, et un long week-end férié. C'était une rude négociation, mais avait-elle eu le choix ? C'était les *Grammys* ! Une autre pensée lui traversa l'esprit : et si Margaret appelait pour lui annoncer qu'on lui confiait la sous-direction du service de nutrition pédiatrique ?

Brooke s'autorisa un bref instant d'excitation et d'espoir avant de décider que ce n'était probablement que Rebecca, qui avait besoin de détails sur un dossier de patiente. Elle s'éclaircit la voix et répondit.

— Brooke ? Vous m'entendez ? tonna la voix de Margaret à l'autre bout du fil.

— Oui, bonjour Margaret. Tout va bien ? demanda-t-elle, d'une voix aussi posée et assurée qu'elle le put.

— Ah, ça y est, je vous entends ! Bonjour, Brooke. Écoutez, je me demandais juste si tout allait bien. Je commençais à m'inquiéter un peu.

— Vous inquiéter ? Pourquoi ? Tout se passe à merveille, ici.

Se pouvait-il que son chef ait eu vent des ragots, quels qu'ils soient, auxquels la journaliste avait fait allusion dans l'ascenseur ?

Margaret poussa un soupir lourd et comme chagriné.

— Écoutez, Brooke. Je sais combien ce week-end est important pour vous et pour Julian. Il est évident que vous êtes à l'endroit où vous devez être aujourd'hui, et je déteste vous déranger en ce moment. Mais j'ai une équipe à faire tourner, ce qui est impossible quand il me manque du personnel.

— Il vous manque du personnel ?

— Je sais que c'est probablement la dernière chose à laquelle vous pensez, avec tout ce qui se passe pour vous, mais quand vous manquez des journées de travail, vous devez impérativement vous faire remplacer. Votre garde commençait à 9 heures ce matin et il est déjà 10 heures passées.

— Je suis horriblement navrée, Margaret ! Je vais régler ça. Laissez-moi cinq minutes. Je vous rappelle tout de suite.

Sans attendre la réponse, elle coupa la communication et chercha dans le répertoire le numéro de Rebecca. La ligne sonna plusieurs fois et – enfin ! – sa collègue décrocha.

— Rebecca ? Salut. C'est Brooke Alter.

Il y eut un blanc.

— Oh, salut ! Ça va ?

— Oui, mais Margaret vient d'appeler pour demander ce qui se passait, et comme il était entendu que c'était toi qui me remplaçais aujourd'hui…

Brooke laissa sa phrase en suspens, par crainte de dire quelque chose de désobligeant.

— Ah oui, c'est ce qui était prévu, répondit Rebecca d'une voix sucrée et enjouée. Mais je t'ai laissé un message pour te prévenir que, finalement, ce n'était pas possible.

Brooke eut l'impression d'avoir reçu une gifle. Elle entendit un jeune homme pousser un glapissement de délectation dans la pièce voisine, et elle eut envie de le tuer sur-le-champ.

— Tu m'as laissé un message ?

— Oui, évidemment. Voyons, on est dimanche… mm… j'ai dû te le laisser vendredi en début d'après-midi.

— Vendredi après-midi ?

Brooke était partie pour l'aéroport aux alentours de 14 heures. Rebecca devait avoir appelé sur la ligne fixe et laissé son message sur le répondeur. Elle sentit sa nausée s'intensifier.

— Oui, c'est ça, je m'en souviens maintenant. Ce devait être aux alentours de 14 h 15, 14 h 30, parce que je venais juste de récupérer Brayden à la garderie et Bill a appelé à ce moment-là, il voulait savoir si j'étais OK pour aller déjeuner chez ses parents, avec sa sœur et son mari qui viennent d'adopter une petite Coréenne et du coup…

— J'ai pigé, l'interrompit Brooke, en convoquant une fois de plus toute sa volonté pour ravaler sa rage. Merci d'avoir éclairci le mystère. Je dois te laisser, Margaret attend de mes nouvelles.

Elle écarta aussitôt le téléphone de son oreille, mais eut le temps d'entendre « Je suis vraiment désolée » avant de raccrocher.

Merde ! La situation était pire qu'elle ne l'imaginait. Mais quoi qu'il lui en coûte de rappeler sa chef, elle voulait régler le problème au plus vite afin de ne pas gâcher une seconde supplémentaire d'une soirée aussi mémorable. Margaret décrocha à la première sonnerie et Brooke se lança :

— Margaret, je ne pourrai jamais assez m'excuser, mais apparemment, il y a eu un énorme quiproquo. J'avais tout arrangé avec Rebecca pour qu'elle me remplace aujourd'hui – j'espère que vous savez que jamais je ne vous mettrais délibérément dans un tel pétrin – mais si j'ai bien compris, elle a eu un empêchement de dernière minute. J'imagine qu'elle m'a laissé un message mais je n'ai pas…

— Brooke, la coupa Margaret d'un ton empreint de tristesse.

— Je sais dans quelle situation je vous mets, et j'en suis désolée, mais vous devez me croire quand…

— Brooke, moi aussi je suis désolée. Je sais que je me répète, mais avec toutes les restrictions budgétaires qui planent dans l'air, je dois être intransigeante sur les résultats et l'assiduité. Ils épluchent par le menu tous les tableaux de présence, tous les comptes rendus.

Brooke savait très bien à quoi s'en tenir sur l'issue de cette discussion. Elle savait que Margaret était en train de la virer, et elle était terrifiée. Elle voulait crier : *S'il vous plaît, Margaret, ne le dites pas ! Tant que vous ne l'avez pas dit, ça n'a pas vraiment eu lieu. S'il vous plaît, ne me faites pas ça maintenant. Par pitié !* Pourtant, elle répondit :

— Je ne suis pas certaine de comprendre.

— Je suis en train de vous demander votre démission. Vos absences répétées et l'importance qu'a prise votre vie privée interfèrent avec votre implication et nuisent à nos objectifs, et je sens que vous n'êtes plus à votre place dans l'équipe.

Le nœud qui lui obstruait la gorge était à deux doigts de l'étouffer, et elle sentit une larme brûlante glisser le long de sa joue. La maquilleuse n'allait pas se priver de l'engueuler pour cette transgression.

— Je ne suis plus à ma place ? répéta-t-elle dans un sanglot. Statistiquement, mes résultats sont les meilleurs de l'équipe ! Et je suis arrivée deuxième de mon année de master ! Margaret, j'adore mon travail, et je pense que je le fais bien. Comment est-ce possible ?

Margaret soupira. Brooke comprit que la situation était aussi difficile pour sa patronne que pour elle.

— Brooke, je suis navrée. Compte tenu de vos...
circonstances atténuantes... je suis disposée à accepter
votre démission, et à confirmer auprès de vos futurs
employeurs que vous êtes partie euh... de votre propre
chef. Je sais que c'est un piètre réconfort, mais c'est le
mieux que je puisse faire.

Que répondre à ça ? Existait-il une formule consacrée
pour clore une conversation téléphonique où l'on venait
de vous signifier votre renvoi ? Brooke se retint de
toutes ses forces de hurler : *Allez vous faire foutre !*
Après un silence affreusement long, Margaret fut la
première à se ressaisir.

— Brooke, vous êtes toujours là ? Pourquoi ne pas
reparler de tout ça lorsque vous viendrez débarrasser
votre casier ?

Brooke pleurait maintenant à chaudes larmes. Et la
seule chose à laquelle elle était capable de penser, c'était
le pétage de plombs imminent de la maquilleuse.

— D'accord. Je passerai la semaine prochaine.
Euh... merci pour tout, ajouta-t-elle parce qu'elle ne
savait pas quoi dire d'autre.

Mais pourquoi au juste remerciait-elle la femme qui
venait de la virer ?

— Prenez soin de vous, Brooke.

Brooke raccrocha et contempla son téléphone
pendant cinq bonnes minutes avant d'appréhender pleinement la réalité de ce qui venait de se produire.

Virée. Pour la toute première fois de sa vie. Du temps
où elle était au collège, elle avait fait d'innombrables
heures de baby-sitting ; au lycée, elle avait vendu des
yaourts à un comptoir de TCBY, et bossé un été comme
serveuse chez TGI Friday's ; à Cornell, elle avait
travaillé trois semestres comme guide du campus, et

pendant son master, elle avait enchaîné sans compter les heures de stage. Et maintenant qu'elle était enfin salariée, elle se faisait remercier sans cérémonie ! Brooke remarqua que ses mains tremblaient et fut reconnaissante de trouver un verre d'eau posé à leur portée.

Des pensées amères et peu charitables fusaient dans sa tête, et ne faisaient qu'accroître son désarroi. Rien de tout cela ne serait jamais arrivé sans Julian. Elle avait dû l'accompagner sans cesse dans ses déplacements, être à ses côtés, le soutenir. Mais si elle ne l'avait pas fait, ils ne se seraient vus qu'en coup de vent. C'était une situation inextricable.

Elle vida le verre d'un trait, le reposa et inspira avec autant d'avidité que le permettait la robe. De retour à New York, elle irait à l'hôpital plaider sa cause et ramper jusqu'à les convaincre qu'elle faisait sérieusement son travail – mais pour l'instant, elle devait tout mettre en œuvre pour chasser cette histoire de sa tête. Tout mettre en œuvre, elle s'en fit le serment, pour cacher à Julian que quelque chose n'allait pas. Ce soir, se rappela-t-elle à elle-même en tapotant délicatement les coulures de mascara avec un mouchoir en papier humide, il ne s'agissait que de faire honneur à son succès, de partager son excitation et son impatience, de se délecter de l'attention dont il ferait l'objet, de s'imprégner de chaque seconde de la soirée.

Elle n'eut pas à attendre longtemps l'occasion de mettre ses résolutions en pratique. Quelques minutes plus tard, la porte s'ouvrit, livrant passage à Julian. Il paraissait effroyablement tendu et mal à l'aise. Le trac, sans doute. Le costume très brillant dont on l'avait affublé, et cette chemise très près du corps, déboutonnée et généreusement ouverte sur son torse, ne devait rien arranger à son état. Brooke se força à sourire.

— Salut ! (Elle exécuta une petite pirouette pour lui.) Qu'en penses-tu ?

— Waouh… superbe, lâcha-t-il distraitement avec un sourire crispé.

Brooke était à deux doigts de lui faire remarquer que la quantité d'efforts qu'elle fournissait de son côté méritait beaucoup plus d'enthousiasme de sa part quand elle remarqua comme une grimace de douleur sur son visage. Il s'assit sur un fauteuil en velours.

— Oh, tu dois être mort de trac ! s'écria-t-elle en le rejoignant. (Elle voulut s'agenouiller à côté de lui mais la robe, apparemment, ne le permettait pas.) Tu es drôlement sexy.

Julian ne répondit rien. Elle prit sa main entre les siennes, résolue à feindre l'enjouement qui s'imposait, même s'il lui faisait l'effet d'une imposture.

— Allons, mon amour, roucoula-t-elle. C'est naturel d'avoir le trac, mais ce soir, ça va être… (Elle s'interrompit, saisie par l'expression de son regard.) Julian, qu'y a-t-il ? Qu'est-ce qui ne va pas ?

Il se passa les doigts dans les cheveux, inspira profondément et, les yeux rivés au plancher, lâcha enfin :

— J'ai quelque chose à te dire.

La voix, sourde et sans intonation, lui donna la chair de poule.

— Okay. Alors dis-le. De quoi s'agit-il ?

Il inspira et expira lentement, et c'est là que Brooke comprit que sa nervosité ne devait rien au trac. Tous les scénarios les plus atroces se mirent aussitôt à défiler dans sa tête. Il était malade. Il avait un cancer. Une tumeur au cerveau. Un de ses parents était malade.

Quelqu'un avait eu un accident de voiture. Quelqu'un de *sa* famille. La petite Ella ? Sa mère ?

— Julian ? Tu me fais peur ! Parle !

Il la regarda enfin droit dans les yeux, et Brooke eut l'impression qu'il s'était repris. Elle songea que l'alerte était passée, qu'il ne s'agissait de rien de grave, et qu'ils allaient pouvoir poursuivre leurs préparatifs. Mais tout aussi rapidement, il reposa sur elle ce regard de mauvais augure et lui fit signe de s'asseoir sur le lit.

— Brooke, je pense que tu ferais mieux de t'asseoir. (Son prénom, à lui seul, se parait d'un sinistre présage.) Ça va être très dur à entendre.

— Tu vas bien ? Et nos parents ? Julian ! s'écriat-elle, complètement paniquée, désormais convaincue qu'il s'était produit un drame affreux.

Julian leva la main et secoua la tête.

— Non, non, ça nous concerne *nous*.

Quoi ? Il choisissait *ce moment* pour parler de leur couple ?

— Comment ça ? De quoi s'agit-il ?

Il recommença à fixer le sol. Brooke lâcha sa main et lui poussa l'épaule.

— Bon sang, Julian, qu'est-ce qu'il y a ? Assez de préambules. Dis-le-moi !

— Apparemment, des photos sont sorties…

Lui aurait-il annoncé qu'il lui restait trois mois à vivre, le ton n'aurait pas été plus lugubre.

— Quel genre de photos ? demanda-t-elle impérieusement.

Elle avait pourtant compris, et elle repensa aussitôt à la journaliste croisée dans l'ascenseur, un peu plus tôt. Elle avait vu, lors de sa prétendue grossesse, avec quelle rapidité les rumeurs se propageaient, et comment, depuis des mois, la presse entretenait celle d'une « liaison » avec Layla Lawson. Mais il n'y avait jamais encore eu de photos pour les étayer.

— Des photos qui déforment la vérité, mais qui prêtent à confusion.

— Julian !

Il soupira.

— Elles sont vraiment compromettantes.

— Plus compromettantes que les photos de Sienna ?

Quelques semaines à peine auparavant, ils avaient justement discuté de ces fameuses photos. Non sans ironie, c'était Julian qui affirmait ne pas comprendre comment un homme marié, père de quatre enfants, pouvait se laisser photographier sur le balcon d'une chambre d'hôtel en compagnie d'une actrice torse nu suspendue à son cou, quand Brooke, elle, soutenait à grand renfort d'hypothèses parfaitement plausibles que les apparences pouvaient être trompeuses. Cependant, elle avait fini par convenir que rien ne pouvait expliquer pourquoi Balthazar Getty tripotait les seins de Sienna sur une des photos, et l'embrassait à bouche que veux-tu sur une autre. Pourquoi diable n'était-il pas resté confiné dans sa chambre d'hôtel pour peloter, à moitié nu, une femme qui n'était pas la sienne ?

— Plus ou moins. Mais, Brooke, je te jure que les apparences sont trompeuses !

— Plus ou moins ? Et en quoi les apparences sont-elles trompeuses, puisqu'il ne s'est soi-disant rien passé ?

Elle fixa Julian jusqu'à ce qu'il se décide à la regarder dans les yeux, l'air piteux.

— Montre-moi, ordonna-t-elle en tendant la main vers le magazine roulé dans son poing.

Il le déroula et Brooke vit qu'il s'agissait d'un numéro de *Spin*.

— Non, ce n'est pas là-dedans. Ça, c'est ce que je lisais avant de… Écoute, pourrais-tu me laisser d'abord t'expliquer ? Elles ont été prises au Château Marmont, tu sais le ridicule de…

— Quand étais-tu au Château Marmont ? le coupa-t-elle d'un ton cassant et d'une voix stridente qui lui fit horreur.

Julian blêmit et écarquilla les yeux d'incrédulité (à moins que ce ne fût de panique ?), comme si elle l'avait giflé.

— Quand est-ce que je… euh, eh bien voyons… quatre, cinq… lundi dernier. Tu te souviens ? On a joué à Salt Lake City ce jour-là et ensuite on a tous pris un vol pour Los Angeles, puisqu'on ne rejouait pas avant mercredi. Je t'ai dit ça.

— Ce n'est pas comme ça que tu me l'as présenté la semaine dernière, riposta Brooke d'une voix plus posée, même si ses mains recommençaient à trembler. Oui, tu m'as dit que tu allais à Los Angeles, pour rencontrer quelqu'un, je ne me souviens plus de qui. Tu ne m'as jamais dit que tu allais là-bas pour faire un break.

— Hein ?

— Tu jures toujours que tu fais de ton mieux pour rentrer à la maison dès que tu le peux, même pour une seule nuit. Apparemment, ce soir-là a fait exception.

Julian se leva d'un bond et marcha vers elle. Il essaya de l'enlacer mais elle se recula avec une nervosité de biche apeurée.

— Brooke, viens par là. Je n'ai pas… couché avec elle. Je t'assure, les apparences sont trompeuses.

— Tu n'as pas *couché* avec elle ? Et que suis-je censée faire ? Deviner par moi-même ce qui s'est vraiment passé ?

Julian se passa la main dans les cheveux.

— Il ne s'est rien passé. Pas ça, en tous les cas.

— Pas ça ? Alors explique-moi ce qui s'est vraiment passé. Quelque chose, de toute évidence, parce que nous n'avons jamais eu une conversation comme celle-ci.

— C'est juste que… c'est compliqué.

Brooke eut le souffle coupé.

— Julian, dis-moi qu'il ne s'est *rien* passé. Dis-moi « Brooke, c'est des conneries sur toute la ligne et une totale distorsion des faits », et je te croirai.

Elle attendit, sans le quitter des yeux. Il détourna la tête. C'était tout ce qu'elle avait besoin de savoir.

Sa rage s'évapora d'un coup. Elle ne se sentait pas soulagée ni rassérénée, non. C'était plutôt que cette rage, sans qu'elle sache comment, avait cédé le pas à un autre sentiment – une douleur abyssale, une souffrance glaciale. Elle n'arrivait pas à se résoudre à en parler.

Il y eut un long silence. Ni l'un ni l'autre n'osait dire un mot. Julian contemplait ses genoux, et Brooke tremblait à présent comme une feuille. Il lui sembla qu'elle allait vomir. Elle se décida enfin à parler.

— Je viens de me faire virer.

— Quoi ? fit Julian en relevant brusquement la tête.

— À l'instant. Margaret m'a dit que la hiérarchie remettait en question « mon implication ». Parce que je ne suis jamais là. Parce que j'ai pris plus de congés et permuté plus de gardes au cours des six derniers mois que les gens ne le font en dix ans. Parce que je suis trop occupée à te suivre aux quatre coins du pays, à descendre dans des palaces et à porter des diamants.

Julian se prit la tête entre les mains.

— Je ne savais pas.

On frappa à la porte. Et comme ni l'un ni l'autre ne répondit, Natalya l'entrebâilla et passa la tête.

— On doit faire quelques dernières vérifications avant d'y aller. Vous êtes attendus sur le tapis rouge dans vingt-cinq minutes.

Julian hocha la tête et lorsque Natalya eut refermé la porte, il regarda Brooke.

— Je suis désolé, Rook. Je n'arrive pas à croire qu'ils t'ont licenciée. Ils avaient de la chance de t'avoir, et ils le savent.

On frappa à nouveau à la porte.

— Oui, on arrive ! cria Brooke plus fort qu'elle n'en avait eu l'intention.

La porte s'ouvrit, livrant passage à Leo. En le voyant aussitôt prendre une tête d'artisan de la paix, de bâtisseur de consensus, de confident compréhensif en cas de coup dur, elle eut envie de vomir. Sans prendre la peine de cacher son hostilité, elle lança :

— Leo, peux-tu nous laisser une minute ?

Il avança de quelques pas et referma la porte derrière lui, comme s'il n'avait rien entendu.

— Brooke, crois-moi, je sais que ce n'est pas facile pour toi en ce moment, mais vous devez être sur le tapis rouge dans moins d'une demi-heure, et c'est mon boulot de m'assurer que vous êtes prêts à affronter ce qui vous attend.

Julian hocha la tête. Brooke se contenta de le dévisager.

— Naturellement, on sait tous que ces photos ne sont qu'un ramassis de conneries, reprit-il. Mais en attendant que je puisse aller au fond des choses et exiger une rétractation… (Il marqua une pause pour leur donner l'opportunité de mesurer l'étendue de son pouvoir et de son influence.)… je veux m'assurer que vous allez tenir le coup.

— OK, dit Julian et il regarda Brooke. J'imagine qu'on devrait se mettre d'accord sur une réponse officielle à toute question concernant notre couple. Montrer un front uni.

Brooke s'aperçut qu'à la rage, à la douleur, succédait à présent une insondable tristesse. *Que se passe-t-il quand on reconnaît à peine son mari ?* se demanda-t-elle. *Quand celui qui complète d'ordinaire vos pensées semble tout d'un coup venir d'une autre planète ?* Elle inspira profondément.

— Je vous laisse décider de votre « réponse officielle », et je me moque pas mal de ce qu'elle sera. Je vais finir de me préparer. (Elle se tourna vers Julian et le regarda droit dans les yeux.) Je vais t'accompagner ce soir, et je sourirai pour les caméras, et je te tiendrai la main sur le tapis rouge, mais à la seconde où cette cérémonie se termine, je me casse et je rentre à la maison.

Julian se leva et vint s'asseoir à côté d'elle sur le lit. Il lui prit les mains et dit :

— Brooke, je t'en supplie, s'il te plaît, ne les laisse pas…

Elle retira ses mains et s'écarta de quelques centimètres.

— Et ne t'avise pas d'essayer de me faire porter la responsabilité du problème. Ce n'est pas à cause de moi qu'il nous faut un conseil de guerre et un communiqué de presse officiel. Démerdez-vous tous les deux.

— Franchement, est-ce qu'on ne peut pas juste…

— Laisse-la faire comme elle l'entend, intervint Leo, du ton du vieux sage qui a tout vu. (Il regarda Julian, l'air de dire : *Au moins, elle accepte de t'accompagner – tu imagines le cauchemar pour la com' si elle t'avait planté là ? Ne t'énerve pas, fiche-lui la paix, laisse-la piquer sa crise, et dans cinq minutes, on lève le camp…*) Brooke, fais ce que tu as à faire. Julian et moi allons tout arranger.

Brooke les dévisagea à tour de rôle, puis regagna le salon où Natalya lui sauta dessus immédiatement.

— Putain, Brooke ! Qu'est-il arrivé à votre maquillage ? Allez chercher Lionel ! hurla-t-elle en détalant en direction de la seconde chambre.

Brooke en profita pour se glisser dans la troisième pièce, par chance déserte. Elle verrouilla la porte et appela Nola.

— Brooke ?

— Oui, c'est moi, répondit-elle, au bord des larmes en entendant la voix de son amie.

— Tu es habillée ? Peux-tu demander à Julian de prendre une photo avec ton BlackBerry et de me l'envoyer ? Je meurs d'envie de voir ça.

— Nola, écoute, je n'ai que deux secondes avant qu'ils me retrouvent, alors…

— Qu'il te retrouve ? Tu es traquée par un tueur en série spécialisé dans les soirées de gala ?

— Nola, s'il te plaît, écoute-moi. Tout a viré au film d'horreur… Des photos de Julian avec une fille… Je ne les ai pas encore vues, mais apparemment, ça craint vraiment. Et je viens de me faire virer à cause de mes absences répétées. Je n'ai pas le temps de t'expliquer maintenant… je voulais juste te dire que je vais rentrer par le vol de nuit après la cérémonie, et te demander si je pouvais venir chez toi. J'ai le pressentiment que notre appart va être sous haute surveillance.

— Des photos de Julian avec une nana ? Oh, Brooke je suis sûre que ce n'est rien. Ces saletés de canards impriment toutes les âneries qui passent sur leur bureau, qu'elles soient vraies ou pas…

— Nola, est-ce que je peux squatter chez toi ? Je dois me tirer d'ici. Mais si tu ne veux pas de drames, je comprendrai.

— Brooke ! Arrête. Je m'occupe immédiatement de réserver ton billet. Je crois me souvenir que le vol de nuit d'American Airlines décolle à 23 heures. Tu veux prendre celui-là ? Ça te laisse assez de temps ? Je vais aussi te commander les voitures pour les deux transferts aéroport.

La sollicitude qui imprégnait la voix de son amie la fit pleurer à nouveau.

— Merci, ce serait super. Je te rappelle quand tout est fini.

— N'oublie pas de regarder si Fergie semble aussi vieille en chair et en os que sur les photos…

— Je te déteste.

— Je sais. Moi aussi, je t'aime. N'aie pas peur de prendre quelques photos à la dérobée et de me les envoyer. J'aimerais tout particulièrement avoir quelques portraits de Josh Groban…

Brooke ne put s'empêcher de sourire et raccrocha. Elle alla se regarder dans le miroir de la salle de bains puis rassembla assez de courage pour ouvrir la porte et aussitôt Natalya fondit sur elle, l'air au bord de l'évanouissement à force de stresser.

— Est-ce que vous réalisez qu'on n'a plus que vingt minutes devant nous et qu'on doit vous remaquiller entièrement ? Qui est assez con pour pleurer une fois maquillée ? marmonna-t-elle, assez distinctement cependant pour que Brooke l'entende.

— Vous savez ce dont j'ai besoin, là, tout de suite, Natalya ? demanda-t-elle en lui posant la main sur le bras, sans hausser le ton mais sans dissimuler non plus la colère froide qui l'habitait. (Natalya la regarda en écarquillant les yeux.) Je vais vous le dire : appelez le maquilleur, apportez-moi mes chaussures, et commandez un martini vodka et une plaquette d'Advil au service d'étage. J'ai besoin que vous fassiez ces trois choses pour moi, sans dire un mot. *Pas un seul mot.* Vous pensez en être capable ? Parfait. Je savais que nous allions nous en sortir ! Merci infiniment pour votre aide.

Sur ces mots, et en savourant un minuscule sentiment de satisfaction, Brooke lui referma la porte de la chambre au nez, déterminée à ne pas se laisser abattre.

Les demi-dieux et les infirmières
n'ont rien à faire ensemble

— Écoutez-moi bien, tous les deux : on se tient par la main, on sourit et on se détend. Vous êtes heureux, amoureux, et ce n'est pas une petite salope minable en mal de célébrité qui va vous inquiéter. On est prêts ? cria Leo, bien qu'il ne soit assis qu'à un mètre en face d'eux, à l'arrière de la limousine.

— On est prêts…, marmonna Julian.

— Est-ce qu'on est gonflés à bloc ? Il faut qu'on soit gonflés à bloc ! Vous le sentez ?

Il vérifia, par la vitre, qu'on les avait bien dirigés vers l'hôtesse chargée d'enregistrer les arrivées des artistes. Il était prévu que Julian pose le pied sur le tapis rouge à 16 h 25 précises – soit, d'après ce qu'indiquait le portable de Brooke, dans une minute. L'horreur.

Sentir quoi, au juste ? Je ne sens rien, avait envie de lui répondre Brooke. *J'ai l'impression de monter à l'échafaud, et si j'étais moins conne, je vous planterais tous les deux là, mais je hais trop les conflits pour provoquer ce genre de remous, donc à la place, je vais marcher tranquillement vers le bourreau. Alors oui, crétin, je suppose que je sens « quelque chose ».*

— Je ne vais pas vous mentir, reprit Leo en brandissant ses paumes. Ça va ressembler à un bassin de piranhas. Je vous le dis pour que vous soyez préparés. Mais ignorez-les, souriez, et foncez. Vous allez très bien vous en sortir. (Son téléphone vibra. Il regarda l'écran et déverrouilla aussitôt les portières. Puis il se tourna vers eux.) C'est parti ! cria-t-il en ouvrant grand la porte de la limousine.

Dans la seconde, Brooke se retrouva aveuglée par les flashes. C'était incommodant, éprouvant, mais ce n'était rien comparé aux questions qui fusaient en tout sens.

— Julian ! Quel effet cela fait de venir pour la première fois aux Grammys ?

— Brooke ! Avez-vous des commentaires sur les photos parues dans *Last Night* ?

— Julian ! Par ici ! Ici ! Avez-vous une liaison ?

— Brooke ! De ce côté ! Ici ! La caméra ! Qui a fait votre robe ?

— Brooke, que diriez-vous à la bimbo du Château, si vous en aviez l'occasion ?

— Julian ! À gauche ! Oui, comme ça ! Allez-vous vous séparer ?

— Julian ? N'est-ce pas surréaliste pour vous de fouler le tapis rouge quand personne ne connaissait votre nom il y a un an ?

— Brooke ! Pensez-vous que tout est de votre faute parce que votre physique ne correspond pas vraiment aux canons d'Hollywood ?

— Quel message voudriez-vous faire passer à toutes les jeunes femmes qui vous regardent en ce moment ?

— Julian ! Aimeriez-vous que votre femme vous accompagne plus souvent dans vos déplacements ?

Brooke songea que c'était comme si tous les éclairages d'un stade avaient soudain illuminé sa chambre au beau milieu de la nuit : elle était frappée de cécité, et plus elle faisait des efforts pour passer outre, plus son inconfort augmentait.

Elle leur tourna brièvement le dos et aperçut, derrière eux, Nicole Kidman et Keith Urban qui descendaient d'une longue limousine noire, sans personne alentour pour les mitrailler. *Pourquoi nous harcelez-vous quand il y a de vraies vedettes à deux pas d'ici ?* avait-elle envie de crier. Elle se retourna à nouveau, et cette fois, parce qu'elle put supporter sans ciller les flashes qui crépitaient, elle découvrit devant elle cet océan rouge qui semblait s'étendre à perte de vue. Combien de kilomètres allait-elle devoir parcourir ? Un ? Deux ? Dix ? Les invités qui les devançaient paraissaient désinvoltes, détendus même. Ils bavardaient par petits groupes de trois ou quatre, entre eux ou avec les journalistes, et prenaient la pause avec aisance devant les objectifs, se tournant d'un côté, puis de l'autre, offrant à chaque fois des sourires bien rodés à des milliers de watts. Devait-elle les imiter ? En était-elle capable ? La question n'était-elle pas plutôt de trouver comment survivre au prochain mètre de cet interminable tapis ?

Tout d'un coup, ils se mirent à progresser sans être interrompus. Brooke avança le regard rivé devant elle, tête haute, les joues sans doute en flammes, laissant Julian l'escorter à travers la foule. Ils avaient parcouru la moitié de la distance qui les séparait de l'entrée quand Leo vint se poster derrière eux et leur posa une main brûlante et moite sur l'épaule.

— *E!entertainment news*, sur votre droite. S'ils vous demandent une interview, arrêtez-vous et parlez-leur.

Brooke tourna la tête et vit la nuque blonde d'un type plutôt petit qui braquait son micro sous le nez de trois garçons en smoking, âgés de 15 ans maximum. Brooke dut se creuser la cervelle pour retrouver leur nom, et lorsqu'elle identifia les Jonas Brothers, elle se sentit soudain très, très vieille. Ils étaient plutôt mignons, à la façon des koalas, concéda-t-elle. Mais sexy ? Séduisants ? Au point de faire défaillir des millions d'adolescentes d'un seul sourire ? Ridicule. Si ces midinettes hystériques révisaient leurs classiques et cherchaient des photos de Kirk Cameron et Ricky Schroder dans les vieux *Tiger Beat*[1], là, elles verraient de vraies coqueluches. Brooke secoua imperceptiblement la tête. Venait-elle vraiment de penser ce mot – « coqueluche » ? Ça non plus, elle ne devait pas oublier de le raconter à Nola.

— Julian Alter ? Pouvez-vous nous accorder un instant ?

Le petit blond avait finalement pris congé des trois gamins et venait de se tourner vers Brooke et Julian. Ryan Seacrest[2] ! Aussi bronzé en vrai qu'à la télé, arborant un sourire chaleureux et accueillant. Brooke l'aurait volontiers embrassé.

— Bonsoir, répondit Julian qui, à voir sa tête, venait lui aussi de le reconnaître. Oui, bien sûr, avec grand plaisir.

---

1. Magazine pour adolescentes, axé sur les stars et les idoles du moment.

2. Célèbre animateur télé – notamment de l'émission American Idol (équivalent de La Nouvelle Star).

Ryan Seacrest adressa un signe au cameraman derrière lui puis se plaça légèrement sur leur gauche et hocha la tête.

— Julian Alter et Brooke, sa superbe épouse, viennent tout juste de me rejoindre, annonça Ryan dans le micro en regardant la caméra. Merci de prendre un instant pour nous dire bonjour. Vous êtes tous les deux absolument magnifiques, ce soir !

Machinalement, ils affichèrent un sourire de circonstance, et Brooke eut un bref élan de panique en se souvenant que des millions de gens étaient en train de les regarder en cet instant, dans tout le pays, voire dans le monde entier.

— Merci Ryan, dit Julian qui, au grand soulagement de Brooke, avait pensé à s'adresser au journaliste par son prénom. Nous sommes tous les deux surexcités d'être là.

— Alors dites-moi, Julian. Votre premier album est devenu disque de platine en moins de huit semaines. À la date d'aujourd'hui… (Il s'interrompit pour consulter une minuscule fiche dissimulée au creux de sa paume.)… vous avez vendu quatre millions d'exemplaires dans le monde entier. Et maintenant vous allez vous produire aux Grammys. Dites-nous un peu, qu'est-ce que ça vous inspire, tout ça ?

Il colla le micro devant la bouche de Julian et sourit. Julian, plus détendu que jamais, lui rendit son sourire et répondit :

— Eh bien, Ryan, je dois vous avouer que jusque-là, ç'a été une aventure absolument incroyable. J'ai été sidéré par l'accueil réservé à l'album, et maintenant les Grammys ? Quel honneur ! Quel honneur *phénoménal*.

Seacrest sembla satisfait de la réponse. Il les remercia d'un sourire et d'un hochement de tête.

— Julian, il est souvent question d'amour dans vos chansons. Même « For The Lost », qui semble à première vue un hommage à votre frère disparu, est en réalité une chanson sur le pouvoir rédempteur de l'amour. Où puisez-vous votre inspiration ?

Voilà ce qui s'appelait tendre une perche. Brooke s'appliqua à garder les yeux rivés sur Julian, en espérant qu'elle projetait l'image d'une épouse aimante, secourable et attentionnée pendue aux lèvres de son mari, et non celle d'une loque en état de choc – ce qu'elle était en réalité.

Julian saisit la perche et franchit l'obstacle avec aisance.

— Vous savez, Sea... Ryan, c'est drôle. Quand j'ai commencé à composer, ma musique était plutôt sombre, chargée. Je me débattais avec pas mal de choses, or selon moi, la musique reflète toujours ce que vit celui qui la compose. Mais aujourd'hui ? (Il se tourna vers Brooke et la regarda dans les yeux.) Aujourd'hui, tout a changé. Grâce à ma merveilleuse épouse, ma musique comme ma vie se sont énormément améliorées. Elle est pour moi plus qu'une inspiration – elle est ma motivation, mon influence, mon... mon tout.

En dépit de tout ce qui avait eu lieu à l'hôtel, en dépit de l'emploi qu'elle venait de perdre, et des photos soi-disant terribles, et aussi de la petite voix, au fond de sa tête, qui se demandait si Julian n'était pas tout bêtement en train de jouer la comédie devant son public, Brooke fut transportée d'un élan d'amour pour son mari. À cet instant, en le voyant devant ces caméras, dans ces vêtements invraisemblables, assailli par ces journalistes qui lui faisaient fête et le photographiaient, elle éprouva pour Julian exactement la même passion qu'elle avait éprouvée le jour où ils s'étaient rencontrés.

Ryan Seacrest lâcha un « Aaaah ! » admiratif, les remercia et souhaita bonne chance à Julian. À l'instant où le journaliste fondait sur sa nouvelle proie – une fille qui ressemblait comme deux gouttes d'eau à Shakira –, Julian se tourna vers Brooke.

— Tu vois ? Seacrest n'a même pas pris la peine de nous parler de ces photos débiles. N'importe quel journaliste sérieux sait que c'est pipeau de A à Z.

La seule mention des photos ramena le souvenir de la scène dans la chambre d'hôtel et balaya d'un coup tout sentiment amoureux. Intimidée par la profusion de caméras et de micros de part et d'autre du tapis, elle se contenta de sourire dans le vague et de hocher la tête. Leo ne tarda pas à rappliquer et cette fois, Brooke faillit sursauter lorsqu'elle sentit sa main se poser sur sa nuque.

— Julian, Layla Lawson est là-bas, juste devant vous. Je veux que tu ailles la saluer ; tu l'embrasses et ensuite tu la présentes à Brooke. Brooke, ça nous aiderait énormément si tu avais l'air ravie de la rencontrer.

Brooke leva les yeux et aperçut Layla, vêtue d'une petite robe noire étonnamment élégante, pendue au bras de Kid Rock. Qui, à en croire les tabloïds, n'était qu'un simple ami, puisque Layla n'avait plus d'amoureux depuis un an à la suite de sa rupture mouvementée avec un célèbre quarterback. Avant que Brooke ait pu envoyer Leo sur les roses, ils étaient arrivés à la hauteur du couple. Une rafale de flashes crépita avec l'intensité d'un incendie.

— Julian Alter ! piailla Layla en se jetant à son cou. Je brûle d'impatience de t'entendre chanter !

Brooke songea qu'elle aurait dû éprouver davantage d'animosité à l'égard de cette fille qu'elle détestait depuis si longtemps, mais elle devait reconnaître que Layla, en chair et en os, possédait un charme que la télévision ou les photos des magazines ne parvenaient pas à restituer. Et même en cet instant où elle se collait étroitement contre Julian, il émanait d'elle quelque chose d'attendrissant, de plus doux, de plus vulnérable – et de plus sot aussi, ce qui ne pouvait pas nuire – qui mit instantanément Brooke à l'aise.

Julian fit de son mieux pour se dégager de cette étreinte et procéda aux présentations, l'air piteux.

— Brooke ! lança-t-elle avec un accent du Sud tout en rondeur. Quel plaisir de te rencontrer enfin !

Brooke lui sourit et tendit la main, mais Layla avait déjà ouvert grand les bras.

— Oh, viens par là, mon chou ! J'ai l'impression de te connaître depuis toujours ! Tu sais que ton mari est un sacré veinard.

Brooke la remercia, en se sentant ridicule de s'être crue menacée.

— J'adore ta robe, ajouta-t-elle.

— Oh, tu es un amour. Hé, les copains, j'aimerais vous présenter mon ami, Kid.

Elle empoigna la main de son cavalier et essaya de rediriger son attention vers Brooke et Julian, mais Kid était distrait par un bataillon de mannequins (des choristes ? des danseuses ? des figurantes décoratives ?) qui les dépassaient en roulant des hanches. Au bout d'un moment singulièrement long, une étincelle de reconnaissance illumina le visage du jeune homme, qui tapa dans le dos de Julian.

— Hey mec ! Bel album, dit-il en emprisonnant les mains de Julian entre les siennes à la façon d'un homme politique. Félicitations ! Écoute, je peux te demander qui tu as pris pour…

Brooke ne put entendre la suite de la question : Layla était en train de lui enfoncer l'index dans les côtes et de se pencher vers elle. Brooke huma son parfum aux essences d'agrumes.

— Commence à dépenser ce fric immédiatement, lui glissa-t-elle à l'oreille. Il est à toi autant qu'à lui, jusqu'au dernier dollar – merde quoi ! Sans toi, il n'aurait sans doute jamais gagné un seul centime. Je me trompe ? Alors ne scie pas la branche sur laquelle tu es assise.

— Fric ? répéta Brooke, hébétée.

— Brooke, mon chou, voilà ce que je regrette le plus, dans tout ce fiasco avec Patrick. Tu vois, je me suis tapé des centaines de matchs, interuniversitaires et professionnels, j'ai arpenté le pays pour me peler les fesses dans tous les stades possibles et imaginables, je l'ai soutenu du temps où il galérait. Puis il a décroché enfin ce contrat à quatre-vingts millions de dollars, et quand il m'a trompée, avec cette, cette… *star du X*, c'est moi qui ai considéré que ce serait déplacé de m'acheter une maison avec son fric. Eh bien, ma belle, que mes erreurs servent au moins à quelqu'un ! Achète-la, cette putain de baraque. Tu l'as méritée.

Brooke n'eut rien le temps de répondre, Julian et Kid Rock étaient en train de les rejoindre. Machinalement, les quatre se serrèrent épaule contre épaule, et sourirent en saluant les objectifs.

Brooke ne trouva pas l'occasion de reparler à Layla car Leo revint les houspiller pour les pousser vers l'entrée du Staples Center. À l'instant où elle se félicitait d'avoir survécu à l'épreuve du tapis rouge, une femme en robe pailletée, à fines bretelles, perchée sur des talons d'une hauteur proprement suicidaire, vint lui coller un micro sous le menton, et lui cria :

— Brooke Alter ! Quels sentiments vous ont inspirés ces photos de votre mari en compagnie d'une autre femme, après tout le soutien que vous lui avez apporté ?

En deux secondes, soit le temps que cette femme pose sa question, le silence s'était abattu autour d'eux. Artistes, membres du staff, journalistes, présentateurs télé, cameramen, fans – tout le monde s'était tu. Brooke se demanda brièvement si ce silence assourdissant était le signe précurseur d'un évanouissement, mais elle comprit vite qu'elle n'aurait pas cette chance. Elle vit des dizaines – des centaines – de têtes se tourner vers elle, et au même moment, Julian lui broya littéralement la main. Elle fut prise de l'envie, saugrenue, de hurler et de rire tout à la fois. Quelle serait la réaction générale si elle souriait et répondait : *Quelle drôle de question ! Ce que j'éprouve ? Mais je suis aux anges, évidemment. Franchement, quelle fille ne le serait pas en apprenant que son mari a soi-disant une liaison, et en voyant l'histoire relayée par des chaînes de télévision nationales grâce à des gens comme vous ? Avez-vous d'autres questions aussi pertinentes, avant que nous entrions ? Non ? En ce cas, c'était un plaisir de faire votre connaissance.* Ou encore si elle lui volait dans les paillettes et la tabassait à coups de talons aiguilles ?

Naturellement, elle ne hurla pas, elle pouvait à peine respirer. Elle ne vomit pas non plus, n'éclata pas davantage de rire, ni n'agressa personne. Elle inspira, par le nez, fit de son mieux pour se persuader que personne ne la regardait, et répondit posément :

— Je suis extrêmement fière de la réussite de mon mari, et je suis absolument ravie d'être ici ce soir pour l'entendre chanter. Souhaitez-lui bonne chance ! (Elle serra la main de Julian, totalement abasourdie par son propre aplomb, et se tourna vers lui.) On y va ?

Julian l'embrassa et lui offrit galamment le bras, et avant qu'un autre intrus puisse leur barrer la route, ils franchirent les portes, escortés par Leo.

— Brooke, tu as été géniale ! pavoisa celui-ci en abattant une paume plus moite que jamais sur sa nuque.

— Franchement, Rook, tu as mouché cette garce comme une pro des médias, renchérit Julian.

Elle dégagea son bras. Son compliment lui donnait la nausée.

— Je vais aux toilettes.

— Brooke, attends. On doit aller s'asseoir tout de suite, pour que Julian puisse filer en coulisses s'échauffer avec…

— Rook ? Pourrais-tu juste attendre…

Elle les planta là sans se retourner, et se fraya un passage dans cette foule de VIP sublimement vêtus. Pour se rassurer, elle songea que personne ne savait qui elle était. Elle était à deux doigts de vomir ? Quelle importance ? Personne ne faisait attention à elle. Personne n'allait venir lui parler. Elle fonça en direction des toilettes, impatiente de se cacher l'espace de quelques minutes, le temps de se ressaisir. Les toilettes des dames étaient sommaires – ce qui n'avait rien de surprenant puisque le Staples Center était avant tout une salle omnisports, mais détonnait passablement un jour de cérémonie des Grammys. Brooke s'engouffra dans une cabine et referma la porte en veillant à ne rien toucher, et tandis qu'elle se concentrait sur sa respiration, elle entendit deux femmes qui bavardaient devant les lavabos.

L'une d'elles était intarissable à propos de Taylor Swift et Kanye West, qu'elle avait aperçus en grande conversation en lisière du tapis rouge. Elle n'arrivait pas à comprendre au nom de quoi cette ravissante Taylor snobait Kanye et le prenait de haut : « Une bombe pareille ! » Sa copine intervint pour observer que Taylor et Miley arboraient deux robes noires presque identiques et demander qui des deux la portait le mieux (les avis étaient partagés), puis chacune leur tour, elles élurent le mec le plus sexy de la soirée (Jay-Z pour l'une ; Josh Duhamel, sans contestation possible, pour l'autre). L'une d'elles se demanda ensuite à voix haute qui gardait le fils de Jennifer Hudson ce soir-là. Et l'autre voulut savoir pourquoi, exactement, Kate Beckinsale était invitée quand ni elle, ni son mari n'avaient de lien avec l'industrie musicale. C'était précisément le genre de futilités que Brooke aurait échangées avec Nola, dans ces mêmes toilettes, si son amie avait été là. Cette pensée, bizarrement, lui procura un certain réconfort. Qui vola en éclats presque aussitôt.

— Alors, tu as vu les photos de Julian Alter ? demanda la commère à la voix exaspérante.

— Non. Elles sont aussi carabinées qu'on le dit ?

— Putain, c'est rien de le dire. La fille est, comment te dire… littéralement en train de se frotter contre lui. Et sur un des clichés, ça ne m'étonnerait pas qu'ils soient carrément en train de baiser.

— Qui est la fille ? On le sait ?

— C'est personne. Une illustre inconnue. Une de ces fêtardes qui traînent au Château pour passer du bon temps.

Brooke, pour la millième fois de la soirée lui sembla-t-il, arrêta de respirer. Il y avait pas mal de trafic devant les lavabos – des femmes n'arrêtaient pas d'entrer et de sortir, pour se laver les mains, lisser une mèche rebelle imaginaire, retoucher leur rouge à lèvres déjà parfait –, mais Brooke n'entendait que ces deux voix-là. C'était une mauvaise idée d'écouter aux portes, seulement sa curiosité l'emporta. Elle vérifia que la porte de la cabine était bien verrouillée et elle colla un œil contre la fente, le long des gonds. Les deux filles devaient avoir entre 25 et 30 ans – des starlettes probablement, dont les visages ne lui disaient rien.

— Où avait-il la tête, de faire ça au Château ? Franchement, si tu sais que tu vas tromper ta femme, tu t'*efforces* au moins de le faire discrètement, non ?

— Pff, quelle importance, où ça se passe ? se moqua sa copine. Ils se font toujours prendre. Regarde Tiger ! Les mecs sont juste idiots.

Cette remarque fut accueillie par un éclat de rire.

— Oui, enfin, Julian Alter n'est pas Tiger Woods, et fais-moi confiance, sa femme n'a rien d'un top model suédois.

Brooke savait parfaitement qu'elle n'était pas un top model suédois, mais elle n'avait pas besoin qu'on le lui rappelle. Elle n'avait plus qu'une envie – s'échapper de ces toilettes –, mais la perspective d'aller rejoindre Julian et Leo était tout aussi redoutable que de rester là, à écouter aux portes.

Les deux filles allumèrent une cigarette.

— Tu crois qu'elle va le larguer ? demanda celle qui arborait une frange de moinillon très dans le coup.

Voix grinçante lâcha un ricanement de mépris.

— Si tu veux mon avis, elle va se la fermer… jusqu'à ce qu'il lui dise d'aller se faire voir.

— Elle fait quoi, déjà ? Prof ?

— Non, infirmière, je crois.

— Tu imagines ? Tu es une nana lambda, et un beau jour, tu te réveilles et ton mari est devenu une superstar.

Voix grinçante trouva la remarque particulièrement drôle.

— Comme Martin ne risque pas de devenir super-quelque chose du jour au lendemain, j'imagine que c'est à moi de prendre les choses en main, pas vrai ?

Frange de moinillon exhala une dernière bouffée avant d'écraser sa cigarette dans le lavabo.

— Ils sont foutus, décréta-t-elle avec l'assurance de celle qui a tout vu, tout connu. C'est une gentille petite chose toute terne, lui, c'est un demi-dieu. Les demi-dieux et les infirmières n'ont rien à faire ensemble.

Diététicienne ! se retint de hurler Brooke. *Si vous tenez à disséquer mon couple et assassiner mon personnage, ne racontez pas n'importe quoi !*

Les deux filles retouchèrent leur gloss, puis chacune prit un chewing-gum ; elles refermèrent leur sac et partirent sans rien ajouter de plus. Brooke se décida enfin à sortir du box et, tout à son soulagement, ne prêta guère attention à la femme qui, adossée au miroir tout au bout de la rangée de lavabos, pianotait un message sur son téléphone.

— Excusez-moi de vous importuner, mais êtes-vous Brooke Alter ?

En entendant son nom, Brooke inspira avec difficulté. À ce stade, elle aurait préféré affronter un peloton d'exécution plutôt qu'une autre conversation. Elle tourna la tête. La femme lui tendait la main, et Brooke reconnut sur-le-champ une actrice immensément célèbre et extrêmement respectée. Elle fit mine de ne pas être au fait de tout ce qu'il y avait à connaître à son sujet – depuis les personnages qu'elle avait incarnés dans des comédies romantiques jusqu'à ses déboires conjugaux, quand son mari l'avait plaquée, enceinte de six mois, pour une joueuse de tennis professionnelle à peine majeure –, mais il aurait été vain de feindre de ne pas reconnaître Carter Price. Existait-il des gens qui ne reconnaissaient pas Jennifer Aniston, ou Reese Witherspoon ? À d'autres !

— Oui, c'est moi, répondit-elle, d'un filet de voix qu'elle-même jugea affreusement triste.

— Carter Price. Oh, mon Dieu… Oh, je ne savais pas que… Oh, mon Dieu, je suis désolée !

Carter la dévisageait avec une expression tellement inquiète que, par réflexe, Brooke porta la main à son visage.

— Vous avez entendu tout ce que ces peaux de vaches ont dit, n'est-ce pas ?

— Je euh… je ne…

— Vous ne devez jamais écouter ce genre de bonnes femmes ! En aucun cas ! Elles sont méchantes, stupides, ridicules, elles s'imaginent comprendre ce que c'est que de voir son couple vanné en public, mais elles n'en savent rien. Elles ne savent rien de rien.

Bon… Brooke était un peu sciée, mais ces paroles étaient assurément les bienvenues.

— Merci, dit-elle en acceptant un mouchoir en papier que lui tendait Carter.

Elle prit bonne note de raconter sans faute à Nola que Carter Price lui avait offert un mouchoir en papier et se sentit aussitôt idiote d'avoir pensé ça.

— Écoutez, vous ne me connaissez pas, reprit Carter en agitant ses longs doigts gracieux. Pour ma part, j'aurais bien aimé que quelqu'un me dise que ça finirait par s'arranger. Toutes les histoires, aussi croustillantes et scandaleuses soient-elles, se tassent un jour ou l'autre. Les vautours ont besoin en permanence de leur ration de misère fraîche. Si vous gardez votre calme et vous refusez à tout commentaire, ça finira par s'arranger.

Brooke était tellement éberluée – Carter Price, en train de lui faire des confidences sur son ex, soit l'acteur le plus sublime, le plus talentueux, le plus adulé de leur génération ! – qu'elle en oublia de répondre. Et sans doute son silence s'éternisa-t-il plus qu'elle ne l'imaginait, car l'actrice se retourna vers le miroir en dégainant un bâton d'anti-cerne et reprit, tout en tapotant un cerne imaginaire sous son œil gauche :

— Mince, je me mêle de ce qui ne me regarde pas, n'est-ce pas ?

— Non ! Non ! C'était très aimable, et je vous remercie beaucoup, protesta Brooke bien consciente qu'elle s'exprimait comme une adolescente illettrée.

— Tenez, dit Carter en lui tendant sa coupe de champagne encore pleine. Vous en avez plus besoin que moi.

En toute autre circonstance, Brooke aurait décliné poliment, mais ce soir-là, cela lui semblait on ne peut plus juste. Elle vida la coupe d'un trait, et n'aurait su dire quel prix elle aurait été capable de payer pour en vider une seconde – elle naviguait en territoire inconnu.

Carter lui lança un regard approbateur et hocha la tête.

— C'est comme si la terre entière s'était invitée chez vous et qu'absolument tout le monde avait son mot à dire, et une opinion sur la question.

Elle était tellement gentille ! Tellement normale ! Brooke culpabilisait pour toutes les fois où, avec Nola, elle s'était demandé si ce n'étaient pas son esprit acerbe, ou ses seins refaits et complètement ratés, qui avaient poussé son ex dans les bras de la joueuse de tennis. Elle se jura de ne jamais plus porter de jugements de garce catégorique à propos de quelqu'un qu'elle ne connaissait pas.

— Oui, c'est exactement ça ! renchérit-elle en frappant le lavabo du plat de la main. Et le pire, c'est qu'ils prennent pour argent comptant tout ce qui est imprimé dans ces torchons… C'est ridicule !

Carter interrompit ce qu'elle était en train de faire et inclina la tête de côté, l'air interloqué.

— Oh, fit-elle. Je n'avais pas réalisé…

— Réalisé quoi ?

— Que vous pensiez que ce n'était pas vrai. Ma chérie, ces photos… Écoutez, se ravisa-t-elle. Je sais que c'est un crève-cœur – croyez-moi, j'en suis passée par là –, mais rien ne sert de vivre dans le déni.

Brooke eut l'impression que Carter Price venait de lui décocher un uppercut.

— Je connais mon mari ! protesta-t-elle. Je n'ai pas encore vu les photos mais je…

La porte des toilettes s'ouvrit à la volée, livrant passage à une jeune femme vêtue d'un tailleur sobre. Elle avait une oreillette Bluetooth et un badge suspendu en sautoir.

— Carter ? Nous devons vous conduire à votre place immédiatement. (La fille se tourna vers Brooke.) Vous êtes Brooke Alter ?

Brooke hocha simplement la tête, en priant pour que la nouvelle venue n'ajoute pas son grain de sel au débat. Elle n'était pas en état de supporter un avis supplémentaire sur la question.

— Le manager de Julian m'a priée de vous dire qu'il avait conduit Julian en coulisses, et de rejoindre votre place dans le public. Il enverra quelqu'un vous chercher juste avant que Julian n'entre en scène.

— Merci, répondit-elle, soulagée de savoir qu'elle ne verrait ni Leo ni Julian, mais prise de trac à l'idée d'entrer seule dans l'arène.

Elle n'avait pas besoin de s'inquiéter.

— Si vous êtes prêtes, je vous escorte toutes les deux, reprit la fille.

Carter regarda Brooke avec un grand sourire et lui prit le bras.

— Nous sommes prêtes, annonça-t-elle. N'est-ce pas, Brooke ?

C'était surréaliste. En moins d'une minute, une des plus célèbres actrices du moment venait de lui déclarer qu'il était évident que Julian la trompait, et lui offrait son bras comme si elles étaient des amies de vingt ans. Brooke se demanda si son visage trahissait son trouble, sa nausée, son malaise. Lorsque la fille désigna à Brooke son siège au quatrième rang, Carter se pencha vers elle et lui murmura :

— C'était un plaisir de vous rencontrer. Et je vous le promets, vous allez survivre à cette épreuve. Si j'en ai été capable, tout le monde le peut. Et dans l'immédiat, n'oubliez pas : des sourires, des sourires, des sourires.

Ces caméras ne vont pas vous lâcher de la soirée, en implorant les cieux pour que vous craquiez, alors ne leur faites pas ce plaisir, d'accord ?

Brooke hocha la tête, en regrettant amèrement de ne pouvoir appuyer sur un bouton magique pour être téléportée chez Nola, où elle retrouverait son amie, Walter et son pantalon en polaire préféré. Au lieu de quoi, elle gagna son siège. Avec le sourire.

Elle garda le sourire tout le temps que dura le discours d'ouverture de Jimmy Kimmel, la performance de Carrie Underwood, le duo chanté-dansé de Justin Timberlake et Beyoncé, la projection d'une vidéo préenregistrée et le petit numéro décalé de Katy Perry. Ses zygomatiques commençaient à la faire souffrir lorsque sa voisine – une des filles du clan Kardashian, lui sembla-t-il, encore qu'elle était incapable de les distinguer l'une de l'autre, et qu'elle ignorait à quel titre elles étaient célèbres – se pencha vers elle.

— Sachez que vous êtes super sexy ce soir, lui souffla-t-elle. Ne laissez pas ces maudites photos vous miner le moral.

La situation lui avait semblé impossible quand elle ne concernait que Julian et elle, seuls dans leur chambre d'hôtel. Mais là ? C'était insoutenable.

Le maître de cérémonie annonça une pause publicitaire et, avant qu'elle ait pu répondre au commentaire de sa voisine, Leo se matérialisa au bout de sa rangée. Tout en s'accroupissant pour ne gêner aucun spectateur, il lui fit signe de le rejoindre et de le suivre. *Faut-il que ça aille bien mal, pour que tu sois contente de le voir ?* songea-t-elle. En souriant, souriant, souriant tout du long en dépit d'un étrange sentiment de vertige, Brooke se leva et enjamba, en s'excusant poliment, les jambes de ses voisins (n'était-ce pas Seal qu'elle venait de chevaucher à moitié ?), avant de suivre Leo en coulisses.

— Comment va-t-il ?

Elle aurait aimé s'en moquer, mais connaissant Julian et son trac, elle ne pouvait s'empêcher de compatir. En un instant, en dépit de tout ce qui venait de se passer, elle se retrouva transportée vers le souvenir des innombrables fois où elle lui avait tenu la main, frictionné le dos, assuré qu'il allait être génial.

— Il a juste gerbé… oh, quoi ? Dix-sept fois ? Donc là, je pense qu'on est bons. (Elle lui décocha un regard assassin – en pure perte puisqu'il matait le derrière d'une très jeune fille.) Il va bien, reprit-il. Un peu nerveux, mais ça va aller. Il va déchirer, ce soir.

Une fois en coulisses, postée aux abords du plateau, elle n'eut le temps que d'entr'apercevoir Julian car un assistant, après avoir écouté d'un air concentré les instructions distillées dans son oreillette et hoché la tête, le poussa doucement par l'épaule. Ses musiciens et lui s'empressèrent de prendre place derrière leurs instruments. Le rideau était toujours baissé et, sur l'avant-scène, on entendait Jimmy Kimmel plaisanter avec le public pour entretenir l'ambiance pendant la page de publicité. En coulisses, le chronomètre du moniteur indiquait qu'il restait vingt secondes avant le lever de rideau, et la main que Julian avait enroulée autour du micro tremblait visiblement.

À l'instant où Brooke songeait qu'elle ne pourrait pas en supporter davantage, Jimmy Kimmel annonça Julian et le rideau se leva, révélant une foule si immense, si bruyante, que Brooke se demanda si Julian serait même capable de se faire entendre. Le batteur donna le tempo, le guitariste égrena quelques notes mélancoliques,

Julian avança le micro vers ses lèvres et commença à chanter son tube. Sitôt que sa voix de baryton se réverbéra dans la salle, le silence se fit dans le public et Brooke sentit comme une décharge électrique la parcourir.

Elle se souvint de la première fois qu'elle avait entendu Julian chanter « For The Lost », un soir d'été, chez Nick. Il avait joué plusieurs reprises, parmi celles qu'elle préférait, et deux ou trois de ses propres compositions, mais lorsqu'il avait entonné sa dernière création, Brooke en avait eu la chair de poule. Depuis, elle l'avait entendu la chanter un nombre incalculable de fois, mais rien n'aurait pu la préparer à contempler son mari mettre son cœur à nu devant des millions de spectateurs et téléspectateurs.

Il lui sembla que quelques secondes seulement s'étaient écoulées lorsque explosa un chorus de cris extatiques, frénétiques. Julian salua et remercia d'un geste ses musiciens et sortit immédiatement de scène, le micro encore dans la main. Brooke vit qu'il exultait, en proie à l'émotion et à l'orgueil de celui qui a conquis l'estime de ses pairs et héros. L'œil brillant, il s'avança vers elle pour l'attirer entre ses bras.

Et quand elle se recula vivement, Julian eut l'air d'avoir reçu une gifle.

— Viens avec moi, dit-il en lui prenant la main.

Les coulisses grouillaient soudain d'inconnus qui tenaient à le féliciter, à lui exprimer leur admiration, mais Julian entraîna Brooke jusque dans la loge. Il referma la porte, et se tourna vers elle avec un immense sourire.

Elle le regarda droit dans les yeux.

— Nous devons parler de ces photos, dit-elle. Le moment est mal choisi, je sais, mais je ne peux plus supporter de me poser des questions. Si tu entendais ce que les gens racontent… Si tu savais ce qu'on a osé me dire…

— Chut ! fit-il en posant un doigt sur ses lèvres. On va en parler, on va régler tout ça. Mais profitons de cet instant. Débouchons du champagne ! Leo m'a dit qu'il nous avait fait inviter à l'*after show* d'Usher à la Geisha House, et crois-moi, ça va être un truc dément.

Un million d'images fusèrent dans son esprit en même temps, et sur toutes figuraient des journalistes, des flashes et un contingent de femmes hautaines offrant des conseils non sollicités sur la façon de survivre à la dévastation et à l'humiliation. Avant qu'elle puisse dire à Julian qu'elle avait besoin de la vérité, et tout de suite, on frappa à la porte.

Ni lui ni elle n'invitèrent le visiteur à entrer, mais Leo entra néanmoins, escorté de Samara. L'un et l'autre dévisagèrent Brooke.

— Salut Brooke, ça va ? s'enquit Samara, sans une once de sollicitude dans la voix.

Brooke lui répondit d'un sourire mielleux.

— Bon, les amis, CBS veut faire une interview à chaud après la performance.

— Samara…, commença Julian, mais elle lui coupa la parole.

— Une interview *de vous deux*, précisa-t-elle, du même ton qu'elle leur aurait annoncé leur date d'exécution.

— Oh non, les gars, vous déconnez, là !

— Je sais, Julian, et je m'excuse, mais je crains de devoir insister. C'est à toi de voir si elle veut se joindre à nous… (Samara marqua une pause pleine de sous-entendus et regarda Brooke.) Mais il va sans dire que tout le monde chez Sony apprécierait *vraiment* si elle pouvait faire ça. Ces photos ont soulevé pas mal d'intérêt. Vous devez aller montrer au monde entier que tout va bien.

Un silence s'installa pendant un moment, et brusquement, Brooke s'aperçut que tous avaient le regard braqué sur elle.

— Vous vous fichez de moi ? Julian, dis-leur que… (Julian ne répondit rien et contempla ses mains.) Non. C'est non.

— Cinq minutes supplémentaires de solidarité ? lança-t-il finalement. On y va, on sourit, on leur dit que tout baigne et après on est libres.

Leo et Samara hochèrent la tête pour approuver ce petit discours plein de sagesse et de bon sens.

Brooke remarqua que sa robe était salement froissée. Elle souffrait d'un violent mal de tête. Mais au moins, elle tenait encore debout, et elle ne pleurait pas.

— Brooke, viens par là. Parlons-en, dit Julian d'un ton qui laissait sous-entendre qu'il était en train de gérer une hystérique.

Brooke passa devant Samara et alla se planter devant Leo, qui montait la garde à la porte de la loge.

— Excuse-moi, dit-elle.

Comme il ne paraissait pas vouloir bouger, elle fit un pas de côté, se faufila derrière son dos, et posa la main sur la poignée. Une fois de plus, elle sentit sa main moite se poser sur sa peau.

— Brooke, attends une minute, d'accord ? (Son agacement était palpable.) Tu ne peux pas partir comme ça. Il y a dix mille caméras dehors. Ils vont te bouffer toute crue.

Elle fit volte-face, inspira un grand coup, et avança son visage à quelques centimètres du sien.

— Compte tenu de ce qui se passe ici, je pense que je vais tenter le coup. Et maintenant, retire ta sale patte de ma nuque et disparais de ma vue.

Sans rien ajouter, sans se retourner, elle ouvrit la porte et partit.

Il y a eu déshabillage

Nola lui avait indiqué que la voiture l'attendrait à un carrefour, derrière le Staples Center, et par miracle – ou simplement parce que rares étaient les invités à partir au beau milieu de la cérémonie –, Brooke réussit à s'éclipser par une issue dérobée et à grimper à bord de sa limousine à l'insu des paparazzis. Sa valise l'attendait, ouverte sur le siège arrière, tout son contenu soigneusement plié grâce à une employée dévouée du Beverly Whilshire. Le chauffeur lui annonça qu'il allait descendre un instant, le temps qu'elle se change.

Cela fait, elle appela Nola.

— Comment t'es-tu débrouillée pour organiser tout ça ? demanda-t-elle tout de go. Tu sais qu'un brillant avenir d'assistante te tend les bras ?

Il était plus facile de plaisanter que d'essayer d'expliquer comment s'était réellement déroulée la soirée.

— Écoute, ne crois pas que je vais te lâcher les baskets – je veux un compte rendu en bonne et due forme –, mais il y a un changement de plan.

— Un changement de plan ? S'il te plaît, ne me dis pas que je suis obligée de passer la nuit ici !

— Non, tu ne restes pas à Los Angeles, mais tu ne viens pas non plus chez moi. Il y a une meute de paparazzis devant mon immeuble. Enfin, huit ou dix. J'ai déjà débranché mon téléphone fixe. Et si c'est comme ça ici, je n'imagine même pas le tableau devant chez toi. Je ne pense pas que tu aies envie d'affronter ça.

— Nola, je suis vraiment désolée !

— S'il te plaît ! C'est de loin le truc le plus excitant qui me soit jamais arrivé, alors ferme-la. Le seul truc qui me désole, c'est de ne pas te voir. Je t'ai réservé une place sur un vol d'US Airways à destination de Philadelphie, et j'ai appelé ta mère pour la prévenir. Tu pars ce soir à 22 heures, et tu arrives demain un peu avant 6 heures. Elle viendra te chercher à l'aéroport. J'espère que ça te va ?

— Merci ! Je ne pourrai jamais assez te remercier !

Le chauffeur patientait toujours devant la voiture en bavardant au téléphone. Brooke voulait déguerpir avant de se faire repérer.

— N'oublie pas d'enfiler une jolie paire de chaussettes, parce que quand tu vas enlever tes chaussures au contrôle de sécurité, je peux te garantir qu'il y aura quelqu'un pour les prendre en photo. Souris de toutes tes dents, et ensuite file direct dans le salon de la classe affaires – *a priori*, tu n'y croiseras aucun journaliste.

— Entendu.

— Ah oui, et tu laisses tous les trucs qu'on t'a prêtés sur la banquette arrière. Le chauffeur les rapportera à l'hôtel, qui veillera à ce qu'ils soient retournés à la styliste.

— Je ne sais pas comment te remercier.

— Économise ta salive, Brooke. Tu ferais exactement la même chose pour moi si mon mari devenait une superstar du jour au lendemain, et que j'étais pourchassée par les paparazzis. Certes, cela supposerait que j'aie un mari, ce qui, on le sait l'une comme l'autre, n'est pas pour demain la veille, et que mon hypothétique mari ait en plus une once de talent, ce qui est encore plus improbable…

— Je suis trop crevée pour en discuter, mais sache que tu as actuellement, disons, dix mille chances de plus que moi d'être heureuse dans une relation de couple, alors arrête tes vacheries. Je t'adore.

— Moi aussi. N'oublie pas : une jolie paire de chaussettes, et tu m'appelles en arrivant.

Brooke consacra le temps du trajet jusqu'à l'aéroport à emballer soigneusement la robe dans la housse fournie à cet effet, à glisser les sandales à talons dans leur pochon, et à disposer les bijoux et la pochette dans les boîtes doublées de velours qui attendaient sur la banquette. Ce n'est que lorsqu'elle retira l'énorme diamant de son annulaire gauche qu'elle se souvint que la styliste avait conservé son alliance. Dans un coin de sa tête, elle nota de demander à Julian de la réclamer à la fille, et résista à l'impulsion d'y voir un signe.

Deux bloody mary à bord et un somnifère lui offrirent un coma de cinq heures dont elle avait grand besoin, mais, ainsi que le révéla la réaction de sa mère à l'arrivée, ne firent pas merveille sur son apparence. Sitôt qu'elle l'aperçut au bas des escalators, Brooke lui sourit et agita le bras, manquant d'assommer l'homme devant elle. Mrs Greene la serra fort contre elle, puis s'écarta en la maintenant à bout de bras. Elle contempla le survêtement en velours éponge, les baskets et la queue de cheval.

— Tu as une mine affreuse, déclara-t-elle.

— Merci maman. C'est vrai que je ne me sens pas au top.

— Viens, rentrons. Tu as des bagages en soute ?

— Non, juste ça, répondit Brooke en désignant sa valise cabine à roulettes. Une fois que tu as rendu la robe, les chaussures, le sac, les bijoux et les sous-vêtements, il ne te reste plus grand-chose à empaqueter.

Sa mère l'entraîna en slalomant en direction de l'ascenseur.

— Je me suis promis de ne pas te poser une seule question avant que tu sois prête à parler.

— Merci, j'apprécie.

— Alors ?

— Alors quoi ?

Elles sortirent de l'ascenseur. La fraîcheur de l'air de Philadelphie la saisit, comme pour bien lui rappeler qu'elle n'était plus en Californie.

— Alors… si tu as envie de parler, sache que je suis là. J'attendrai.

— C'est super. Merci.

— Brooke ! se récria sa mère en levant les mains au ciel, avant de lui ouvrir la portière. Tu me tortures.

— Je te torture ? répéta-t-elle en feignant l'incrédulité. Tu me proposes très gentiment de me laisser un peu de temps pour respirer, et je te prends au mot.

— Mais tu sais pertinemment que ma proposition n'était pas sincère !

Brooke hissa sa valise dans le coffre et s'installa sur le siège passager.

— Puis-je simplement profiter du trajet pour me détendre avant que l'interrogatoire commence ? Sois sans crainte, une fois que tu m'auras lancée sur le sujet, tu ne pourras plus m'arrêter.

À son grand soulagement, sa mère bavarda pendant tout le trajet jusqu'au centre-ville, et abreuva Brooke de détails à propos des gens qu'elle avait rencontrés dans son nouveau club de jogging. Et ce soliloque enjoué se poursuivit lorsque, après avoir garé la voiture dans le parking souterrain, elles prirent l'ascenseur pour gagner le petit appartement que Mrs Greene occupait au cinquième étage. Mais une fois à l'intérieur, celle-ci se retourna vers Brooke, qui se prépara à ce qui allait suivre.

Sa mère, dans une démonstration d'affection dont elle n'était pas coutumière, posa sa main contre sa joue.

— Pour commencer, tu vas aller te doucher. Tu trouveras des serviettes propres dans la salle de bains, et ce nouveau shampoing à la lavande dont je suis folle. Ensuite tu vas manger. Je vais te préparer une omelette – uniquement les blancs, *je sais* – et des toasts. Puis tu vas dormir. Les vols de nuit, c'est l'enfer, et j'imagine que tu n'as pas fermé l'œil dans l'avion. La deuxième chambre est prête, et j'ai déjà poussé la clim au maximum.

Elle retira sa main et se dirigea vers la cuisine. Brooke souffla de soulagement, fit rouler sa valise jusque dans la chambre et s'effondra sur le lit. Elle s'endormit sans même avoir pu retirer ses chaussures.

Quand elle rouvrit l'œil, tenaillée par une envie de pisser trop forte pour l'ignorer plus longtemps, le soleil était en fin de course, derrière l'immeuble. Le réveil indiquait 16 h 45 et elle entendit sa mère vider le lave-vaisselle. En moins de dix secondes, la soirée de la veille lui revint en mémoire. Elle attrapa son portable, à la fois désemparée et heureuse de voir qu'elle avait douze appels manqués, et autant de messages, tous sans exception émanant de Julian. Il avait commencé à les laisser vers 23 heures la veille (heure californienne) et insisté tout au long de la nuit et de la matinée.

Elle se leva, gagna d'abord la salle de bains puis la cuisine, où sa mère, debout devant le lave-vaisselle, regardait la petite télévision encastrée dans un placard en secouant la tête, tandis qu'Oprah serrait dans ses bras une invitée impossible à identifier.

— Salut, dit Brooke, en se demandant pour la énième fois ce que sa mère allait devenir le jour où Oprah finirait par disparaître des grilles de programmes. C'est qui ?

— Mackenzie Phillips, répondit Mrs Greene sans même se retourner. *Encore.* Tu ne trouves pas ça incroyable ? Oprah voulait voir comment elle se débrouille dans sa vie après ses révélations.

— Et elle se débrouille comment ?

— C'est une ancienne héroïnomane qui a couché pendant dix ans avec son père. Sans être psy, je dirais que le diagnostic sur ses chances de couler des jours heureux est quelque peu réservé.

— Bien vu. (Brooke attrapa un paquet d'Oreo allégés dans le garde-manger, le déchira et engouffra quelques biscuits.) Mon Dieu que c'est bon ! Est-ce possible qu'il n'y ait que cent calories là-dedans ?

— Tu as vu la taille du paquet ? renifla sa mère en éteignant la télévision. Il te faut en manger cinq pour commencer à te sentir rassasiée. C'est une arnaque ! (Elle se tourna vers Brooke et lui sourit.) Et si je te préparais cette omelette, qu'en dis-tu ?

— Bonne idée. Je suis morte de faim, répondit Brooke en vidant ce qu'il restait du paquet d'Oreo directement dans sa bouche.

— Tu te souviens quand vous étiez petits et que deux ou trois fois par mois, je vous préparais un petit déjeuner en guise de dîner ? Ton frère et toi, vous adoriez ça.

Elle sortit une poêle à frire d'un tiroir et la vaporisa si généreusement d'huile de colza qu'elle semblait avoir été plongée dans l'eau.

— Mm… oui bien sûr. Sauf que je suis à peu près sûre que c'était plutôt deux ou trois fois par semaine, et je peux affirmer également que j'étais la seule à aimer ça. Chaque fois que tu servais des œufs à dîner, Randy et papa commandaient une pizza.

— Brooke, tu exagères ! Ce n'était pas aussi fréquent. Je passais mon temps à cuisiner.

— Mouais.

— Je préparais chaque semaine une pleine marmite de mon chili à la dinde. Et vous adoriez tous ça.

Elle cassa six œufs dans un bol et commença à les battre. Brooke voulut protester quand sa mère ajouta sa « botte secrète » au mélange – un trait de lait de soja à la vanille, qui donnait un goût sucré écœurant – mais se ravisa. Il lui suffirait de noyer le tout avec du ketchup, et d'avaler l'omelette sans réfléchir, comme d'habitude.

— *Ton* chili ? C'était une préparation en poudre ! protesta-t-elle en se jetant sur un autre paquet d'Oreo. Tu n'avais qu'à ajouter la dinde et une boîte de sauce tomate.

— C'était délicieux et tu le sais.

Brooke sourit. Sa mère savait pertinemment qu'elle était une cuisinière épouvantable et n'avait jamais prétendu le contraire, mais mère et fille adoraient ce petit échange rituel.

Mrs Greene détacha l'omelette au soja vanillé de la poêle anti-adhésive avec une fourchette, et la partagea en deux. Elle trancha également les quatre toasts qui dépassaient du grille-pain, sans remarquer qu'elle ne l'avait jamais mis en route, puis elle tendit son assiette à Brooke en lui faisant signe d'aller s'installer à la petite table disposée devant la porte de la cuisine.

Chacune posa son assiette à sa place attitrée, et Mrs Greene repartit en cuisine chercher deux canettes de Coca light, deux fourchettes, un couteau, une brique de jus de raisin entamée, un succédané de beurre en vaporisateur, et déposa le tout sans cérémonie sur la table.

— *Bon appétit** ! chantonna-t-elle.

— Miam ! fit Brooke, en martyrisant sa part d'omelette à la vanille avec les dents de la fourchette. (Elle vaporisa son toast mou et blanc de faux beurre et brandit sa canette.) Santé !

— Santé ! À… (Brooke vit sa mère retenir ce qu'elle s'apprêtait à dire – une remarque, à tous les coups, sur la joie d'être réunies, ou sur les nouveaux départs, ou quelque autre référence tout aussi subtile à Julian.) Aux dîners gastronomiques en bonne compagnie ! lança-t-elle à la place.

Elles mangèrent en vitesse, et Brooke fut agréablement surprise de n'avoir dû affronter encore aucune question. Bien entendu, cette réserve produisit l'effet recherché : maintenant, c'était elle qui brûlait d'impatience de raconter ce qui s'était passé – et Mrs Greene le savait pertinemment. Brooke prit tout de même le temps d'aller brancher la bouilloire électrique, et lorsqu'elles furent installées sur le canapé, avec leurs tasses de Lipton, prêtes à regarder les trois derniers épisodes de *Brothers & Sisters* en stock sur le DVR, Brooke crut qu'elle allait exploser.

— Bon, j'imagine que tu meurs d'envie de savoir ce qui s'est passé hier soir, commença-t-elle après avoir bu une gorgée de thé.

Mrs Greene extirpa le sachet de thé de sa tasse, le laissa dégoutter une seconde, puis le déposa sur une serviette, sur la table basse. *Elle doit être au supplice*, songea Brooke en remarquant cette nonchalance très étudiée. Sa mère n'était en aucun cas le genre à se priver de mettre la pression.

— Quand tu seras prête, répondit Mrs Greene d'un ton vague, avec un geste de dénégation (fort peu crédible) qui semblait signifier : *Je ne suis pas une enquiquineuse*.

— Bon, je suppose… Bon sang, je ne sais même pas par où commencer ! C'est un tel binz.

— Commence par le commencement. La dernière fois que je t'ai parlé, il était environ midi à Los Angeles, et tu t'apprêtais à enfiler la robe. Tout semblait se dérouler à merveille à ce moment-là. Alors, que s'est-il passé ?

Brooke s'enfonça dans le canapé et posa un pied sur le rebord de la table basse.

— Ouais, c'est à partir de là que tout a viré au cauchemar. Je venais juste d'enfiler la robe, et de mettre les bijoux, quand Margaret a appelé.

— D'accord…

— Bon, il y a eu un énorme malentendu. Je t'épargne les détails pour l'instant, et pour faire bref, le résultat, c'est qu'elle m'a virée.

— Elle a fait *quoi* ? se récria sa mère soudain tout ouïe, avec cette même expression qu'elle avait lorsque Brooke, en rentrant de l'école primaire, lui expliquait que la bande des petites pestes s'était moquée d'elle à la récré.

— Elle m'a virée. Elle m'a dit qu'elle ne pouvait plus compter sur moi. Que l'hôpital doutait de mon implication.

— *Quoi ?*

Brooke sourit et poussa un soupir.

— Texto.

— Cette femme a perdu la raison ! s'insurgea Mrs Greene en frappant la table du plat de la main.

— Merci, j'apprécie ta confiance, maman, mais je dois admettre qu'elle n'a pas tout à fait tort. Ces derniers mois, je n'ai pas été au top de mes résultats.

Mrs Greene garda un instant le silence, comme si elle cherchait ses mots, puis répondit, d'une voix basse et mesurée :

— Tu sais que j'ai toujours apprécié Julian. Mais je ne vais pas te mentir – quand j'ai vu cette photo, j'ai eu envie de l'étrangler.

Brooke eut le sentiment d'être tombée dans une embuscade.

— Qu'est-ce que tu viens de dire ? murmura-t-elle

Non pas qu'elle eût oublié les photos – ces clichés qui, de l'aveu même de son mari, rivalisaient avec ceux publiés sur Sienna et Balthazar –, mais elle avait réussi à les repousser au fin fond de son esprit.

— Je suis désolée, ma chérie. Je sais que ça ne me regarde pas, je m'étais juré de ne pas t'en parler, mais tu ne peux pas te voiler la face et faire comme s'il ne s'était rien passé. Tu dois obtenir de vraies réponses.

— Oui, c'est évident, Julian et moi devons éclaircir un certain nombre de points, répondit-elle avec agacement. Je ne le reconnais plus, et ce n'est pas simplement à cause de quelques photos de paparazzis. (Elle regarda sa mère et attendit une réponse, mais celle-ci se tint coite.) Quoi ? reprit-elle. À quoi tu penses ?

— Tu ne les as pas encore vues, n'est-ce pas ?

Brooke ne répondit pas tout de suite.

— Je veux les voir, dit-elle enfin. Mais je n'ose pas. Dès que je les aurai vues, tout ça va devenir affreusement réel.

Mrs Greene replia les jambes sous ses fesses et tendit la main pour prendre celle de Brooke.

— Ma chérie, j'entends ce que tu dis. Je t'assure. Tu dois avoir l'impression d'être au bord d'un précipice. Et ça me tue de te dire ça… mais je crois vraiment que tu devrais les regarder.

Brooke tourna la tête et dévisagea sa mère.

— Ah oui ? C'est toi qui me dis ça, maman ? Toi qui m'as toujours conseillé d'ignorer toutes ces conneries ? Qui n'as de cesse de me rappeler, depuis des mois et des mois, chaque fois que je suis retournée par un truc que j'ai lu sur nous, que 99 % de ce qui est écrit dans les tabloïds n'est que mensonge et distorsion ?

— Il y a un exemplaire sur ma table de nuit.

— Sur ta table de nuit ? se récria Brooke d'une voix stridente, paniquée et révulsée – une voix qu'elle-même exécrait. Depuis quand es-tu abonnée à *Last Night* ? Je croyais que *The Oprah Magazine* et *Newsweek* étaient les seuls magazines autorisés dans cette maison.

— Je me suis abonnée lorsqu'ils ont commencé à parler régulièrement de Julian et toi, répondit Mrs Greene sans se démonter. Par curiosité. Je voulais savoir à quoi tout le monde faisait allusion.

Brooke lâcha un rire forcé.

— Tu ne dois pas être déçue. N'est-ce pas une source intarissable d'informations fascinantes ?

— Ça me tue de te dire ça, mais je préférerais que tu les découvres ici. Je suis là, je serai là, je t'attends. Vas-y.

Brooke regarda sa mère et vit le chagrin qui se peignait sur son visage. Elle se leva, en s'efforçant d'ignorer son appréhension. Il lui sembla qu'elle mettait une éternité à parcourir la distance entre le salon et la chambre de sa mère, mais avant même de réaliser entièrement ce qu'elle était en train de faire, elle se retrouva assise sur le bord du lit.

La couverture montrait Justin Timberlake et Jessica Biel, tout sourires, mais la photo était déchirée en zigzag et surmontée d'un « Tout est fini entre eux ! » en lettres rouge vif.

Réconfortée de ce que Julian n'était pas encore assez célèbre pour mériter les honneurs de la couverture, Brooke alla au sommaire, dans l'intention de le consulter. C'était inutile. Tout en haut de la page, occupant plus d'espace qu'elle n'en méritait, se trouvait une photo de Julian sur la terrasse du Château Marmont. La fille assise à ses côtés était presque entièrement dissimulée par une imposante plante en pot, mais on distinguait son profil tandis qu'elle se penchait vers Julian, tête inclinée de côté, bouche entrouverte, comme s'ils étaient sur le point de s'embrasser. Julian, une bière à la main, lui souriait – de son fameux sourire qui creusait ses fossettes. Brooke fut prise de nausée, puis elle se souvint que ses magazines ne dilapidaient jamais leurs photos les plus juteuses dans le sommaire. Le pire était à venir.

Elle prit une grande inspiration et alla à la page dix-huit. Quiconque affirmait que le cerveau avait besoin de temps pour assimiler une nouvelle affreuse n'avait à l'évidence jamais été confronté à une double page montrant son mari en train de séduire une autre femme. Le cerveau de Brooke, lui, assimila tout d'un coup et d'un seul, sans que cela lui réclame le moindre effort. Il y avait une autre version de la première photo, sauf que, sur celle-là, Julian semblait captivé par ce que la fille lui murmurait dans l'oreille. Une heure était comme tamponnée en rouge fluo sur le cliché : 23 h 38. Sur la photo suivante – prise celle-là à 0 h 22 – on le voyait éclater de rire, tête renversée en arrière. La fille riait aussi et avait, à présent, la main posée sur son torse. Était-elle en train de le repousser par jeu ? Ou juste en train de chercher une excuse pour le toucher ? La troisième et dernière photo, à gauche, était la pire : la fille sirotait ce qui ressemblait à du champagne rosé, collée tout contre Julian. Celui-ci avait toujours sa bouteille de bière dans une main, mais son autre main semblait avoir disparu sous la robe de la fille. Cette main se livrait-elle à quelque activité pornographique, ou caressait-elle simplement le haut de la cuisse ? L'angle de son bras ne permettait pas de le déterminer. Mais un fait demeurait indéniable : la main comme le poignet étaient cachés par le tissu. Julian faisait un clin d'œil à la fille et lui décochait ce sourire espiègle que Brooke aimait tant, et la fille le contemplait avec ravissement. Il était 1 h 03.

Et puis venait le coup de grâce, indubitablement le grand triomphe de *Last Night*. Une photo pleine page, qui lui fit l'effet d'être de la taille d'un panneau d'affichage. Là encore, l'heure était indiquée – 6 h 18 – et on y voyait la fille, vêtue de la même robe bleue sans intérêt que quelques heures plus tôt, émergeant d'un des bungalows aux abords de la piscine. Elle était échevelée, froissée, débraillée – un vrai cliché de lendemain matin. Son sac à main étroitement serré contre sa poitrine, comme pour se protéger d'un éventuel flash, elle écarquillait ses yeux bruns, l'air sonné, mais pas seulement. Il y avait autre chose, dans son regard. De la fierté ? De la suffisance ? En tout cas, pas de la honte.

Brooke ne put s'empêcher de scruter chaque cliché avec l'attention d'un scientifique penché sur un spécimen rare, en cherchant des preuves, des signes, un schéma. Cet examen prolongea son supplice de quelques minutes, mais après, elle comprit ce qui l'attristait le plus. La fille (du moins pour ce qu'elle en savait) n'était ni une actrice, ni un mannequin, ni une pop star. Elle avait l'air ordinaire. Avec ses cheveux châtains tirant sur le roux, raplapla et un peu trop longs, sa robe qui ne ressemblait à rien, sa silhouette qui n'avait rien de mémorable, elle était même étonnamment banale... Soudain, Brooke prit conscience d'une chose qui lui coupa presque le souffle : cette fille lui *ressemblait*. Les deux ou trois kilos en trop, les yeux maquillés avec maladresse, les sandales qui manquaient leur effet (les talons un rien mastoc pour une tenue du soir, le cuir un peu trop râpé)... La « conquête » de Julian et elle auraient pu être sœurs. Et le plus pénible de tout, c'est que Brooke était presque certaine d'être celle des deux qu'on aurait trouvée la plus séduisante.

Tout cela était trop bizarre. Si votre mari devait vous tromper avec une inconnue rencontrée dans un hôtel d'Hollywood, ne pouvait-il pas au moins, par respect, jeter son dévolu sur une partenaire sexy ? Et même sur une bimbo, refaite et vulgaire ? Où étaient les nichons démesurés, le jean archimoulant ? Le faux bronzage et les mèches à 500 dollars ? *Comment a-t-elle même réussi à* entrer *au Château ?* se demanda Brooke. D'accord, être un musicien célèbre ne suffisait peut-être pas à emballer un mannequin de la classe de Giselle, mais n'aurait-il pas pu au moins trouver une fille qui soit mieux que sa *propre* femme ? Brooke reposa le magazine, écœurée. Il était bien plus facile de se focaliser sur l'absurdité de se faire tromper avec une pâle copie de soi-même, que de s'appesantir sur la tromperie en elle-même.

— Ça va ?

Brooke sursauta. Mrs Greene se tenait sur le seuil de la chambre, avec la même expression peinée qu'un instant plus tôt.

— Tu avais raison, dit Brooke. Ça n'aurait pas été très marrant de les découvrir demain dans le train, en rentrant à New York.

— Je suis désolée, ma chérie. Je sais que ça doit te sembler impossible en ce moment, mais je pense que tu dois écouter les explications de Julian.

Brooke renifla avec mépris.

— Quelles explications ? « Ma chérie, j'aurais pu rentrer à New York pour passer cette soirée avec toi, mais j'ai préféré picoler et me taper la moins séduisante de tes sœurs jumelles ? Et manque de pot, quelqu'un a immortalisé la scène » ?

Brooke entendait la rage enfler dans sa voix, le sarcasme qui en dégoulinait et elle s'étonna de ne pas avoir envie de pleurer. Mrs Greene soupira et vint s'asseoir à côté d'elle sur le lit.

— Je ne sais pas, chérie. Il va devoir trouver une meilleure défense, c'est certain. Mais soyons bien claires sur un point : cette traînée ne te ressemble en rien. Ce n'est qu'une pauvre fille qui s'est jetée dans les bras de ton mari. Tu la surpasses de toutes les façons possibles et imaginables.

La mélodie de « For The Lost » se fit entendre dans l'autre pièce. Mrs Greene questionna sa fille du regard.

— C'est ma sonnerie de portable, indiqua Brooke en se levant. Je l'ai téléchargée, il y a quelques semaines de ça. Et maintenant, il va me falloir une soirée entière pour trouver comment l'enlever.

Elle localisa son téléphone dans la chambre d'amis et vit que l'appel émanait de Julian. Elle voulut le filtrer mais n'en trouva pas le courage.

— Salut, souffla-t-elle en se rasseyant sur le lit.

— Brooke ! Mon Dieu, j'étais mort d'angoisse ! Pourquoi ne répondais-tu pas à mes appels ? Je ne savais même pas si tu avais réussi à rentrer à la maison.

— Je ne suis pas à la maison, je suis chez ma mère.

Elle entendit un juron étouffé, avant que Julian poursuive :

— Chez ta mère ? Je croyais que tu avais dit que tu rentrais à New York.

— Oui, c'était le plan, jusqu'à ce que Nola me dise que notre appartement était assiégé.

— Brooke ? (Elle entendit un klaxon en arrière-fond.) Putain, il a failli nous rentrer dedans ! Hé mec, qu'est-ce qu'il fout, ce type derrière nous ? Brooke ? Excuse-moi. J'ai failli mourir. (Elle ne dit rien.) Brooke…

— Oui ?

— S'il te plaît, reprit Julian, après un silence. Écoute-moi jusqu'au bout.

Il marqua une pause. Elle savait qu'il attendait qu'elle dise quelque chose à propos des photos mais, même si jouer au chat et à la souris avec son propre mari était puéril, même si dissimuler ses sentiments était pesant, elle se refusait à lui donner cette satisfaction.

— Brooke, je… (Il s'interrompit pour tousser.) Je… euh, je ne peux même pas imaginer combien ça a dû être difficile pour toi de voir ces photos. Et l'horreur absolue que ça a dû être…

Elle agrippait le téléphone avec tellement de force qu'elle craignit un instant de le casser, mais elle ne pouvait se résoudre à parler. D'un coup d'un seul, sa gorge se noua et des larmes commencèrent à ruisseler le long de ses joues.

— Et quand ces journalistes odieux nous bombardaient de questions, hier soir sur le tapis rouge… (Il toussa de nouveau et Brooke se demanda s'il ravalait des sanglots, ou s'il avait juste pris froid.) C'était déjà violent pour moi, alors j'imagine quel enfer ça a été pour toi…

Il s'interrompit, attendant manifestement qu'elle dise quelque chose, qu'elle vole à son secours, mais elle était incapable d'articuler un traître mot. Une minute entière, deux peut-être, s'écoulèrent, puis il demanda :

— Bébé, tu pleures ? Oh, Rook, si tu savais combien je suis désolé.

— J'ai vu les photos, murmura-t-elle.

Elle se tut. Elle savait qu'elle devait poser la question, mais une part d'elle-même demeurait convaincue qu'il valait mieux ne rien savoir.

— Brooke, je t'assure que la vérité est bien moins moche.

— As-tu passé la nuit avec cette fille ? demanda-t-elle, d'une voix cotonneuse.

— Non, ça ne s'est pas passé comme ça.

Il y eut un silence, qui semblait presque palpable. Brooke attendit, en priant pour que Julian ajoute que tout n'était qu'un énorme malentendu, un piège, une manipulation des médias. Mais il n'ajouta rien.

— D'accord, s'entendit-elle dire. Ça explique pas mal de choses, conclut-elle en avalant les derniers mots.

— Non ! Brooke, je… je n'ai pas couché avec cette fille. Je te le jure !

— Elle a pourtant quitté ta chambre à 6 heures du matin.

— Brooke, je te le répète, nous n'avons pas couché ensemble, plaida-t-il d'une voix éplorée.

Et c'est là qu'elle comprit enfin ce dont il retournait.

— D'accord. Tu n'as pas couché avec elle, mais il s'est passé autre chose, c'est ça ?

— Brooke…

— J'ai besoin de savoir ce qui s'est passé, Julian.

Elle avait envie de vomir. N'était-ce pas insoutenable d'avoir cette conversation avec son mari ? De lui demander, sans oser le formuler vraiment, *jusqu'où ils avaient été* ?

— Il y a eu déshabillage, mais ensuite, on a sombré. Il ne s'est rien passé, je te le jure, Brooke.

Il y a eu déshabillage. Quelle étrange formulation ! Si pleine de distance… Brooke eut une vision de Julian, nu, sur un lit, avec une autre fille, et elle sentit un afflux de bile dans sa gorge.

— Brooke ? Tu es toujours là ? Écoute…

Elle savait qu'il était en train de parler, mais elle n'entendait plus rien de ce qu'il lui disait. Elle écarta le téléphone de son oreille et regarda l'écran. Julian, le visage collé contre le museau de Walter, la dévisageait. Elle contempla sa photo pendant dix secondes, vingt peut-être, au son des modulations de sa voix, puis elle inspira profondément, approcha le micro de ses lèvres, et dit :

— Julian, je vais raccrocher. S'il te plaît, ne me rappelle pas. Je veux être seule.

Avant de se dégonfler, elle coupa la communication, éteignit le téléphone, retira sa batterie et rangea le tout dans le tiroir de la table de nuit. Les conversations, c'en était terminé pour ce soir-là.

Pas du genre à sangloter sous la douche

— Tu es sûre que tu ne veux pas qu'on monte, même pour quelques minutes ? insista Michelle en regardant la file de 4 × 4 aux vitres teintées garée le long du trottoir.

— Je t'assure, répondit Brooke en essayant de faire preuve d'autorité.

Les deux heures de trajet en voiture jusqu'à New York lui avaient donné plus de temps qu'il n'en fallait pour mettre son frère et sa belle-sœur au courant de la situation, et ils étaient arrivés à Manhattan juste au moment où Randy et Michelle commençaient à poser des questions auxquelles elle n'était pas encore prête à répondre.

— Laisse-nous au moins t'escorter jusque devant la porte d'entrée, insista Randy. J'ai toujours voulu cogner un paparazzi.

Elle serra les dents et sourit.

— Merci, c'est gentil, mais je peux me débrouiller toute seule. Ils font probablement le pied de grue depuis la soirée des Grammys, et ils ne vont pas renoncer de sitôt, alors autant que je m'y habitue tout de suite. (Randy et Michelle échangèrent un regard sceptique.) Non, je vous assure, insista Brooke. Vous avez encore au moins trois heures de route devant vous, et il commence à se faire tard. Vous feriez mieux d'y aller. Je vais remonter le bloc, passer devant eux la tête droite, ne leur prêter aucune attention quand ils vont jaillir des voitures, et ne faire aucun commentaire.

Randy et Michelle se rendaient à un mariage dans les Berkshires, et avaient prévu d'y arriver avec un ou deux jours d'avance pour profiter de ce premier week-end sans le bébé. Brooke coula une fois de plus un regard discret vers le ventre incroyablement plat de Michelle, et secoua la tête d'émerveillement. Quand on songeait comment la grossesse avait effacé toute démarcation entre sa poitrine et sa taille, sa taille et ses cuisses, cela relevait du miracle. Brooke s'était dit qu'il faudrait des années avant que Michelle retrouve sa silhouette mais, quatre mois à peine après la naissance d'Ella, elle était plus svelte que jamais.

— Bon, comme tu veux…, acquiesça Randy avec un haussement de sourcils, avant de proposer dans la foulée à Michelle de monter chez Brooke, pour faire un saut aux toilettes.

Brooke s'affaissa. Elle mourait d'envie de disposer de quelques minutes de solitude avant l'arrivée de Nola et le début du deuxième round de l'inquisition.

— Non merci, répondit Michelle, et Brooke exhala un soupir de soulagement. Et si la circulation est aussi mauvaise qu'annoncée, mieux vaut ne pas traîner. Ça ira, tu es sûre ?

Brooke fit un grand sourire et se pencha entre les deux sièges pour serrer sa belle-sœur dans ses bras.

— Oui, promis. Tout va bien. Et toi, veille à bien dormir, et à boire autant que possible, d'accord ?

— On risque fort de dormir debout pendant le mariage, marmonna Randy en se penchant par la vitre ouverte pour accepter un baiser de Brooke.

Une rafale de flashes explosa à quelques pas de là. Posté sur le trottoir d'en face, un petit malin en sweat à capuche bleu marine les avait repérés avant ses confrères, bien que Randy ait veillé à se garer tout en haut du bloc. Et il ne faisait pas le moindre effort pour masquer ses intentions.

— Dis donc, il n'a pas perdu de temps, celui-là, observa Randy en se penchant.

— Je l'avais vu avant qu'il ne me voie. Et tu peux être sûr que d'ici quatre heures, la photo sera en ligne avec une légende du genre : « Plaquée et déjà consolée ».

— Ils ne vont pas mentionner que je suis ton frère ?

— Certainement pas ! Ni mentionner que l'autre passagère est ton épouse. Il y a même une possibilité, bien réelle, qu'ils évoquent un plan à trois.

Randy lui sourit, avec tristesse.

— C'est vraiment nul. Brooke, je suis désolé. Pour tout.

— Arrête de t'inquiéter pour moi, répondit-elle en lui pressant le bras. Filez, et amusez-vous bien !

— Tu appelles si tu as besoin de quoi que ce soit, d'accord ?

— Sans faute, lança-t-elle en feignant plus d'enjouement qu'elle ne l'aurait cru possible. Soyez prudents !

Elle s'attarda sur le trottoir et agita la main jusqu'à ce qu'ils aient tourné à l'angle de la rue, puis fonça en direction de sa porte d'entrée. À peine eut-elle parcouru quelques mètres qu'une nuée de photographes – alertés par les flashes de leur confrère – s'échappa des 4 × 4 pour s'agglutiner, en un essaim bruyant et vibrionnant, juste devant sa porte.

— Brooke ! Pourquoi n'avez-vous accompagné Julian à aucune soirée après les Grammys ?

— Brooke ! Avez-vous mis Julian à la porte ?

— Saviez-vous que votre mari avait une liaison ?

— Pourquoi votre mari n'est-il pas encore rentré ?

Bonne question, songea Brooke. *Nous sommes deux à nous la poser.* Les photographes criaient et braquaient leurs objectifs sur son visage, mais elle se refusa à croiser leurs regards. En simulant un calme qu'elle était bien loin d'éprouver, elle ouvrit la porte de l'immeuble, la referma derrière elle, déverrouilla ensuite la porte du hall. Les flashes continuèrent à crépiter jusqu'à ce que les portes de l'ascenseur se referment.

Dans l'appartement, il régnait un calme sinistre. Pour être honnête, elle avait espéré, au mépris de toute vrai-semblance, que Julian serait rentré toutes affaires cessantes à New York pour parler et aller au fond du problème. Elle n'ignorait pas que son emploi du temps ne lui laissait pas une seule minute de liberté, et qu'il était non négociable. À titre de destinataire dûment accréditée, elle était en copie des mails récapitulant son emploi du temps du jour, les lieux et numéros de télé-phone où le joindre et ses projets de voyage. Elle savait pertinemment qu'il n'avait pas le loisir d'annuler les interviews qui avaient afflué après la soirée des Grammys pour rentrer deux jours plus tôt à la maison. Mais qu'importe. Elle aurait tout donné pour qu'il le fasse. En l'état actuel des choses, il était prévu que Julian soit de retour à New York dans deux jours, le jeudi matin, pour enchaîner d'autres interviews et passages télé, et elle s'efforçait de ne pas penser à ce qu'il adviendrait alors.

Elle avait à peine eu le temps de se doucher en vitesse et de glisser un sachet de pop-corn dans le micro-ondes lorsque l'interphone sonna. Un instant plus tard, Nola et Walter entrèrent en trombe dans la minuscule entrée, dans un joyeux enchevêtrement de laisse et de manteau, et Brooke éclata de rire, pour la première fois depuis des jours, lorsque Walter se mit à faire des bonds d'un mètre pour tenter de lui lécher le visage. Quand elle réussit enfin à s'accroupir pour le prendre dans ses bras, il poussa des glapissements dignes d'un porcelet.

— Ne compte pas sur moi pour te réserver ce genre d'accueil, la prévint Nola en fronçant le nez de dégoût.

Revenue à de meilleurs sentiments, elle s'accroupit à son tour pour serrer très fort Brooke dans ses bras, les deux amies formant avec Walter un drôle de petit tipi. Puis Nola embrassa Brooke, gratifia Walter d'une caresse sur le museau, et fila droit à la cuisine préparer des dirty martini.

— Si le siège en bas de chez toi en ce moment est une indication de ce que tu as vécu à Los Angeles, je pense que tu as besoin de ça, dit-elle en tendant à Brooke un verre de vodka troublée par la saumure. (Elle s'installa en face d'elle sur le canapé.) Tu es prête à me raconter ce qui s'est passé ?

Brooke soupira et but une gorgée. Le cocktail était tassé, mais il réchauffa sa gorge et diffusa une chaleur étonnamment agréable dans son ventre. Elle ne pouvait se résoudre à revivre le cauchemar, étape par étape, et elle savait qu'en dépit de toute la sympathie que pourrait lui témoigner Nola, jamais son amie ne pourrait vraiment comprendre l'atrocité de cette soirée.

Aussi lui raconta-t-elle le ballet incessant des assistants, la luxueuse suite, la robe Valentino en lamé. Elle la fit rire en lui rapportant la plaisanterie qu'elle avait servie au garde de Neil Lane et vanta la perfection de sa coiffure et de sa manucure. Elle glissa assez vite sur l'appel de Margaret, en indiquant seulement que l'administration de l'hôpital était remontée contre elle pour avoir trop tiré sur la corde, et quand Nola prit l'air choqué, elle noya le sujet dans un éclat de rire et une gorgée de vodka. Elle lui rapporta scrupuleusement ses impressions quant au tapis rouge (« une fournaise, à cause de la forêt de projecteurs, on ne l'imagine pas avant d'y être »), aux stars en chair et en os (« plus minces qu'en photo pour la plupart, et presque toutes plus âgées »). Nola la pressa de questions sur Ryan Seacrest (« charmant et adorable, mais tu sais que je suis fan »), voulut savoir si John Mayer était réellement assez mignon pour justifier ses multiples conquêtes féminines (« pour être honnête, je trouve Julian plus mignon, ce qui, maintenant que j'y pense, ne présage rien de bon ») et quand elle lui demanda si Taylor Swift était mieux, ou pire, que Miley Cyrus, Brooke donna un avis tout à fait inutile (« je ne suis pas certaine de pouvoir les différencier »). Sans s'en expliquer la raison, elle passa délibérément sous silence la rencontre avec Layla Lawson, l'épisode des deux commères dans les toilettes, et le sermon de Carter Price.

Elle ne lui raconta pas non plus combien elle s'était sentie anéantie lorsqu'elle avait raccroché, après avoir été virée. Elle ne lui décrivit pas l'extrême froideur de Julian lorsqu'il lui avait parlé des photos, ni à quel point, et c'est ce qui la bouleversa le plus, il semblait obnubilé par une chose et une seule : « gérer leur impact » et

« coller au message ». Elle fit également l'impasse sur l'épisode du tapis rouge, quand les paparazzis les avaient assaillis et bombardés de questions humiliantes, en leur criant parfois des insultes dans l'espoir de leur faire tourner la tête. Et comment aurait-elle pu expliquer ce qu'elle avait ressenti en écoutant Carrie Underwood chanter « Before He Cheats », quand elle se demandait si tout le monde dans la salle n'était pas en train de les regarder en gloussant, et quand elle avait essayé de demeurer impassible lorsque Carrie avait chanté « 'Cause the time next that he cheats / oh, you know it won't be on me [1] ».

Elle omit de parler des sanglots qui l'avaient secouée dans la voiture qui l'emportait vers l'aéroport. Elle ne dit pas qu'elle avait prié pour que Julian la supplie de rester, lui interdise formellement de partir, et combien la tiédeur de ses protestations l'avait dévastée. Elle ne voulait pas non plus confesser qu'elle avait été la dernière à embarquer, dans l'espoir pathétique de voir Julian, comme dans tous les films, galoper vers la porte d'embarquement pour se jeter à ses pieds, ni que lorsqu'elle s'était enfin engagée sur la passerelle et avait regardé la porte se refermer derrière elle, elle l'avait haï davantage pour l'avoir laissée partir que pour le forfait idiot, quel qu'il soit, qui était à l'origine de tout.

Quand elle eut terminé, elle regarda Nola et attendit sa réaction.

— Était-ce un bon compte rendu ?

Nola secoua la tête.

— Arrête, Brooke. Raconte-moi la vraie histoire.

1. « Parce que la prochaine fois qu'il ira voir ailleurs / ce n'est pas moi qu'il trompera. »

— La vraie histoire ? répéta Brooke en lâchant un rire qui sonnait faux. Tu peux la lire en page dix-huit du dernier numéro de *Last Night*.

Walter sauta sur le canapé et posa son museau sur la cuisse de Brooke.

— Brooke, as-tu seulement pensé qu'il y a peut-être une explication logique ?

— Ça devient de plus en plus difficile de tout mettre sur le dos des tabloïds quand ton mari vient de te confirmer les faits.

L'incrédulité se peignit sur le visage de Nola.

— Julian a reconnu…

— Oui. (Nola posa son verre et dévisagea Brooke.) La formule qu'il a employée était : « Il y a eu déshabillage. » Comme s'il ignorait entièrement comment une chose pareille avait pu se produire.

— Oh, mon Dieu !

— Il soutient qu'il n'a pas couché avec elle. Comme si j'étais censée croire ça ! (Son téléphone sonna mais elle le réduisit aussitôt au silence.) Oh, Nola ! Je n'arrive pas à me sortir cette vision de la tête ! Eux deux, nus. Et tu sais ce qui est le plus bizarre ? Qu'elle soit aussi ordinaire ne fait qu'empirer mon chagrin. Tu vois, il ne peut même pas prétendre qu'il était complètement bourré et qu'un mannequin hyper sexy est tombé dans son lit. (Elle brandit le numéro de *Last Night* et le secoua.) Cette fille est commune. Au mieux ! Et il ne faut pas perdre de vue qu'il a passé toute la soirée à la courtiser. À la séduire. Et tu espères me faire croire qu'il n'a pas couché avec elle ?

Nola baissa les yeux et contempla ses genoux. Brooke se leva et commença à faire les cent pas. Elle se sentait épuisée, surexcitée et nauséeuse tout à la fois.

— Même s'il ne l'a pas fait, il est évident qu'il a essayé, reprit-elle. Il a eu une aventure, ou il a cherché à en avoir une. Je serais trop conne de me voiler la face. (Nola ne répondit rien.) On ne se voit quasiment jamais, et quand on se voit, on se dispute. On ne couche presque plus ensemble. Quand il est en voyage, il passe son temps à sortir, je ne sais jamais où, mais j'entends toujours des filles et de la musique en fond sonore. Il y a eu *tellement de rumeurs* ! Je sais bien que toute femme plaquée aimerait croire que son cas est unique, mais j'ai été stupide de penser que ça ne pouvait pas m'arriver. (Elle exhala longuement et secoua la tête.) Mon Dieu, on répète l'histoire de mes parents. J'ai toujours pensé qu'on serait différents, mais voilà où on en est…

— Brooke, il faut que tu lui parles.

Brooke leva les mains au ciel.

— Ah, je suis entièrement d'accord, mais où est-il ? En train de manger des sushis à West Hollywood avant de se lancer dans sa tournée des talk-shows de nuit ? N'est-ce pas difficile de penser que *s'il le voulait vraiment*, il pourrait être ici en ce moment ?

Nola joua avec son verre et fit mine de réfléchir.

— Tu en es sûre ?

— Évidemment ! Ce n'est pas le président des États-Unis, ni un chirurgien qui tient la vie d'un patient entre ses mains ! Il n'est pas en train de guider une navette spatiale pour qu'elle retraverse sans encombre l'atmosphère ! Il est *chanteur*, pour l'amour de Dieu ! Alors oui, je pense qu'il pourrait se débrouiller.

— Bon, quand sera-t-il de retour ?

Brooke haussa négligemment les épaules et grattouilla le cou de Walter.

— Après-demain. Pas pour moi, note bien. New York est sur son emploi du temps. Apparemment, la dissolution de notre couple ne justifie pas une ligne de plus sur sa feuille de route.

Nola reposa son verre et se tourna vers son amie.

— La dissolution de votre couple ? C'est ce qui est en train de se passer ?

La question resta comme en suspens.

— Je ne sais pas, Nola. Je ne l'espère pas, vraiment. Mais je ne sais pas comment on va se dépêtrer de cette situation.

À force de dire, depuis deux jours, qu'elle devait « s'accorder du temps », avait « besoin d'espace », devait « résoudre le problème », jamais elle ne s'était autorisée à vraiment considérer l'éventualité que Julian et elle puissent ne pas surmonter cette épreuve.

— Écoute, Nola, je me déteste de faire ça, mais je te fiche à la porte. J'ai besoin de dormir.

— Pourquoi ? Tu es au chômage. Qu'est-ce que tu peux bien avoir à faire demain ?

Brooke éclata de rire.

— Merci de ta délicatesse. Je me permets de te rappeler que je ne suis qu'au chômage *partiel*. J'ai encore mes vingt heures hebdomadaires à l'école.

Nola se resservit un doigt de vodka, sans prendre la peine cette fois d'aller chercher le bocal d'olives.

— Tu n'as pas besoin d'y être avant demain après-midi. Tu dois vraiment aller au lit à la minute ?

— Non, mais j'ai besoin de deux ou trois heures pour sangloter sous la douche, résister à la tentation de chercher des renseignements sur la fille du Château sur Google, et pleurer toutes les larmes de mon corps quand j'y aurais cédé.

La réponse se voulait une plaisanterie, mais ce programme fut loin de donner cette impression lorsqu'elle l'énonça à voix haute.

— Brooke…

— Je plaisantais. Je ne suis pas du genre à sangloter sous la douche. En outre, je vais certainement prendre un bain.

— Je ne te laisse pas seule dans cet état.

— En ce cas, je t'offre mon canapé parce que moi, je vais vraiment au lit. Franchement, Nola, je vais bien. Et ça ne me ferait pas de mal d'être un peu seule, je crois. Ma mère s'est montrée d'une discrétion sidérante, mais je n'ai pas encore eu une seconde pour moi. Non pas que je n'aurais pas plein de temps pour ça…

Il lui fallut argumenter encore dix bonnes minutes pour convaincre Nola de partir, et cela fait, elle se sentit moins soulagée que prévu. Elle prit un bain, enfila son pyjama le plus douillet, se drapa dans son peignoir le plus miteux et se glissa sous la couette avec son ordinateur portable. Dès le début de leur vie commune, Julian et elle avaient convenu de ne jamais avoir de télévision dans la chambre – anathème qui s'étendait aux ordinateurs – mais puisque Julian avait disparu dans la nature, elle se sentait presque dans son droit de télécharger *27 robes*, ou n'importe quelle autre comédie romantique susceptible de lui vider la tête. Elle caressa un instant l'idée de compléter la transgression avec un pot de crème glacée, mais décida que ça faisait vraiment trop Bridget Jones. Le film s'avéra une excellente distraction et ce, surtout à cause de la concentration qu'elle s'imposa, mais dès qu'il fut terminé, elle fit une erreur fatale. Deux, en fait.

Sa première décision désastreuse fut d'interroger sa messagerie vocale. Il lui fallut presque vingt minutes pour venir à bout des trente-trois messages qui s'étaient accumulés depuis le jour des Grammys. Le changement de ton entre ceux du dimanche – lorsque les amis et la famille l'appelaient pour lui souhaiter bonne chance – et ceux laissés le jour même – qui, presque tous, sonnaient comme des condoléances – était saisissant. La majorité des messages, cependant, émanait de Julian, qui proposait, sans enthousiasme et sous diverses formulations, de « tout expliquer ». Brooke ne manqua pas de remarquer que si le ton suppliant était de rigueur, aucun des messages, en revanche, ne s'accompagnait d'un « je t'aime ». Randy, son père, Michelle et Cynthia lui offraient soutien et encouragements ; il y avait quatre messages de Nola, étalés dans le temps, qui venait aux nouvelles et lui en donnait de Walter ; et aussi un message d'Heather, la conseillère d'orientation de la Huntley sur laquelle elle était tombée à la pâtisserie italienne. Les autres avaient été laissés par des copines de longue date, des collègues ou ex-collègues, de vagues connaissances, et tous donnaient l'impression que quelqu'un était mort. Brooke n'avait pas eu spécialement envie de pleurer avant de commencer à les écouter, mais quand elle eut terminé, elle avait une boule dans la gorge.

Sa seconde erreur – une erreur de débutante, pire peut-être que la première – fut de se connecter à Facebook. Elle s'était attendue à trouver de nombreux messages enthousiastes d'amis à propos de la performance de Julian – ce n'était pas tous les jours qu'un ancien camarade de lycée ou de fac se produisait aux Grammys. Ce qu'elle n'avait pas anticipé, naïvement peut-être, c'était ces effusions de sympathie à son égard : son mur était constellé de messages, dont l'un émanant de la mère d'une de ses amies (« Tu es forte, tu vas surmonter ça »), et un autre de Kaylie (« ça montre juste que tous les hommes sont des gros c****. vous en faites pas, mrs.a, tout le monde est avec vous !!! »). En d'autres circonstances, moins humiliantes, ces marques d'affection et ces encouragements auraient été merveilleux, mais là, ils étaient juste mortifiants. Et n'était-ce pas la preuve irréfutable que ses malheurs intimes étaient débattus en place publique – et pas seulement par des inconnus. Étrangement, elle n'avait pas frémi outre mesure à la pensée de tous ces Américains anonymes décortiquant les photos de son mari et de la fille du Château, mais à l'instant où elle réalisa que ses amies, sa famille, ses collègues et toutes ses connaissances faisaient de même, cela devint presque insoutenable.

La double dose de somnifères qu'elle avala à titre préventif échoua à la précipiter dans le sommeil comateux qu'elle appelait de tous ses vœux ; en revanche, au réveil, elle était sonnée et groggy, et toute la matinée, ainsi que le début de l'après-midi, passèrent dans une espèce de brouillard, ponctué uniquement par les aboiements de Walter et la sonnerie incessante du téléphone – qu'elle ignora systématiquement. Si elle n'avait pas été terrifiée à l'idée de se faire remercier aussi par la direction de la Huntley, elle aurait très sérieusement envisagé d'appeler pour prétexter une indisposition. Au lieu de quoi elle se força à se doucher, à manger un sandwich au pain complet et au beurre de cacahouète, et à se diriger vers le métro bien plus tôt que nécessaire pour être dans l'Upper East Side à 15 h 30. Elle arriva à l'école avec un quart d'heure d'avance, et tandis qu'elle admirait un instant la façade de pierre couverte de lierre de cet ancien hôtel particulier, elle remarqua un sacré remue-ménage à gauche de l'entrée.

Il y avait là un petit groupe de photographes et, à en juger par le micro de l'un et le bloc-notes de l'autre, deux journalistes, attroupés autour d'une petite bonne femme blonde, vêtue d'une pelisse qui lui arrivait aux chevilles, arborant un chignon impeccable et un affreux rictus. Les photographes étaient tellement concentrés sur elle qu'ils ne remarquèrent pas Brooke.

— Non, je ne dirais pas qu'il s'agit là d'un reproche personnel, expliquait la femme en secouant la tête. (Elle écouta une remarque du journaliste, puis secoua de nouveau la tête.) Non, je n'ai jamais eu affaire à elle, ma fille n'a pas besoin de conseils de nutrition, mais…

Brooke cessa d'écouter l'espace d'un quart de seconde lorsqu'elle réalisa que cette inconnue était en train de parler d'elle.

— Disons juste que je ne suis pas la seule à penser que ce genre d'attention est malvenu dans un environnement scolaire. Ma fille devrait être en train de se concentrer sur l'algèbre et ses entraînements de hockey sur gazon, ce qui est impossible puisque, pour l'instant, elle passe son temps à éconduire des journalistes. C'est inacceptable, et c'est pour cette raison que l'association des parents d'élèves exige la démission immédiate de Mrs Alter.

Brooke lâcha un hoquet. Aussitôt après, la femme croisa son regard. La dizaine de personnes qui faisaient cercle autour d'elle – Brooke découvrit que le groupe comprenait également deux autres mères – la regardèrent. Et immédiatement, ce fut la cohue.

— Brooke ! Avez-vous déjà rencontré la fille des photos ?

— Brooke, allez-vous quitter Julian ? L'avez-vous revu depuis dimanche soir ?

— Que pensez-vous de l'appel à démission de l'association des parents d'élèves de la Huntley ? Pensez-vous que c'est de la faute de votre mari ?

Ça recommençait, exactement comme aux Grammys, sauf que cette fois, elle n'avait plus la robe, ni le mari, ni le cordon pour tenir les paparazzis en respect. En revanche, et par chance, il y avait le gardien de l'école, un sexagénaire débonnaire, qui n'avait rien d'un colosse mais qui s'interposa néanmoins et ordonna à la meute de reculer, en rappelant à tout le monde que si le trottoir était un espace public, le perron, lui, ne l'était pas. Brooke le gratifia d'un regard reconnaissant et se précipita à l'intérieur, partagée entre l'hébétude et la colère. Une colère dirigée essentiellement contre elle, pour n'avoir pas su prédire – ni même soupçonné un seul instant – que toute cette attention indésirable et infernale la poursuivrait jusqu'à l'école.

Elle reprit son souffle, et gagna directement son bureau, au rez-de-chaussée. Rosie, qui assurait le secrétariat général, leva les yeux de son bureau lorsque Brooke pénétra dans l'antichambre, commune aux bureaux des cinq conseillères. Rosie n'avait jamais excellé dans l'art de s'occuper de ses oignons, et Brooke se douta que, ce jour-là, sa curiosité serait décuplée. Elle se prépara à affronter l'inévitable allusion aux photos de Julian, à la meute à l'extérieur, ou aux deux.

— Bonjour, Brooke. Prévenez-moi lorsque vous serez remise de euh…, tout ce remue-ménage. Rhonda veut passer vous voir quelques instants avant le début de vos consultations, annonça Rosie d'une voix suffisamment nerveuse pour être contagieuse.

— Ah bon ? Vous savez pourquoi ?

— Du tout. (Un mensonge, ça crevait les yeux.) Elle m'a demandé de la prévenir de votre arrivée.

— D'accord. Vous me laissez le temps d'enlever mon manteau et d'écouter mes messages ? Deux minutes ?

Elle pénétra dans son bureau, tout juste assez spacieux pour accueillir une table, deux chaises et un portemanteau, et referma doucement la porte. À travers la vitre de celle-ci, elle vit Rosie décrocher aussitôt son téléphone pour prévenir Rhonda.

Trente secondes plus tard, elle frappait à la porte.

— Entrez ! lança Brooke, en essayant de prendre une voix accueillante.

Elle appréciait sincèrement Rhonda, et la respectait, et même si une visite de sa directrice n'avait rien d'inhabituel, elle aurait préféré l'éviter ce jour-là.

— Je suis contente de vous voir, je voulais justement vous parler de Lizzie Stone, commença Brooke, désireuse d'apporter une part active à la conversation en abordant le cas d'une des élèves qu'elle suivait. J'ai du mal à croire qu'on fasse confiance à l'entraîneur Demichev pour veiller au bien-être de ses filles. Certes, c'est formidable qu'il puisse créer des athlètes olympiques d'un simple claquement de doigts, mais très franchement, à force de les affamer, et sans mauvais jeu de mots, l'une d'elles risque aussi de lui *claquer* dans les doigts…

— Brooke, l'interrompit Rhonda, avec une intonation traînante qui ne lui ressemblait guère. Ce que vous dites m'intéresse, naturellement ; peut-être pourriez-vous me le noter dans un mémo ? Nous devons parler.

— Ah ? (Son cœur se mit à battre plus fort.) Un problème ?

— Je le crains. Je suis affreusement désolée de devoir vous dire ça…

À l'expression de Rhonda, elle comprit sur-le-champ. Naturellement, se défendit celle-ci, elle n'était pour rien dans cette décision. Certes, elle était la directrice de l'établissement, mais elle devait répondre de sa tenue devant d'autres personnes, et plus particulièrement devant les parents, qui pensaient que toute l'attention dont Brooke faisait l'objet avait des retombées néfastes sur l'école. Tout le monde comprenait que Brooke n'était en rien fautive, et qu'elle n'était pas ravie de cette surveillance de la part des médias, et justement, c'était pour cette raison qu'ils voulaient qu'elle prenne un congé – payé, cela va de soi – jusqu'à ce que toutes ces histoires se soient tassées.

— J'espère que vous comprenez qu'il s'agit d'une mesure temporaire, une solution de dernier recours qui nous désole tous, conclut-elle.

À ce moment-là, Brooke avait déjà jeté l'éponge. Elle ne fit pas remarquer à sa supérieure que c'était cette mère d'élève hostile qui, en donnant une conférence de presse devant l'école, attirait l'attention des médias. Elle se retint de lui rappeler que jamais elle n'avait mentionné le nom de l'école dans aucune interview et que jamais, absolument jamais, elle n'avait compromis la vie privée de ses élèves en expliquant ses responsabilités à quiconque en dehors de son cercle amical et familial le plus proche. À la place, elle s'obligea à brancher un pilote automatique : elle répondit, conformément à ce qu'on attendait d'elle, qu'elle comprenait, qu'elle savait que la décision ne venait pas de Rhonda, qu'elle partirait sitôt qu'elle aurait réglé quelques détails.

Moins d'une heure plus tard, elle renfila son manteau, glissa son sac à l'épaule et, dans l'antichambre, tomba sur Heather.

— Salut. Tu as déjà fini ta journée ? Quelle chance !

— Disons plutôt que j'ai fini jusqu'à nouvel ordre, répondit-elle au bord des larmes.

— J'ai appris ce qui s'est passé, chuchota Heather, bien qu'elles soient seules dans la pièce.

Brooke se demanda comment cela était possible, avant de se souvenir à quel point les rumeurs se répandaient vite dans un lycée. Elle haussa les épaules.

— C'est dans l'ordre des choses. Si j'étais une mère qui débourse quarante mille dollars par an pour inscrire ma fille dans cette école, j'imagine que je ne serais pas ravie de la voir harcelée par les paparazzis dès qu'elle met un pied dehors. Rhonda m'a dit que des journalistes avaient contacté certaines élèves via Facebook, pour leur demander comment je me comportais à l'école, et si je leur avais déjà parlé de Julian. Tu imagines ? soupira-t-elle. Si c'était vraiment le cas, alors là oui, ma démission serait justifiée.

— C'est immonde. Tous ces gens sont absolument immondes. Écoute, Brooke, tu devrais rencontrer mon amie. Tu sais, celle dont je t'ai parlé ? Dont le mari a gagné La Nouvelle Star ? J'imagine que dans ton entourage, il n'y a pas grand monde qui sait ce que tu traverses en ce moment, mais crois-moi, elle, elle pigera combien...

Heather laissa sa phrase en suspens et prit un air inquiet comme si elle avait peur d'avoir trop insisté.

Brooke se moquait comme d'une guigne de rencontrer la copine d'Heather, une fille d'Alabama de plusieurs années sa cadette, pour comparer leurs déboires conjugaux, mais elle hocha la tête.

— Bien sûr, envoie-moi son e-mail et je la contacterai.

— Oh, ne t'embête pas. C'est moi qui lui dirai de te contacter, si ça te convient.

Non, ça ne lui convenait pas du tout, mais que pouvait-elle dire ? Pour l'heure, elle n'avait qu'une envie : filer au plus vite, avant de tomber sur quelqu'un d'autre.

— Oui, parfait, répondit-elle, mal à l'aise.

Elle se força à sourire, agita la main et fila en direction de la porte. Dans le hall, elle croisa un groupe d'élèves, et l'une des filles la héla par son nom. Brooke songea à faire semblant de n'avoir pas entendu, mais le stratagème était trop grossier. Lorsqu'elle se retourna, elle vit Kaylie qui venait à sa rencontre.

— Mrs A. ? Où allez-vous ? On n'a pas rendez-vous aujourd'hui ? J'ai entendu dire que ça grouille de journalistes, dehors.

Brooke regarda la jeune fille qui, comme d'habitude, entortillait avec nervosité une mèche de cheveux frisés autour de son doigt, et sentit aussitôt une bouffée de culpabilité.

— Bonjour, ma puce. Il semblerait que je... euh, que je prenne quelques vacances. Mais sois sans crainte, s'empressa-t-elle d'ajouter en voyant le visage de Kaylie se défaire. Ce n'est que temporaire, j'en suis sûre, et tu te débrouilles drôlement bien toute seule.

— Mais, Mrs A., je ne pense pas que...

Brooke lui fit signe de se taire et se rapprocha, pour éviter d'être entendue par les autres élèves.

— Kaylie, l'élève a dépassé le maître, dit-elle avec un sourire qu'elle espérait rassurant. Tu es forte, et en bonne santé et tu sais – probablement mieux que n'importe quelle autre fille ici – comment prendre soin de toi. Non seulement tu as su trouver ta place dans cette école, mais tu es devenue une star du club théâtre. Tu es superbe, et tu es bien dans ta peau… merde ! Je ne vois pas ce que je pourrais t'apporter de plus.

Kaylie sourit et s'avança pour la prendre dans ses bras.

— Je ne raconterai à personne que vous avez dit un gros mot, promit-elle.

Brooke tapota le bras de la jeune fille avec un sourire chaleureux, en dépit de son émotion.

— Prends soin de toi. Et appelle-moi si tu as besoin de quoi que ce soit. Mais fais-moi confiance, tu n'es pas débarrassée de moi. Je serai de retour très vite, d'accord ? (Kaylie hocha la tête et Brooke essaya de retenir ses larmes.) Et promets-moi une chose : c'en est fini de ces jeûnes stupides, d'accord ? On n'en est plus là, hein ?

— On n'en est plus là, confirma Kaylie avec un sourire.

Brooke lui fit un petit signe, pivota sur ses talons et fonça d'un pas déterminé vers la sortie, résolue à dépasser tête haute les photographes agglutinés sur le trottoir – photographes qui, bien sûr, en la voyant, l'assaillirent aussitôt de questions. Sans ralentir son allure, elle gagna la 5e Avenue, se retourna pour s'assurer que personne ne l'avait suivie, et essaya de héler un taxi – une tentative complètement stérile en plein après-midi. Au bout de vingt minutes, de frustra-tion, elle sauta dans un bus qui traversait Central Park pour aller prendre le métro à la station 86ᵉ Rue. Quand elle grimpa à bord de la ligne 1, elle ne fut pas mécon-tente de trouver un siège dans le wagon de queue.

Elle ferma les yeux et se renversa contre le dossier du siège, en se moquant pas mal que ses cheveux entrent en contact avec la paroi sur laquelle tant de gens avaient frotté leurs mèches grasses. Voilà où ça vous menait, de vous faire virer non pas une, mais deux fois dans la même semaine ! Au moment où elle commençait à s'apitoyer pour de bon sur son sort, elle rouvrit les yeux et vit Julian lui sourire depuis une affichette publicitaire.

C'était une pub destinée à la promotion de l'album, qu'elle avait déjà vue un millier de fois, mais jamais dans le métro. Et elle n'avait jamais remarqué non plus à quel point Julian paraissait la regarder les yeux dans les yeux. N'était-ce pas le comble de l'ironie, qu'il soit là avec elle dans ce wagon, quand il était devenu si rare qu'ils soient ensemble ? Brooke se releva et alla s'asseoir à l'autre bout du wagon, où les publicités concernaient des cabinets de cosmétique dentaire et des cours d'anglais pour étrangers. Cependant, elle ne put s'empêcher de couler un regard oblique en direction de Julian et quand elle constata qu'il la fixait toujours, quelque chose se mit à bouillonner dans son estomac. Quels que soient la posture qu'elle adoptait ou le posi-tionnement de sa tête, le regard de Julian – combiné à ce sourire qui creusait ses fossettes et ne faisait qu'accroître sa détresse – croisait obstinément le sien. À la station suivante, Brooke se hâta de changer de wagon, en veil-lant à en choisir un d'où son mari était absent.

Un petit ami avec une villa et un fils

— Si tu refuses de m'écouter ce soir, sache au moins une chose : je pense que ça vaut le coup de se battre. (Julian tendit le bras le long du canapé pour lui prendre la main.) *Moi*, je vais me battre pour notre couple.

— Belle ouverture, observa Brooke. Bien joué.

— Arrête, Rookie. Je suis sérieux.

La situation n'avait à l'évidence rien de drôle, mais Brooke voulait à tout prix alléger l'ambiance, ne serait-ce qu'un peu. Depuis dix minutes que Julian était rentré, ils se comportaient comme deux parfaits étrangers. Des étrangers courtois, prudents, résolument distants.

— Mais moi aussi, l'assura-t-elle d'une voix posée. (Voyant qu'il ne répondait rien, elle demanda :) Pourquoi n'es-tu pas rentré plus tôt à la maison ? Je sais que tu avais des rendez-vous avec la presse, mais nous sommes déjà jeudi. Le problème n'était pas assez important à tes yeux ?

Julian la dévisagea, l'air surpris.

— Rook ! Comment peux-tu penser ça ? J'avais besoin de temps pour réfléchir. Tout arrive tellement vite, j'ai l'impression que tout part à vau-l'eau…

La bouilloire commença à chanter. Brooke savait, sans avoir besoin de le lui demander, que Julian ne voudrait sans doute pas de l'infusion gingembre-citron qu'elle était en train de se préparer, mais accepterait probablement une tasse de thé vert nature si elle la lui tendait. Elle éprouva un minuscule éclat de satisfaction lorsqu'il l'accepta avec gratitude et en but une gorgée.

— Écoute, reprit-il en croisant les deux mains autour de la tasse. Il n'existe aucun mot pour te dire combien je suis désolé. Penser à ce que tu as dû éprouver quand tu as vu…

— Le problème, ce n'est pas les photos ! cria-t-elle, d'une voix bien plus aiguë qu'elle en avait eu l'intention. (Elle se tut un instant.) Oui, c'était un moment atroce, douloureux, gênant, sans aucun doute. Mais le plus dérangeant, c'est la *raison* pour laquelle ces photos existent. (Voyant qu'il ne répondait rien, elle ajouta :) Vas-tu me dire ce qui s'est passé ce soir-là ?

— Rook, je te l'ai déjà dit : c'était une erreur idiote, isolée, et je n'ai absolument pas couché avec elle. Ni avec personne, s'empressa-t-il de préciser.

— En ce cas, qu'avez-vous fait ?

— Je ne sais pas… Ce soir-là, on a dîné, on était tout un groupe, et puis quelques personnes sont parties, et quelques autres encore, et de fil en aiguille, il ne restait plus qu'elle et moi à la table. (Le seul fait d'entendre Julian dire « elle et moi » en parlant d'une autre fille lui barbouilla instantanément l'estomac.) Je ne sais même pas qui elle est, d'où elle vient…

— Sois sans crainte, le coupa-t-elle d'un ton sarcastique. Le pays tout entier s'est fait un plaisir de t'aider à le découvrir. Janelle Moser, 24 ans. Elle vient d'une petite ville du Michigan et elle était à L.A. pour l'enterrement de vie de jeune fille d'une copine. Le grand mystère, en revanche, c'est comment diable elles ont atterri au Château.

— Je n'ai pas…

— Et au cas où cela t'intéresserait – encore que tu sois mieux placé que *Last Night* pour faire autorité sur ce point –, ces clichés ne sont pas truqués.

Julian poussa un long soupir.

— J'avais beaucoup trop bu, et elle m'a proposé de me raccompagner jusqu'à ma chambre.

Il se tut et passa la main dans ses cheveux.

— Et ensuite ?

— On s'est pelotés, et après, elle s'est déshabillée – de but en blanc. Elle s'est relevée, et elle a commencé à retirer ses fringues. Ça m'a dégrisé d'un coup. Je lui ai dit de se rhabiller. Ce qu'elle a fait, mais elle s'est mise à pleurer, elle disait qu'elle était affreusement gênée. Alors j'ai essayé de la calmer, et on a bu un truc qui se trouvait dans le minibar, et vu dans quel état j'étais à ce moment-là, franchement je ne me souviens plus de ce que c'était. Tout ce que je sais, c'est que je me suis réveillé tout habillé et qu'elle avait disparu.

— Elle était partie ? Et toi, tu as juste sombré ?

— Oui, partie. Sans laisser de mot, ni rien. Et avant que tu ne me le rappelles, je ne me souvenais pas de son prénom.

— Tu sais combien tout ça est difficile à croire ?

— Elle s'est déshabillée – pas moi, à aucun moment. Brooke, je ne sais plus comment te le dire, ni quels autres arguments trouver pour te convaincre. Je le jure sur ta vie et sur la mienne, et sur celles de tous ceux que nous aimons, c'est *exactement* ce qui s'est passé.

— Pourquoi as-tu fait ça ? Pourquoi l'as-tu invitée dans ta chambre et l'as-tu embrassée ? demanda-t-elle, incapable de le regarder dans les yeux. Pourquoi *elle* ?

— Je ne sais pas, Brooke. Je viens de te le dire : trop d'alcool, erreur de jugement, sentiment de solitude. (Il s'interrompit et se massa les tempes.) L'année a été rude. Toujours débordé, moi qui n'étais jamais là, nous qui n'arrivions pas à trouver un moment pour nous voir. Ce n'est pas une excuse, Brooke, je sais que j'ai merdé, je le sais, mais s'il te plaît, crois-moi lorsque je te dis que je n'ai jamais rien regretté autant que cette nuit-là.

Brooke glissa les mains sous ses cuisses pour les empêcher de trembler.

— Où va-t-on, avec ça, Julian ? Pas seulement ça, mais tout le reste. Le fait qu'on ne se voie jamais ? Qu'on mène des vies complètement séparées ? Comment le gérer ?

Il se rapprocha d'elle et voulut l'enlacer, mais elle se raidit.

— Je crois que ça a été dur pour moi de voir combien tu souffrais de tout ça alors que je pensais que c'était ce que nous voulions tous les deux, dit-il.

— C'est peut-être ce que nous voulions tous les deux. Et je suis sincèrement, franchement heureuse pour toi. Mais ce succès n'est pas *le mien*. Cette vie n'est pas *la mienne*. Ce n'est même pas *la nôtre*. C'est simplement *la tienne*. (Il voulut protester mais elle leva la main pour l'en empêcher.) Je n'avais aucune idée de ce qui nous attendait, je ne pouvais rien envisager de tout ça lorsque tu étais tous les jours au studio, en train d'enregistrer ton album. Il y avait une chance sur un milliard que ça marche, quels que soient ton talent et ta bonne étoile, et c'est arrivé ! C'est arrivé à toi !

— Rien, dans mes fantasmes – ou mes cauchemars – les plus échevelés, ne pouvait me préparer à ça.

Brooke inspira et se força à dire ce à quoi elle réfléchissait depuis maintenant trois jours.

— Je ne suis pas sûre de pouvoir supporter ça.

Un long silence accueillit sa déclaration.

— Qu'est-ce que tu es en train de dire ? demanda Julian après un silence qui lui sembla une éternité. Non vraiment, qu'est-ce que tu es en train de dire ?

Elle se mit à pleurer. Ce n'était pas des sanglots hystériques entrecoupés de hoquets, mais de grosses larmes silencieuses et paresseuses.

— Je ne sais pas si je peux vivre comme ça. Je ne suis pas sûre de pouvoir m'intégrer dans cette vie, ni même de le vouloir. C'était déjà assez dur avant, alors avec un truc comme ça en plus… et je sais que ça se reproduira, encore et encore.

— Brooke, tu es l'amour de ma vie. Tu es ma meilleure amie. Il n'est pas question de « t'intégrer ». C'est avec toi, ou rien.

— Non. (Elle essuya sa joue d'un revers de main.) C'est impossible de faire marche arrière.

— Ça ne sera pas toujours comme ça, lâcha Julian dépité.

— Mais bien sûr que si ! Quand est-ce que ça va s'arrêter ? Avec le deuxième album ? Le troisième ? Et quand ils vont vouloir que tu partes en tournée internationale ? Tu disparaîtras pendant des mois et des mois. Que fera-t-on alors ?

Elle vit à son expression que ses arguments avaient fait mouche. Il avait pigé, et semblait sur le point de pleurer lui aussi.

— C'est juste une situation impossible. (Elle ébaucha un sourire.) Les garçons comme toi n'épousent pas les filles comme moi.

— Qu'est-ce que ça veut dire, ça ? demanda-t-il, le visage décomposé.

— Tu sais pertinemment ce que ça veut dire, Julian. Tu es célèbre, maintenant. Et moi, je suis juste une personne lambda.

Ils se toisèrent pendant dix secondes, trente secondes, une minute. Il n'y avait plus rien à ajouter.

Dix jours plus tard, lorsqu'elle entendit frapper à sa porte à 10 heures un samedi matin, Brooke supposa que c'était le concierge qui se décidait enfin à venir déboucher l'évacuation de sa douche. Elle contempla le pantalon de survêtement, délavé et taché, et le tee-shirt criblé de trous qu'elle traînait depuis la fac, et décida que Mr Finley devrait faire avec. Elle tenta même de plaquer sur ses lèvres un sourire de totale indifférence en ouvrant la porte.

— Dieu de miséricorde ! s'exclama une Nola horrifiée en contemplant Brooke de la tête aux pieds. (Elle tendit le cou en direction du salon, renifla et grimaça.) Je crois que je vais gerber.

Nola, en jean brut, skinny, rentré dans des bottes à talons hauts, et col roulé en cachemire noir près du corps, était comme d'habitude superbe. Même sa doudoune de luxe réussissait, inexplicablement, à lui faire une silhouette mince et élégante, et non celle de quelqu'un qui se serait emmitouflé dans son sac de couchage de haute montagne. Le froid lui avait rosi les joues, le vent avait joliment froissé ses cheveux blonds.

Brooke lâcha un petit bruit d'écœurement.

— Étais-tu obligée de débarquer ici dans une tenue aussi pimpante ? demanda-t-elle avant de recommencer son examen plus en détail. Comment es-tu entrée, au fait ?

Nola passa devant elle, se débarrassa de son manteau et s'installa sur le canapé du salon. Du bout des doigts, en grimaçant, elle repoussa un bol de céréales qui traînait sur la table depuis plusieurs jours.

— J'ai toujours la clé que tu m'as donnée lorsque je suis venue m'occuper de Walter. Putain, c'est plus grave que ce que je pensais !

— Non, Nola, s'il te plaît, épargne-moi tes commentaires. (Brooke se servit un verre de jus d'orange, qu'elle vida d'un trait, sans rien proposer à son amie.) Tu devrais peut-être y aller.

Nola renifla.

— Crois-moi, je ne demanderais pas mieux. Mais c'est impossible. Aujourd'hui, toi et moi allons sortir d'ici. Ensemble.

— Dans tes rêves. Je ne bouge pas d'ici.

Brooke rassembla ses cheveux gras en queue de cheval et s'installa sur le fauteuil en face du canapé. Celui qu'ils avaient acheté dans une brocante du Lower East Side parce que Julian trouvait que la couleur du velours lui rappelait les cheveux de Brooke.

— C'est ce qu'on va voir. Écoute, je n'avais pas compris que les choses allaient si mal. Je dois faire un saut au bureau, je n'en ai pas pour longtemps, attends-moi, je reviens te chercher à 15 heures et nous irons déjeuner. (Brooke ouvrit la bouche pour protester mais Nola ne lui en laissa pas le temps.) Pour commencer, tu nettoies ce trou à rats. Ensuite, tu te nettoies toi-même.

Tu commences à ressembler à quelqu'un qui sort d'un casting pour un rôle d'amante éconduite et au bord du suicide.

— Je te remercie.

Nola souleva entre deux ongles un gobelet vide d'Häagen-Dazs et le tendit à Brooke avec un regard cinglant.

— Reprends-toi, d'accord ? Occupe-toi de ce bordel, et je reviens te voir dans quelques heures. Et si tu songes seulement à te défiler, tu peux dire adieu à notre amitié.

— Nola…, gémit Brooke, mais c'était un gémissement de défaite.

Nola avait déjà regagné la porte d'entrée.

— À tout à l'heure. Et je garde cette clé, donc n'imagine pas que tu vas pouvoir filer ou te cacher.

Et sur ce, elle partit.

Après avoir écopé de ce congé forcé à la Huntley et survécu à cette monstrueuse conversation avec Julian, Brooke s'était réfugiée sous la couette, et n'en avait plus guère bougé. Elle avait fait la totale – les vieux numéros de *Cosmo*, les demi-litres de glace, la bouteille de vin blanc par soirée, et les saisons une à trois de *Private Practice* visionnées en continu sur son ordinateur – et, étrangement, elle y avait presque pris plaisir. Jamais – depuis cette mononucléose qui, en première année de fac, l'avait clouée au lit pendant les cinq semaines des vacances d'hiver – elle n'avait paressé autant en se passant tous ses caprices. Mais Nola avait raison : il était temps de se lever et de sortir. D'autant plus qu'elle commençait à se dégoûter elle-même. Oui, il était grand temps.

Elle résista à l'envie de repartir se blottir sous la couette, enfila son caleçon de sport en polaire, une paire

436

de baskets, et partit courir cinq kilomètres le long de l'Hudson. La température était raisonnablement clémente pour la mi-février, et toute la gadoue occasionnée par la tempête de neige de la semaine précédente avait fondu. Revigorée et fière de sa motivation, elle s'accorda une longue douche brûlante, puis se récompensa par vingt minutes de farniente sous la couette, le temps que ses cheveux sèchent pendant qu'elle lisait quelques chapitres de son livre. Ensuite, elle se prépara une collation équilibrée : un bol de fruits émincés, deux cuillères à soupe de fromage blanc, un muffin à la farine complète, grillé. Ce n'est que lorsqu'elle eut avalé tout cela qu'elle commença à se sentir assez requinquée pour s'attaquer à l'appartement.

Le grand ménage lui prit trois heures et fit plus pour son moral que n'importe quel autre remède. Pour la première fois depuis des semaines, elle épousseta, passa l'aspirateur, la serpillière, briqua les plans de travail, les sanitaires. Elle replia tous les vêtements de sa commode (mais ne s'occupa pas de ceux de Julian), élimina les vieilleries qu'elle ne portait plus de leur placard commun, réorganisa la penderie du couloir ainsi que les tiroirs du bureau et du salon, et enfin – après des années de procrastination, lui semblait-il – elle changea la cartouche d'encre de l'imprimante, appela la compagnie de téléphone à propos d'une erreur de facture, nota de prendre rendez-vous pour un examen annuel chez la gynéco, chez le dentiste, tant pour elle que pour Julian (quelque bouleversée qu'elle fût, elle ne lui souhaitait cependant pas d'avoir des caries) et chez le véto, pour les rappels de vaccination de Walter Alter.

C'est avec le sentiment d'être une déesse de l'efficacité et de l'organisation qu'elle ouvrit grand la porte lorsqu'elle entendit frapper à 15 heures précises, et accueillit Nola avec un immense sourire.

— Waouh ! Tu as repris forme humaine. Qu'est-ce que je vois ? Tu as mis du rouge à lèvres ?

Brooke hocha la tête, satisfaite de la réaction de son amie, et regarda celle-ci jouer les inspecteurs des travaux finis.

— Impressionnant ! (Nola lâcha un sifflement.) Je dois t'avouer que je n'avais pas fondé de grands espoirs en toi, mais je suis absolument ravie de m'être trompée. (Elle sortit un caban noir de la penderie du couloir et le lui tendit.) Allez viens, on va te montrer à quoi ressemble le vaste monde.

Une fois descendue dans la rue, Brooke se retrouva à l'arrière d'un taxi, et de là, sur une banquette de Cookshop, un de leurs endroits préférés pour déjeuner dans West Chelsea. Nola leur commanda à chacune un bloody mary en plus du café, et insista pour que Brooke boive trois gorgées de chaque avant de lui laisser dire un mot.

— Voilà, dit Nola d'une voix apaisante lorsque Brooke s'exécuta. On ne se sent pas mieux ?

— Si, concéda Brooke, soudain submergée par l'envie de pleurer.

Cela faisait plus d'une semaine maintenant qu'elle était sujette à des crises de larmes qui pouvaient être déclenchées par tout et n'importe quoi – voire par rien. En cet instant, c'était la vue d'un couple du même âge qui se partageait une assiette de toasts. Ils faisaient semblant de se disputer chaque bouchée, feignant de jouer de vitesse avec leur fourchette. Ensuite ils éclataient de rire et échangeaient *ce* regard. Ce regard qui disait : *Nous sommes seuls au monde.* Ce regard que

Julian réservait maintenant à des inconnues, dans des chambres d'hôtel.

Elle était de retour. Cette image mentale de Julian et Janelle, enlacés, nus, s'embrassant fougueusement. Julian en train de sucer la lèvre inférieure de la fille, exactement comme il aurait fait avec…

— Ça va ? demanda Nola en posant la main sur celle de Brooke.

Elle essaya de ravaler ses larmes, sans succès. Presque aussitôt, elles se mirent à ruisseler sur ses joues, et même si elle ne sanglotait pas, si elle ne haletait pas, ne tremblait pas, Brooke eut l'impression qu'elle n'arriverait plus à s'arrêter.

— Je suis désolée, dit-elle, l'air piteux, en essuyant ses larmes aussi discrètement que possible avec la serviette de table.

Nola poussa vers elle son verre de bloody mary.

— Bois une autre gorgée. Voilà. Il fallait s'y attendre, ma puce. Pleure un bon coup.

— Je suis désolée, c'est tellement humiliant, chuchota Brooke.

Elle regarda autour d'elle et fut soulagée de voir que personne ne semblait faire attention à elle.

— Tu es bouleversée. C'est complètement normal, la rassura Nola avec une douceur inhabituelle chez son amie. Tu lui as parlé, récemment ?

Brook se moucha aussi délicatement qu'elle le put, en culpabilisant de le faire dans la serviette en tissu du restaurant.

— On s'est parlé avant-hier soir. Il était à Orlando, il faisait un truc à Disney World, je crois, et il s'apprête à partir une semaine en Angleterre. Une performance rémunérée, et un festival, il me semble – un truc énorme.

Je ne sais plus trop. (Nola crispa les lèvres.) C'est moi qui lui ai dit que nous avions besoin de temps, Nol. Ce soir-là, je lui ai demandé de partir, je lui ai dit que nous avions besoin de prendre du recul pour démêler tout ça. Il n'est parti que parce que je le lui ai demandé, expliqua Brooke, stupéfaite de voir qu'elle continuait à défendre Julian.

— Quand allez-vous vous revoir ? Daignera-t-il rentrer à la maison après l'Angleterre ?

Brooke ignora le sous-entendu.

— Il rentrera à New York, oui, mais pas à la maison. Je lui ai dit qu'il devait habiter ailleurs, le temps qu'on trouve une solution pour nous deux.

Le serveur vint prendre leur commande et, par chance, ne leur accorda pas la moindre attention.

— De quoi avez-vous parlé ? demanda Nola une fois qu'il fut reparti. Vous avez progressé ?

Brooke glissa un morceau de sucre dans sa bouche et savoura la sensation tandis qu'il fondait sur sa langue.

— Progressé ? Non, je ne dirais pas ça. Nous nous sommes disputés à propos du mariage de Trent.

— Comment ça ?

— Il pense qu'on devrait se décommander à la dernière minute, par respect pour Trent et Fern. Il pense que nos drames personnels vont « assombrir » leur grand jour. Il veut surtout s'épargner la peine de voir toute sa famille, et tous ces gens avec lesquels il a grandi. Ce que je comprends, en théorie, mais il doit dépasser ça. C'est le mariage de son cousin.

— Quel a été le résultat de cette conversation ?

Brooke soupira.

— Je sais qu'il a appelé Trent et qu'ils en ont discuté, mais je ne sais pas à quelle conclusion ils sont arrivés. À mon avis, il n'ira pas.

— Voilà au moins une bonne nouvelle pour toi. Je suis certaine que c'est la dernière chose au monde que tu as envie de faire en ce moment.

— Oh, mais moi, j'y vais. Seule, si je n'ai pas d'autre choix.

— Arrête, Brooke. C'est ridicule. Pourquoi t'infliger ça ?

— Parce que c'est mon devoir, et que je ne pense pas qu'on puisse se défiler au mariage de son cousin une semaine avant le jour J sans raisons valables. Sans Trent, Julian et moi ne nous connaîtrions même pas aujourd'hui. Je dois faire contre mauvaise fortune bon cœur.

Nola ajouta du lait dans sa nouvelle tasse de café.

— Je ne sais pas si c'est courageux, admirable ou juste complètement con. Un peu les trois, j'imagine.

Brooke se sentit menacée par une nouvelle crise de larmes, déclenchée cette fois par la perspective d'assister au mariage de Trent, seule – mais elle s'efforça de s'habituer à cette perspective.

— Pourrait-on parler d'autre chose ? De toi par exemple ? Quelques distractions ne me feraient pas de mal, lança Brooke.

— Mmm, voyons…, dit Nola avec un grand sourire.

De toute évidence, elle attendait cette perche depuis un bon moment.

— Quoi ? fit Brooke. Ou bien devrais-je plutôt demander *qui* ?

— Je pars dans les îles Turks-et-Caïcos la semaine prochaine, pour le week-end. Un long week-end.

— Turks-et-Caïcos ? Depuis quand ? Ne me dis pas que tu y vas pour le boulot. Mon Dieu, je n'ai vraiment pas choisi le bon secteur professionnel !

— Non, non, pas pour le boulot. Pour m'amuser. Faire l'amour. J'y vais avec Andrew.

— Oh, tu l'appelles *Andrew*, maintenant ? Ça fait drôlement plus adulte. Est-ce que ça signifie que c'est sérieux ?

— Non, avec *Drew*, c'est terminé. Andrew, c'est le mec du taxi.

— Arrête !

— Quoi ? Je ne plaisante pas.

— Tu sors avec le mec que tu t'es tapé après l'avoir rencontré à l'arrière d'un taxi ?

— Qu'y a-t-il de si bizarre à ça ?

— Rien. Ce n'est pas bizarre, c'est juste incroyable ! Tu es la seule femme sur la planète qui pouvait réussir un coup pareil. Ces types ne rappellent jamais le lendemain.

— Je lui ai donné une bonne raison de rappeler le lendemain, répondit Nola avec un sourire rusé. Et le surlendemain. Et le jour d'après, aussi.

— Il te plaît, n'est-ce pas ? Oh mon Dieu, oui ! Il te plaît ! Tu rougis. J'ai du mal à croire que tu rougisses à cause d'un garçon. Calme-toi, mon petit cœur.

— D'accord, d'accord, il me plaît. La belle affaire. Je suis accro. Pour l'instant. Je suis surtout accro à Turks-et-Caïcos.

Le serveur revint les interrompre, cette fois pour apporter leurs salades chinoises au poulet. Nola se jeta dessus, pendant que Brooke réorganisait la disposition de la sienne de la fourchette.

— D'accord, maintenant raconte-moi comment ce truc est venu sur le tapis. Vous étiez allongés au lit, un soir, et il t'a dit « Partons quelque part ensemble » ?

— Plus ou moins. En fait, il a une maison là-bas. Une villa, dans l'Aman Resort. Il y amène son fils assez régulièrement.

— Nola ! Espèce de garce ! Tu ne m'avais rien dit de tout ça !

— Rien de tout ça quoi ? répliqua Nola en feignant l'innocence.

— Que tu avais un petit ami – un petit ami, avec une villa et un fils. Et qu'à l'évidence, il est plein aux as.

— Je ne sais pas si je l'appellerais *mon petit ami*…

— Nola !

— Écoute, on s'amuse bien. On passe de bons moments ensemble. J'essaie de ne pas trop me prendre la tête avec ça, et toi tu as traversé pas mal de choses ces derniers temps…

— Raconte !

— D'accord. Il s'appelle Andrew, ça tu le sais déjà. Il est châtain, c'est un excellent joueur de tennis, et son plat préféré c'est le guacamole.

— Je te laisse dix secondes.

Nola frappa dans ses mains et se rassit sur la chaise d'un petit bond.

— C'est trop amusant de te torturer !

— Neuf, huit, se…

— D'accord ! Il mesure dans les 1,79 mètre (les bons jours), et il a des tablettes de chocolat, ce que je trouve plus intimidant que séduisant. Je suppose qu'il fait faire ses chemises et ses costumes sur mesure, mais je n'en ai pas la preuve. Il faisait partie de l'équipe de golf à la fac, et il a passé quelques années à zoner au Mexique, à enseigner le golf, avant de fonder une boîte Internet, qu'il a fait coter en Bourse, puis il a pris sa retraite à 29 ans – encore qu'il fasse apparemment beaucoup de consulting, quoi que ça veuille dire. Il habite dans un hôtel particulier dans l'Upper West Side, pour être près de son fils, qui a 6 ans et qui vit avec son ex-femme. Il a un appartement à Londres, et la villa à Turks-et-Caïcos. Et il est complètement, totalement increvable au pieu.

Brooke porta la main à son cœur et fit mine de tomber à la renverse sur la banquette.

— Tu mens, gémit-elle.

— Sur quels points ?

— Tous.

— Absolument pas, lui rétorqua Nola avec un sourire. C'est la stricte vérité.

— Je ne peux que me réjouir pour toi, je t'assure, mais il semblerait que je n'arrive pas à dépasser ma propre amertume.

— Ne t'emballe pas. Ça reste un mec de 41 ans, divorcé et père de famille. Ce n'est pas exactement un conte de fées. Mais je dirais que c'est un type plutôt chouette.

— Arrête. Mis à part te cogner ou cogner son gamin, je ne vois pas par où il pèche. Tu l'as déjà dit à ta mère ? Elle pourrait en faire une attaque.

— Tu plaisantes ? Je l'entends d'ici. « Qu'est-ce que je t'avais dit, Nola ? Ce n'est pas plus difficile de tomber amoureuse d'un homme riche, que d'un pauvre… » Brrrr ! Savoir le plaisir que ça lui procurerait m'ôte toute ma joie.

— Eh bien, pour ce que vaut mon avis, je pense que tu feras une super belle-mère. Tu seras douée pour ça, médita Brooke à voix haute.

— Je ne vais même pas prendre la peine de répondre à ça, répliqua Nola en levant les yeux au ciel.

Lorsqu'elles eurent terminé leur brunch, la lumière commençait à décliner. Lorsque Nola héla un taxi, Brooke serra son amie dans ses bras en lui disant :

— Je vais rentrer à pied.

— C'est vrai ? Avec le froid qu'il fait ? Tu ne veux même pas prendre le métro ?

— Non, j'ai envie de marcher. (Elle prit la main de Nola dans la sienne.) Merci d'avoir fait tout ça pour moi, Nol. J'avais besoin d'un coup de pied aux fesses, et je suis contente que ce soit toi qui me l'aies donné. Je te promets que je vais rejoindre le royaume des vivants. Et je suis absolument aux anges pour toi et ton amant du taxi.

Nola l'embrassa sur la joue et sauta sur la banquette arrière.

— Je t'appelle plus tard ! lança-t-elle tandis que le taxi commençait à s'éloigner, et une fois de plus Brooke se retrouva seule.

Elle remonta la 10ᵉ Avenue, s'arrêta un instant pour observer les chiens jouer dans la petite aire conçue pour eux sur la 23ᵉ Rue, puis coupa pour rejoindre la 9ᵉ Avenue, où elle redescendit quelques blocs pour s'offrir un *cupcake* au glaçage rouge et velouté chez Billy ainsi qu'une autre tasse de café, avant de se remettre en route. Il avait commencé à pleuvoir et lorsqu'elle arriva chez elle, son caban était trempé et ses bottes étaient recouvertes de ce mélange sel-gadoue-neige spécifique à New York. Du coup, elle se déshabilla directement dans l'entrée et s'enveloppa dans le plaid en cachemire violet que sa mère avait tricoté des années plus tôt. Il était 18 heures, un dimanche soir, elle n'avait plus rien à faire de sa soirée et, plus étrange encore, nulle part où aller le lendemain matin. Elle était seule. Au chômage. Libre.

Avec Walter roulé en boule contre sa cuisse, Brooke alluma son ordinateur pour consulter ses e-mails. Il n'y avait rien d'intéressant à l'exception d'un message d'une certaine Amber Bailey, dont le nom lui semblait familier. Elle l'ouvrit et commença à lire.

Chère Brooke,

Salut ! Je pense que mon amie Heather t'a prévenue que j'allais te contacter, enfin du moins je l'espère !!! Je sais que je m'y prends à la toute dernière minute (et que tu vas sans doute te dire que c'est la dernière chose dont tu as envie en ce moment), mais je retrouve une bande de copines demain pour dîner. Je peux t'en dire davantage si tu le souhaites, mais en deux mots, il s'agit d'un groupe de femmes incroyables que j'ai rencontrées, et qui ont toutes eu... oh, disons une sale expérience à cause de la célébrité de leur mari. C'est complètement informel, on se retrouve généralement une fois tous les deux mois, et on boit beaucoup ! J'espère que tu nous rejoindras ! On a rendez-vous à 20 heures, 128, 12ᵉ Rue Ouest. S'il te plaît, viens. C'est vraiment super sympa !

Bises

Amber Bailey

Mise à part la surabondance de points d'exclamation, Brooke trouva cet e-mail tout à fait gentil. Elle le relut et sans réfléchir, ni se permettre de dérouler la liste des mille et une raisons pour lesquelles elle aurait dû décliner l'invitation, elle répondit :

Chère Amber,

Merci de ton invitation. C'est précisément ce que le docteur m'a prescrit. Je te retrouve là-bas demain.

Cordialement, Brooke

— Ce sera peut-être un désastre, Walter, mais je suis sûre de n'avoir rien de mieux à faire, dit-elle en refermant l'ordinateur et en attirant l'épagneul sur ses genoux.

Il la dévisagea en haletant, sa longue langue rose pendant sur le côté de sa gueule, puis subitement, il se redressa et lui lécha le nez.

— Merci mon ami, dit-elle en l'embrassant. Moi aussi je t'aime.

Le bon vieux Ed avait un faible
pour les prostituées

Le lendemain matin, lorsque Brooke se réveilla et vit qu'il était neuf heures et demie, son cœur s'emballa et elle bondit du lit, avant de se souvenir qu'elle n'était pas en retard, ni attendue nulle part. Même si ce n'était en rien un scénario idéal – et certainement pas un scénario lucratif – elle était résolue à ne pas le voir non plus comme apocalyptique. D'autant qu'elle avait un projet pour la journée : poser les fondements d'une routine quotidienne. À en croire un article qu'elle venait de lire dans *Glamour*, il était important, en période de chômage, de pouvoir s'appuyer sur une routine.

L'article dressait une liste des choses à faire, et la toute première d'entre elles consistait à se débarrasser chaque jour, en premier lieu, de la corvée la plus redoutée. Avant même d'avoir ôté son peignoir, Brooke se força donc à décrocher le téléphone pour appeler Margaret. Elle savait que son ex-patronne venait tout juste de sortir de la réunion d'équipe du lundi matin, et serait de retour dans son bureau, pour organiser le planning de la semaine suivante. Et bien entendu, elle décrocha à la première sonnerie.

— Margaret ? lança-t-elle, gênée dans son élocution par les battements sourds de son cœur. Ici Brooke Alter. Comment allez-vous ?

— Brooke ! Quel plaisir de vous entendre ! Comment ça se passe ?

La question relevait, de toute évidence, d'une banalité de pure courtoisie mais Brooke, un instant, se sentit prise de panique. À quoi faisait-elle allusion, au juste ? À la situation entre Julian et elle ? Au problème avec la fille du Château ? Aux conjectures auxquelles se livraient les médias à propos de leur couple ? Ou bien n'était-ce qu'une question polie, une formule toute faite ?

— Oh, tout va très bien, répondit-elle en se sentant immédiatement ridicule. Et vous ?

— On se débrouille. Je suis en train de faire passer des entretiens pour vous remplacer, et je tiens à vous redire, Brooke, que je suis désolée de ce qui s'est passé.

Brooke sentit jaillir une étincelle d'espoir. Margaret lui tendait-elle une perche pour demander sa réintégration ? Parce que si c'était le cas, Brooke était prête à la supplier, prête à toutes les démonstrations de bonne volonté. *Allons, sois raisonnable*, s'ordonna-t-elle. Pourquoi Margaret l'aurait-elle renvoyée, si c'était pour la réembaucher tout de suite après ? *Comporte-toi normalement. Dis ce pourquoi tu as appelé et raccroche.*

— Margaret, je ne suis pas vraiment en position de vous demander un service, je le sais, mais… Je me demandais si vous pourriez penser à moi, si jamais vous entendiez parler d'un poste. Pas à NYU, évidemment, mais n'importe où ailleurs…

Il y eut un silence, bref.

— C'est d'accord, Brooke. Je n'oublierai pas de garder l'œil ouvert pour vous.

— Je vous en serais vraiment reconnaissante. Je suis très impatiente de recommencer à travailler et je vous promets – et je le promettrai à mon futur employeur – que la carrière de mon mari ne sera *plus* un problème.

Cette réponse avait peut-être éveillé sa curiosité, mais Margaret ne posa pas d'autres questions. Elles bavardèrent quelques instants de plus, et lorsqu'elle raccrocha, Brooke poussa un énorme soupir de soulagement. Corvée numéro 1 : accomplie.

La corvée numéro 2, appeler la mère de Julian pour régler les détails du voyage du week-end suivant, pour le mariage de Trent, serait à peu près aussi facile. Sa belle-mère avait pris l'habitude de l'appeler presque chaque jour depuis les Grammys pour lui infliger de longs soliloques sur l'art d'être une épouse dévouée et magnanime. Émaillés généralement d'exemples sur les écarts de conduite du père de Julian (dont la gravité allait des flirts avec l'ensemble du personnel de son cabinet à ses week-ends en solo, plusieurs fois par an, pour jouer au golf et faire Dieu sait quoi d'autre), ces laïus soulignaient systématiquement les trésors de patience et de compréhension d'Elizabeth Alter à l'égard de l'espèce mâle. Outre leur côté répétitif, les clichés tels que « Un homme sera toujours un homme » et « Derrière tout homme qui a réussi se cache une femme » devenaient sérieusement oppressants. Le seul point positif de tout ça, c'est que jamais au grand jamais, Brooke n'aurait soupçonné que sa belle-mère s'intéressait au fait qu'ils restent mariés, divorcent, ou s'évanouissent purement et simplement l'un et l'autre dans la nature. Par chance, elle tomba sur la messagerie d'Elizabeth et elle lui demanda de bien vouloir lui communiquer par e-mail les détails du voyage, dans la mesure où elle serait injoignable pour le restant de la journée.

Elle s'apprêtait à s'acquitter de sa corvée numéro 3 quand son téléphone sonna.

— Neha ! Salut ma grande, comment vas-tu ?

— Brooke ! Salut ! J'ai une super nouvelle : Rohan et moi revenons à New York, c'est sûr ! D'ici cet été.

— Non ! C'est génial ! Rohan a eu une proposition dans une boîte à New York ?

Mentalement, Brooke avait déjà embrayé sur les implications de cette nouvelle : il allait falloir choisir un nom pour leur société, recruter les premières clientes, lancer le bouche à oreille... Un nouveau pas venait d'être franchi, qui les rapprochait du but !

— En fait, c'est moi qui ai eu une proposition, reprit Neha. C'est une histoire de fou : une de mes amies devait remplacer pendant un an une diététicienne libérale en congé maternité, tout était arrangé mais elle a dû se dédire pour s'occuper de sa mère malade. Et elle m'a demandé si je serais intéressée. Et devine avec qui elle travaille ?

Brooke songea aussitôt à toute une brochette de people, bien certaine que Neha allait citer Gwyneth, Heidi ou Giselle, qui se désespéraient déjà de ce temps mort dans leur suivi.

— Langue au chat.

— Les New York Jets ! Tu le crois ? Je vais être la diététicienne conseil de l'équipe pour la saison 2010-2011. Je n'ai pas le commencement d'une idée des besoins nutritionnels d'un joueur de football américain de cent cinquante kilos, mais j'imagine que je vais devoir apprendre.

— Oh Neha, c'est incroyable ! C'est une opportunité fantastique !

Son enthousiasme était sincère. Si une occasion pareille s'était présentée, n'aurait-elle pas sauté dessus elle aussi ?

— Ouais, je grille d'impatience et tu devrais voir Rohan ! À la seconde où je lui ai annoncé la nouvelle, il a crié : « Par ici les billets ! » Il a déjà imprimé le programme de la saison, qu'il a placardé sur la porte du frigo.

Brooke éclata de rire.

— Je vois d'ici ma petite Neha, d'à peine 1,60 mètre, entrer dans les vestiaires avec un bloc-notes et un porte-voix, pour arracher des Big Mac et des nuggets de leurs mains de mammouths.

— Ne m'en parle pas ! « Excusez-moi, Monsieur-le-grand-champion-de-la-NFL-qui-gagne-quatre-vingts-millions-de-dollars-par-an, mais je vais devoir vous demander d'y aller mollo sur le sirop de maïs et le fructose. » Ça va être grandiose !

Lorsqu'elle raccrocha quelques minutes plus tard, Brooke songea que tout le monde avait une carrière lancée sauf elle. Et quand le téléphone sonna à nouveau, quelques secondes plus tard, persuadée que Neha la rappelait pour lui raconter un détail supplémentaire, elle décrocha et lança :

— Et quelle défense as-tu prévue, quand l'un d'eux va te draguer ?

La question fut accueillie par un raclement de gorge puis une voix masculine demanda :

— Brooke Alter ?

Immédiatement – et sans raison aucune – elle fut convaincue que cet homme allait lui annoncer que Julian avait été victime d'un épouvantable accident, ou qu'il était malade, ou…

— Brooke, ici Art Mitchell, de *Last Night*. Je me demandais si vous aviez un commentaire au sujet de l'article paru ce matin en « Page Six [1] » ?

Elle aurait volontiers hurlé mais, fort heureusement, elle conserva son sang-froid, raccrocha et éteignit le téléphone. Lorsqu'elle le posa sur la table basse, ses mains tremblaient. Personne, en dehors de son cercle familial et amical le plus proche, ne connaissait son nouveau numéro de portable. Comment une chose pareille avait-elle pu arriver ?

Elle n'eut cependant pas le loisir d'éclaircir ce mystère car elle se précipita sur son ordinateur pour entrer l'adresse de la « Page Six ». Et c'était là, tout en haut de la page, occupant presque la totalité de l'écran. Deux photos : une d'elle, en train d'essuyer ses larmes avec la serviette de table, la veille, au Cookshop ; et une autre de Julian, émergeant d'une limousine – sans doute à Londres à en juger par le taxi vieillot en arrière-plan – laissant derrière lui sur la banquette une jeune femme extrêmement séduisante. La légende sous sa propre photo indiquait : « Brooke Alter pleure la dissolution de son mariage lors d'un brunch entre filles », et la main qui essuyait les larmes était encerclée au feutre, sans doute pour souligner l'absence de son alliance. « "La rupture est consommée. Elle assistera seule, ce week-end, au mariage d'un parent", indique une source très proche de Mrs Alter. » La légende qui accompagnait la photo de Julian était tout aussi charmante. « Même le scandale ne

1. Soit la rubrique people du *New York Post*.

suffit pas à le calmer ! Éjecté du domicile conjugal, il part faire la fête à Londres. »

Bien que consciente qu'il lui serait impossible de juguler cette combinaison virulente de colère et de nausée désormais si familière, Brooke s'efforça d'inspirer profondément et de réfléchir. Elle se doutait qu'il existait une explication logique à la présence de cette fille – elle était absolument convaincue que jamais Julian ne se montrerait à ce point irrespectueux ou tout simplement stupide – mais tout le reste était exaspérant. Elle observa à nouveau le cliché qui la représentait et comprit, d'après l'angle de la prise de vue et le grain, qu'il était probablement l'œuvre d'un autre client, pris à l'aide d'un téléphone portable. Écœurée, elle bourra le canapé de coups de poings, si fort que Walter sauta par terre en poussant un glapissement aigu.

Le téléphone fixe sonna et Brooke vit s'afficher le numéro de Samara. Elle n'avait jamais montré une quelconque grossièreté à l'égard de cette fille, mais sa haine était telle qu'elle ne pouvait plus la contenir.

— Samara, je ne peux plus supporter ça ! hurla-t-elle sans s'encombrer de préambules. N'es-tu pas censée gérer sa publicité ? Les empêcher de publier ce genre de choses ?

— Brooke, je comprends pourquoi tu es bouleversée. J'espérais te joindre avant que tu ne voies l'article mais…

— Avant que je le voie ? la coupa-t-elle d'une voix grinçante. Un connard m'a déjà appelée sur mon portable pour me demander un commentaire. Comment a-t-il eu mon numéro ?

— Écoute, j'ai deux choses à te dire. D'une part, la fille assise à l'arrière de la limousine de Julian est sa coiffeuse-maquilleuse. Le vol en provenance d'Édimbourg avait du retard, on devait gagner du temps, et elle s'est occupée de lui dans la voiture. C'est une déformation abjecte des faits.

— D'accord, fit Brooke, étonnée par l'ampleur de son soulagement puisqu'elle n'avait jamais douté de l'existence d'une explication logique.

— D'autre part, je ne peux pas faire grand-chose quand ton entourage parle à la presse. Je peux contrôler certaines fuites, mais certainement pas celles qui émanent d'amis ou de parents trop bavards.

Brooke eut l'impression d'avoir reçu une gifle.

— Qu'est-ce que tu dis ?

— Je dis que, manifestement, quelqu'un a communiqué ton numéro sur liste rouge – quelqu'un qui est au courant du mariage, ce week-end, et qui parle officiellement de ta vie. Parce que je peux t'assurer que ça ne vient pas de notre côté.

— C'est impossible. Je sais avec certitude que…

— Brooke, sans vouloir être grossière, j'ai un double appel et je dois te laisser. Discute de tout ça avec tes proches, d'accord ? dit Samara, et elle raccrocha.

Trop tendue pour se concentrer sur quoi que ce soit – et sans même mentionner la culpabilité de ne pas l'avoir fait plus tôt –, Brooke mit la laisse à Walter, exhuma ses Uggs et des gants du placard de l'entrée et gagna le trottoir sans perdre une minute de plus. Était-ce le bonnet à pompon, ou l'énorme manteau qu'elle avait enfilé ? Aucun des deux paparazzis en embuscade en bas de chez elle ne lui accorda un seul regard, et cette petite victoire lui inspira un élan de fierté. Brooke et Walter gagnèrent la 11e Avenue, qu'ils remontèrent au pas de charge, en s'arrêtant uniquement un bref instant pour permettre à Walter de se désaltérer à un bol d'eau posé devant la porte d'un toiletteur. Parvenus à la hauteur de la 65e Rue, Walter pantelait ; Brooke, en revanche, commençait tout juste à se mettre en jambes.

En l'espace de vingt minutes, elle réussit à laisser des messages frisant l'hystérie à sa mère, à son père, à Cynthia, Randy et Nola. (Nola, en fait, fut la seule à décrocher, et Brooke s'entendit répondre : « Bon sang de bonsoir, Brooke, si je devais cafter à la presse, j'aurais des trucs bien plus juteux à raconter que le mariage de Trent et de Fern l'interne. Arrête ! ») La suivante sur sa liste était Michelle.

— Salut Michelle, dit-elle après le bip. Je euh… je ne sais pas trop où tu es, mais je voulais te parler d'un papier qui a paru ce matin en « Page Six ». Je sais qu'on en a discuté *des tas* de fois, mais j'ai peur que tu euh… que tu n'aies accidentellement répondu aux questions d'un journaliste. Ou peut-être raconté à une amie quelque chose qui a fini par revenir aux oreilles de la mauvaise personne ? Je ne sais pas, mais je te demande – ou plutôt je te supplie – de bien vouloir raccrocher si quelqu'un t'appelle pour te poser des questions sur Julian et moi, et de ne jamais parler de notre vie privée avec qui que ce soit ? D'accord ?

Elle se tut et hésita. Avait-elle été assez ferme ? Avait-elle été trop ferme ? En tous les cas, décida-t-elle en raccrochant, elle avait été claire.

Elle rentra chez elle en remorquant Walter et consacra le reste de la journée à finaliser son CV. Elle l'avait travaillé, retravaillé, re-retravaillé et avait bon espoir d'être bientôt en mesure de l'envoyer. C'était décevant que Neha ne soit plus disponible de sitôt pour une potentielle association, mais elle ne laisserait pas ce contretemps bouleverser ses plans : encore six mois à un an de pratique en institution et ensuite, avec un peu de chance, elle aurait l'occasion d'ouvrir son propre cabinet.

Vers 18 h 30, elle songea à rappeler Amber pour se décommander – la perspective de rencontrer tout un groupe d'inconnues lui semblait soudain une très mauvaise idée – mais quand elle s'aperçut qu'elle n'avait même pas le numéro de la jeune fille, elle se força à se doucher et à enfiler un jean, des bottes et une veste. *Au pire, ces bonnes femmes seront toutes atroces et détestables et j'inventerai un prétexte pour filer*, songea-t-elle dans le taxi qui l'emportait vers le centre du Village. *Mais au moins, je vais sortir de chez moi ce soir, chose qui ne s'est pas produite depuis un certain temps*. Elle pensait s'être calmée mais sentit sa nervosité revenir en force lorsque le taxi la déposa sur la 12e Rue et qu'elle avisa une blonde assez jolie, avec une coupe au carré, qui fumait une cigarette sur le perron.

— Brooke ? s'enquit la fille en exhalant un panache de fumée qui flotta dans l'air froid et humide.

— Amber ? Bonsoir.

Brooke enjamba lestement un amas de gadoue sur le trottoir pour la rejoindre. Amber avait beau être juchée deux marches au-dessus d'elle, elle arrivait à peine à sa hauteur. Brooke aperçut, entre les pans du manteau, des collants rouge pétard, associés à une paire de sandales à talons vertigineux, et pour le moins voyante. Ce n'était pas vraiment ce à quoi elle s'attendait de la part de la gentille fille naïve et chrétienne pratiquante que lui avait décrite Heather.

Sans doute Amber surprit-elle une pointe d'étonnement dans son regard, car elle lança :

— Oh, ça ? Giuseppe Zanotti. Je les appelle mes écrase-mecs.

Elle avait un accent du Sud charmant, extrêmement nonchalant, en totale contradiction avec son apparence. Brooke sourit.

— Si jamais tu les loues, tiens-moi au courant.

Amber lui fit signe de la suivre et gravit le perron.

— Tu vas les adorer, dit-elle en poussant la porte qui donnait sur un petit hall d'entrée décoré d'un tapis persan. Elles sont formidables. L'avantage, avec elles, c'est que lorsque tu crois en avoir bavé, tu peux être certaine que l'une d'elles en a bavé beaucoup plus que toi.

— Mince, c'est génial, j'imagine ? dit Brooke en pénétrant dans un ascenseur derrière Amber. Encore qu'après ce truc paru en « Page Six » ce matin, je ne sais plus trop…

— Ces trois lignes ridicules avec des photos d'amateur ? Arrête ! Attends de rencontrer Isabel. Ils ont publié une photo d'elle en maillot, pleine page, sur laquelle ils avaient entouré sa cellulite au feutre. *Ça*, ça craint.

Brooke esquissa un sourire.

— Oui, c'est sûr. Donc tu euh…, tu as vu ce truc en « Page Six » ?

Les portes de l'ascenseur s'ouvrirent sur un couloir moquetté, dans lequel des appliques en verre teinté diffusaient une lumière tamisée.

— Oh ma chérie ! Tout le monde l'a lu ! s'exclama Amber en sortant de la cabine. Et on est toutes d'accord, ce n'est qu'un petit malheur de rien du tout. La photo sur laquelle tu pleures avec ton amie est un appel à la sympathie – n'importe quelle femme peut s'identifier à ça – et quand ils insinuent que ton mari s'envoyait en l'air à l'arrière d'une limousine juste avant de monter sur scène ? Arrête ! Tout le monde a pigé que c'était son attachée de presse, ou sa coiffeuse. À ta place, je ne m'inquiéterais pas une seule seconde.

Sur ce, Amber ouvrit la porte de l'appartement et Brooke découvrit une pièce immense qui ressemblait à… un terrain de basket ? Il y avait un plancher verni, des marques au sol, et un panier de taille réglementaire fixé à l'un des murs, tout au fond. Celui en vis-à-vis semblait dédié au squash et entre les deux baies vitrées du mur de façade, se trouvait une énorme corbeille grillagée dans laquelle s'entassaient diverses sortes de balles et de raquettes. Le dernier mur accueillait un écran plat de deux mètres, devant lequel se trouvait un long canapé vert, occupé par deux adolescents châtains en short. Ils mangeaient une pizza tout en disputant une partie de foot sur un jeu vidéo et ils avaient l'air, l'un comme l'autre, de s'ennuyer à mourir.

— Viens, dit Amber en traversant le terrain. Tout le monde est déjà là-haut.

— Chez qui sommes-nous, déjà ?

— Oh, tu connais Diana Wolfe ? Son mari, Ed, était député de Manhattan – je ne sais plus de quel district – et il dirigeait aussi le comité d'éthique.

— D'accord, murmura-t-elle en s'engageant dans l'escalier à la suite d'Amber.

Elle savait maintenant très exactement chez qui elle se trouvait – il aurait fallu passer six mois dans une grotte, l'année précédente, pour l'ignorer. Amber s'arrêta, se retourna et chuchota :

— Ouais, tu te souviens, ce bon vieux Ed avait un faible pour les prostituées. Pas les call-girls haut de gamme, attention, mais les vraies tapineuses, celles qui font le trottoir. Ce qui était une double poisse parce que Diana briguait le poste de procureur général. Moche.

— Bienvenue ! lança une voix enjouée.

Une femme d'une petite quarantaine d'années était apparue en haut des escaliers, arborant un tailleur mauve impeccablement coupé, une sublime paire d'escarpins noirs en serpent, et le plus élégant sautoir de fausses perles que Brooke ait jamais vu. Amber procéda aux présentations.

— Me… merci infiniment de m'accueillir, bafouilla Brooke, intimidée par cette femme plus âgée qu'elle et extrêmement raffinée.

Diana secoua la main.

— Je t'en prie, pas de formalités ici. Entre, et viens grignoter quelque chose avec nous. Ainsi qu'Amber te l'a certainement dit, Ed a… ou avait – à vrai dire, j'ignore si je dois en parler au présent ou au passé puisque nous ne sommes plus mariés, mais les vieilles habitudes ont la peau dure ! – donc mon ex-mari a un penchant pour les prostituées.

Sans doute Brooke avait-elle échoué à masquer son ébahissement, car Diana éclata de rire.

— Oh ma chérie, je ne te dis rien que tout le pays ne sache déjà. (Elle lui caressa les cheveux.) En revanche, j'ignore si les gens savent combien il adore les rousses. Seigneur ! Je l'ignorais moi-même avant de voir les enregistrements clandestins du FBI. Après avoir vu défiler quelque vingt-cinq filles, on commence à détecter un schéma, et Ed est incontestablement attiré par un type de filles. (Diana éclata de rire.) Kenya est dans le salon ; Isabel ne pourra pas venir parce que sa

460

baby-sitter s'est décommandée. Allez leur dire bonjour, j'arrive dans une minute.

Amber la précéda dans un salon d'une blancheur immaculée et Brooke reconnut immédiatement l'Afro-Américaine sculpturale qui se trouvait là, vêtue d'un étonnant pantalon en cuir et d'une somptueuse veste en fourrure : Kenya Dean, ex-épouse de Quincy Dean, star du grand écran, séducteur et grand amateur de mineures. Kenya se leva pour donner l'accolade à Brooke.

— Quel plaisir de te rencontrer ! Viens donc t'asseoir, dit-elle en l'attirant vers le canapé d'angle en cuir blanc.

Brooke s'apprêtait à la remercier quand Amber lui tendit un verre de vin. Reconnaissante, elle but une longue gorgée, puis Diana réapparut avec un somptueux plateau de fruits de mer disposés sur un lit de glace : il y avait là des assortiments de crevettes et d'huîtres, des pinces de crabes, des queues de langoustes et des coquilles Saint-Jacques, ainsi que des coupelles de beurre et de sauce cocktail. Elle posa le plateau au centre de la table basse et annonça à la cantonade :

— Pas question de passer Brooke sur le grill ! Pourquoi ne ferions-nous pas un petit tour de table, pour lui raconter nos propres expériences et la mettre à l'aise ? Qu'en dites-vous ? Amber, voudrais-tu commencer ?

Amber termina de grignoter une grosse crevette et se lança.

— Tout le monde connaît déjà mon histoire. J'ai épousé mon petit copain du lycée – qui, soit dit en passant, se démarquait vraiment du lot à l'époque – et on était mariés depuis un an lorsqu'il a gagné La Nouvelle Star. Disons pour faire vite que Tommy n'a pas perdu de temps pour profiter de sa nouvelle célébrité, et le temps qu'il ait terminé sa tournée d'Hollywood, il avait déjà couché avec plus de filles que Simon [1] n'a de pulls en V. Mais ce n'était qu'un échauffement, et à mon avis, à l'heure qu'il est, son tableau de chasse doit être impressionnant.

— Je suis vraiment désolée, murmura Brooke, faute d'inspiration.

— Oh, inutile ! répliqua Amber en piochant une autre crevette. Ça m'a pris un petit moment, mais j'ai compris que j'étais beaucoup mieux sans lui.

Diana et Kenya opinèrent ; cette dernière se resservit un verre de vin, but une gorgée et lança, avec un regard appuyé en direction de Brooke :

— Je suis entièrement d'accord, mais je ne pense pas que je l'aurais été au stade qui est le tien.

— Comment ça ? demanda Brooke.

— Eh bien, après l'histoire avec la première gamine, je pensais que ça ne se reproduirait plus – je pensais même qu'il n'avait rien fait de répréhensible. J'étais convaincue qu'il s'était laissé piéger par une petite morveuse en quête de célébrité. Mais ensuite, quand les accusations ont continué à pleuvoir, que les arrestations ont suivi, et que les filles étaient de plus en plus jeunes, 16 ans, 15 ans… Là, il devenait plus difficile de nier.

— Sois honnête, Kenya. Tu étais comme moi, lorsque Quincy a été arrêté la première fois, tu ne pensais pas qu'il y avait un vrai problème, observa Diana.

1. Simon Cowell, un des juges de l'émission.

— C'est vrai. J'ai payé la caution. Mais ensuite, quand *48 Hours* [1] a diffusé des images en caméra cachée où on le voyait rôder autour d'un terrain de foot et baratiner des lycéennes, j'ai commencé à l'admettre.

— Waouh…, lâcha Brooke.

— Ce n'était pas génial. Mais au moins, le cirque médiatique s'est concentré sur lui. C'est lui qui s'est fait clouer au pilori. Pour Isabel Prince – qui n'a pas pu venir ce soir – ça a été beaucoup moins simple.

Brooke savait qu'elle faisait référence à la vidéo classée X que le mari d'Isabel, le rappeur mondialement connu Major K, avait délibérément rendue publique. Julian l'avait vue et décrite à Brooke : elle montrait Isabel et Major K barbotant dans un jacuzzi, sur un toit terrasse, nus, ivres, excités et désinhibés… La scène avait été immortalisée par la caméra HD qualité professionnelle de Major K, qui avait lui-même communiqué la vidéo à toutes les rédactions des États-Unis. Brooke se souvenait d'avoir lu des interviews où on lui demandait pourquoi il avait trahi la confiance de sa femme : « Elle est super bonne, mec, avait-il répondu. Je pense que tout le monde mérite de connaître une fois dans sa vie ce que j'ai tous les soirs. »

— Oui, elle s'est fait massacrer, renchérit Amber. Je me souviens qu'ils avaient entouré sa cellulite sur des images extraites de la vidéo. Dans les talk-shows de nuit, ils l'ont vannée pendant des semaines entières. Elle a dû vivre un calvaire.

Tandis que tout le monde méditait ces paroles en silence, Brooke s'aperçut qu'elle commençait à suffoquer,

1. Magazine télévisuel, axé sur le commentaire de l'actualité – et tout particulièrement des faits divers croustillants.

à se sentir prise au piège. Le spacieux appartement blanc lui faisait désormais l'effet d'une cage, et les propos de ces femmes – si accueillantes et amicales quelques minutes plus tôt – ne faisaient qu'intensifier son sentiment d'être seule et incomprise. Elles étaient plutôt sympathiques, et Brooke était navrée de leurs mésaventures, mais elle ne se sentait aucun point commun avec elles. Le plus grand crime de Julian consistait à avoir peloté une fille du même âge à la faveur d'une soirée d'ivresse – on était loin des films porno, des perversions sexuelles, des détournements de mineures, des prostituées. Sans doute son expression avait-elle trahi ses pensées, car Diana fit un petit bruit réprobateur avant de prendre la parole :

— Tu te dis que ta situation est très différente de la nôtre, n'est-ce pas ? Je sais que c'est difficile, très chère. Ton mari a eu une ou deux aventures galantes, dans une chambre d'hôtel, et quel homme n'en a pas, n'est-ce pas ? Mais s'il te plaît, ne te voile pas la face. C'est peut-être comme ça que ça commence… (Elle s'interrompit et, d'un geste ample, désigna ses amies assises en face d'elle.)… mais c'est comme ça que ça finit.

Ça suffit, songea Brooke. Elle en avait assez entendu.

— Non, ce n'est pas ça, c'est juste que… Écoutez, j'apprécie votre hospitalité, je vous remercie de m'avoir invitée ce soir, mais je crois que je ferais mieux d'y aller, expliqua-t-elle d'une voix étranglée, en évitant tout contact visuel.

Elle savait qu'elle se montrait grossière, mais c'était plus fort qu'elle. Elle devait partir, *sur-le-champ*.

— Brooke, j'espère que je ne t'ai pas offensée, dit Diana d'un ton conciliant, bien que son agacement soit visible.

— Non, non, pas du tout. Je suis désolée, c'est juste que…

Elle laissa sa phrase en suspens et plutôt que de chercher à tout prix à combler le silence, elle se leva et fit face aux trois femmes.

— On ne t'a même pas laissé le temps de nous raconter ton histoire ! se récria Amber, l'air affolé. Je vous avais bien dit qu'on parlait trop !

— Vraiment, je suis désolée, insista Brooke. N'allez pas penser que vous m'avez blessée. Simplement, je ne crois pas être prête pour ça. Merci encore à vous toutes. Merci Amber, je suis désolée, marmonna-t-elle une dernière fois, en serrant son manteau et son sac contre elle.

Au moment où elle arriva en haut de l'escalier, l'un des deux adolescents était justement en train de le gravir. Un instant, elle pensa qu'il allait tenter de la retenir, et elle le bouscula, sans guère de ménagement. Elle l'entendit maugréer un « Pas cool ! » et tout de suite après, il lança :

— Hé, maman, il reste du Coca ? Dylan a tout bu.

Ce furent les derniers mots qu'elle entendit tandis qu'elle traversait le terrain de basket en sens inverse. Elle regagna le rez-de-chaussée par les escaliers, et non par l'ascenseur, et ce ne fut qu'une fois sur le trottoir, en sentant la morsure du froid glacial sur son visage, qu'il lui sembla respirer à nouveau.

Un taxi libre la dépassa, puis un autre, et en dépit d'une température qui devait avoisiner les – 3 °C, elle les ignora. Elle commença à marcher – à courir, presque – tout en repensant aux histoires qu'elle venait d'entendre, pour s'en défaire, pour les chasser de son esprit, pour pointer tous les détails qui ne correspondaient en rien à *leur* histoire. C'était ridicule de penser qu'elle puisse se finir de cette façon à cause d'un seul faux pas, d'une seule et unique erreur. Ils s'aimaient. Et que la situation présente soit difficile ne signifiait pas pour autant qu'elle était condamnée ? N'est-ce pas ?

Elle traversa la 6ᵉ Avenue, puis la 7ᵉ, et la 8ᵉ. Ses joues, ses doigts étaient engourdis, mais elle s'en fichait. Elle avait réussi à s'échapper de cet appartement, à s'éloigner de ces histoires sordides, de ces prédictions totalement infondées concernant son couple. Ces femmes ne la connaissaient pas, elles ne connaissaient pas Julian, elles ne savaient rien à leur sujet ! Elle parvint à se calmer, à ralentir le pas. Elle inspira profondément. *Ça va aller*, se rassura-t-elle.

Mais encore aurait-il fallu qu'elle parvienne à museler cette question qui la taraudait : *Et si elles avaient raison ?*

Tout a commencé en fanfare

Le téléphone de la chambre sonna et Brooke se demanda pour la millième fois pourquoi les hôtels ne dotaient pas leurs appareils d'un écran indiquant le numéro du correspondant. Sachant que n'importe qui d'autre l'aurait appelée sur son portable, elle se pencha pour décrocher tout en se préparant à l'assaut.

— Bonjour Brooke. As-tu des nouvelles de Julian ? s'enquit le docteur Alter.

La voix semblait étonnamment proche, comme si son beau-père s'était trouvé dans la pièce voisine – ce qui, en dépit de tous les efforts que Brooke avait déployés, était bel et bien le cas. Elle se força à sourire pour éviter toute réponse déplaisante et lança, d'un ton enjoué que n'importe qui la connaissant bien aurait instantanément reconnu comme son ton faussement amical ou professionnel :

— Oh bonjour, ça va ? (Comme d'habitude, elle se garda de toute formule personnelle à l'égard du père de Julian – « Docteur » aurait été trop cérémonieux pour un beau-père, « William », trop familier, et il ne l'avait certainement jamais invitée à l'appeler « papa ».) Oui, poursuivit-elle d'un ton égal. Il est *encore* à Londres, et ne rentrera probablement pas avant la semaine prochaine.

Ils le savaient pertinemment. Elle les en avait informés sitôt qu'ils avaient fondu sur elle, au comptoir de l'aéroport. Eux, en retour, lui avaient expliqué que l'hôtel, en dépit de la meilleure volonté du monde et des deux cents chambres que comptait l'établissement, n'avait pas été en mesure de les loger, comme l'avait demandé Brooke, dans des ailes opposées. Leurs chambres étaient donc voisines, par souci « pratique ».

— Tt tt, fit son beau-père d'un ton désapprobateur. J'ai du mal à croire qu'il se défile de la sorte. Ces deux-là sont nés à moins d'un mois d'écart. Ils ont grandi ensemble. Trent a fait le discours le plus émouvant qui soit à votre mariage et Julian ne va même pas assister au sien.

Brooke ne put que sourire de l'ironie de la situation. Elle-même avait insisté auprès de Julian en avançant exactement les mêmes arguments mais, à les entendre de la bouche de son beau-père, elle se sentit obligée de prendre sa défense.

— C'est une opportunité qu'il ne pouvait pas laisser passer. Il va chanter devant un public incroyable, il y aura même le Premier ministre d'Angleterre. (Elle passa sous silence le fait que Julian empocherait au passage 200 000 dollars pour une performance de quatre heures.) Et vu tout, euh… tout ce qui se passe, il ne voulait pas voler la vedette aux mariés.

Ni l'un ni l'autre n'était désireux de s'étendre sur le sujet. Le père de Julian semblait heureux d'appliquer la politique de l'autruche, et de feindre que tout allait bien, qu'il n'avait pas vu les fameuses photos, ni lu les articles concernant le prétendu naufrage du mariage de son fils.

Et à présent, il refusait obstinément d'admettre que Julian n'assisterait pas au mariage de Trent. Brooke entendit la voix de sa belle-mère en arrière-plan.

— William ! Que fais-tu au téléphone, alors qu'elle est dans la pièce voisine ?

Un instant plus tard, on frappa à la porte. Brooke sortit du lit et gagna la porte, majeurs brandis, en hurlant silencieusement : « Va te faire foutre ! » Puis elle plaqua un sourire sur son visage et détacha la chaînette :

— Bonjour, voisine !

Pour la toute première fois depuis qu'elle la connaissait, sa belle-mère lui sembla apprêtée, pour ne pas dire ridicule. La robe en cachemire aubergine, qui semblait réalisée sur mesure pour sa silhouette élancée, les collants violet foncé et les sandales à talons spectaculaires composaient un ensemble digne d'une gravure de mode, mais qu'elle arborait avec naturel ; le gros sautoir en or, quoique dans le coup, restait sobre, et son maquillage paraissait l'œuvre d'une professionnelle. L'un dans l'autre, elle offrait l'image de la citadine élégante et sophistiquée, susceptible d'inspirer toute femme de 55 ans. Le problème, c'était le chapeau : une capeline dont la circonférence évoquait celle d'un plateau de service, d'une couleur certes parfaitement assortie à celle de la robe, mais qui disparaissait sous une profusion de plumes, de fleurs artificielles et de gaze, le tout ponctué par un énorme nœud en soie. Brooke resta un instant sans voix devant cette chose juchée en équilibre précaire sur la tête de sa belle-mère.

— Qu'en penses-tu ? demanda Elizabeth en effleurant le bord du couvre-chef qu'elle portait légèrement incliné vers l'avant. N'est-il pas incroyable ?

— Waouh ! souffla Brooke. C'est euh… c'est en quel honneur ?

— Comment ça, en quel honneur ? Mais en l'honneur du Tennessee ! répondit Elizabeth dans un éclat de rire. Brooouck ! lança-t-elle en cherchant à imiter l'accent du Sud. On est à Cha-deu-nou-gaaa ! Une vraie dame du Sud ne sort pas sans chapeau.

On avait l'impression d'entendre un étranger qui cherchait à parler anglais avec l'accent d'un cow-boy hollywoodien des années 40. Brooke eut envie de filer se terrer sous les couvertures et de mourir. C'était une humiliation totale.

« Ah bon ? » fut tout ce qu'elle réussit à dire.

— Évidemment. (Par chance, Elizabeth avait retrouvé son accent un rien nasal de New-Yorkaise.) Tu n'as donc jamais vu de retransmissions du Kentucky Derby ?

— Si, bien sûr, mais nous ne sommes pas dans le Kentucky. Et le port du chapeau ne se limite-t-il pas à cette circonstance particulière ? Je ne suis pas sûre qu'il soit d'usage en d'autres occasions…

Elle laissa sa phrase en suspens pour adoucir le message, mais sa belle-mère ne sembla pas le moins du monde démontée.

— Oh, Brooke, tu ne sais pas de quoi tu parles ! Nous sommes dans le Sud, ma chérie ! Celui que j'ai apporté pour la cérémonie, demain, est encore mieux. Et ne t'inquiète pas, nous aurons tout le temps de t'en acheter un demain. (Elle la toisa.) Tu n'es pas encore habillée ?

Brooke contempla son pantalon de survêtement puis consulta sa montre.

— Je pensais qu'on ne partait qu'à 18 heures.

470

— Oui, et il est déjà 17 heures. Ce qui ne te laisse plus beaucoup de temps.

— Hou là là, mais vous avez raison ! s'exclama Brooke en feignant de tomber des nues. Il faut que je me dépêche ! Je file sous la douche.

— Bien, frappe à notre porte quand tu seras prête. Ou mieux, viens boire un cocktail. William s'est fait apporter une bouteille de vodka décente, ça t'épargnera de boire cette huile de vidange de l'hôtel.

— Pourquoi ne pas se retrouver directement dans le hall à 18 heures ? Comme vous le voyez, j'ai pas mal de pain sur la planche, dit Brooke en reculant d'un pas et en désignant son vieux tee-shirt déchiré et ses cheveux en désordre.

— Mm mm, fit sa belle-mère, manifestement d'accord. Très bien, 18 heures dans le hall. Et... Brooke ? Tu pourrais peut-être mettre un peu d'ombre à paupières ? Ça fait des miracles pour la mine.

La douche brûlante et l'épisode du *Millionnaire* qu'elle regarda distraitement en se préparant n'eurent aucun effet miraculeux sur son moral. La bouteille de vin blanc individuelle du minibar, en revanche, lui procura un certain bien-être. Qui se dissipa le temps d'enfiler sa robe portefeuille noire et d'appliquer un peu d'ombre à paupières en belle-fille obéissante. Lorsqu'elle arriva dans le hall, elle était de nouveau stressée à mort.

Le restaurant se trouvait à quelques kilomètres à peine de l'hôtel, mais le trajet en voiture lui sembla durer une éternité. Le père de Julian n'avait que récriminations à la bouche : qu'est-ce que c'était que cet hôtel qui ne disposait même pas d'un voiturier ? Pourquoi Hertz ne louait-il que des véhicules américains ? Comment pouvait-on programmer un dîner à 18 h 30, alors que le déjeuner n'était même pas encore digéré ? Il trouva même le moyen de se plaindre du peu de circulation dans les rues de Chattanooga. Franchement, quelle ville digne de ce nom offrait des rues aussi dégagées et autant de places de parking libres un vendredi soir ? Et ces conducteurs, qui se faisaient des ronds de jambe et poireautaient de bonne grâce dix minutes à chaque feu rouge en échangeant des politesses, d'où sortaient-ils ? Certainement pas d'une ville dans laquelle il avait envie d'être, ça c'était sûr. Dans une ville digne de ce nom, il y avait des embouteillages, de la pollution, des foules, de la neige, des sirènes, des nids-de-poule et toutes sortes d'autres calamités ! Jamais de sa vie Brooke n'avait entendu une diatribe aussi ridicule. Lorsqu'ils pénétrèrent enfin dans le restaurant, elle était exténuée.

Fort heureusement, les parents de Trent vinrent les accueillir à la porte et Brooke se demanda ce qu'ils pensaient du couvre-chef de sa belle-mère. Le père de Trent et celui de Julian étaient frères, et très proches en dépit de leur grande différence d'âge. Les quatre rallièrent immédiatement le bar au fond de la salle. Brooke se défila en disant qu'elle allait passer un petit coup de fil à Julian, et elle remarqua avec quels regards soulagés l'information fut accueillie. Une épouse qui appelle son mari pour le plaisir de l'entendre ne demandait pas le divorce, n'est-ce pas ?

Elle chercha à apercevoir Trent ou Fern, en vain. Comme la température extérieure avoisinait les 15 °C – une température carrément tropicale par contraste avec celles du mois de février à New York – elle ne prit même pas la peine de reboutonner son manteau. D'ailleurs, elle était convaincue que Julian ne répondrait pas, puisqu'en

Angleterre il était minuit et qu'il sortait sans doute à peine de scène. D'où sa surprise lorsqu'elle entendit sa voix.

— Salut ! Je suis tellement heureux que tu appelles ! (Il paraissait surpris lui aussi. Brooke n'entendit aucun bruit de fond, et il lui sembla qu'une certaine excitation vibrait dans sa voix.) Je pensais justement à toi.

— C'est vrai ? dit-elle en détestant la note d'incertitude dans sa voix.

Au cours des quinze derniers jours, ils s'étaient parlé quotidiennement, mais chaque fois, c'était Julian qui avait appelé.

— Ça me rend malade de penser que tu es au mariage sans moi.

— Tes parents aussi, ça les rend malades.

— Et toi, est-ce qu'ils te rendent dingues ?

— C'est l'euphémisme du siècle. Tout a commencé en fanfare à l'aéroport. Et là, je suis en voie d'auto-anéantissement.

— Je suis désolé, dit-il doucement.

— Tu crois que tu as pris la bonne décision, Julian ? Je n'ai pas encore vu Trent ni Fern, mais je ne sais pas ce que je vais leur dire.

Julian s'éclaircit la voix.

— Répète-leur simplement que je ne voulais pas transformer leur mariage en cirque médiatique.

Brooke était prête à parier que Trent aurait préféré risquer la présence de deux journalistes fouineurs plutôt que de voir son cousin et ami de toujours louper son mariage, mais elle s'abstint de tout commentaire.

— Hum... et comment ça s'est passé ce soir ?

— Oh mon Dieu, Rook, c'était incroyable ! Absolument incroyable ! Il y a une ville à proximité du site,

473

avec une cité médiévale juchée sur la colline, qui domine l'agglomération moderne en contrebas. Elle n'est accessible qu'en funiculaire, dans lequel il rentre quinze personnes maximum, et quand tu en descends, tu te retrouves comme dans un labyrinthe d'immenses murs de pierre éclairés par des torches, de venelles où se nichent les boutiques et les maisons. Et là, au milieu, il y a un ancien amphithéâtre, d'où tu vois les collines, à perte de vue, et c'est là que j'ai joué, à la lueur des bougies et des torches. Ils servaient des grogs, et entre le froid, les boissons chaudes, cet éclairage qui te donnait la chair de poule et la vue… je n'en parle pas bien, mais c'était extraordinaire !

— Oui, ça a l'air.

— Ça l'était ! Et le concert terminé, ils nous ont raccompagnés à… l'hôtel ? Je ne sais même pas si on peut appeler ça un hôtel. Un domaine ? C'est un endroit invraisemblable. Imagine une ancienne ferme, entourée de centaines d'hectares de vallons, mais dans les chambres, tu as des écrans plats, et des sols chauffés dans les salles de bains, et il y a la piscine à débordement la plus hallucinante que j'aie jamais vue. Chaque chambre coûte genre 2 000 dollars la nuit, et elles ont toutes une cheminée et une petite bibliothèque, et je dispose d'un maître d'hôtel pour moi tout seul.

Il s'interrompit un instant, et reprit, avec beaucoup de douceur :

— Ç'aurait été absolument parfait si tu avais été avec moi.

C'était bien d'entendre qu'il était content – si, si, vraiment – et de le trouver d'humeur si loquace. De toute évidence, il avait opté pour une approche d'ouverture et de partage. Leurs récentes communications auraient-elles fini par déboucher sur une prise de conscience ? Cette éventualité restait cependant un piètre réconfort, compte tenu de la situation dans laquelle elle se trouvait : chaperonnée par ses beaux-parents, plutôt qu'entourée de chefs d'État et de top models de renommée internationale ; cernée par des centres commerciaux en lieu et place de paysages bucoliques ; dormant dans une chambre d'hôtel sans charme, dans un Sheraton, où la profession de maître d'hôtel était carrément inconnue. Et pour couronner le tout, elle était là pour assister au mariage de son cousin – seule. Alors oui, même si c'était formidable d'entendre qu'il se régalait, elle se serait volontiers contentée de détails plus sommaires.

— Écoute, je dois te laisser. Le dîner de famille est sur le point de commencer.

Elle échangea un sourire avec un couple de jeunes gens qui la dépassa pour pénétrer dans le restaurant.

— Brooke, dis-moi franchement, ça va, mes parents ?

— Tes parents ? Ils ont l'air d'aller bien.

— Ils se tiennent bien ?

— Ils font des efforts, je suppose. Ton père était super énervé à cause de la voiture de location – ne me demande pas pourquoi – et ta mère semble croire qu'elle est invitée à un bal costumé. Mais à part ça, oui, ils vont bien.

— Brooke, tu es héroïque. Ce que tu fais dépasse de loin le sens du devoir. Je suis certain que Trent et Fern apprécieront.

— Je fais ce qu'il faut.

— Oui, mais ça ne signifie pas que tout le monde l'aurait fait. J'espère que moi aussi, je fais ce qu'il faut.

— Il ne s'agit pas de nous, ni de ce que nous traversons, répondit-elle posément. C'est notre devoir de montrer un visage heureux et de célébrer leur mariage. C'est du moins ce que je vais essayer de faire.

Elle fut interrompue par l'arrivée d'un autre couple et aux regards qu'ils lui jetèrent, elle comprit qu'ils l'avaient reconnue. Quand tout le monde verrait qu'elle était venue seule, les commentaires iraient bon train.

— Brooke ? Je suis désolé, crois-moi. Mais tu me manques, et il me tarde de te voir. Je pense vraiment que…

— Il faut que je te laisse, le coupa-t-elle en se rendant compte que des gens l'épiaient. On se reparle plus tard, d'accord ?

— D'accord, fit-il d'un ton visiblement blessé. Embrasse tout le monde pour moi et essaie de t'amuser ce soir. Tu me manques énormément, et je t'aime énormément.

— Mm mm, toi aussi. Salut.

Après avoir raccroché, elle fut assaillie par l'envie, désormais familière, de se rouler en boule dans un coin pour pleurer, et peut-être y aurait-elle cédé si Trent n'était apparu à cet instant. Il arborait une tenue que Brooke catalogua comme l'uniforme de la pension chic : chemise blanche, blazer bleu, cravate framboise, mocassins Gucci et, concession hardie à la nouvelle ère qui commençait, un pantalon en toile – sans pinces. Brooke se remémora en un éclair leur rendez-vous arrangé dans ce restaurant italien sans âme, des années plus tôt, et cette sensation d'intense vertige qui avait fondu sur elle lorsque Trent l'avait conduite dans ce bar et qu'elle avait aperçu Julian.

— Salut, j'ai entendu dire que tu étais là, dit Trent en se penchant pour l'embrasser. C'était Julian ? ajouta-t-il en désignant le téléphone d'un mouvement de menton.

— Oui, il est en Écosse. Je sais qu'il préférerait être ici, dit-elle d'une voix faible.

— En ce cas, pourquoi n'est-il pas là ? répliqua Trent avec un sourire. J'ai essayé de lui dire mille fois que le mariage avait lieu sur une propriété privée, et que nous serions enchantés d'embaucher un service de gros bras pour tenir en respect les paparazzis, mais il a insisté en disant qu'il ne voulait pas créer des histoires à n'en plus finir. Aucun de mes arguments n'a pu le convaincre. Donc...

— Crois-moi, je suis désolée, dit-elle en lui prenant la main. C'est vraiment un timing affreux de notre côté.

— Viens, entrons, tu vas boire un verre.

— C'est *toi* qui vas en boire un, répliqua-t-elle avec un sourire et en lui pressant le bras. C'est *ta* soirée. Et je n'ai toujours pas salué ton adorable future épouse.

Brooke franchit la porte que Trent lui tenait ouverte. Il régnait à présent un certain brouhaha dans la salle où une quarantaine de personnes allaient et venaient, sacrifiant aux bavardages de rigueur un cocktail à la main. La seule personne que Brooke connaissait, hormis ses beaux-parents, était Trevor, le frère cadet de Trent, un étudiant de deuxième année qui était pour l'heure avachi dans un coin en compagnie de son iPhone et priait sans doute pour que personne ne vienne les déranger. Brooke eut l'impression que tous les convives – à l'exception de Trevor qui n'avait d'yeux que pour son téléphone – marquèrent un temps d'arrêt dans leur conversation et relevèrent la tête à leur entrée ; chacun avait pris bonne note de sa présence, et de l'absence de Julian.

Inconsciemment, elle serra la main de Trent, qui fit de même.

— Vas-y, va retrouver tes invités, et régale-toi, lui dit-elle. C'est un moment qui passe tellement vite !

Le dîner se déroula fort heureusement sans incident notable. Fern avait eu la bonté, de sa propre initiative, de placer Brooke loin de ses beaux-parents et à ses côtés. Brooke vit immédiatement ce que la jeune femme avait de séduisant : elle racontait des histoires et des plaisanteries charmantes, s'intéressait à tous ses interlocuteurs et maîtrisait l'art de l'autodérision. Lorsqu'un copain de fac de Trent eut l'indélicatesse de rappeler dans son discours le penchant de son vieux pote pour les filles avec des faux seins, Fern réussit à dissiper l'embarras général en partant d'un éclat de rire, avant d'écarter le décolleté de sa robe pour contempler sa poitrine et de conclure : « Faut croire que ça lui a passé. »

Lorsque, le dîner terminé, les Alter vinrent chercher Brooke pour la ramener à l'hôtel, Fern prit le bras de sa future cousine par alliance, battit des cils à l'intention du docteur Alter et déploya tout son charme de belle fille du Sud :

— Oh non, non ! protesta-t-elle en exagérant son accent chantant. On la garde ! On se débarrasse de vous, les vieux schnoques, et nous, on reste faire un peu la fête. On veillera à ce qu'elle rentre sans encombre.

Les Alter sourirent et prirent congé, et sitôt qu'ils eurent débarrassé le plancher, Brooke se tourna vers Fern.

— Tu m'as sauvé la vie ! Ils auraient insisté pour que je boive un dernier verre avec eux à l'hôtel, puis ils m'auraient poursuivie jusque dans ma chambre pour me harceler de questions à propos de Julian, et il y a tout à parier qu'ils auraient lâché un commentaire à propos de mon poids, de mon couple, voire des deux. Je ne pourrai jamais assez te remercier !

Fern secoua la main.

— Je t'en prie. Je ne pouvais pas te laisser entre les griffes d'une femme affublée d'un tel chapeau. Tu imagines, si quelqu'un vous avait vues ? (Fern éclata de rire et Brooke fut plus charmée que jamais.) En outre, c'est juste de l'égoïsme de ma part, puisque je suis heureuse que tu restes. Et mes amis t'adorent.

Brooke savait que Fern ne disait ça que pour la mettre à l'aise – après tout, c'était à peine si elle avait eu l'occasion d'échanger deux mots avec qui que ce soit, même si leurs amis semblaient sympathiques –, mais quelle importance ? Le mensonge porta ses fruits. Elle se détendit. Elle se détendit assez pour avaler un shot de tequila avec Trent à la santé de Julian, assez pour siroter ensuite quelques verres de limoncello avec Fern et ses copines de fac (qui, soit dit en passant, levaient le coude comme aucune autre femme de sa connaissance). Elle était toujours détendue lorsque, vers minuit, quelqu'un tamisa les lumières et réussit à brancher son iPhone sur la stéréo du restaurant, et le resta suffisamment pour continuer, pendant deux heures encore, à boire, danser et – pour être tout à fait honnête – flirter avec un copain interne de Trent. Par jeu et en toute innocence naturellement, mais en se délectant de retrouver les sensations que procurait l'attention d'un garçon très mignon, qui courait vous chercher à boire et vous faisait rire ; oui, ça aussi c'était très agréable.

Ce qui le fut moins, naturellement, ce fut la gueule de bois carabinée avec laquelle elle s'éveilla le lendemain matin. Bien qu'elle n'ait regagné sa chambre que vers

3 heures du matin, elle se réveilla à 7 heures, contempla
le plafond en sachant qu'elle allait vomir, tout en se
demandant combien de temps encore elle allait devoir
souffrir avant que cela arrive. Une demi-heure plus tard,
accroupie sur le carrelage de la salle de bains, elle haletait en priant le ciel que les Alter ne viennent pas frapper
à sa porte. Par chance, elle put repartir saine et sauve se
glisser sous les couvertures et se rendormir jusqu'à
9 heures.

En dépit d'une migraine horrible et d'un goût répugnant dans la bouche, Brooke sourit en attrapant son
téléphone, sitôt réveillée. Elle avait six messages et SMS
de Julian, qui ne cessait de lui demander où elle était, et
pourquoi elle ne répondait pas ; lui-même était en route
pour l'aéroport, il rentrait à la maison, indiquait-il ; elle
lui manquait, il l'aimait, et il était très impatient de la
retrouver, à New York. Brooke savoura cette inversion
des rôles, même si elle n'avait duré qu'une soirée. Pour
une fois, c'était elle qui avait trop bu, qui s'était couchée
trop tard, qui avait trop fait la fête.

Elle se doucha et descendit dans le hall pour boire un
café, en priant pour ne pas tomber sur ses beaux-
parents. La veille, ils lui avaient annoncé qu'ils proje-
taient de passer la journée avec les parents de Trent ;
tandis que les maris iraient jouer au squash, ces dames
avaient rendez-vous avec un coiffeur et un maquilleur.
Lorsque Elizabeth lui avait proposé de se joindre à elles,
Brooke avait menti sans vergogne et expliqué qu'elle
envisageait de rejoindre Fern chez elle, pour prendre
part au déjeuner qu'elle organisait pour ses demoiselles
d'honneur. Elle venait de s'installer avec un journal et
un double *latte* quand elle entendit son nom. Debout

480

devant elle se trouvait Isaac, le charmant interne avec lequel elle avait flirté la veille.

— Brooke ! Bonjour, ça va ? J'espérais bien te croiser !

Elle ne put s'empêcher de se sentir flattée.

— Bonjour Isaac. Tu veux t'asseoir ?

— Je ne sais pas toi, mais moi, je suis un peu dans le gaz, ce matin.

— Ouais, répondit-elle en souriant. Réveil un peu difficile pour moi aussi. Mais je me suis bien amusée.

Bien qu'elle fût à peu près certaine d'avoir, la veille, envoyé les bons signaux – certes, c'était amusant et agréable de flirter, mais elle était mariée – elle ajouta précipitamment, juste au cas où :

— Mon mari va regretter d'avoir loupé ça.

Une expression bizarre passa sur le visage d'Isaac. Une expression de soulagement plus que de surprise, comme s'il était content qu'elle aborde enfin le sujet.

— Donc, ton mari, c'est Julian Alter, c'est ça ? J'ai entendu tout le monde en parler hier soir, mais je ne savais pas si c'était vrai.

— Si, si.

— C'est vraiment dingue, tu n'imagines pas à quel point ! Je le suis depuis l'époque où il jouait chez Nick, dans l'Upper East Side, et tout d'un coup, on le voit partout ! Tu ne peux plus ouvrir un magazine ni allumer ta télé sans voir Julian Alter. Waouh ! Tu dois être super excitée.

— Ravie, répondit-elle machinalement, de plus en plus mal à l'aise maintenant qu'elle comprenait vers où se dirigeait cette conversation.

Combien de temps devait-elle attendre avant de pouvoir se lever sans se montrer ouvertement grossière ? Trois minutes de plus, au minimum ? Une éternité…

— Écoute, j'espère que tu ne m'en voudras pas si je te demande…

Oh non ! Il allait lui parler des photos, elle était prête à en mettre sa main au feu. Elle venait de passer dix-huit heures de félicité, sans que personne n'y fasse allusion, et voilà que cet Isaac allait tout gâcher.

— Tu ne veux pas de café ? demanda-t-elle précipitamment, prête à tout pour le détourner de l'inévitable.

Isaac eut l'air dérouté puis secoua la tête. Il plongea la main dans la sacoche en toile posée à ses pieds, en sortit une enveloppe de papier kraft et dit :

— Je me demandais si tu accepterais de donner ça de ma part à Julian ? J'imagine bien qu'il est complètement débordé – et laisse-moi te dire tout de suite que je suis loin d'avoir son talent –, mais je consacre un peu de mon temps libre à composer de la musique et… j'aimerais beaucoup savoir ce qu'il en pense.

Il sortit un boîtier de CD de l'enveloppe et le tendit à Brooke, qui ne sut pas si elle devait rire, ou pleurer.

— Euh… Oui, bien sûr, je le lui… et si je te donnais l'adresse de son studio ? Tu pourrais le lui envoyer toi-même.

Le visage d'Isaac s'illumina.

— C'est vrai ? Ce serait génial. Je me disais qu'avec tout… tout ce qui se passe, je… bon, je ne savais pas trop s'il allait…

— Si, si, il continue à travailler sur son prochain album. Écoute, Isaac, il faut que je remonte, je dois passer un coup de fil. À ce soir ?

— Oui, bien sûr à ce soir. Ah, Brooke ? Une dernière chose. Ma copine, qui n'arrive que ce soir, tient un blog. Elle y chronique des actus people et des soirées mondaines, ce genre de choses. Elle adorerait t'interviewer et elle m'a demandé de te le proposer, au cas où tu chercherais une tribune juste et impartiale pour raconter ta version de l'histoire. Et je sais qu'elle serait ravie de…

Si elle ne partait pas à la seconde, elle savait qu'elle allait dire quelque chose d'horrible.

— Merci Isaac, c'est vraiment gentil de sa part d'avoir pensé à moi. Pour l'instant, ça va, mais merci.

Et avant qu'il puisse prononcer un seul mot de plus, elle fonça en direction des ascenseurs.

Lorsqu'elle poussa sa porte, elle trouva la femme de chambre qui s'affairait. Ne pouvant pas prendre le risque de redescendre dans le hall, elle sourit à l'employée (qui, à en juger à sa mine, lui sembla avoir bien besoin d'une pause de toute façon) et elle lui dit qu'elle pouvait arrêter là. Lorsque la femme eut rassemblé son matériel et fut partie, Brooke s'effondra sur le lit en désordre et essaya de se motiver pour se mettre au travail. Elle disposait de six heures avant d'attaquer les préparatifs pour la cérémonie, et elle était résolue à les mettre à profit pour avancer dans sa recherche d'emploi, envoyer son CV et écrire quelques brouillons de lettres de motivation qu'elle pourrait personnaliser plus tard.

Elle chercha sur le tuner du radio-réveil une station de musique classique, une petite rébellion contre Julian qui avait rempli son iTunes non seulement de sa musique mais de celle de tous les autres artistes qu'elle devrait, selon lui, écouter, et elle s'installa au bureau. Elle resta extrêmement concentrée pendant une heure – ce qui n'était pas un mince exploit, vu son mal de tête tenace – et réussit à poster son CV sur les principaux sites de recherche d'emploi. L'heure d'après, elle commanda une salade au poulet grillé au service d'étage et flemmarda devant un vieil épisode de *Prison Break* sur son ordinateur. Après quoi, elle s'accorda une demi-heure de sieste. Quand son portable sonna, et qu'elle vit qu'il s'agissait d'un appel national longue distance, elle songea à l'ignorer, mais au cas où il se serait agi de Julian, elle décrocha.

— Brooke ? C'est Margaret. Margaret Walsh.

Sa surprise fut telle qu'elle faillit lâcher le téléphone. Sa première réaction fut la panique – elle avait encore raté une garde ? – avant de se souvenir que le pire avait déjà eu lieu.

— Margaret ! Comment allez-vous ? Tout va bien ?

— Oui, tout va bien. Écoutez, je suis désolée de vous déranger un week-end, mais je ne voulais pas attendre la semaine prochaine.

— Vous ne me dérangez pas. Je suis en train d'envoyer mes CV, dit-elle en souriant.

— Eh bien, c'est une bonne nouvelle parce que je pense que j'ai une piste pour vous.

— C'est vrai ?

— Une collègue vient de m'appeler, Anita Moore. En fait, elle a travaillé pour moi, il y a longtemps, avant de partir à Mt Sinai, où elle est restée des années. Elle vient de les quitter pour se mettre à son compte.

— Ça m'a l'air intéressant.

— Je lui laisse le soin de tout vous expliquer en détail, mais d'après ce que j'ai compris, elle a obtenu un financement fédéral pour créer un genre de dispensaire dans un quartier défavorisé. Elle cherche à embaucher une orthophoniste pour enfants et une diététicienne qui s'y connaisse en nutrition prénatale, lactation, alimentation des jeunes mamans et des nouveau-nés. Le dispensaire s'adressera à une communauté qui n'a pas accès aux soins prénataux, et ces patients n'ont pas le commencement d'une idée de ce qu'est la diététique, donc il faudra tout reprendre à zéro – littéralement leur expliquer pourquoi elles doivent absolument prendre leur complément d'acide folique – mais je pense que ce sera un défi très gratifiant. Comme Anita ne voulait pas débaucher des gens en place à Mt Sinai, elle m'a appelée pour me demander si j'avais quelqu'un à lui recommander.

— Et vous lui avez donné mon nom ?

— Oui. Je vais être franche, Brooke. Je lui ai parlé de Julian, des journées de travail que vous avez manquées, de votre emploi du temps délirant, mais je lui ai également dit que vous étiez une des meilleures et des plus brillantes diététiciennes que j'aie jamais employée. Ainsi, tout le monde sait où il met les pieds.

— Margaret, ça m'a tout l'air d'une opportunité incroyable ! Je ne vous remercierai jamais assez.

— Brooke, je ne vous demande qu'une chose : si vous pensez que votre mode de vie mouvementé va continuer à avoir un impact sur votre travail, je vous en prie, soyez franche avec Anita. L'aventure dans laquelle elle se lance est trop difficile sans une équipe sur qui se reposer.

Brooke hocha énergiquement la tête.

— J'ai bien entendu, Margaret. C'est très clair. La carrière de mon mari n'affectera plus la mienne. Je peux vous le promettre, à vous et à Anita.

En faisant des efforts surhumains pour se retenir de hurler de joie au téléphone, Brooke nota soigneusement les coordonnées d'Anita et remercia Margaret une nouvelle fois. Puis elle décapsula une canette de Coca light, qui dissipa sa migraine comme par magie, elle cliqua sur « Nouveau message » et commença à écrire.

Elle allait décrocher ce poste.

Une danse de consolation

— Après vous, très chère.

Brooke remercia d'un pâle sourire son beau-père qui lui tenait galamment la portière. Par bonheur, il semblait avoir tout oublié de ses griefs à l'encontre de Hertz et le trajet se déroula à peu près calmement.

Brooke ne fut pas peu fière de s'abstenir de commentaires sur la capeline du jour d'Elizabeth, qui consistait en une bonne livre de taffetas froncé et une botte entière de fausses pivoines. Associée à une robe longue YSL aux lignes pures, un sac Chanel élégantissime et une sublime paire de sandales Manolo rebrodées de perles. Cette bonne femme avait décidément un grain.

— Brooke, as-tu eu des nouvelles de Julian ? demanda-t-elle.

— Non, pas aujourd'hui. Il m'a laissé des messages hier soir, mais je suis rentrée trop tard pour le rappeler. Mon Dieu, ces étudiants en médecine savent faire la fête, et se fichent pas mal que vous soyez mariée ou pas !

Elizabeth était en train de la dévisager par rétroviseur interposé et lorsque Brooke la vit hausser les sourcils, cette petite victoire lui procura un frisson de plaisir. Le reste du trajet se passa en silence.

Lorsqu'ils arrivèrent devant l'imposant portail d'inspiration gothique qui menait à la maison des parents de Fern, Brooke vit sa belle-mère approuver d'un imperceptible hochement de tête comme pour dire : « Oui, si on doit absolument vivre ailleurs qu'à Manhattan, c'est le moins qu'on puisse faire. » L'allée qui conduisait à la maison était bordée d'imposants cerisiers en fleurs et de chênes centenaires, et assez longue pour mériter le nom de « domaine ». En dépit du mois de février et des températures très fraîches, la végétation était luxuriante, très verte, resplendissante de santé. Un voiturier en smoking s'occupa de leur voiture et une charmante jeune femme les escorta à l'intérieur ; Brooke remarqua que la fille coulait un regard discret vers le chapeau de sa belle-mère, mais elle était bien trop polie pour la dévisager.

Brooke espéra de toutes ses forces que les Alter allaient lui ficher la paix, et son vœu fut comblé sitôt qu'ils aperçurent l'imposant bar en acajou et les barmen en nœuds papillons. Brooke repensa soudain à l'époque où elle était célibataire. N'était-ce pas étrange d'oublier aussi vite l'effet que ça faisait d'assister en solo à un mariage ou à une fête quand tout le monde autour était en couple ? Cela allait-il redevenir la règle pour elle ?

Elle sentit son téléphone vibrer dans son sac. Elle captura, en guise de renfort, une coupe de champagne sur un plateau qui croisait sa route et s'engouffra dans les toilettes les plus proches. C'était Nola.

— Alors, comment ça se passe ?

Dans cette demeure glaciale et intimidante, la voix de son amie lui fit l'effet d'une couverture tiède.

— Je ne vais pas te mentir. C'est assez dur.

— Ça, ça ne m'étonne pas. Je ne comprends toujours pas pourquoi tu t'infliges…

— Je ne sais pas ce que je m'imaginais. Mon Dieu, ça fait six ou sept ans que je n'ai pas assisté à un mariage seule. Ça craint !

Nola renifla avec dédain.

— Merci de me donner raison. Bien entendu, que ça craint. Quel besoin avais-tu de le vérifier par toi-même ? J'aurais pu te le dire.

— Nola ? Qu'est-ce que je fais ? Pas simplement là tout de suite, mais en général ?

Brooke entendit sa voix grimper dans les aigus et sentit le téléphone glisser de sa main moite.

— Que veux-tu dire, ma puce ? Qu'est-ce qui ne va pas ?

— Qu'est-ce qui ne va pas ? Demande-moi plutôt qu'est-ce qui *va* ? On est englués dans cet étrange nulle part, sans savoir où ça va nous mener, incapables de pardonner et de tourner la page, en se demandant si on pourra aller de l'avant. Je l'aime, mais je ne lui fais plus confiance, j'ai l'impression qu'une distance s'est creusée. Et pas simplement à cause de cette fille, même si ça me rend dingue. À cause de tout ce qui se passe !

— Allons, allons, calme-toi. Demain, tu rentres chez toi. Je viendrai t'attendre à ta porte – je n'aime personne au point d'aller jusqu'à l'aéroport – et on parlera de tout ça. Si Julian et toi arrivez à trouver une solution, à faire en sorte que ça marche, vous ferez le nécessaire. Et si vous décidez que ce n'est pas possible, je serai là avec toi, à chaque étape. Et je ne serai pas la seule – il y aura plein d'autres gens.

— Oh, mon Dieu, Nola…, gémit-elle, accablée de douleur.

Entendre quelqu'un d'autre reconnaître qu'une réconciliation était peut-être impossible était plus effroyable que tout.

— Une chose après l'autre, Brooke. Ce soir, tu te contentes de serrer les dents et de sourire pendant la cérémonie, le cocktail et les entrées. Et sitôt qu'ils débarrassent les tables, tu appelles un taxi et tu rentres à l'hôtel. Tu m'entends ?

Elle hocha la tête.

— Brooke ? Oui ou non ?

— Oui.

— Maintenant, tu sors de ces toilettes et tu suis mes instructions, d'accord ? On se voit demain. Tout va bien se passer, je te le promets.

— Merci, Nol. Dis-moi juste, rapidement – tout se passe bien pour toi ? Andrew, ça va toujours ?

— Ouais, je suis avec lui en ce moment.

— Ah bon ? Mais alors… pourquoi tu m'appelles ?

— C'est l'entracte et il est aux toilettes…

Quelque chose, dans le ton de Nola, éveilla sa suspicion.

— Vous êtes au spectacle ? Vous êtes allés voir quoi ?

Il y eut un silence.

— *Le Roi Lion.*

— *Le Roi Lion* ? Non ! Oh attends – tu es en stage de formation belle-mère, c'est ça ?

— Oui, le gamin est avec nous. Et alors ? Il est mignon.

Brooke ne put réprimer un sourire.

— Je t'adore, Nola. Merci.

— Moi aussi, je t'adore. Et si jamais tu racontes ça à qui que ce soit…

Brooke souriait encore lorsqu'elle sortit des toilettes, et tomba sur Isaac, accompagné de sa copine blogueuse.

— Oh salut ! lança Isaac avec l'enthousiasme gêné du type qui a consacré la soirée de la veille à flirter uniquement par intérêt. Brooke, je te présente Susannah. Je crois t'avoir déjà dit combien elle adorerait…

— T'interviewer, compléta Susannah en tendant la main.

La fille était jeune, souriante et plutôt jolie. C'en était trop. Faisant preuve d'un aplomb qui la surprit elle-même, Brooke regarda Susannah, les yeux dans les yeux, et dit :

— C'était un plaisir de faire ta connaissance et j'espère de tout cœur que tu excuseras mon impolitesse, mais je dois de toute urgence délivrer un message à ma belle-mère.

Susannah hocha la tête. Agrippée à sa coupe de champagne comme à une rampe, Brooke tourna les talons et fut presque soulagée de trouver ses beaux-parents dans la tente dressée pour la cérémonie. Ils lui avaient gardé une chaise à côté d'eux.

— J'adore les mariages ! lança-t-elle avec le maximum d'enjouement dont elle était capable ; c'était une réflexion absurde mais que dire d'autre ?

Ce à quoi sa belle-mère – qui, poudrier dans la main, était en train de camoufler une imperfection invisible sur son menton – répondit :

— Je trouve stupéfiant que, dans la mesure où la moitié des mariages sont voués à l'échec, chaque couple qui prononce ses vœux s'obstine à penser que ça ne lui arrivera pas.

— Mm, murmura Brooke. C'est une charmante attention de rappeler les taux de divorces à un mariage.

C'était probablement la réflexion la plus grossière qu'elle avait jamais faite à sa belle-mère, mais Elizabeth ne cilla pas. Son mari, qui consultait le cours de la Bourse sur son BlackBerry, releva les yeux et, voyant que sa femme ne réagissait pas, les reporta sur son écran.

Par chance, les premières notes de musique se firent entendre et un murmure parcourut l'assemblée. Trent et ses parents entrèrent en premier, et Brooke sourit en voyant combien il irradiait d'un bonheur sincère – exempt de toute nervosité. Les demoiselles et les garçons d'honneur apparurent un par un, suivis par les petites filles d'honneur, et Fern s'avança à son tour, flanquée de ses parents, rayonnante, comme toute mariée. La cérémonie mêla sans heurt les traditions juive et chrétienne, et malgré elle, Brooke se régala d'observer les regards complices qu'échangeaient les mariés.

Ce n'est que lorsque le rabbin commença à expliquer aux invités que la chuppah symbolisait le nouveau foyer que le couple allait construire – que ce dais nuptial les abriterait et les protégerait du monde extérieur mais que, ouvert sur ses quatre côtés, il leur permettrait d'accueillir les amis et la famille –, que Brooke se mit à pleurer. Le jour de son mariage, c'était le moment de la cérémonie qu'elle avait préféré, et celui où, lors de tous les mariages auxquels ils avaient assisté, Julian et elle s'étaient pris par la main et avaient échangé un regard complice, le même que celui que Trent et Fern échangeaient en ce moment. Non seulement elle était là toute seule, mais en plus, il était impossible de nier l'évidence : cela faisait bien longtemps que leur appartement ne lui donnait plus l'impression d'être un foyer. S'apprêtaient-ils à aller grossir les statistiques qu'avait évoquées sa belle-mère ?

Pendant le dîner, une des amies de Fern se pencha vers son mari pour lui murmurer quelque chose à l'oreille, et le mari lui répondit d'un regard qui semblait signifier : *Tu crois ?* La fille hocha la tête et Brooke se demanda de quoi il pouvait bien s'agir, jusqu'au moment où le mari vint lui offrir son bras en lui demandant si elle aimerait danser. Une danse de compassion. Elle aussi, elle avait parfois poussé Julian du coude, dans un mariage, pour lui demander d'inviter une femme seule, en pensant faire une bonne action. Sachant désormais ce qu'on éprouvait à être la bénéficiaire de ce geste de charité, elle se jura de ne plus recommencer. Elle remercia chaleureusement le mari mais déclina sa proposition en prétextant qu'elle devait trouver d'urgence de l'Advil, et elle vit le soulagement se peindre sur le visage de l'homme. Elle gagna une fois de plus ses toilettes favorites, sans savoir si elle serait capable de se résoudre à regagner la fête.

Elle consulta sa montre : 21 h 45. Si, à 23 heures, les Alter ne paraissaient pas sur le départ, elle appellerait un taxi. Lorsqu'elle ressortit dans le couloir, il était balayé de courants d'air et, par chance, désert. Elle attrapa son téléphone, pour constater qu'elle n'avait aucun nouveau message. Julian devait pourtant être rentré. Que pouvait-il bien faire ? Avait-il déjà récupéré Walter à la crèche ? Peut-être étaient-ils installés tous les deux sur le canapé. Ou alors, était-il allé directement au studio ? Peu pressée de regagner la fête, elle fit quelques pas, se connecta à Facebook puis chercha le numéro d'une compagnie de taxis locale, juste au cas où. Une fois qu'elle fut à court d'excuses et de distractions, elle rangea le téléphone dans son sac, croisa fermement ses bras nus contre sa poitrine et se laissa porter vers la musique.

Elle sentit une paume se refermer sur son épaule et avant même de se retourner, avant même qu'il prononce un seul mot, elle sut que cette main était celle de Julian.

— Rook ?

Il y avait une note d'interrogation dans sa voix, une incertitude. Il ne savait pas comment elle allait réagir. Elle ne se retourna pas immédiatement – elle eut peur soudain de s'être trompée, peur que ce ne soit pas lui – et lorsqu'elle le fit, elle fut assaillie par toutes sortes d'émotions qui la laissèrent sonnée, comme après une collision. Il était là devant elle, vêtu du seul costume qu'il possédait, un sourire timide et nerveux aux lèvres, la contemplant d'un regard qui semblait dire : *S'il te plaît, serre-moi dans tes bras*. Et en dépit de tout ce qui s'était passé, de la distance qui s'était installée entre eux au cours des dernières semaines, Brooke n'avait envie que de ça. À quoi bon nier l'évidence ? Elle était extatique, béate de bonheur.

Elle tomba dans ses bras, incapable de prononcer un seul mot. Son corps était tiède, il sentait bon et il la serrait si fort qu'elle se mit à pleurer.

— J'espère que ce sont des larmes de joie.

Elle les essuya, consciente que son mascara était en train de couler, mais elle s'en fichait royalement.

— De joie, de soulagement et un million d'autres choses encore, répondit-elle.

Quand ils s'écartèrent enfin l'un de l'autre, elle remarqua la paire de Converse à ses pieds. Julian suivit son regard.

— J'ai oublié d'emporter des souliers, expliqua-t-il avec un petit haussement d'épaules. (Il désigna sa tête, nue.) Et je suis coiffé au pétard à mèche.

Brooke se pencha pour l'embrasser à nouveau. C'était si bon, si normal ! Elle aurait voulu être en colère, mais elle était trop heureuse de le voir.

— Personne ne t'en tiendra rigueur. Ils seront trop heureux que tu sois venu.

— Viens, on va retrouver Trent et Fern. Ensuite, toi et moi, on pourra parler.

Quelque chose, dans son ton, l'apaisa d'un coup. Il était venu, il prenait les rênes de la situation, et elle était heureuse de se laisser faire. Il l'entraîna dans le couloir, où ils croisèrent quelques invités qui se retournèrent sur leur passage – au nombre desquels figuraient Isaac et sa copine, constata-t-elle avec plaisir – puis ils gagnèrent immédiatement la tente, à l'extérieur. Le dessert était servi et l'orchestre faisait une pause, ce qui excluait toute arrivée discrète. Sitôt qu'ils pénétrèrent sous la tente, l'ambiance changea, de façon palpable. Brooke sentit qu'on les observait, elle entendit des murmures et une fillette tendit carrément le doigt en direction de Julian en criant son nom. Brooke entendit sa belle-mère avant de la voir.

— Julian ! siffla Elizabeth, comme en surgissant de nulle part. Comment es-tu habillé ?

Brooke secoua la tête. Cette bonne femme ne manquerait jamais de l'étonner.

— Salut, maman. Où est…

Une seconde plus tard, le docteur Alter avait rejoint sa femme.

— Bon sang, Julian, mais où étais-tu passé ? Tu as manqué le dîner de famille, tu as laissé ta pauvre femme seule tout le week-end, et tu débarques dans cette tenue ? Qu'est-ce qui te prend ?

Brooke se prépara au conflit qui allait éclater, mais Julian se contenta de répondre :

— Maman, papa, quelle joie de vous voir. Mais si vous voulez bien m'excuser…

Il entraîna Brooke vers Trent et Fern, qui faisaient le tour des tables. Lorsqu'ils arrivèrent à leur hauteur, Brooke sentit les centaines d'yeux braqués sur eux.

— Trent, dit Julian doucement en posant la main sur le dos de son cousin.

L'expression de Trent accusa d'abord le choc, puis la joie se lut sur son visage. Les deux cousins tombèrent dans les bras l'un de l'autre. Et Brooke, qui redoutait que l'apparition soudaine de Julian ne provoque la colère de Fern, vit son inquiétude se dissiper lorsque celle-ci lui sourit.

— Avant toute chose, félicitations à vous deux ! dit Julian, tapant dans le dos de Trent et se penchant pour embrasser Fern.

— Merci, mon vieux, dit Trent, visiblement aux anges.

— Fern, tu es absolument splendide ! Je ne sais pas si ce type te mérite, mais une chose est sûre : c'est un sacré veinard.

— Merci Julian, dit Fern avec un sourire. (Elle prit la main de Brooke.) Brooke et moi avons eu l'occasion de passer quelques moments ensemble, ce week-end, et je dois dire que toi aussi tu es un veinard.

— Ce n'est pas moi qui vais dire le contraire. Écoutez, je suis vraiment désolé d'avoir tout loupé.

Trent balaya l'excuse d'un geste.

— Ne t'inquiète pas. On est heureux que tu aies pu venir.

— Oui, mais j'aurais dû être là depuis le début. Je suis vraiment désolé.

L'espace d'un instant Brooke crut que Julian allait se mettre à pleurer. Fern se hissa sur la pointe des pieds pour le serrer dans ses bras et dit :

— Si tu nous trouves deux billets pour le premier rang à ton prochain concert à Los Angeles, je suis sûre qu'on arrivera à te pardonner. N'est-ce pas Trent ?

Tout le monde éclata de rire et Julian glissa à Trent une feuille de papier pliée.

— C'était mon discours pour le dîner d'hier soir. Je regrette de n'avoir pas pu le lire.

— Tu n'as qu'à le faire maintenant.

— Tu veux que je lise ça maintenant ? demanda Julian médusé [1].

— Ben, c'est ton discours, non ? (Julian hocha la tête.) Et je suis sûr que je parle également pour Fern quand je dis que nous adorerions l'entendre. Si ça ne t'embête pas…

— Non, non, bien sûr, répondit Julian.

Presque instantanément quelqu'un apparut avec un micro ; après quelques tintements de verres et une flopée de *chut*, le silence se fit sous la tente. Julian s'éclaircit la voix, et en le voyant prendre le micro d'un geste naturel, l'air parfaitement détendu, adorable, Brooke se sentit parcourue par une vague de fierté.

— Bonsoir tout le monde, commença-t-il avec un sourire qui creusa ses fossettes. Je m'appelle Julian, et Trent est mon cousin germain. Nous n'avons qu'un mois

---

1. Traditionnellement, dans les « grands » mariages, les discours ont lieu lors du dîner qui, la veille de la cérémonie, réunit la famille et les intimes.

d'écart, donc je pense qu'on peut dire qu'on a fait pas mal de route ensemble. Je euh… je suis désolé d'interrompre la fête, mais je voulais juste souhaiter à mon cousin et à sa magnifique nouvelle épouse tout le bonheur du monde. (Il s'interrompit un instant et tripota nerveusement sa feuille de papier, la parcourut des yeux, puis la replia et la glissa dans sa poche. Il releva la tête.) Ça fait donc très, très longtemps que je connais Trent, et je peux vous assurer que je ne l'ai jamais vu aussi heureux. Fern, tu es un nouvel élément bienvenu dans notre famille de barjos, et un souffle d'air frais. (Tout le monde éclata de rire – sauf sa mère, remarqua Brooke avec un sourire jusqu'aux oreilles.) Ce que tout le monde ne sait peut-être pas, c'est la dette immense que j'ai à l'égard de Trent. (Julian toussota, et le silence sembla s'intensifier.) Il y a neuf ans de ça, c'est lui qui m'a présenté Brooke, mon épouse, l'amour de ma vie. Je ne peux même pas supporter d'imaginer ce qui se serait passé si leur rendez-vous arrangé s'était bien passé ce soir-là… (D'autres rires fusèrent.) Mais en ce qui me concerne, je lui serai éternellement reconnaissant que son plan ait foiré. Et si on m'avait dit le jour de mon mariage que j'aimerais ma femme encore plus aujourd'hui, je ne l'aurais pas cru possible, mais je peux vous assurer que ce soir, tandis que je la regarde, il n'y a rien de plus vrai.

Brooke sentit que toute l'assistance se tournait vers elle, mais elle était incapable de détacher les yeux de Julian.

— Puissiez-vous vous aimer davantage chaque jour qui passe, et sachez que quels que soient les obstacles que la vie mettra en travers de votre route, vous les surmonterez ensemble. Ce soir, ce n'est que le début, et je sais que je parle au nom de tout le monde ici lorsque je dis que nous sommes infiniment honorés de partager ce moment avec vous. S'il vous plaît, levons tous notre verre à la santé de Trent et Fern !

Des cris enthousiastes fusèrent parmi les invités, tout le monde trinqua et quelqu'un cria : « *Encore, encore** ! »

Julian rougit et se pencha vers le micro.

— Oui, justement, maintenant, je vais chanter « Wind Beneath My Wings » pour l'heureux couple. Vous n'y voyez pas d'inconvénient, j'espère ? (Il se tourna vers Trent et Fern, qui prirent aussitôt l'air horrifié, et après un bref silence, Julian rompit la tension.) Je plaisantais ! Bon, évidemment, si vous insistez…

Trent se leva d'un bond et fit semblant de plaquer Julian. Fern les rejoignit une minute plus tard, et embrassa Julian, les larmes aux yeux, dans un concert de cris de félicitations. Julian se pencha pour murmurer quelques mots à l'oreille de son cousin, et les deux échangèrent une accolade. Puis l'orchestre se remit à jouer et Julian rejoignit Brooke. Sans un mot, il l'entraîna et la ramena dans le couloir.

— C'était très beau, dit-elle d'une voix fêlée.

Il prit son visage entre ses mains et la regarda droit dans les yeux.

— Je pense chacun des mots que j'ai dits.

Elle se pencha pour l'embrasser. Le baiser ne dura qu'un instant mais elle se demanda s'il n'était pas le meilleur de toute leur histoire. Au moment où elle s'apprêtait à enrouler ses bras autour de son cou, Julian l'entraîna vers la porte d'entrée.

— Tu as un manteau ? demanda-t-il.

Brooke regarda le petit groupe de fumeurs qui, à l'autre bout de l'allée, les observaient.

— Oui, au vestiaire.

Julian retira sa veste et l'aida à l'enfiler.

— Tu viens ?

— Où allons-nous ? Je pense que l'hôtel est un peu trop loin pour y aller à pied, chuchota-t-elle tandis qu'ils dépassaient le groupe de fumeurs et contournaient la maison.

Julian posa la main au creux de ses reins et la poussa en direction de l'arrière-cour.

— On ne peut pas filer définitivement, mais personne ne nous en voudra de nous éclipser quelques instants.

Il la conduisit au pied d'une petite mare et il lui fit signe de s'asseoir sur un banc en pierre, face à l'eau.

— Ça va ? demanda-t-il.

La pierre était glacée à travers l'étoffe légère de sa robe, et le froid commençait à lui donner des démangeaisons dans les orteils.

— J'ai un peu froid…

Il la prit dans ses bras et la serra contre lui.

— À quoi tu joues, Julian ?

— Je savais avant de partir que c'était une très mauvaise idée, répondit-il en lui prenant la main. J'ai essayé de rationaliser, de me dire que c'était mieux qu'on souffle un peu chacun de notre côté, mais ça ne l'était pas. J'ai eu beaucoup de temps pour réfléchir, et je ne voulais pas perdre une minute avant de t'en parler.

— D'accord…

— Dans l'avion, j'étais assis à côté de ce chanteur, Tommy Bailey, tu sais, le gamin qui a gagné La Nouvelle Star il y a quelques années ?

500

Brooke hocha la tête, sans mentionner la connexion avec Amber, ni le fait qu'elle savait déjà tout ce qu'il y avait à savoir au sujet de Tommy.

— On était les deux seuls passagers en première, poursuivit Julian. Il était évident que moi je voyageais pour le boulot, mais lui il partait en vacances. Il avait un break de quinze jours dans sa tournée, et il avait loué une villa, un truc de malade je ne sais plus où. Ce qui m'a frappé, c'est qu'il y allait seul.

— Arrête ! Ce n'est pas parce qu'il voyageait seul qu'il serait seul à l'arrivée.

— D'accord, tu as entièrement raison, concéda Julian en levant les mains. Il était intarissable au sujet de toutes les minettes qui allaient le retrouver là-bas, passer le voir, ou que sais-je encore. Il attendait aussi son agent et son manager, et quelques soi-disant amis qu'il avait convaincus de venir en leur payant le billet d'avion. Ça avait un côté pathétique, mais ça, c'est mon point de vue – peut-être que lui, il aime ce genre de vie. Elle plaît à des tas de mecs, j'imagine. Et ensuite, il a commencé à boire, à boire vraiment, et au milieu de l'Atlantique, il s'est mis à chialer – et pas pour rire – en disant que son ex-femme, sa famille et ses amis d'enfance lui manquaient atrocement, qu'il n'y avait plus personne dans sa vie actuelle qu'il connaissait depuis plus de deux ans, qu'il n'était entouré que de gens qui attendaient quelque chose de lui. C'était une loque, Brooke, une vraie loque. Et moi, je n'arrêtais pas de me dire : *Je ne veux pas ressembler à ce type.*

Brooke relâcha enfin son souffle, sans s'être aperçue qu'elle retenait sa respiration depuis le début de cette conversation. Il ne voulait pas ressembler à ce type.

Quelques mots tout simples, qu'elle attendait depuis si longtemps ! Elle se tourna vers lui.

— Moi non plus, je ne veux pas que tu lui ressembles, et je ne veux pas non plus être l'épouse qui s'accroche à tes basques, qui passe son temps à te critiquer, à te menacer et à te demander quand est-ce que tu rentres à la maison.

Julian la dévisagea et haussa les sourcils.

— Tu rigoles ? Tu adores ça.

Brooke s'accorda un instant de réflexion.

— Ouais, bon, d'accord – tu as raison.

Ils échangèrent un sourire.

— Écoute, Rook, je n'arrête pas de penser à ça. Je sais que ça va prendre du temps pour regagner ta confiance, mais je ferai tout ce qui est humainement possible pour ça. Cet étrange *no man's land* dans lequel nous sommes… c'est l'enfer. Si tu n'entends rien d'autre ce soir, s'il te plaît, entends ça : je ne veux pas renoncer à nous deux. Ni maintenant, ni jamais.

— Julian…

— Non, écoute, la coupa-t-il en se rapprochant. Tu t'es tuée à la tâche en menant deux boulots de front pendant des années. Je ne voyais pas… Je n'étais pas conscient du tribut que je te faisais payer, et…

— Non, c'est moi qui suis désolée, protesta-t-elle en lui prenant la main. Je voulais le faire pour toi, pour nous, mais je n'aurais jamais dû insister pour conserver les deux une fois que ta carrière a commencé à décoller. Je ne sais pas pourquoi je me suis entêtée ; je commençais à me sentir sur la touche, comme si tout échappait à mon contrôle et j'ai essayé de maintenir une forme de normalité. Mais moi aussi, j'ai beaucoup réfléchi à tout ça, et j'aurais au moins dû démissionner de la Huntley lorsque ton album est sorti. Et j'aurais également dû, sans doute, demander un mi-temps à l'hôpital. Ça nous aurait peut-être donné plus de flexibilité pour nous voir. Mais même si je recommence à travailler à mi-temps et si, avec un peu de chance, j'ouvre mon propre cabinet... je ne sais pas pour autant comment ça pourra fonctionner.

— Il faut que ça fonctionne ! se récria Julian avec une véhémence qu'elle ne lui avait pas connue depuis longtemps.

Il plongea la main dans sa poche et en sortit une liasse de papiers pliés.

— C'est les...

Elle avait failli dire « les papiers du divorce » mais parvint à se rattraper à temps. Elle se demanda si son discours était aussi irrationnel que ce qui lui passait par la tête.

— C'est notre plan d'attaque, Rook.

— Notre plan d'attaque ?

Elle voyait son souffle former des nuées de condensation et elle commençait à grelotter. Julian hocha la tête.

— Ce n'est que le début, dit-il en lui repoussant les cheveux derrière les oreilles. On va se débarrasser de tous les gens qui nous empoisonnent la vie, une bonne fois pour toutes. Le premier sur la liste ? Leo.

À ce seul nom, elle se hérissa.

— Qu'est-ce qu'il a à voir avec nous ?

— Pas mal de choses, en fait. Il est toxique. Chose que tu savais certainement depuis le début, mais que moi, j'étais trop con pour déceler. Il a fait fuiter beaucoup d'infos dans la presse, et ce fameux soir au Château, c'est lui qui avait tuyauté le paparazzi de *Last Night*, et lui encore qui s'était débrouillé pour que cette fille se retrouve à ma table – tout ça sous le prétexte que toute publicité est bonne à prendre. C'est lui qui a tout orchestré. Le reste est de ma faute – complètement de ma faute – mais Leo…

— C'est immonde, le coupa Brooke en secouant la tête.

— Je l'ai viré.

Elle releva la tête d'un coup et vit que Julian souriait.

— Tu as vraiment fait ça ?

— Oh oui. (Il lui tendit une feuille pliée en deux.) Tiens, ça, c'est l'étape numéro deux.

Brooke crut reconnaître une impression de page Internet. On y voyait le portrait d'un monsieur d'un certain âge, à l'air affable, un certain Howard Lui, des coordonnées, et un historique des appartements qu'il avait vendus au cours des deux dernières années.

— Je devrais le connaître ?

— Tu vas faire sa connaissance très bientôt, répondit Julian avec un sourire. Howard est notre nouvel agent immobilier. Et si cela te convient, nous avons rendez-vous avec lui lundi à la première heure.

— On va acheter un appartement ?

Il lui tendit une autre liasse de papiers.

— Nous allons visiter ceux-là. Et tous les autres qui te feront plaisir, évidemment.

Elle le dévisagea puis déplia la liasse et lâcha un hoquet. Là encore, il s'agissait d'impressions de pages Internet, mais concernant cette fois des maisons à Brooklyn, six ou sept au total. Sur chaque page, la photo s'accompagnait d'un plan et d'une liste de caractéristiques et d'équipements. Le regard de Brooke se figea sur la dernière – cet hôtel particulier en grès de trois étages avec son perron et son jardinet protégé par des grilles, devant lequel Julian et elle étaient passés des centaines de fois.

— C'est celui-là ton préféré, n'est-ce pas ?

Elle hocha la tête.

— Je m'en doutais. Nous allons le visiter et s'il te plaît toujours, on fait une offre immédiatement.

— Oh, mon Dieu.

Cela faisait trop d'informations d'un coup. Julian avait renoncé au loft chic à Tribeca, au *penthouse* ultra-moderne. Il voulait une maison, une vraie maison, autant qu'elle !

— Tiens, dit-il en lui tendant une autre feuille.

— Encore une maison ?

— Ouvre.

Cette fois, elle découvrit le portrait souriant d'un certain Richard Goldberg, qui devait avoir dans les 45 ans et travaillait pour une boîte baptisée Original Artist Management.

— Et qui est ce charmant monsieur ?

— Mon nouveau manager. J'ai passé quelques coups de fil et j'ai trouvé quelqu'un qui comprend ce que je veux vraiment.

— Puis-je demander de quoi il s'agit ?

— Réussir ma carrière sans perdre ce qui compte le plus pour moi – toi, répondit-il paisiblement. (Il posa le doigt sur la photo de Richard.) J'ai parlé avec lui, et il a pigé tout de suite. Je n'ai pas besoin de gagner des mille et des cents, j'ai besoin de toi.

Brooke sourit.

— Mais on peut encore acheter cette maison à Broo-klyn, n'est-ce pas ?

— Naturellement, et si je suis OK pour me priver de quelques cachets, je peux décider de ne faire qu'une

505

tournée par an, et même imposer mes conditions – six semaines, huit maxi.

— Quels sentiments ça t'inspire ?

— Ça me fait plaisir. Tu n'es pas la seule à détester les tournées – ce n'est pas une vie. Mais je pense qu'on peut supporter six à huit semaines de séparation par an, si ça nous offre des libertés par ailleurs, n'est-ce pas ?

— Oui, tout à fait, approuva Brooke en hochant la tête. C'est un bon compromis. Tant que tu n'as pas l'impression de te trahir toi-même…

— Ce n'est pas parfait – rien ne le sera jamais – mais il me semble que c'est un bon début. Et sache que je n'attends pas que tu plaques tout pour m'accompagner. Je sais que tu vas retrouver un travail que tu adoreras, qu'on aura peut-être un bébé… (Il lui lança un regard oblique en haussant les sourcils et elle éclata de rire.) Je peux installer un studio d'enregistrement dans notre sous-sol pour pouvoir être à la maison avec notre famille. J'ai vérifié, toutes les maisons de cette liste ont un sous-sol.

— Julian, mon Dieu, c'est… (Elle secoua les papiers, émerveillée par la réflexion et l'énergie qu'il avait consacrées à ces projets.) Je ne sais même pas quoi dire.

— Dis oui, Brooke. On peut réussir, je le sais. Attends, ne réponds pas tout de suite.

Il souleva le pan de sa veste que Brooke serrait étroitement contre elle, glissa la main dans la poche intérieure et en sortit un petit écrin en velours. Brooke écrasa la main contre ses lèvres et alors qu'elle s'apprêtait à lui demander ce qu'il contenait, Julian se leva d'un bond et s'agenouilla devant elle, l'écrin dans sa paume ouverte, l'autre main posée sur le genou.

— Brooke, accepterais-tu de faire de moi le mec le plus heureux de la terre, et de m'épouser à nouveau ?

Quand il ouvrit le coffret, Brooke était persuadée qu'elle allait voir apparaître une superbe bague de fiançailles avec un solitaire, ou une paire de boucles d'oreilles en diamants et elle reconnut, glissée entre deux plis de velours, son alliance toute simple, celle que la styliste lui avait enlevée d'autorité le soir des Grammys. Celle-là même qu'elle avait portée tous les jours pendant près de six ans, et qu'elle pensait ne plus jamais revoir.

— Je la porte autour du cou depuis le jour où je l'ai récupérée.

— C'est vraiment indépendant de ma volonté, s'empressa-t-elle d'expliquer. Elle s'est perdue dans toute cette confusion. Je te jure que ce n'était pas là un symbole de…

Il se redressa pour l'embrasser.

— Acceptes-tu de me faire l'honneur de la porter à nouveau ?

Elle enroula ses bras autour de son cou, les yeux baignés de larmes, et hocha la tête. Elle voulut dire « oui » mais le mot resta coincé dans sa gorge. Julian éclata de rire tout en la berçant entre ses bras.

— Tiens, regarde, dit-il en sortant l'alliance de l'écrin. (Il désigna, à l'intérieur de l'anneau, la date du jour, qu'il avait fait graver à côté de celle de leur mariage.) Pour ne jamais oublier que nous nous sommes promis de recommencer.

Il prit sa main gauche et glissa la bague à son doigt, et ce n'est qu'à ce moment-là que Brooke réalisa combien elle s'était sentie nue sans elle.

— Euh… Rook ? Sans vouloir être à cheval sur les usages, je ne t'ai pas entendue dire oui…

Il lui lança un regard penaud et elle vit combien il était nerveux. Ce qu'elle prit pour un très bon signe.

Elle savait qu'ils ne pourraient pas tout résoudre en une seule conversation, et dans l'immédiat, elle s'en fichait. Ils s'aimaient encore. Il était impossible de deviner de quoi seraient faits les prochains mois, ou les prochaines années, impossible de savoir si leur plan marcherait, mais elle savait, avec certitude – et pour la première fois depuis très longtemps – qu'elle voulait essayer.

— Je t'aime, Julian Alter, dit-elle en lui prenant les mains. Et j'accepte de t'épouser à nouveau. Oui, oui, oui !

Remerciements

En tout premier lieu je voudrais remercier mon agent, Sloan Harris. J'ai une dette éternelle envers lui pour ses inlassables plaidoyers en ma faveur, ses avis inestimables, et le calme imperturbable avec lequel il gère toutes les situations dans lesquelles je le mets. Chaque matin, je me réveille en me disant que j'ai une chance folle de faire partie de son équipe. Et j'admire aussi profondément son inimitable talent pour caser le mot « kabuki » dans presque toutes les conversations.

Un grand merci à mon équipe éditoriale de rêve, soit, dans l'ordre d'apparition : Marysue Rucci, Lynne Drew et Greer Hendricks. Tout auteur devrait pouvoir connaître le plaisir de bénéficier de retours à ce point intelligents, astucieux et sensibles. Je remercie tout spécialement Lynne d'avoir entrepris ce périple transatlantique (une tradition annuelle ?).

Merci à Judith Curr, dont l'énergie et l'enthousiasme sont contagieux, et à David Rosenthal pour avoir toujours cru en moi (une formule qu'il va à coup sûr détester). Un immense merci à toute l'équipe d'Atria, et en particulier à : Carolyn Reidy, Chris Lloreda, Jeanne Lee, Lisa Sciambra, Mellony Torres, Sarah Cantin, Lisa

Keim, Nancy Inglis, Kimberly Goldstein, Aja Pollock, Rachel Bostic, Natalie White, Craig Dean, et l'ensemble de l'équipe commerciale. Je suis enchantée de faire partie de la famille !

Betsy Robbins, Vivienne Schuster, Alice Moss, Kate Burke, Cathy Gleason, Sophie Baker, Kyle White et Ludmilla Suvorova, merci. Je vous adore tout simplement. Je remercie tout particulièrement Kristyn Keene pour ses conseils avisés tous azimuts, des développements de l'intrigue aux escarpins. Tu as toujours raison. Un immense merci à Cara Weisberger pour ces formidables séances de *brainstorming*, à Damian Benders qui m'a appris tant de choses sur l'industrie musicale et à Victoria Stein qui a fait mon éducation diététique. Je suis seule responsable si des erreurs, en ces domaines, se sont glissées dans cet ouvrage.

Merci à mon incroyable famille. Maman, papa, Dana, Seth, grand-mère, bon-papa, Bernie, Judy, Jonathan, Brian, Lindsey, Dave, Allison, Jackie et Mel, vous m'avez écoutée parler de cet ouvrage pendant des heures et des heures, en me témoignant toujours votre affection et vos encouragements. Nanny, je sais que tu lis ces lignes quelque part – sache que tu me manques affreusement.

Enfin, mes plus grands remerciements vont à mon mari, Mike. Ce livre (et ma santé mentale) lui doivent tout. Nous avons discuté des personnages au petit déjeuner, de l'intrigue au déjeuner, de la structure narrative au dîner, et non content de ne m'avoir pas menacée une seule fois de demander le divorce, il a réussi à me faire rire tout au long de cette aventure. MC, je t'aime.

Composé par Facompo
à Lisieux (Calvados)

Achevé d'imprimer en Allemagne
sur les presses de GGP Media GmbH, Pößneck
en octobre 2011

POCKET - 12, avenue d'Italie - 75627 Paris cedex 13

Dépôt légal : novembre 2011
S21653/01

Igor et Grichka
BOGDANOV

Le visage de Dieu

Avant-propos de Robert W. Wilson

Postfaces de Jim Peebles,
Robert Wilson et John Mather

DOCUMENT

« Pour les esprits religieux,
c'est comme voir le visage de Dieu ! »

GEORGE SMOOT,
prix Nobel de physique

*(Commentant le 23 avril 1992
les images de l'Univers naissant
transmises par le satellite COBE)*

Avertissement

Voici un an paraissait la première édition du *Visage de Dieu*. Était-ce son titre ? Son succès inattendu ? Toujours est-il qu'en quelques semaines, l'ouvrage que vous allez lire est devenu le sujet d'une polémique brûlante. À tel point qu'un rapport anonyme, émis en toute illégalité par le Comité National du CNRS en 2003, a atterri sept ans plus tard (en octobre 2010) dans les colonnes d'un journal satirique. Mais pourquoi ?

En réalité, toute cette agitation renvoie à une seule question : y aurait-il quelque chose de *dangereux* à s'interroger sur l'origine de l'Univers ? Nos idées sont-elles à ce point subversives ? Serait-il défendu de suggérer que le cosmos n'est pas né « par hasard » ?

Au début des années 1990, nous étions sans doute les premiers à poser ouvertement cette question « interdite » : y a-t-il eu « quelque chose » *avant* le Big Bang ? Comme vous allez le voir, *Le Visage de Dieu* va vous conduire vers ce champ inconnu, si bien que vous allez finir par vous demander, avec nous : *d'où vient l'Univers ? Pourquoi son histoire nous apparaît-elle si bien « réglée » ?* Le fait que ces questions ultimes soient désormais ouvertes à tous, que leur inévitable écho métaphysique se fasse entendre jusqu'au fond des laboratoires, tout cela explique, peut-être, la véhémence de certains scientifiques et leur acharnement irraisonné (parfois malhonnête) contre les idées nouvelles que vous allez découvrir dans ce livre.

Pour mieux comprendre ce qui fait avancer la science – mais aussi ce qui la freine –, Isabelle Stengers, ancienne collaboratrice du prix Nobel Ilya Prigogine et professeur de philosophie des sciences à l'Université de Bruxelles, s'est intéressée à ce qu'on a appelé en 2002 « l'Affaire Bogdanoff ». Cette pseudo-affaire stigmatisait alors les discussions soulevées par les publications de nos articles scientifiques sur l'origine de l'Univers. Or, en 2004, Isabelle Stengers a publié un article intitulé *Mésaventures du Pacte Anti-Fictionnel*[1] dans lequel elle démonte les violents mécanismes de rejet qui sous tendent l'apparition des idées nouvelles en science. Elle y observe que l'inquiétude suscitée par nos travaux auprès de certains physiciens repose sur le fait que nous avons, indirectement, mis en évidence les faiblesses de la physique d'aujourd'hui face aux questions ultimes : « Pour les physiciens qui constatent avec une certaine perplexité le tour étrange pris par la gravitation quantique, la possibilité d'aboutir à de telles questions pointe d'abord et avant tout vers la faiblesse de ce champs, vers son caractère bricolé. » Et contrairement à la plupart de nos collègues, ce sont justement ces questions-là que nous abordons de front : « Les Bogdanov ne sont pas seulement des vulgarisateurs ; ce qui les intéresse, ce qu'ils mettent en scène avec enthousiasme, c'est une physique débouchant sur des questions ultimes. »

Ces questions ultimes, nous les avons clairement posées dans *Le Visage de Dieu*. Et comme le souligne le physicien théoricien Lubos Motl, nous cherchons ardemment de nouvelles réponses : « En dépit des récriminations furieuses de leurs adversaires et malgré les doutes de beaucoup d'autres, Igor et Grichka ont bel et bien proposé une façon nouvelle de faire face à l'immense question de l'origine[2]. » Se pourrait-il alors que nos idées dérangent parce qu'elles ont une chance de coïncider, mieux que d'autres, avec la réalité ? C'est bien cette question qu'Isabelle Stengers invite à poser

---

1. *Mensonge, Mauvaise Foi, Mystification. Mésaventures du Pacte Anti-Fictionnel.* Annales de l'Institut de Philosophie de l'Université de Bruxelles. Librairie Philosophique. Vrin, 2004.

2. *L'Équation Bogdanov.* Éditions des Presses de la Renaissance, 2007.

sans détours : « Pourquoi ne pas se demander si la rumeur de mystification n'a pas pris pour cible les frères Bogdanoff à cause du caractère innovateur de leurs idées, des idées que "certains" préféreraient voir enterrées pour toujours ? » Stigmatisant l'attitude des chercheurs convaincus que les découvertes ne peuvent naître que de ceux qui font partie du sérail, la philosophe des sciences n'hésite pas, en fin de compte, à poser clairement cette question qui dérange : « Et si l'idée "originale" des Bogdanov, même si elle est vulnérable, mal développée, était sinon l'Idée, du moins une idée faisant partie du chemin vers l'Idée ? Pour certains, ce serait trop horrible, pour d'autres, il faut reconnaître que l'Idée peut jaillir dans n'importe quel cerveau (avec un minimum de compétences) et qu'il faut lui laisser sa chance. »

Quelle est donc cette fameuse « idée » qui nous a valu de si vives attaques ? Pourquoi un tel parti pris à ce point réactionnaire ? Sans aucun doute parce que nous avons entrouvert la porte interdite : celle qui, selon la majorité des physiciens, devait barrer (pour toujours ?) le chemin vers l'origine : le fameux « Mur de Planck ». L'expression rayonne d'un mystère inquiétant. De quoi s'agit-il ? d'une limite perdue dans l'infiniment petit, d'une frontière ultime que personne n'a jamais vue, mais qui sépare à tout jamais notre monde physique d'un au-delà inaccessible, totalement inconnu. Lorsqu'ils réfléchissent à cette dernière frontière de notre réalité, les physiciens passent de la fascination à l'effroi. Mais tous sont à peu près d'accord : c'est bien cette taille infime qu'avait l'Univers juste au moment du Big Bang. Or, après des années de tâtonnements, vers la fin des années 1990, nous avons fini par construire un théorème nouveau qui nous a permis de jeter un coup d'œil de l'autre côté du Mur de Planck : selon nous, « là-bas », le temps tel que nous le connaissons cesse d'exister et devient *imaginaire*, c'est-à-dire qu'il ne peut plus être mesuré que par des nombres imaginaires. Cela a des conséquences vertigineuses : avant le Big Bang, à cette époque indicible que certains, à la suite du physicien George Gamow, appellent « l'ère de Saint Augustin », il y aurait une *information primordiale*, une sorte de « code » à l'origine de l'Univers.

Il n'en fallait pas davantage pour que quelques esprits ineptes nous qualifient de « créationnistes ». Pour tout dire, nous sommes résolument opposés à toutes les dérives de type créationniste : à nos yeux, ce genre d'interprétation ne relève ni de la théologie, ni de la philosophie, et encore moins de la science. Contrairement à ce que pensent certains, s'interroger sur l'énigme fondamentale que représente l'Univers, ce n'est pas réduire cet immense mystère à ce qu'on appelle le créationnisme. La question est : a-t-on le droit de se demander si l'Univers est le résultat du hasard ou bien si, au contraire, il est puissamment ordonné ? Faut-il taxer le prix Nobel Richard Feynman de créationniste lorsqu'il déclare, à propos de la constante de structure fine : « C'est l'un des plus grands mystères de la physique : un nombre magique donné à l'homme sans qu'il y comprenne quoi que ce soit. On pourrait dire que "la main de Dieu" a tracé ce nombre et que l'on ignore ce qui a fait courir sa plume[1]. »

Si notre livre était créationniste, alors Richard Feynman, Max Planck, Max Born, Arthur Eddington, Robert Dicke, Paul Dirac, David Wilkinson, Stephen Hawking, George Smoot, Martin Rees et bien d'autres devraient, eux aussi, être considérés comme créationnistes. Et Albert Einstein lui-même ne serait-il pas créationniste pour avoir osé dire : « Dieu ne joue pas aux dés » ?

Dans *Le Visage de Dieu*, nous observons que l'Univers repose sur un ensemble de lois physiques. Que ces lois sont extrêmement précises. Et que l'évolution de la matière inanimée vers la matière vivante, consciente et intelligente, dépend, très exactement, de ces mêmes lois. *D'où vient notre Univers ?* Peut-être qu'un début de réponse se trouve dans ce livre et dans les magnifiques témoignages des trois héros du Big Bang que vous retrouverez ici : Robert Wilson, John Mather et Jim Peebles. La fascinante histoire de l'Univers avant le Big Bang ne fait que commencer.

Igor & Grichka Bogdanov
Université des Sciences Appliquées de Belgrade

---

1. Richard Feynman, in *QED : The strange theory of Light and Matter*, Princeton University Press, 1985.

Avant-propos

Dans ce livre d'Igor et Grichka Bogdanov, dont le titre reprend la fameuse expression de mon collègue George Smoot, *Le Visage de Dieu*, vous allez découvrir l'histoire la plus fascinante que vous puissiez imaginer, la plus mystérieuse aussi : celle de nos origines. Vous et moi, bien sûr, mais aussi la naissance de l'Univers.

Toute bonne histoire a ses héros. Igor et Grichka vont vous présenter la plupart de ceux qui ont apporté quelque chose d'essentiel à notre compréhension du Big Bang, au début sur de simples feuilles de papier, et aujourd'hui, avec des satellites. Je n'ai pas eu la chance de rencontrer certains des héros les plus anciens de cette histoire, comme Alexander Friedmann ou Edwin Hubble ; mais j'ai eu le bonheur de connaître nombre de ceux que vous allez découvrir au fil des pages, comme Fred Hoyle,

George Gamow ou Robert Dicke. C'est une immense joie de retrouver ici, dans les post-faces de ce livre, ces deux grands acteurs de l'histoire du Big Bang, Jim Peebles et John C. Mather. Comme nous allons le voir plus loin, Jim et l'équipe de Princeton m'ont aidé à comprendre ce phénomène mystérieux que j'avais observé avec Penzias. Et plus tard, grâce à leur extraordinaire satellite, John et l'équipe de COBE ont pu confirmer nos observations.

Si COBE n'avait pas pu mettre en évidence les infimes différences de température au cœur du premier éclair émis par le cosmos, il aurait alors été très difficile d'expliquer notre propre existence. Je comprends à quel point George Smoot a pu être enthousiasmé au moment où il a reçu les premières informations transmises par COBE. C'est pourquoi il s'est exclamé : « C'était comme voir le visage de Dieu ! » J'imagine cependant que je n'aurais pas fait le même rapprochement. Même si cette image est frappante, j'aurais préféré dire : « Nous sommes en train de contempler le visage de la Création ! » plutôt que celui du créateur. Mais en fin de compte, il y a certainement eu « quelque chose » au commencement pour tout mettre en place. A mon sens, si vous êtes religieux, selon la tradition judéo-chrétienne, il n'existe pas de meilleure théorie de l'origine de l'Univers qui puisse correspondre à ce point à la Genèse. A la fin de ce livre, je reviens en détail sur cette histoire qui se confond un peu avec la mienne.

Mais pour l'heure, je vous invite à découvrir la fascinante aventure que nous racontent Igor et Grichka : elle nous entraîne jusqu'à l'origine de l'Univers et débouche sur l'une des révolutions les plus impressionnantes que l'humanité ait jamais connues.

Robert Wilson
prix Nobel de physique 1978
Université de Harvard
le 11 avril 2010

Introduction

Washington DC, le 23 avril 1992, au siège de la vénérable Société Américaine de Physique. Il est un peu plus de midi. Après avoir rapidement avalé un sandwich et un verre d'eau, un physicien du nom de George Smoot, solide gaillard barbu à l'époque totalement inconnu du grand public, se prépare à rejoindre la salle de presse pour annoncer une découverte qui, il le sait, fera dès le lendemain la une de tous les journaux du monde. Il savoure cet instant. Pour la circonstance, il a enfilé son plus beau costume. Plus de quinze ans qu'il attendait ça. Quinze années d'un travail acharné, jour après jour, souvent même nuit après nuit. Une longue suite d'obstacles, de difficultés presque incontournables, de batailles obscures, d'accidents, de retours en arrière, de déceptions, de critiques et d'incertitudes, une traversée interminable avant d'en arriver là : dans quelques minutes, il allait offrir sa découverte au grand public, la mettre en scène, la rendre claire pour tout le monde. Il hésita encore un bref instant, chercha une profonde inspiration au fond de sa poitrine, rajusta ses lunettes sur son nez, puis ouvrit franchement la porte.

Une rumeur vague monta entre les murs avant de prendre l'air, lentement, jusqu'à l'évaporation des derniers bruits. Accompagné de ses collègues Ned Wright, Chuck Bennett et Al Kogut, Smoot monta le premier sur l'estrade qui dominait la salle. Le plancher grinçait, lézardait chaque pas, fissurait le silence. Au moment de s'asseoir, il posa un regard diffus sur le public qui se taisait entre les petits bruits. La salle était bourrée à craquer. On entendait un souffle vague, le bruissement d'une attente lentement remuée par le grand nombre. Le moment était magique : un miracle, en quelque sorte, dont la solennité était à peine dispersée par une mouche qui vibrait contre l'une des vitres de la fenêtre. Les quatre conférenciers se regardèrent sans rien dire. Des caméras de divers modèles étaient disposées au fond de la salle brutalement éclairée par une rangée de projecteurs. Le flot de lumière blanche agitée par les flashes était presque inflammable. Smoot se racla la gorge. Devant

lui, la pièce était comme un abîme plat. Lentement, il commençait à prendre conscience de
l'immense intérêt du public pour les recherches
qu'il avait menées, avec son équipe, pendant
toutes ces années.

Il commença à parler. Les premiers mots,
fragiles, à peine sonores, passèrent difficilement dans l'air chaud.

— Nous avons observé les plus anciennes et
les plus grandes structures jamais vues dans
l'Univers. A peine 380 000 ans après le Big
Bang.

Il s'interrompit un bref instant avant de
poursuivre :

— Il s'agit des germes primordiaux des
structures actuelles comme les galaxies ou les
amas de galaxies. Ce sont des plis dans la
trame de l'espace-temps, restes de la période
de la création[1].

Smoot avait déposé le dernier mot sur un
silence. Lentement il leva la tête pour laisser
travailler la phrase. Loin dans la salle, les journalistes semblaient pris d'une légère ivresse.
Chacun d'eux était en train de réaliser que
ces quelques mots allaient bouleverser le ciel

_____
1. George Smoot, Keay Davidson, *Les Rides du Temps*,
Flammarion, 1994.

15

cosmologique de fond en comble : pour la première fois, un satellite nommé *Cosmic Background Explorer* (COBE) venait de « photographier » la lumière la plus ancienne jamais émise par l'Univers : âgé de plus de 13 milliards d'années, ce rayonnement archaïque offrait une image saisissante de « l'œuf cosmique » qui venait à peine de naître. En effet, après avoir tâtonné, cherché en vain, risqué toutes sortes de théories pendant près de trois décennies, les astrophysiciens tenaient enfin la preuve qui leur permettait de résoudre l'une des plus anciennes énigmes en cosmologie : l'Univers primordial était là, sous leurs yeux, ils le voyaient en taches rouges, jaunes et bleues encore plus clairement que la lune par beau temps ou Jupiter au bout de leurs télescopes. Pris de vertige devant ces images *impensables* venues du fond de l'espace et du début des temps, ces détails lumineux datant de la création de l'Univers, George Smoot, le « père » de COBE, est bien loin de se douter à cet instant qu'un beau jour, en 2006, il recevra la récompense suprême, le prix Nobel. Mais pour l'heure, il y a ces images folles, incroyables. Et tout à coup, il va lâcher une phrase, un mot que personne n'attendait et qui claque aux oreilles comme un arc électrique dans la salle de presse surchauffée : « Pour les esprits religieux, c'est comme voir le visage de Dieu ! »[1]

Un souffle incertain traversa la salle. Puis quelques paroles murmurées de bouche à oreille se firent entendre. A cet instant, tout au fond, une porte s'ouvrit pour se refermer presque aussitôt : deux personnes venaient de quitter la pièce. Smoot remua sur son siège, vaguement mal à l'aise. En avait-il trop dit ? Avait-il été mal compris ? Les deux inconnus qui venaient de partir s'étaient-ils émus d'entendre le nom de Dieu dans une communication scientifique ? « Je pense que je n'aurais pas fait le même rapprochement, écrit Robert Wilson dans la préface de ce livre. J'aurais dit : "Nous sommes en train de contempler le visage de la Création !" plutôt que celui du créateur. » Il ne s'agissait que d'une image, une métaphore sans contenu religieux, mais à cet instant, Smoot pressentait que cette petite phrase lui vaudrait sans doute beaucoup d'ennuis de la part de la communauté scientifique.

---

1. L'expression exacte a été rapportée dès le 24 Avril 1992 : « It is like looking at God. » (Associated Press « U.S. Scientists Find a Holy Grail » *International Herald Tribune*).

Il est vrai que les informations transmises par la petite sonde étaient prodigieuses : « Il s'agit de la découverte la plus importante du siècle ! Peut-être même de tous les temps ! » s'exclama à son tour Stephen Hawking. L'émotion du chercheur anglais était à la mesure de ce qui venait de se passer.

*

En 1992, on savait encore bien peu de choses sur ce fameux rayonnement fossile (c'est le nom savant de la première lumière). Il avait été découvert en 1964 par deux chercheurs américains qui, en procédant à des réglages sur une antenne radio des laboratoires Bell Téléphone, allaient déboucher par hasard sur l'un des plus extraordinaires bouleversements scientifiques qu'ait connus l'humanité. Car sans le savoir, Penzias et Wilson – qui nous raconte en détail sa formidable aventure dans le texte qu'on retrouvera à la fin de ce livre – ont découvert l'éclair le plus ancien jamais émis par l'Univers : issu du feu primordial et de la formidable énergie du Big Bang, la température de ce rayonnement a chuté, tout au long des millions de siècles et de l'expansion de l'Univers, jusqu'à seulement 2,7 degrés Kelvin au-dessus du zéro absolu (soit - 270,4° C). Or ni Penzias, ni Wilson, ni aucun chercheur sur Terre n'avaient encore jamais pu déceler ce que Smoot et Mather allaient observer un quart de siècle plus tard. Un vrai mystère : tout au fond de la lumière fossile, il y avait des irrégularités. Comme si *quelque chose* était (selon le mot de Smoot) « écrit » sur ces images archaïques : l'Univers primordial semblait mystérieusement *tramé*, il ressemblait à une sorte de « carte cosmologique » sur laquelle on pouvait lire, par stries, ce qu'allait devenir bien plus tard le cosmos.

*

Aujourd'hui encore, le mystère reste entier. Au début des années 2000 a été lancé un nouveau satellite astronomique, WMAP, doté de détecteurs beaucoup plus sensibles que son prédécesseur. Cette sonde a photographié en finesse les fameuses stries primordiales. Les dernières images rendues publiques n'ont cependant pas permis de répondre à la question : D'où proviennent donc ces mystérieuses irrégularités observées 380 000 ans après le Big Bang ? Toutes les théories sur l'origine de l'Univers viennent, indifféremment, se heurter à une seule et même limite infranchissable : le Mur de Planck. Enfoui dans un passé cosmique immensément reculé, très loin « en dessous » de la première lumière observée par COBE, cette barrière est d'une petitesse inconcevable : 10^{-33} cm, un « soupçon de néant », la plus infime longueur de tout l'Univers. En imaginant que le Mur de Planck mesure 3 mètres de haut, à cette échelle, un atome d'hydrogène serait aussi immense que l'Univers entier. Rien d'étonnant alors à ce que face à ce Mur, la physique (celle des années 1980 comme celle d'aujourd'hui) soit réduite au silence.

*

Dans *Dieu et la science*, nous avions écrit avec Jean Guitton qu'il est possible « d'appréhender l'Univers comme un message exprimé dans un code secret, une sorte de hiéroglyphe cosmique que nous commençons tout juste à déchiffrer ». Ce « message secret » semble inscrit dans la trame même de l'Univers primordial, dans ce temps très reculé où l'avenir de tout ce qui est semblait *déjà* crypté dans la première lumière. Ceci veut peut-être dire que l'origine profonde de la trame cosmologique pourrait se situer ailleurs, semble-t-il, que dans le monde physique. L'Univers repose bien sur des lois physiques, mais leur origine semble curieusement située « en dehors » de notre réalité, étrangement antérieure au Big Bang lui-même. En 2001, le physicien américain Paul Davies a observé en ce sens : « Les lois de la physique n'existent aucunement dans l'espace et dans le temps. Tout comme les mathématiques, elles ont une existence abstraite. Elles décrivent le monde, mais elles ne sont pas "dedans" (bien que certaines personnes désapprouvent profondément cette vision). Néanmoins, cela ne signifie pas pour autant que les lois de la physique sont nées avec l'Univers. Si tel était le cas – si l'ensemble de l'Univers physique et des lois étaient issus de rien –, nous ne pourrions alors pas recourir à ces lois pour expliquer l'origine de l'Univers. Aussi, pour avoir quelque chance de comprendre scientifiquement comment l'Univers est apparu, nous devons admettre que les lois elles-mêmes ont un caractère abstrait, intemporel, éternel[1]. »

Ce caractère « abstrait, intemporel et éternel » dont parle Paul Davies, nous espérons en avoir identifié quelques fragments (un peu

---

1. Paul Davies, *The Mind of God*, Simon & Schuster, 1992.

comme on retrouve les contours d'un bas-relief à partir de traces à demi effacées ou de vestiges à peine visibles), fragments que nous vous ferons partager dans les pages de ce livre. Dans l'un de ses derniers ouvrages, Paul Davies n'hésitera pas à écrire : « J'appartiens au nombre de ces chercheurs qui ne souscrivent pas à une religion conventionnelle, mais refusent de croire que l'Univers est un accident fortuit. L'Univers physique est agencé avec une ingéniosité telle que je ne puis accepter cette création comme un fait brut. Il doit y avoir, à mon sens, un niveau d'explication plus profond. Qu'on veuille le nommer "Dieu" est affaire de goût et de définition[1]. »

Peut-être bien. Peut-être est-ce aussi par « goût » que les physiciens, à la suite du prix Nobel de physique 1988 Leon Lederman, ont baptisé la particule la plus mystérieuse qui puisse rôder dans l'infiniment petit « la particule Dieu ». En ce moment même, on la traque au LHC, dans le sillage d'atomes tellement accélérés qu'à chaque seconde ils font 11 000 fois le tour du grand anneau, soit 27 kilomètres ! Est-ce un hasard ? L'un des objectifs du LHC consiste à recréer les conditions qui

---

1. Paul Davies, *The Fifth Miracle*, Simon & Schuster, 1999.

régnaient dans l'Univers naissant, une infime fraction de seconde après le Big Bang ! Le grand rêve, c'est de mettre ainsi au jour ce que les physiciens appellent la « supersymétrie », c'est-à-dire cet ordre généralisé qui régnait dans l'espace-temps tout au début.

*

C'est sans aucun doute en songeant à ces mêmes questions que Smoot a écrit, à la dernière page des *Rides du Temps* : « Quand un cosmologiste comprend comment s'assemblent lois et principes dans le cosmos, comment ils sont reliés, comment ils montrent une symétrie que les anciennes mythologies réservaient à leurs dieux, comment ils impliquent que l'Univers *doit* être en expansion, *doit* être plat, *doit* être tel qu'il est, il perçoit la beauté pure sans mélange. Le concept religieux de création découle d'un sentiment d'émerveillement devant l'existence de l'Univers et devant notre place en son sein[1]. »

*

1. George Smoot, Keay Davidson, *op. cit.*

Après deux heures d'exposé, alors que les quatre scientifiques se préparaient à quitter la salle de presse, Smoot resta un long moment silencieux, le regard appuyé sur le vide. Peut-être parce qu'il était alors en train de songer à ce qu'il écrirait plus tard dans son livre : « La cosmologie est au confluent de la physique, de la métaphysique et de la philosophie : quand la recherche approche de la question ultime de notre existence, les frontières entre elles deviennent inévitablement floues. » Tellement floues que derrière les images de l'Univers naissant, vient presque inévitablement cette question : « Pourquoi y a-t-il quelque chose plutôt que rien ? Pourquoi y a-t-il de l'Etre ? Ce "je ne sais quoi" qui nous sépare du néant ? » Si « l'ADN cosmique » dont parle Smoot dans son livre existe bel et bien, alors il faudra sans doute le chercher à l'origine : dans le tout premier instant qui a marqué la préhistoire du monde, bien avant le Big Bang. C'est peut-être là, dans la singularité initiale, que se trouve codé le scénario cosmologique, à la façon d'un secret originel, au cœur du temps imaginaire et du zéro. L'un des plus grands éblouissements pour le chercheur sera alors de découvrir que ce secret originel peut encore être entrevu aujourd'hui, sous la forme de traces, de reliques cosmologiques projetées sur le fond de rayonnement cosmologique.

L'un des objectifs de la science consiste, pour l'essentiel, à réduire la complexité apparente des phénomènes, à leur donner une explication simple. Si vous ramassez une poignée de neige au creux de votre main, vous verrez très vite que chaque flocon est différent des autres. Certains sont cristallisés en étoiles, d'autres en hexagones, d'autres encore en cercles parfaits couronnés de six petites pointes : tous uniques, les flocons peuvent être ramifiés d'une infinité de façons. Or cette extraordinaire diversité de formes, ces myriades de combinaisons vont se résoudre en une réalité très simple, commune à tous les flocons : il suffit de les faire fondre dans votre main pour réduire l'infini des figures géométriques à quelques gouttes d'eau : un soupçon d'hydrogène et un souffle d'oxygène.

Ce sont les traces de cette simplicité primordiale que nous allons maintenant rechercher, 13,7 milliards d'années après leur apparition, dans les pages de ce livre. Avec l'espoir de déchiffrer quelques fragments de leur mystère.

1

Où chercher le visage de Dieu ?

Par un sombre soir de novembre 1990, rue de Fleurus, nous rentrions avec le philosophe et académicien Jean Guitton d'une promenade d'automne dans les sous-bois du Luxembourg. Le vent avait balayé en poussières nos certitudes du moment et soudain, le vieux penseur chrétien, empêchant son chapeau de fuir dans la bourrasque, avait demandé : « Comment Dieu... » Le reste de sa phrase s'était perdu dans la tempête. En appui sur le vide, il avait alors repris : « Comment Dieu peut-il nous apparaître dans le cosmos ? » Cette question emportée dans la nuit allait être au centre du petit ouvrage que nous avons écrit ensemble, *Dieu et la science*[1].

Etrangement, elle est revenue à nos oreilles deux ans plus tard – mais cette fois sous une

_____
1. Jean Guitton, Igor et Grichka Bogdanov, *Dieu et la science*, Grasset, 1991.

forme scientifique – lorsque, en avril 1992, George Smoot a cherché à nous faire comprendre ces images éclairées par la toute première aube de l'Univers. Une vision venue de l'abîme, profonde d'un tel infini qu'elle ne pouvait être comparée à rien, sinon au visage de Dieu. D'ailleurs, coupant au plus haut, Smoot n'a pas hésité à franchir un nouveau pas, cinq ans après sa découverte, en décrivant dans la revue *Science* la radiation fossile comme « l'écriture manuscrite de Dieu[1] ».

*

Ici se pose une première question : Pourquoi George Smoot, jusqu'alors sur ses gardes comme tous les scientifiques, a-t-il soudain pris le risque, en ce jour du printemps 1992, de mêler Dieu à ce qu'il a vu grâce à son satellite ? Nous avons posé la question à son compagnon de route, John Mather, lauréat comme lui du prix Nobel en 2006 : « Pourquoi est-ce que George a dit cela ? En fait, comme il l'a précisé plus tard, il pensait que cela pourrait aider le public à comprendre les résultats scientifiques. Mais bien sûr, beaucoup de gens

----

1. In *Science*, 15 août 1997, p. 890.

ont protesté face à une telle référence, tout particulièrement ici, aux Etats-Unis, où la religion est tellement politisée[1]. »

Sans surprise, l'affaire a fait grand bruit. Lorsqu'il regagne son laboratoire à Berkeley, il peut lire sur une pancarte suspendue à sa porte « Maison du saint Graal ». Dans le hall, les étudiants ont placardé en grand la fameuse photo de l'Univers naissant avec cette petite phrase en dessous : « Contempler le visage de Dieu ».

Au sein de la sacro-sainte Société Américaine de Physique et par ricochet chez nombre de ses collègues, ce qui est souvent considéré comme un « dérapage » a également laissé des traces. Smoot nous l'a d'ailleurs confirmé lui-même sans détour : « Je dois vous dire franchement que mes paroles en rapport avec Dieu le jour de l'annonce de ma découverte m'ont causé beaucoup d'ennuis, particulièrement avec la communauté scientifique[2]. »

Pourtant si Smoot est allé aussi loin, c'est qu'il avait de bonnes raisons. Il a bel et bien aperçu « quelque chose » là-haut. Quelque chose de très inhabituel. Mais quoi ? Peut-être la même chose que l'astrophysicien Richard Isaac-

---

1. E-mail de John Mather aux auteurs le 3 mars 2010.
2. Courrier de George Smoot aux auteurs le 14 mars 2010.

man, de l'université de Leiden. Lui aussi a fait partie de l'équipe qui, aux côtés de George Smoot et de John Mather, a encadré le satellite COBE. Dans ces années 1990, en tant que responsable de l'analyse des données, il a suivi « en direct » le déroulement de la fantastique observation. Or un jour (peu de temps après le lancement), en reconnaissant les courbes très précises de ce que les physiciens appellent un « corps noir » (c'est-à-dire un objet idéal en équilibre thermique) au cœur de la première lumière, il s'est tout à coup exclamé : « J'ai senti que j'étais en train de regarder Dieu en face[1] ! »

Ici, faisons une petite mise au point. Smoot nous l'a confié lui-même : sa fameuse phrase ne doit pas être prise au pied de la lettre. « C'était une métaphore, mais les journalistes l'ont prise au sérieux et l'ont propagée sans discernement, sans chercher à comprendre le contexte ou une signification plus profonde[2]. »

Justement : il existe une signification plus profonde derrière ce que George Smoot a dit. Quoi donc ? Pour nous mettre sur la voie, regardons en face – avec raison et humilité – l'immense mystère de l'origine. Peut-être

---

1. *In* http://www.wcg.org/lit/booklets/science/debate1a.htm
2. E-mail de George Smoot aux auteurs le 14 mars 2010.

finirons-nous alors par ressentir quelque chose d'assez proche de ce qu'énonce Smoot dans son livre : « Nous ne sommes pas le résultat d'un simple accident cosmique, le résultat fortuit d'un enchaînement de processus physiques dans un Univers qui nous écrase complètement[1]. »

Alors ? S'il ne s'agit pas d'un « simple accident cosmique », d'où vient l'Univers ? D'où venons-nous ?

*

Il vous est sûrement arrivé, un jour ou l'autre, de vous demander, de façon fugitive, sans peser sur la question : comment faire pour entrevoir, ne serait-ce qu'un instant, le « visage de Dieu » dans notre monde ? Comment donc savoir si « quelque chose » – mieux encore, *quelqu'un* – existe à l'arrière de cette immense machinerie qu'est l'Univers ? Un esprit « immensément supérieur à celui de l'homme », comme l'a écrit un jour de 1936 Einstein à un enfant. Raisonnons un instant comme Einstein et, plus généralement, comme le font les hommes de science. Ce qui les intéresse dans la nature, ce sur quoi ils travaillent du matin au soir (et souvent la

1. George Smoot, Keay Davidson, *op. cit.*

nuit) ce sont les lois. Pour commencer, prenons quelque chose de tout simple. Par exemple, ces flocons de neige dont nous avons parlé en introduction. Ils ont des formes très différentes les uns des autres. Mais tous, sans aucune exception, ont six pointes. Pas quatre ou cinq. Ou sept. Alors pourquoi six ? Même si cela provient de l'eau dont sont formés ces flocons, qui donc en a décidé ainsi ? Autre « loi » étrange : cueillez quelques marguerites cet été dans un pré. Puis comptez leurs pétales. La première en a cinq. Une autre en a treize. Une autre encore huit. Mais vous ne trouverez *aucune* marguerite avec sept pétales. Ou seize. Pourquoi ? Parce que le nombre de pétales d'une fleur n'est pas distribué au hasard. En réalité, il existe une loi mathématique cachée dans les profondeurs de la fleur. Mais à nouveau, d'où vient cette loi ?

Pour en savoir plus, revenons vers la première lumière de l'Univers. Comme nous l'a confié Robert Wilson, ce qui est sidérant dans ce rayonnement du début des temps, c'est sa régularité qui tient du miracle : la température du fond ne dévie que d'une infime fraction de degré sur 100 000. Un écart tellement insignifiant qu'il pourrait se comparer à la chaleur dérisoire que vous pourriez ressentir chez vous si quelqu'un craquait une allumette sur la lune ! Comment expliquer un « réglage » si fin ? Mais allons plus loin. Il existe, vous le savez, quatre forces dans l'Univers. Deux agissent « depuis chez nous » jusqu'à l'infini, c'est-à-dire dans votre salon aussi bien que sur les étoiles et les galaxies les plus lointaines : c'est la force de gravitation (qui fait que vous ne vous envolez pas de votre siège) et la force électromagnétique (qui éclaire ces pages mais qui empêche aussi votre fauteuil de s'écrouler en poussières de particules). Et les deux autres ? On les trouve dans l'infiniment petit : c'est la force faible (sans cette forme de radioactivité, le soleil ne pourrait pas briller) et la force forte (qui « colle » les particules élémentaires à l'intérieur du noyau de l'atome).

Et c'est ici que surgissent tout à coup des chiffres dont le « réglage » apparent semble presque « surnaturel ». Ainsi, la force forte vaut 1. Elle est suivie par la force électromagnétique qui est 137 fois plus petite (mais pas 138 ni 135 fois). Puis vient la force faible, un million de fois plus petite que sa cousine la force forte. Enfin, la gravité plonge dans un gouffre : 1 000 milliards de milliards de milliards de milliards de fois plus petite que la force nucléaire ! Comment expliquer cette chute inouïe, mais très précise, de 39 (et pas

40) ordres de grandeur ? L'ajustement donne d'autant plus le vertige qu'on le retrouve pour une trentaine d'autres grandes constantes sur lesquelles repose toute notre réalité, du grain de poussière sur votre manche aux milliards d'étoiles de la Voie lactée.

Car sans ces fameuses constantes universelles – en fait sans les valeurs très précises qu'elles ont – ni les fleurs, les chiens, les chats, ni aucun être vivant, ni notre monde, ni l'Univers lui-même, en fait rien de tout cela n'aurait la moindre chance d'exister. C'est sans doute ce qui a poussé le célèbre savant anglais Stephen Hawking, cloué sur son fauteuil de métal, l'œil fixé sur l'écran qui le relie au monde, à écrire dans sa *Brève histoire du temps* : « Les lois de la science, telles que nous les connaissons actuellement, contiennent certains nombres fondamentaux, comme la charge électrique de l'électron ou encore le rapport des masses du proton et de l'électron... Ce qui est remarquable, c'est que la valeur de ces chiffres semble avoir été très finement ajustée pour rendre possible le développement de la vie[1]. »

1. Stephen Hawking, *A Brief History of Time,* Bantam Books, 1988, Flammarion, 1989.

En 1998, nous avons eu plusieurs discussions captivantes avec un certain Alexander Polyakov, un savant russe aujourd'hui à l'université de Princeton (la première du monde, où se sont retrouvés avant lui d'autres grands héros du Big Bang, comme Einstein, Dicke, Wilkinson, Peebles, Penzias et bien d'autres). Ce théoricien, lauréat de la médaille Dirac (une des plus hautes distinctions en physique théorique), a exercé une influence profonde et durable sur de nombreux fronts de la physique théorique actuelle. En particulier, il est le premier à avoir formalisé en 1975 (en même temps que le prix Nobel Gerard't Hooft mais indépendamment) la nature de ces étranges « pseudo-particules » qui pourraient exister non pas dans le temps réel mais dans le temps *imaginaire* (un temps autre, que les physiciens conçoivent comme « fixe », et que nous retrouverons au voisinage de l'origine de l'Univers, comme nous le verrons plus loin). Or, lorsqu'il était encore en Union soviétique, à l'Institut Landau, voici ce que Polyakov affirmait haut et fort : « Nous savons que la nature est décrite par la meilleure de toutes les mathématiques possibles, parce que Dieu l'a créée[1]. »

C'est peut-être pour cela que les choses de la nature – un magnifique coucher de soleil, le cœur d'une rose – vous donnent parfois la sensation furtive qu'un ordre, une intelligence insaisissable mais bienveillante est bel et bien là, occupée à faire tourner mystérieusement les innombrables rouages du monde, visibles ou cachés. Mais l'instant d'après, cette fragile certitude s'évanouit.

Alors ?

Revenons un instant à Einstein. En 1929, il reçoit un télégramme plutôt inhabituel, signé du rabbin de New York, Herbert S. Goldstein, lui demandant de but en blanc – sur un fond d'inquiétude – s'il croyait en Dieu. L'affaire était sérieuse, car le rabbin avait lui-même été contacté peu de temps auparavant par le cardinal O'Connell, influent prélat de Boston. Très alarmé, l'ecclésiastique menaçait de saisir le Vatican, au motif que la relativité « répandait un doute universel sur Dieu et la Création ». En bref, elle impliquait « l'affreuse apparition de l'athéisme ».

---

1. Entretien avec Stuart Gannes, *Fortune*, 13 octobre 1986.

Le cardinal O'Connell était affligé. En moins de trente mots, soucieux de calmer son interlocuteur, le Maître s'empresse alors de renvoyer cette réponse aujourd'hui célèbre : « Je crois au Dieu de Spinoza, révélé dans l'harmonie du monde, mais pas en un Dieu qui se préoccuperait des faits et gestes de chacun. »

Il n'en fallait pourtant pas davantage pour que le rabbin Goldstein, *aux anges*, se mette à répéter à qui voulait l'entendre qu'Einstein, « bien évidemment », n'était pas athée. Comme ce dernier préférait prudemment garder le silence, il crut même bon d'apporter la touche finale : « La théorie d'Einstein, si elle était poussée jusqu'à sa conclusion logique, pourrait apporter à l'humanité une formule scientifique pour le monothéisme. »

Sans doute que le père de la relativité n'en demandait pas tant. Mais plus sérieusement, à plusieurs reprises, il a confié au lauréat du prix Nobel de physique Paul Dirac, lui aussi très troublé par l'ajustement des grandes constantes, que les valeurs de celles-ci n'étaient pas distribuées au hasard. Et c'est sans doute poussé par cette conviction qu'il franchit la dernière étape avec ce coup d'éclat : « Je veux savoir comment Dieu a créé le monde. Je ne suis pas intéressé par tel ou tel phénomène, tel ou tel élément. Je veux connaître la pensée de Dieu ; le reste n'est que détails[1]. »

Dieu !

Est-ce un hasard ? C'est le tout dernier mot choisi par Hawking pour clore sa *Brève histoire du temps*[2]. Il s'y demande, entre autres, pourquoi l'Univers existe. Et sa réponse a de quoi surprendre : « Si nous trouvons la réponse à cette question, ce sera le triomphe ultime de la raison humaine – à ce moment, nous connaîtrons la pensée de Dieu. »

Avec Einstein et Hawking, à un demi-siècle de distance l'un de l'autre, nous voici face à cette frontière encore jamais atteinte qui sépare Dieu et la science. Pour certains cela pourrait bien devenir l'horizon de la recherche scientifique du XXIᵉ siècle, comme l'affirme le grand théoricien américain Freeman Dyson, l'un des collègues de James Peebles à Princeton : « Le défi est de lire la pensée de Dieu[3] ! » Afin de savoir pourquoi l'Univers existe. Pourquoi il est tel qu'il est. Pourquoi il

---

1. Propos recueillis par E. Salaman, « A Talk With Einstein », *The Listener* 54 (1955).

2. Stephen Hawking, *op. cit.*

3. Freeman Dyson, *Infinite in All Directions*, Harper & Row, New York, 1988.

y a « quelque chose » plutôt que rien. Comment le monde a été créé.

*

Vous venez donc de voir brusquement émerger l'enjeu. Celui d'un lien étroit entre la création de l'Univers et, invisible à l'arrière, son hypothétique *créateur*. Au nom de quoi ? Du très ancien principe de la cause et de l'effet – une aubaine pour les spiritualistes et un casse-tête pour les athées. Dit simplement, il n'existe pas d'effet sans cause. C'est donc de ce côté-là – de ce que Jean Guitton nous a appris à comprendre comme « la cause à l'origine des causes » – que nous allons chercher le mystérieux « visage de Dieu » dont parle George Smoot.

Mais jusqu'où cela va-t-il nous mener ? Vers quelque chose de totalement inconnu. Une cause primordiale qui, selon le Nobel Arno Penzias, ne se situe pas dans notre Univers : « Ce que nous avons découvert était une radiation pour laquelle il n'existe aucune source connue dans l'Univers[1]. »

Et nous voici face à la question ultime : si cette « source inconnue » d'où émerge la

_____

1. In Fred Heeren, http://www.wcg.org/lit/booklets/science/debate1a.htm

radiation fossile (et avec elle tout l'Univers) n'existe pas ici et maintenant, où donc la chercher ? De manière naturelle, *avant le Big Bang*. Là où l'énergie et la matière n'existent pas encore. C'est peut-être dans cet esprit que Penzias précise à propos de la naissance de tout ce qui existe : « C'est une création à partir de rien. L'apparition, à partir de rien, de notre Univers[1]. »

Un quart de siècle après Penzias et Wilson, John Mather pose à son tour une question-choc dans la postface de notre ouvrage : « Qu'est-il arrivé à l'instant du Big Bang ? Et peut-être même *avant* ? » Or, des fragments de réponse nous attendent au cœur de la première lumière. D'où l'enthousiasme de George Smoot face à l'éclair primordial : « C'est vraiment remonter en arrière jusqu'à la création, regarder l'apparition de l'espace et du temps, de l'Univers et de tout ce qu'il y a dedans, mais aussi voir l'empreinte de celui qui a fait tout ça[2]. »

Soit. Mais qui ? Quoi ? Quelle est donc cette cause dont parle George Smoot, qui aurait travaillé « depuis l'extérieur » pour faire exister

---

1. George Smoot, Keay Davidson, *op. cit.*
2. *Ibid.*

notre Univers ? Et laissé une empreinte ? Il y a plus d'un siècle, le physicien allemand Max Planck, légendaire fondateur de la science de l'infiniment petit, a pris le risque de déclarer : « Toute la matière trouve son origine et existe seulement en vertu d'une force. Nous devons supposer derrière cette force l'existence d'un esprit conscient et intelligent[1]. » Et peut-être même, comme l'écrit Stephen Hawking trois quarts de siècle plus tard, la présence, avant le Big Bang, d'un « être responsable des lois de la physique[2] ».

Plus de doute : nous vivons une époque révolutionnaire. Les grandes questions n'ont pas changé. Mais les « grandes réponses », irrésistiblement, se transforment. En particulier émerge depuis peu une science nouvelle : la science de *l'information*. Que commence-t-elle à nous dire ? Que le monde de l'énergie et de la matière repose sur un autre monde, invisible mais déterminant : celui de l'information. Un peu comme le monde du vivant obéit à cette information qu'est le code génétique. C'est bien ce que désigne Smoot lorsqu'il lance à

---

1. In http://www.brainyquote.com/quotes/authors/m/max_planck.html
2. In *American Scientist*, vol 73.

propos de l'Univers : « Son évolution est inscrite dans ses débuts, une sorte d'ADN cosmique si l'on veut[1]. » Or, notre recherche de ce
qui a pu se produire avant le Big Bang va nous
conduire vers une idée très proche : un peu
comme le code génétique, il pourrait exister,
selon nous, une sorte de « code cosmique » qui
règle, encadre, ajuste l'apparition physique de
l'Univers et son évolution. Dans ce cadre nouveau, ce que Planck appelle « l'esprit » bénéficie
d'un éclairage surprenant grâce auquel on commence à percevoir le rôle possible joué par
l'information dès l'instant zéro, avant même la
naissance physique de notre Univers.

Mais nous commençons à peine à entrevoir
ces ressources si nouvelles que nous offre la
science. Ces grandes questions évoquées plus
haut commencent aujourd'hui à s'ouvrir sur une
étonnante « métaphysique expérimentale », rendue possible par ces consciencieux astronomes
de métal qui, depuis les gouffres de l'espace,
sondent le passé lointain jusqu'à l'origine.

A présent, en route ! Notre voyage promet
d'être passionnant et commence dès les premières années du siècle dernier.

---

1. George Smoot, Keay Davidson, *op. cit.*

2

L'Univers éternel

Quelle est donc pour vous la question la plus fondamentale, la plus profonde que vous vous soyez jamais posée ? A coup sûr, pour reprendre le mot de Max Planck, il s'agit de la plus grande énigme policière de tous les temps : Comment l'Univers a-t-il commencé ?

Aussi incroyable que cela puisse paraître, au début des années 1920, non seulement il n'existait aucune réponse mais, plus surprenant encore, personne n'imaginait même poser une telle question. Ni dans les cercles savants ni dans la rue, on n'avait la moindre idée de ce qui aurait pu ressembler à un *commencement* pour notre Univers. Et on ne cherchait pas à en savoir plus. Un exemple ? Un beau jour de janvier 1920, alors qu'un groupe d'académiciens était reçu au palais de l'Elysée par le président Raymond Poincaré (cousin du grand mathématicien Henri Poincaré), il glissa dans un sourire complice à l'un des astronomes qui lui offrait son dernier ouvrage : « Pourquoi donc vous essouffler à mesurer l'Univers ? Tout le monde sait qu'il est infini ! »

A vrai dire, presque tous ces savants à col cassé pensaient alors que l'Univers était immobile et éternel. Mieux encore : il y a cent ans – à peine plus qu'une vie d'homme –, ces savants astronomes étaient encore persuadés que notre galaxie, la Voie lactée, était la seule chose existant dans l'Univers. Personne ne pouvait alors imaginer qu'il y avait d'autres galaxies – d'autres voies lactées –, bien plus loin que ces nébuleuses que l'on apercevait la nuit au fond des télescopes. En somme, la Terre était au centre de l'Univers. Un Univers bien fixe, bien stable, qui n'avait ni commencement ni fin.

*

Mais était-ce vraiment certain ? Parfois, quelques érudits (presque toujours des mathématiciens) risquaient des hypothèses audacieuses, comme l'astronome allemand, Heinrich Olbers. Une nuit de 1823, en se promenant sous les étoiles, il relève un paradoxe troublant : si l'Univers est éternel et infini, alors comment se fait-il que la nuit, le ciel soit noir entre les astres ? S'il existait une infinité d'étoiles dans un ciel sans commencement, celui-ci devrait briller d'un éclat éblouissant ! Curieusement, la première réponse sera proposée un quart de siècle plus tard par un auteur de récits fantastiques et autres contes de l'étrange, l'énigmatique Edgar Allan Poe. Pour lui (comme pour l'astronome Arago quelques années plus tard), si le ciel nocturne est noir, c'est parce que l'Univers a un âge fini. Qu'il a connu un commencement, loin dans le passé. C'est ce que le romancier écrit en toutes lettres dans *Eureka*, un surprenant poème en prose qu'il tient pour l'œuvre de sa vie : « La loi, que nous nommons habituellement Gravitation, existe en raison de ce que la matière a été à son origine irradiée atomiquement, dans une sphère limitée d'espace, d'une particule propre, unique, individuelle et absolue[1]. »

La vision est fulgurante : c'est celle du Big Bang. Mais elle s'éteint aussitôt. Et personne, ou presque, n'accorde la moindre importance à ce que racontent Poe, Olbers et Arago. De simples divagations. Pourtant, une nouvelle

---

1. Edgar Poe, *Eureka*, Editions Tristram, 2007.

étape est franchie sept ans plus tard. Cette fois, celui qui entre en scène est un esprit redoutable : Bernhard Riemann. Il impose le respect. Pour beaucoup, il est le plus grand mathématicien du XIXe siècle, et l'un des plus grands tout court. En 1854, à tout juste vingt-huit ans, il présente à l'université de Göttingen, à voix basse et mesurée, une conférence fracassante qui, sur le coup, laisse les savants présents dans la salle bouche bée. Aucun d'eux n'a compris un seul mot de ce que le mathématicien a dit. Pourtant, avec le recul, on y voit émerger, pour la première fois, une vision moderne de notre Univers. Avec à la clef des idées qui donnent le vertige. L'une d'elles est que l'Univers, s'il est muni d'une courbure constante et positive, peut être représenté par une sphère à trois dimensions. Une « hypersphère », comme le dit Riemann. Nous sommes ici à l'origine lointaine – mais certaine – de l'Univers sphérique d'Einstein, à la fois fini et illimité. Nous reviendrons bien sûr plus loin sur cette idée prophétique, qui débouche sur d'insondables richesses.

La seconde idée de Riemann, plus fugace mais d'une saisissante force, se résume à quelques mots, prononcés par lui en dehors de la conférence : le rayon de cette sphère est *fixe*.

Mais, ajoute-t-il à l'adresse de l'un de ses interlocuteurs, on peut admettre qu'il varie avec le temps sans remettre en cause le moins du monde le modèle de la sphère !

C'est la toute première fois, dans la nuit du XIXe siècle, que va apparaître l'idée d'une possible expansion de notre Univers.

*

Mais l'hallucinante vision passe comme une étoile qui file en pleine nuit avant de disparaître. Elle est née bien trop tôt pour avoir le moindre retentissement. Et pourtant ! A nouveau, l'histoire a bien failli basculer en 1912. Cette année-là, à l'observatoire Lowell en Arizona, un astronome américain, Vesto Slipher (qui ne s'éteint qu'en 1969, à presque cent ans), achève une étude de trois ans à la demande du fondateur et directeur de l'observatoire, sir Percival Lowell, célèbre dans le monde entier pour ses fracassantes « observations » (photos à l'appui) de canaux sur Mars. Heureusement peu intéressé par les fameux canaux, Slipher découvre – un peu par hasard – qu'une douzaine de nébuleuses s'éloignaient de la Terre à des vitesses vertigineuses, de l'ordre de un million et demi de kilomètres à l'heure. L'affaire est extravagante. Pourrait-il se tromper quelque part ? Toujours est-il qu'en 1914, après avoir beaucoup hésité, il se décide finalement à présenter son étrange trouvaille à ses collègues de la Société Américaine d'Astronomie. Les sourcils froncés, ces derniers sont terriblement sceptiques. Une fois l'exposé terminé, un silence embarrassé retombe sur l'auditoire. Puis quelques applaudissements clairsemés s'envolent çà et là dans la pièce. C'est tout. Pas un des astronomes n'a saisi la formidable portée de la découverte de Slipher. Personne, sauf un jeune homme, à la forte carrure, isolé au fond de l'amphithéâtre. Profitant du brouhaha, il rassemble à la hâte ses papiers et, sans attendre son reste, quitte la salle. « Qui est-ce ? » demande distraitement le secrétaire général de la société savante. « Un étudiant, répond le préposé aux inscriptions. Un certain Edwin Hubble ! Pressé comme il est de partir, je pense qu'il n'ira pas bien loin ! » Aucun des astronomes présents ce jour-là ne se doute alors qu'ils viennent de vivre un moment historique : la toute première observation de l'expansion de l'Univers ! Mais là encore, comme pour le cosmos sphérique de Riemann, la chose arrive trop tôt. Et la voilà bientôt rangée parmi les innombrables « curiosités » qui jonchent les laboratoires du monde entier. Il y a bien une dernière alerte en 1917, lorsque l'astronome Hollandais Willem de Sitter risque timidement l'idée que, au vu des équations, rien n'interdit, après tout, que l'Univers soit en expansion. Mais sans prendre de gants, Einstein lui écrit : « Cette circonstance d'une expansion m'irrite ! » Et pour faire bonne mesure, il ajoute dans une deuxième lettre : « Admettre de telles possibilités semble insensé ! »

Finalement, lorsqu'au début des années 1920, on se risque à demander si l'idée d'un Univers changeant de rayon a des chances d'être vraie, les astronomes haussent mollement les épaules : quelqu'un a-t-il vu un jour varier la distance entre les nébuleuses ? Et ce n'est pas Albert Einstein (aux yeux de tous le plus grand homme de science de l'époque) qui va les contredire, bien au contraire.

Voilà qu'en décembre 1922, il obtient la récompense suprême, le prix Nobel de physique au titre de l'année 1921 (malheureusement en voyage, il ne pourra pas assister à la cérémonie du 10 décembre au soir). Désormais, chacune de ses paroles compte double. Or, le père de la relativité en est fermement convaincu, l'Univers est totalement fixe ! Pourquoi cette certitude inébranlable ? Remontons en 1917.

Cette année-là, le grand savant s'était posé une question très inhabituelle : quelle est la forme de l'Univers ? A quoi ressemble-t-il ? Après un an de calculs acharnés et des centaines d'équations, la réponse était tombée : « Si la matière est distribuée uniformément, alors l'Univers est nécessairement sphérique[1]. » Or pour Einstein, les calculs sont formels : il est impensable que le rayon de cette sphère se mette à grandir (ou à rapetisser). C'est pourquoi l'Univers ne bouge pas, existe depuis toujours et pour l'éternité. Et Einstein ne tient à aucun prix à voir surgir du fond de ses calculs, avec cette idée farfelue de commencement, quelque chose qui pourrait plus ou moins ressembler au « visage de Dieu ».

*

Pourtant, isolés au fin fond de quelques laboratoires, une poignée d'astronomes se risquent tout de même à penser le contraire (sans jamais oser le dire tout haut). Après tout, pourquoi l'Univers ne pourrait-il pas être comme tout ce qu'on observe dans la nature ?

---

1. Albert Einstein, *La Théorie de la relativité restreinte et générale*, Dunod, 2000.

Les fleurs, les animaux et même les étoiles ont bien un début et une fin. Alors pourquoi pas le cosmos lui-même ?

A la tête de ces dissidents anonymes de la première heure, il y a un jeune mathématicien et météorologue russe. Soulevé par le torrent révolutionnaire de 1905, un bandeau rouge sur le front, cet étudiant surdoué faisait le coup de feu sur les barricades contre les gardes à cheval du Tsar Nicolas II. Mais heureusement, quinze ans plus tard, la baïonnette a été remplacée par le stylo à plume. Notre homme s'apprête à lancer une autre révolution, sans doute l'une des plus importantes dans l'histoire de la pensée depuis Copernic : celle qui, à grands coups de calculs, va mettre fin à l'éternité de l'Univers.

3

La fin de l'éternité

Tout commence au fin fond de la Russie impériale, à Saint-Pétersbourg. C'est le début du XXe siècle et celui qui, un jour, va bouleverser de fond en comble notre vision du monde – et notre idée de la création – s'appelle Alexander Friedmann.

Curieusement, il ne semble exister en tout et pour tout qu'une seule photo de lui, reproduite aujourd'hui dans le monde entier à l'identique. Une bizarrerie qui ajoute encore à la légende du personnage. Son père est danseur de ballet et sa mère pianiste. A l'école, cet enfant rêveur, que tout destinait à la vie d'artiste, a toutefois révélé très tôt un don sans pareil pour les calculs, résolvant en quelques minutes (et le plus souvent debout au tableau) les problèmes les plus compliqués. Alors qu'il est encore un tout jeune homme, hormis le latin et le grec, il jongle déjà couramment avec l'allemand, l'anglais et le français (ce qui lui permet de dévorer dans le texte tous les articles qui passent à sa portée). On raconte qu'après avoir reçu la médaille d'or du collège, il a gentiment remercié le directeur avec ces mots venus d'on ne sait où : « Dieu apprend aux enfants. »

D'ordinaire timide et effacé, il se transforme soudain et ne recule devant rien ni personne dès qu'il est question de mathématiques. A dix-sept ans à peine, avec un de ses camarades de classe, il soumet au grand mathématicien Hilbert – qui pourtant, depuis son bastion de Heidelberg, fait trembler le monde entier – un article portant sur les « nombres de Bernoulli », sujet obscur et compliqué. Chose incroyable, qui laisse ses professeurs sans voix : l'article est accepté par Hilbert, et publié en 1906 dans les *Annales de mathématiques*, un journal réputé imprenable ! L'entrée à l'Université d'Etat de Saint-Pétersbourg en août 1906 est pour lui une simple formalité et, dès 1907, le voilà dans le séminaire du célèbre physicien allemand Paul Ehrenfest. Qui est-ce ? Comme le dira Einstein (son confident à partir de 1911), c'est l'un des plus brillants pédagogues que la physique ait jamais connu. Il faut dire que son maître n'est pas n'importe qui. C'est même l'une des plus grandes figures dans l'histoire de la physique : Ludwig Boltzmann. En 1884, ce Viennois (né un jour de mardi gras) réalise un tour de force en formalisant l'étonnante « loi du corps noir ». Etrangement, quatre-vingts ans plus tard, Wilson et Penzias retrouveront cette loi dans l'écho du Big Bang. C'est encore lui qui a découvert ce que Einstein appelait « la plus importante équation de la science » (aujourd'hui gravée sur sa tombe), en fait une véritable clef qui, vous le verrez plus loin, contient l'un des secrets les plus brûlants de notre Univers. Tout cela, Ehrenfest l'a appris de Boltzmann et voilà qu'à son tour, il le retransmet à Friedmann. Après les cours, on a tous les soirs des discussions à n'en plus finir – parfois orageuses – sur cette science merveilleuse que Boltzmann a construite, la « mécanique statistique ». On parle aussi d'une théorie toute jeune mais qui déjà commence à faire du bruit : la relativité restreinte. Et peu à peu, sans qu'il le sache, tout cela va permettre à Friedmann d'être le premier à entrevoir, quinze ans plus tard, le feu du Big Bang au cœur des ténèbres.

*

Nous voici à présent en 1922. A l'abri derrière sa barbe taillée de près et ses lunettes cerclées, le camarade Friedmann est devenu malgré lui un fonctionnaire zélé du régime soviétique, courant du matin au soir entre l'université de Petrograd, l'Institut Aéronautique, l'Académie navale et l'Observatoire de Géophysique. Partout il donne des cours, anime des séminaires ou poursuit des recherches sur le terrain. Ses étudiants ? Il les trouve tous « meilleurs que du temps des Tsars ». En particulier l'un d'entre eux, un jeune blond à lunettes, très turbulent, toujours à l'affût d'une plaisanterie grinçante sous sa tignasse. Mais après les cours, il venait faire le siège de Friedmann pour lui poser mille questions. Il s'appelle George Gamow. Il ne s'en doute pas, mais tout comme son mentor, il va lui aussi devenir l'un des héros de la grande épopée du Big Bang. L'un des personnages hauts en couleur que nous retrouverons plus tard dans ce livre.

Pour l'heure, Friedmann passe ses rares moments de répit à lire des articles venant de l'étranger. Il se remet lentement des années de guerre qu'il a passées sur le front russe, à bord d'un avion en tant qu'expert en bombardements.

*

Or pour lui, cette année 1922 n'est pas comme les autres. D'abord, c'est le moment où il publie son mémoire de maîtrise (neuf ans après la soutenance). Comme toujours, un événement inoubliable. Mais il y a autre chose. Il vient de découvrir une théorie nouvelle, encore inconnue en Russie. Bourrée de calculs et d'idées plus déconcertantes les unes que les autres, sa lecture le tient en haleine du matin au soir. L'auteur ? Un physicien allemand, dont il se rappelle vaguement le nom, évoqué par Ehrenfest quinze ans plus tôt à l'université : Albert Einstein. Chaque jour, il avance avec un zèle inépuisable dans un dédale de formules étranges, totalement incompréhensibles pour ses collègues de bureau qui se risquent parfois à jeter un coup d'œil par-dessus son épaule. Peu à peu, il commence à savourer la fantastique puissance de cette construction physique – la relativité générale – qui englobe tout l'Univers.

Pourtant, depuis quelque temps, un détail le tracasse. Quelque chose ne va pas dans la solution qu'Einstein a donnée de ses propres équations. Car ce dernier y a ajouté artificiellement, *à la main*, un terme supplémentaire auquel il a donné un nom insolite : la« constante cosmologique ». Et dès le premier coup d'œil sérieux, Friedmann est saisi d'effroi. Car ce terme en apparence inoffensif a des conséquences incalculables : il force l'Univers – du moins sa représentation – à rester immobile. Figé pour l'éternité. Or, comme il va bientôt le répéter chaque jour avec un rire pincé, c'est aussi impossible que de faire tenir un crayon en équilibre sur sa pointe ! De plus en plus ébranlé, le mathématicien russe découvre que l'Univers d'Einstein n'est autre qu'une sphère à trois dimensions dont le rayon est à tout jamais bloqué par cette désolante constante cosmologique.

Décidément, tout ça ne plaît pas à Friedmann. Il va donc s'atteler à une rude tâche : tirer une solution exacte des fascinantes équations de la relativité. Les calculs sont horriblement compliqués, mais à force de nuits blanches, de discussions enflammées avec Youri Krutkov (le confident de toujours), il finit par trouver quelque chose. Des conclusions franchement ahurissantes, qu'il rassemble d'abord dans un article (publié en juin 1922 dans *Zeitschrift für Physik*, la revue la plus lue à l'époque) puis dans son unique ouvrage, *L'Univers comme Espace et Temps*, publié en 1923.

Un beau titre, qui en dit long sur la formidable vision de son auteur. Littéralement médusés, ses rares lecteurs de l'époque y découvrent, entre autres, cet énoncé qui frise la provocation : l'Univers a connu un *commencement*, des milliards d'années dans le passé. Pire encore : à cet instant originel, il était contracté « en un point (de volume nul) puis, à partir de ce point, il avait augmenté de rayon[1] ».

*

Un point de volume nul à l'origine du cosmos ! Un vulgaire point sans épaisseur, sans dimension. La chose paraît grotesque. Complètement folle. Comment imaginer que des milliards d'années en arrière, une « explosion » à partir de rien puisse être à la source de tout ? Comment croire un seul instant que l'Univers, avec ses milliards d'étoiles et de constellations, ait pu commencer dans un point ? C'en est trop ! Le cheveu en bataille, Einstein s'empresse de chiffonner (et même, selon des témoins de la scène, de piétiner à grands coups de talon) l'article pourtant prophétique que le

---

1. *In* A. Friedmann et G. Lemaître, *Essais de cosmologie*, traduction de J.P. Luminet et A. Grib, Le Seuil, 1997.

jeune savant russe avait eu la mauvaise idée de publier (qui plus est dans « sa » revue) ! Mais il n'en reste pas là. Toujours très remonté, il envoie à la rédaction de *Zeitschrift für Physik* une courte note (jugée très acerbe par Vladimir Fock, un autre élève de Friedmann) dans laquelle il signale : « Les résultats concernant l'Univers non-stationnaire contenus dans le travail de Friedmann m'apparaissent très suspects. En réalité, il s'avère que la solution proposée ne satisfait pas les équations du champ. »

Pour Friedmann, le coup est terrible. Il lui écrit à plusieurs reprises, lui fait passer des messages, le prie de le rencontrer, en vain. Le jeune savant russe ne le sait pas encore, mais jamais il ne se trouvera face à face avec cet homme qu'il admire plus que tout au monde. Tout semble perdu. Ce n'est qu'un an plus tard, en mai 1923, qu'une lueur d'espoir apparaît. Car le physicien Youri Krutkov, l'ami devenu émissaire de Friedmann, se débrouille pour rencontrer Einstein à Leiden, où ils vont assister ensemble à l'émouvant discours d'adieu du légendaire physicien Hendrik Lorentz (deuxième prix Nobel de l'histoire, en 1902, et père de la fameuse « métrique de Lorentz » à la base de l'espace-temps). Peu après la cérémonie, voilà qu'ils se retrouvent au domicile du physicien Paul Ehrenfest (qui, on s'en souvient, avait été avant 1910 l'un des professeurs préférés de Friedmann à Saint-Pétersbourg). Après des heures de discussions acharnées, avec l'aide de l'influent Ehrenfest, Einstein finit par céder et reconnaît le bien-fondé des « curieuses » conclusions de son contradicteur. Le 18 mai, Krutkov, débordant de joie, écrit à sa sœur : « J'ai terrassé Einstein dans la dispute avec Friedmann. L'honneur de Saint-Pétersbourg est sauf[1] ! »

Mais quand bien même ! Les calculs du savant russe ont beau conduire logiquement à un Univers en expansion, qui grandit à chaque instant, dans son for intérieur, le père de la relativité reste encore persuadé que tout cela n'est qu'un tas d'élucubrations sans le moindre sens physique.

Pourtant, Friedmann avait bel et bien élaboré une nouvelle vision de l'Univers, riche d'une révolution comparable à celle de Copernic. Il disparaît le 16 septembre 1925, à trente-sept ans à peine, brutalement arraché aux siens (en particulier à un fils qu'il ne connaîtra jamais) par une mauvaise fièvre. En effet, peu

---

1. Cité par Alan Guth in *Albert Einstein and the Friedmann Equations*, openpdf.com/ebook/alan-guth-pdf.html

de temps avant, par un beau jour d'été, il s'était envolé pour une ascension très dangereuse en ballon stratosphérique, sans oxygène, sans protection, montant à plus de 7 400 mètres d'altitude. Un record. Mais l'air glacé à - 50 siffle dans ses poumons et le tue un peu plus à chaque bouffée. Il ne s'en remettra pas.

Le flambeau allait passer à une nouvelle génération.

4

L'atome primitif

Nous voici en 1927. Cinq ans ont passé depuis le spectaculaire affrontement entre Einstein et Friedmann. C'est à présent au tour d'un jeune chanoine belge, l'abbé Lemaître, d'entrer en scène. Lui aussi a eu du mal à se remettre des horreurs de la grande guerre, où son courage lui a valu d'être décoré de la croix de guerre avec palmes. La paix de l'âme, il la trouve dans la religion où il s'engage. Et celle de l'esprit dans les hautes mathématiques.

En 1920, il entame à l'université de Louvain une ambitieuse thèse de doctorat sur *la fonction zêta de Riemann*. Une clef pour percer l'un des nombreux mystères des nombres premiers. Mais le sujet est atrocement compliqué. Placé en 1900 sur la liste des fameux « problèmes de Hilbert », on le retrouve encore aujourd'hui sur celle des « problèmes du Millénaire » de la Fondation Clay en mathématiques.

Faut-il alors s'en étonner ? Malgré des efforts acharnés, Lemaître n'arrive à rien. Ses calculs l'obsèdent, l'empêchent de manger (et parfois même de prier) mais en vain : la solution lui échappe. La mort dans l'âme, il renonce et choisit un nouveau sujet : *L'Approximation des fonctions de plusieurs variables réelles.* A lui seul, le titre (bien loin des sermons) en dit long sur le goût du futur chanoine pour le calcul algébrique. Et cette fois c'est le succès : le voilà en 1920 docteur de l'université de Louvain. Le deuxième pas est franchi en 1923 avec son ordination : à partir de cette date, entré dans la Fraternité sacerdotale des amis de Jésus, il ne quittera plus sa soutane.

*

Nous arrivons donc à la fameuse année 1927. Après être passé par la mythique université de Cambridge (dans le laboratoire de Physique du Soleil où il travaille avec Sir Eddington, célèbre dans le monde entier pour avoir « prouvé » par l'observation la relativité d'Einstein), le jeune abbé s'embarque pour le MIT[1] en Amérique où il s'est mis en tête de passer une

_____

1. MIT : Massachusetts Institute of Technology.

deuxième thèse de doctorat, cette fois en physique. C'est chose faite en 1926. Le sujet ? le calcul du champ gravitationnel d'une sphère fluide de densité homogène. On est déjà tout près de son fameux modèle d'Univers sphérique en expansion. Mais il manque encore certaines pièces. Où les trouver ? Dans ce splendide édifice intellectuel dont tout le monde parle et qui fascine le jeune abbé : la relativité générale.

*

Moins porté vers les mathématiques abstraites que son génial devancier Friedmann, mais plus intuitif quant aux aspects physiques, le savant en soutane se lance alors à corps perdu dans les calculs. Bientôt, des centaines de feuilles couvertes de symboles illisibles s'entassent dans son bureau. Et finalement, un beau matin, il parvient à extraire la solution tant espérée. Aussitôt, il la publie dans les *Annales de la Société scientifique* de Bruxelles. Il n'a jamais lu une seule ligne de ce qu'a écrit Friedmann cinq ans plus tôt, pourtant, il parvient aux mêmes conclusions que lui : l'Univers n'est pas – *ne peut pas* – être fixe. Chaque fois qu'il en a l'occasion, il prend à part l'évêque de Louvain, un prélat au sourire flottant, partagé entre incrédulité et émerveillement, et lui confie à voix basse : « Le cosmos est soumis à une formidable expansion qui le propulse vers l'infini. »

Mais il lui reste encore une chose à faire, une chose difficile : convaincre Einstein. L'occasion rêvée ? Le fameux Congrès Solvay, un sommet mondial qui, depuis 1911, réunit tous les trois ans à Bruxelles la fine fleur de la physique. Cette année 1927, pour la cinquième conférence consacrée, à l'initiative de Niels Bohr, à la théorie quantique, plus de la moitié des participants ont été ou seront lauréats du prix Nobel. Et bien sûr Einstein sera de la partie. Lemaître enfile donc sa plus belle soutane, s'arrange pour se faufiler dans la prestigieuse assemblée et finit par rencontrer Einstein. Mais hélas, d'ordinaire affable et souriant, celui-ci a sa mine des mauvais jours. Très irrité par les explications du jeune prêtre, il finit par le couper d'une voix sèche : « Vos calculs sont corrects, mais votre physique est abominable ! »

Tout comme Friedmann par le passé, Lemaître est comme assommé. Pourquoi *abominable* ? La réponse n'est pas difficile à imaginer : après l'agaçant Friedmann, voilà qu'à son tour un autre mathématicien (prêtre par-dessus le marché) soutient cette idée – décidément très dérangeante – que l'Univers n'est pas éternel. Or, Einstein le sait mieux que personne : si la théorie défendue par Lemaître est correcte, alors l'Univers *doit* avoir un commencement, loin dans le passé. Et dans ce cas, ce n'est pas seulement la matière qui jaillit du néant, mais l'espace et le temps eux-mêmes ! De quoi faire frémir Einstein. Mais heureusement, jusqu'alors aucune observation n'a jamais montré que le cosmos n'est pas fixe. Les idées folles de Friedmann et Lemaître sont donc à ranger parmi les curiosités mathématiques sans rapport avec la réalité.

Mais plus pour longtemps.

Très loin de là, en Amérique, un astronome fouille le ciel sans répit. Nuit après nuit. Et il va finir par faire une découverte fracassante, à laquelle il a du mal à croire lui-même. Pourtant, pas d'erreur possible : ce qu'il observe existe bel et bien et va brutalement faire voler en éclats toutes les anciennes croyances. Et, pour la première fois, faire déboucher l'humanité sur le plus grand mystère de l'Univers.

5

Le plus grand mystère de l'Univers

Nous sommes en janvier 1929 dans la chaîne de montagnes de San Gabriel, en Californie. Il fait très froid à cette altitude, presque autant que quarante ans plus tôt, durant le terrible hiver de 1889. Depuis quelques jours, le poêle au fond du petit bureau s'essouffle à lutter contre une tempête qui fait rage derrière les fenêtres. Mais tout cela n'empêche pas un grand gaillard assis dans un fauteuil en bois de noircir son carnet pendant des heures chaque jour.

Deux ans ont passé depuis l'entrevue orageuse entre Einstein et Lemaître. Chacun campe sur ses positions. Entre-temps, l'Amérique puis derrière elle le reste du monde ont lentement sombré dans la plus terrible crise de l'Histoire. Mais tout cela ne trouble nullement l'astronome américain Edwin Hubble. Perché depuis des années dans son observatoire du mont

Wilson, à plus de 1 700 mètres d'altitude, il n'a qu'une seule chose en tête : s'assurer que ce qu'il observe depuis quelque temps au fond du ciel est bel et bien vrai. Et terminer l'article qu'il se prépare à publier dans les comptes rendus de l'Académie des sciences.

*

Avant les années 1910, ce jeune homme sportif et élégant n'avait encore qu'une idée très floue de ce qu'il allait faire de sa vie. L'astronomie ? Il n'en a pratiquement jamais entendu parler. Ou de très loin, à travers des romans d'anticipation, comme ceux de Jules Verne ou de Henry Rider Haggard. Pour l'instant, il partage ses heures creuses entre la boxe, qu'il aime bien, le saut en hauteur (dont il pulvérise le record dans l'Etat de l'Illinois) et le basket-ball, dont il ne raterait pour rien au monde les matchs disputés avec ses copains de l'université de Chicago. Puis – premier signe de ses qualités intellectuelles – il gagne une bourse pour Oxford, la prestigieuse université qui fait rêver tous les jeunes Américains de la haute société. Va-t-il y étudier l'astronomie ? Non. Comme il se doit (notamment par rapport à son père), ce sera le droit. Puis l'espagnol.

Trois ans plus tard, il retourne en Amérique avec sa maîtrise en poche. Il en ramène aussi des manières un peu hautaines et une façon très *british* de s'habiller qui ont souvent mis ses collègues américains au comble de l'agacement. Mais pour l'heure, le voilà installé comme avocat à Louisville, au fond du Kentucky. Il aurait pu y couler une existence morne et paisible (ce qui aurait bien sûr bouleversé de fond en comble l'histoire de l'astronomie et, dans le sillage, la vôtre). Mais entre les dossiers entassés en pile sur ses étagères et des clients jamais satisfaits au bord de la crise de nerfs, il ne lui faut pas longtemps pour réaliser qu'il n'est pas fait pour être conseiller juridique. « Je n'en peux plus ! » confie-t-il à l'un de ses anciens camarades d'université. Il faut dire que, depuis quelque temps, il s'est pris de passion pour le ciel nocturne, qu'il s'est mis à observer avec de simples jumelles. Pour comprendre ce qu'il voit, il commence alors à lire tous les traités d'astronomie qui lui tombent sous la main. Et bientôt, c'est la révélation : il sera astronome ou rien ! Quatre ans plus tard, il monte sur la plus haute marche du podium et devient docteur en astronomie de l'université de Chicago.

A partir de là, tout s'accélère.

Au début des années 1920, il débarque en Californie et grimpe sans même reprendre son souffle jusqu'au fabuleux observatoire du mont Wilson. C'est là que, dès le premier jour, il rencontre un personnage hors du commun, qui tout au long des décennies va lui apporter une aide inestimable. De qui s'agit-il ? D'un certain Milton Humason. Un drôle de phénomène celui-là ! Il a abandonné l'école à quatorze ans. Souvent, au début du XXe siècle, il allait faire un tour là-haut, au mont Wilson, à dos de mulet. Au moment de la reconstruction de l'observatoire, le voilà donc engagé comme muletier et garçon à tout faire. Pendant des années, il s'échine à transporter des poutres et d'énormes blocs de pierre, épuisant des forces que, le soir venu, il n'arrive plus à trouver au fond de ses reins. Heureusement en 1917, fini les transports à dos de mulet : il est nommé concierge et gardien de l'observatoire. Pour autant, il ne rechigne pas à la tâche et le plus souvent, les astronomes le retrouvent au ras du sol, appliqué avec la plus grande énergie, comme si sa vie en dépendait, à frotter et astiquer le plancher. Mais un jour, lui vient une idée. Pourquoi ne deviendrait-il pas veilleur de nuit de l'observatoire ? Contre toute attente, le directeur accepte. A partir de là, tout va basculer pour lui. Car de veilleur de nuit, voilà qu'il est bientôt nommé *assistant nocturne* des astronomes ! Désormais, c'est lui qui prépare les plaques photographiques, met au point les instruments et surtout, responsabilité suprême, qui règle l'immense lunette du télescope, à l'époque le plus grand du monde avec ses deux mètres cinquante-quatre d'ouverture. Pour lui, le moment où la grande coupole s'ouvre est unique au monde. Presque un instant religieux. Chaque jour, il attend la nuit avec impatience et s'y prépare minutieusement. A présent, les charges et les mulets sont bien loin, presque irréels. Dès qu'il a un moment de libre, il se précipite à la bibliothèque pour y dévorer tous les ouvrages d'astronomie qui lui tombent sous la main. Peu à peu, jour après jour, il apprend, s'informe, approfondit ses connaissances. A tel point que ceux qui l'ont rencontré autrefois ont maintenant le plus grand mal à le reconnaître. La plupart du temps, l'ancien muletier en sait beaucoup plus qu'eux !

Toujours de bonne humeur, toujours prêt à rendre service, mais en même temps redoutablement habile et précis (c'était un opérateur hors pair), il devient bientôt le compagnon de travail incontournable de tout l'observatoire. Et en 1919, c'est l'incroyable consécration : au terme d'une cérémonie solennelle dont seule l'Amérique a le secret, le directeur de l'observatoire George Ellery Hale nomme Milton Lasell Humason astronome titulaire à l'observatoire du mont Wilson, le plus grand du monde. A cet instant qui pour lui dure une éternité, tous les astronomes autour de lui sont figés d'admiration. Car c'est du jamais vu. Le simple muletier, sans études et bien sûr sans le moindre doctorat, est devenu *astronome*. Cela ne s'est plus jamais reproduit. La connaissance prend parfois des chemins bien étranges mais jamais au hasard : elle choisit ceux par qui elle aura le plus de chances de passer. Qu'aurait fait Hubble sans lui ? Difficile à dire. En tout cas, Humason va jouer un rôle capital dans la découverte du Big Bang.

*

Lorsqu'il arrive au mont Wilson, Edwin Hubble se met très vite au travail, avec l'aide attentive de Humason. Et dès 1924, à l'âge de trente-trois ans à peine, il fait une première découverte révolutionnaire. Jusqu'alors, l'idée qu'on se faisait de l'Univers était des plus simples, pour ne pas dire naïve. L'Univers ? Il se réduisait à la Voie lactée, voilà tout ! Il ne pouvait exister en tout et pour tout qu'une seule galaxie – la nôtre – et rien d'autre. Or, coup de tonnerre : les observations de Hubble et Humason montrent, sans contestation possible, que l'Univers n'est pas fait d'une seule galaxie mais de millions (peut-être même de milliards) d'autres. Lorsque la découverte est officiellement annoncée, au matin du 1er janvier 1925 (comme en signe de bons vœux), le monde entier est abasourdi. Le cosmos est donc plus grand, bien plus immense que tout ce que l'on croyait jusqu'alors.

Mais en cette année 1929, Hubble tient quelque chose d'encore plus bouleversant. Car il n'a rien oublié, pas une seule miette, de ce qui s'est passé quinze ans plus tôt avec Slipher à la Société Américaine d'Astronomie. Bien souvent, l'image de ces nébuleuses filant en trombe dans la nuit cosmique était passée et repassée dans sa tête. Et puis, un an plus tôt, il avait rencontré Willem de Sitter durant un congrès en Hollande. Et il avait été très ébranlé par son modèle d'Univers en mouvement. Le moment était donc venu de faire la lumière sur cette histoire d'expansion.

Grâce à son fabuleux télescope géant, nuit après nuit, lui et Humason se mettent à accumuler les observations. Les clichés. Les calculs. Hubble s'occupe de mesurer les distances tandis que Humason s'éreinte à déceler le mouvement des nébuleuses. Et finalement harassés, les yeux rougis par le manque de sommeil, ils finissent par mettre à jour le phénomène. Quelque chose d'incroyable, auquel personne ne s'attendait. Mais les extraordinaires images spectrales sont sans appel : loin d'être fixes comme on le pensait, les galaxies se déplacent les unes par rapport aux autres à des vitesses vertigineuses. Qu'est-ce que cela peut bien vouloir dire ? Quelque chose d'inouï, que les physiciens comprennent vite : ce ne sont pas les galaxies mais l'Univers lui-même, l'Univers *tout entier* qui est en fuite ! En expansion ! Et d'un seul coup, tout bascule. La toute nouvelle loi de Hubble et Humason apporte la preuve tant attendue que, contrairement à ce que l'on croyait observer jusque-là, l'Univers n'est pas fixe. Qu'il ne l'a jamais été et ne le sera jamais. Qu'à chaque instant, il se dilate, s'étire vers l'infini.

*

Pour la première fois, une observation venait donc confirmer l'idée que l'Univers avait peut-être eu un commencement. Et que Friedmann avait eu raison. Il n'en fallait pas davantage pour que Lemaître chasse de sa tête le souvenir de sa mauvaise rencontre avec Einstein. Désormais, ses idées se déploient avec hardiesse, et, en 1931, de nombreux lecteurs en Europe comme en Amérique les découvrent d'abord dans la prestigieuse revue *Nature* puis dans son livre *Hypothèse de l'atome primitif* : « L'évolution du monde peut être comparée à un feu d'artifice qui vient de se terminer. Quelques mèches rouges, cendres et fumées. Debout sur une escarbille mieux refroidie, nous voyons s'éteindre doucement les soleils et cherchons à reconstituer l'éclat disparu de la formation des mondes[1]. »

Qu'en pense Einstein ? L'incroyable découverte de Hubble le plonge dans une grande perplexité. Mais au fond, il est encore si peu convaincu que, pendant deux ans, il continue d'enseigner à Berlin son modèle d'Univers statique. Jusqu'à ce qu'il décide d'en avoir le cœur net. En 1931, il accepte l'invitation de

---

1. Edwin Hubble, *Hypothèse de l'atome primitif*, éditions Culture et civilisation, Bruxelles, 1972.

Hubble et va lui rendre visite au mont Wilson, dans cet observatoire devenu du jour au lendemain célèbre dans le monde entier. Et sur place, tous les astronomes – Hubble et Humason en tête – le confirment : l'Univers est bel et bien en train de grandir à chaque seconde !

C'est le coup de grâce. Il ne reste plus qu'à donner raison à Friedmann : « Friedmann fut le premier à débuter dans cette voie », concède Einstein avec un début d'admiration qui ne cessera de croître au fil des années. Quant au travail de Lemaître, « c'est l'explication de la création la plus belle et la plus satisfaisante que j'aie jamais vue ! ». A partir de là, difficile de retirer le doigt de l'engrenage. Et d'échapper à l'inévitable conclusion : l'espace, le temps et la matière auraient bel et bien connu *en même temps* un commencement ! Sans le vouloir, voilà qu'Einstein emboîte donc le pas de l'un des pères de l'Eglise chrétienne, le vénérable saint Augustin. Né dans la basse Antiquité, en 354, ce penseur devenu évêque d'Hippone vers la fin du IVe siècle a eu l'extraordinaire intuition d'écrire un jour, au tout début de la longue nuit du Moyen Age : « L'Univers n'est pas né dans le temps mais *avec* le temps. » Exactement ce que dira Einstein 1500 ans plus tard. D'où cette idée encore fermement ancrée que, s'il existe une ère avant la création de l'espace, du temps et de la matière – une ère avant le Big Bang –, celle-ci ne relève plus de la science mais plutôt de la quête métaphysique (voire mystique).

*

C'est ici que nous rencontrons un nouveau héros de cette passionnante aventure du Big Bang. Il s'agit – et ce n'est pas un hasard – de cet élève de Friedmann, ce Russe enthousiaste, parfois même moqueur, dont nous vous avons déjà parlé : George Gamow. Très influencé par son illustre mentor, il a été le premier à parler ouvertement à qui voulait l'entendre (ses collègues aussi bien que sa concierge) non seulement du Big Bang, mais aussi de ce qu'il y avait avant. En 1944, dans son petit livre *La Création de l'Univers*, il propose justement d'appeler cette ère mystérieuse « l'ère de saint Augustin » : « On ne peut rien dire de l'ère prématérielle de l'Univers, cette ère que, d'une manière appropriée, on peut appeler l'ère de saint Augustin. » Une bonne façon de montrer que ce qui a pu se passer avant le début est un mystère total, qui n'appartient qu'à Dieu. Et en attendant, il publie en 1948 deux articles qui feront date et en supervise un troisième (signé par deux de ses élèves, Ralph Alpher et Robert Herman). Que peut-on y lire ? Pour la première fois, que l'explosion initiale qui a probablement donné naissance à l'Univers a forcément laissé des traces. Un rayonnement à très basse température (quelques degrés au-dessus du zéro absolu) qui, comme une sorte d'écho de la phase brûlante des débuts, doit baigner tout l'Univers.

Sans qu'ils s'en rendent vraiment compte sur le moment, Gamow, Alpher et Herman viennent donc d'apporter la pièce décisive qui manquait au tableau : le *rayonnement fossile*. Et d'emblée, Gamow le pressent, c'est là, au cœur de la toute première lumière de l'Univers, que se cache le secret ultime. Celui de la Création.

6

Et la lumière fut

Le jeune homme s'approcha du bureau derrière lequel quelqu'un était déjà assis. Il toussota pour attirer son attention.

— Heu... Puis-je m'asseoir ?

L'autre fit un geste vague sans relever la tête des papiers sur lesquels il était en train de griffonner d'une écriture compliquée.

— Alors Ralph, fit-il d'une voix aimable qui camouflait un fort accent, où en es-tu ?

Ralph rajusta ses lunettes et s'assit tout en déplaçant sa chaise sur la droite, pour éviter le rayon de soleil qui coulait de la fenêtre. Puis il attendit que l'autre lève les yeux vers lui pour répondre :

— J'ai terminé la nouvelle version de l'article. Je pense avoir montré de façon convaincante qu'il sera possible de détecter ce rayonnement datant de la préhistoire de l'Univers.

Un silence. Derrière son bureau, l'homme rangea deux ou trois enveloppes avant de lancer d'une voix où glissait comme un sourire :

— Et les calculs ? Tu sais bien qu'aujourd'hui, ils sont partout. On ne peut même plus prendre un taxi sans calculer le coût de la course !

Ralph se tassa sur son siège, vaguement mal à l'aise. C'était justement de ces calculs dont il ne voulait pas discuter. Son ancien patron de thèse l'avait toujours impressionné par la justesse de ses idées. Mais il savait très bien par ailleurs que le physicien russe s'était également inspiré, sans la moindre gêne, de ses calculs sur le début de l'Univers : en tant que directeur de thèse, George Gamow avait eu tout loisir d'en repérer les meilleures équations, de les peaufiner, puis de les inclure dans un contexte jusqu'à les rendre publiables. Ralph hésita encore avant de répondre :

— Heu… je crois avoir trouvé des arguments sérieux.

L'autre fit glisser sa large main sur le bureau.

— Des arguments ? Ce que je veux, ce sont de belles équations. Sans elles, ton papier ne vaut rien ! Tu aimes la soupe au potiron ?

Ralph savait que son patron de thèse aimait passer du coq à l'âne, glisser d'un sujet à un autre, surprendre ses interlocuteurs.

— … Moi, je ne peux l'avaler qu'avec des croûtons de pain. Si ton papier ne contient pas d'équations, c'est un peu comme une soupe au potiron sans croûtons !

Ralph sortit son mouchoir, fit semblant de se moucher, et regarda vers la fenêtre.

— Ce n'est pas si simple, répondit-il. Et tu le sais bien. Depuis quinze jours, avec Herman, on y travaille sans relâche.

Gamow haussa les épaules. Il se leva et s'assit sur le bord de son bureau.

— Allez, ne fais pas la mauvaise tête ! Si tu me donnes ton papier avant samedi, on ira fêter ça au Little Vienna. Ça va ?

Ralph ne répondit rien. L'idée du Little Vienna, un bar dont il aimait par-dessus tout l'ambiance presque familiale, lui plaisait. Autour d'un bon whisky glacé, on finissait toujours par tomber d'accord. Mais à cet instant, il ne voulait pas avouer qu'il redoutait que son ancien patron de thèse lui « emprunte » à nouveau, sans le citer, ses meilleurs pas de calculs. Lentement, il se leva sans faire de bruit. Au moment où il allait sortir, Gamow lança avec un sourire incertain :

— Ne le prends pas mal mais… je risque fort de publier mon papier avant le tien. Je ne peux pas attendre plus longtemps.

Ralph eut un mouvement de recul. Il inclina légèrement la tête, hésita un instant, puis referma la porte derrière lui.

*

Cette scène se passe au mois de juin 1948. Elle réunit deux physiciens dont les noms ont été associés à la publication, le 1er avril 1948, d'un des articles les plus célèbres en cosmologie : l'article « Alpha, Bêta, Gamma[1] », nommé ainsi parce que les noms des trois auteurs, Alpher, Bethe et Gamow ressemblaient au trois lettres de l'alphabet grec. En réalité, Ralph Alpher était, peut-être, l'auteur le plus important de cet article. Nombre des idées originales concernant le phénomène de la nucléosynthèse primordiale – c'est-à-dire la création de certains noyaux atomiques durant une phase ultra-chaude de l'Univers – se trouvaient déjà depuis longtemps dans sa thèse dirigée par Gamow.

Les deux hommes se connaissaient depuis le début des années 40 et avaient travaillé sur ce problème pendant des années. En fait, le grand

---

1. Ralph Asher Alpher, Hans Bethe and George Gamow (1948), « The Origin of Chemical Elements ».

mérite de Gamow (et non des moindres) était d'avoir eu le premier l'idée extraordinaire que la matière que nous connaissons avait été fabriquée à un moment où le cosmos était immensément chaud. Tout était parti de son idée que le scénario proposé par l'abbé Lemaître – selon lequel l'atome primitif s'était fragmenté en des morceaux de plus en plus petits – « ne tenait pas debout », comme il le répétait souvent dans un rire strident. Pour lui, c'était tout le contraire. L'hypothèse était grandiose. Mais comment la consolider ? Il fallait plonger dans les dédales de la physique nucléaire. Pas vraiment facile. Car dans ces années de guerre, presque tous les physiciens de valeur avaient été secrètement recrutés pour le projet Manhattan à Los Alamos, sous la main de fer de Robert Oppenheimer. Et si Gamow lui-même n'avait pas été réquisitionné, c'était en raison de son passé d'officier dans l'Armée rouge. Une injustice. Les haut gradés de l'armée américaine savaient-ils que « l'officier Gamow » avait pourtant tout tenté afin de fuir l'Union soviétique ? Les services secrets américains n'avaient consigné nulle part que le savant avait risqué sa vie à bord d'un minuscule kayak : accompagné de sa femme avec seulement quelques sandwichs, il avait tenté de traverser la mer Noire pour atteindre la Turquie. Une tempête faillit les engloutir avant de rejeter le frêle esquif sur les rives soviétiques. Quelques mois plus tard, à peine découragés, Gamow et sa femme tenteront à nouveau de « passer à l'ouest » à bord de leur kayak en franchissant cette fois l'océan glacial pour atteindre la Norvège. Nouvelle tentative encore plus folle. Nouvel échec. Transis de froid, les fugitifs frôlent la catastrophe. Notre homme devra attendre 1933 avant d'obtenir enfin l'autorisation d'assister, avec son épouse également physicienne, au célèbre Congrès Solvay, à Bruxelles. Les Gamow ne retourneront jamais en Russie.

Définitivement installé en Amérique à partir de 1934, le savant russe s'était donc jeté à corps perdu dans la physique de l'Univers primordial. Peu sûr de lui en mathématiques, il avait beau se lancer dans d'interminables calculs, il piétinait. Jusqu'au jour où, en 1945, il rencontre un jeune chercheur du nom de Ralph Alpher. Un talent plus que prometteur. Dès 1937, à peine âgé de seize ans, le jeune prodige avait décroché une bourse pour le MIT, jusqu'à ce que celle-ci soit prestement annulée après qu'il ait lâché, en passant, être le fils d'un immigré juif. Pour Alpher, ce fut le choc. Les portes du MIT s'étant brutalement fermées, il dut se rabattre sur les cours du soir à l'université George Washington. Une demi-impasse. Mais c'est là que Gamow le rencontre. Et qu'il remarque presque tout de suite ses incomparables dons en mathématiques. Il décide aussitôt de le prendre en thèse pour le mettre sans plus tarder au travail sur la question épineuse de la nucléosynthèse primordiale. Pour faire bonne mesure, il lui livre en vrac tout ce qu'il a déjà trouvé. Et pendant trois ans, les deux hommes vont se livrer à des calculs acharnés, souvent jusqu'à l'aube. Pour rompre la monotonie du laboratoire, ils se retrouvent de temps en temps au Little Vienna, ce petit bar situé sur Pennsylvania Avenue. Là, après deux ou trois verres (Alpher était à moitié russe), on s'échauffe et les langues se délient : « Je suis sûr que cette fichue fournaise du début a laissé une trace ! » tonne parfois Gamow aux habitués à moitié endormis sur le bar.

Chemin faisant, les progrès d'Alpher sont foudroyants. Et en cette année 1948, il tient enfin son modèle : l'hydrogène et l'hélium n'ont pu être formés que durant les cinq premières minutes qui ont suivi le Big Bang ! Et plus jamais après. Gamow est fasciné. A ce moment-là, a-t-il aperçu quelque chose comme le visage de Dieu dans les profondeurs tourbillonnaires du tout premier nuage d'hydrogène ? Toujours est-il qu'il trace avec minutie les grandes courbes de la formation des éléments légers aux premiers instants de l'Univers. Et en invitant ses collègues à les découvrir, il leur annonce à voix grave, comme pour fixer à jamais la solennité de l'événement : « Faites silence ! Voici les courbes divines de la création. » Frappante, l'expression est restée.

*

Lorsqu'au printemps 1948, Alpher soutient sa thèse, à la grande joie de Gamow, la salle d'examen est comble. Plus de trois cents personnes, du jamais vu. Des dizaines de journalistes se bousculent, prennent des photos, griffonnent à la hâte des notes sur leurs calepins. Et le 14 avril 1948, on peut lire en couverture du *Washington Post* ce titre qui fait sensation dans toute l'Amérique : « L'Univers est né en cinq minutes » ! Bientôt, la nouvelle se répand dans le monde entier. Pendant quelques semaines, Alpher est la coqueluche des journaux et des stations de radio. Puis, peu à peu, la fièvre retombe, les projecteurs s'éteignent et Alpher disparaît lentement dans l'ombre envahissante de Gamow et de Bethe.

Evidemment, ce n'était pas un hasard si George Gamow s'intéressait, lui aussi, à cette question de l'origine de l'Univers. On s'en souvient, son directeur de thèse à Saint-Pétersbourg n'était autre que le génial Alexander Friedmann, le père incontesté de la théorie du Big Bang. En réalité, Gamow s'était inspiré aussi bien de son patron que de son élève : presque tout le monde s'accorde aujourd'hui à reconnaître que ses travaux doivent autant à ceux de Friedman qu'à ceux d'Alpher. Et en ce printemps 1948, comprenant tout le parti qu'il pourrait tirer des idées – et surtout des dons mathématiques – d'Alpher, il lui avait semblé « amusant » de rajouter à leur article le nom de Bethe – futur prix Nobel et célèbre dans toute l'Amérique pour son rôle décisif dans le projet Manhattan. Selon Gamow, la chose était trop tentante : créer la fameuse suite Alpha-Bêta-Gamma de l'alphabet grec ! Au grand étonnement du physicien russe, Alpher vécut assez mal cette « plaisanterie » : tout le crédit de cet article allait en effet se porter sur les deux scientifiques dont la réputation était déjà considérable, et on ne tarderait pas à oublier le rôle capital qu'il avait joué dans cette publication qui décrivait, pour la première fois dans le détail, les mécanismes de la formation des éléments lors la phase chaude de l'histoire de l'Univers.

Mais il y avait encore autre chose. Parallèlement à cette découverte de la nucléosynthèse primordiale, Ralph Alpher a été l'un des premiers, avec Peebles, à avoir eu l'intuition du rayonnement fossile : selon lui, si l'Univers avait connu, au moment de sa création, une phase très dense et très chaude, alors ce début d'une violence indescriptible avait bien dû laisser une trace quelque part. Avec son camarade Robert Herman (comme lui fils d'immigrés juifs), il va même jusqu'à calculer que cette première lumière avait dû s'arracher à la matière lorsque la température n'était plus que de 3 000 degrés, environ 300 000 ans après le Big Bang ! La prédiction est stupéfiante. Elle sera publiée le 13 novembre 1948 dans la revue *Nature* sous le titre « Evolution de l'Univers ». Symbole ironique des rapports quelque peu conflictuels qu'il entretenait avec son ancien patron de thèse : quinze jours plus tôt, le 30 octobre 1948, George Gamow publiera en catimini dans la même revue *Nature* un article dont le titre (« L'Evolution de l'Univers ») et le contenu étaient, à peu de choses près, identiques à celui d'Alpher.

Toujours est-il qu'en trois articles, l'approche moderne du Big Bang est formulée pour la première fois : l'Univers avait dû connaître une époque très chaude à ses débuts, période associée à un « rayonnement primordial » dont la température avait fortement diminué et qu'un jour, sans doute, on pourrait mettre en évidence. Grâce aux idées de Gamow et au travail acharné d'Alpher, peu à peu, les choses allaient se mettre en place.

7

Vers le Big Bang

En cette année 1948, l'idée d'un Big Bang commence donc à faire de plus en plus solidement son chemin. C'est d'ailleurs l'année suivante, le 28 mars 1949, qu'apparaît le mot lui-même, durant une émission de radio sur les ondes de la BBC. Ce jour-là, l'invité principal n'est autre qu'un certain Fred Hoyle, l'un des astronomes les plus célèbres d'Angleterre. C'est lui qui, en se moquant ouvertement des « idées saugrenues » de Gamow, lâche dans le feu de la discussion une trouvaille qui fait mouche : « Big Bang ». En quelques heures à peine, le mot frappe toute l'Angleterre et, de proche en proche, gagne rapidement le monde entier.

A partir de là, comment ne pas avoir la tentation de scruter le ciel nocturne pour deviner, dans le sillage des galaxies, le visage de Dieu ? C'est ce pas que franchit avec allégresse, trois ans plus tard, le pape Pie XII en ouverture d'une conférence réunissant en 1951 prélats et cardinaux à l'Académie pontificale du Vatican : « Il semble en vérité que la science d'aujourd'hui, remontant d'un trait des millions de siècles, ait réussi à se faire le témoin de ce Fiat lux initial, de cet instant où surgit du néant avec la matière un océan de lumière et de radiations, tandis que les particules des éléments chimiques se séparaient et s'assemblaient en millions de galaxies... Ainsi, la création a eu lieu dans le temps : donc il y a un Créateur, donc Dieu existe ! »

En tout cas, c'est bien là, au cœur de cet « océan de lumière », que le chef de l'Eglise chrétienne croit deviner – il est le premier à le dire tout haut – le visage de Dieu.

*

Mais les choses ne sont pas aussi simples. Signe avant-coureur du feu qui couve, les articles pionniers de Gamow et ses élèves (contrairement à ce qu'on pourrait croire) n'ont pratiquement aucun retentissement. En ce début des années 50, les trois « agitateurs » (comme on les appelle sur les campus) ont beau multiplier les séminaires et les communications en tous genres, rien à faire :

l'idée de la création « à chaud » – dans un Big Bang – de l'hydrogène et de l'hélium ne passe pas. Il faut dire que le tempérament farceur de Gamow ne joue pas en sa faveur. Ne vient-il pas de déclarer *urbi et orbi* que Dieu habite à 9 années-lumière de la Terre ? Résultat, ses collègues (bien plus académiques que lui) ont du mal à le prendre au sérieux. Ce qui, bien sûr, retombe sur Alpher.

Mais ce n'est pas tout : les preuves du Big Bang manquent à l'appel. Alpher et Herman changent alors de tactique. Une preuve ? Elle existait là-haut, dans le ciel ! Il suffisait d'aller la chercher. Car selon nos deux astronomes, le cosmos était rempli d'une faible lueur dans toutes les directions. En somme, le souvenir très atténué d'une explosion titanesque qui avait dû se produire des milliards d'années plus tôt. Pourquoi ne pas au moins essayer de détecter cette lueur ? « Pour celui qui la trouvera, c'est la gloire assurée », se plaît à répéter Herman. Hélas, personne ne bouge. Pas la moindre expérience ne sera lancée pour vérifier les affirmations des deux infortunés élèves de Gamow. Or en face, de plus en plus nombreux sont les adversaires qui fourbissent leurs armes. Et plus que jamais, ils sont décidés à en finir avec cette « sinistre farce » qu'est la création de l'Univers. Dans les écoles et les cercles soviétiques (mais aussi partout où s'est imposé l'enseignement communiste), on apprend que la matière est le fondement de la réalité, qu'elle est infinie et, bien sûr, éternelle. Un exemple ? Poussant le rejet du commencement jusqu'à la caricature, pour le physicien marxiste David Bohm, les partisans du Big Bang sont « des traîtres à la science qui rejettent la vérité scientifique pour parvenir à des conclusions en accord avec l'Eglise catholique ». Tout aussi virulent, sir Arthur Eddington lui-même (l'un des plus grands astronomes de la première moitié du XXe siècle) sortait littéralement de ses gonds lorsqu'il entendait le mot Big Bang : « La notion d'un commencement me semble répugnante... Je ne crois tout simplement pas que l'ordre actuel des choses ait pu naître d'un Big Bang. L'univers en expansion est absurde, incroyable. »

*

Marquons ici une dernière pause : si les avis sur l'origine de l'Univers sont à ce point tranchés, c'est avant tout parce qu'il est très difficile (même lorsque l'on est scientifique) d'admettre que le cosmos *tout entier* avec tout ce qu'il peut contenir – la Terre, votre maison, les rues et les immeubles du voisinage, la campagne alentour puis plus loin, le Soleil, Mars, Jupiter et plus loin encore les étoiles et les galaxies par milliards – était *tassé*, compressé et finalement réduit à un point. Un simple point perdu dans le néant. Comment concevoir une chose pareille ? Certains s'y refusent tout net.

On l'a vu, le plus farouche de ces résistants est l'astronome anglais sir Fred Hoyle. Depuis son puissant bastion de Cambridge, citant à qui veut l'entendre le philosophe Aristote (pour qui la matière est éternelle), il martèle que l'Univers est infini et éternel. Qu'il n'a jamais eu de commencement et ne sera donc jamais détruit. Selon cette approche, les galaxies sont bien en fuite, mais en réalité, il y a continuellement création de matière. Et au final, le cosmos est donc stationnaire (Hoyle était très fier de ce mot, sa trouvaille). En 1953, la bataille semble perdue : la mort dans l'âme, les trois pionniers abandonnent leurs recherches sur le Big Bang. Gamow se détourne peu à peu de la physique. Alpher ? Déçu, il quitte l'université. Jamais il n'oubliera les moqueries vaguement méprisantes de ses collègues. Quant à Herman, lui aussi tourne la page et finit par entrer dans l'industrie automobile. Tous les trois ont aujourd'hui disparu. Mais l'un des héros de notre histoire se souvient d'eux : Robert Wilson. Comment ne pas être remué par le salut qu'il leur adresse dans la postface de notre livre : « Je crois que certains de nos collègues auraient dû partager le prix avec nous. En particulier Gamow, Alpher et Herman qui, vers la fin des années 40, avaient prédit le rayonnement de fond issu d'un Big Bang. »

Mais nous ne sommes encore qu'au début des années 60. Une fois de plus, l'Univers semble retomber sur lui-même. A nouveau fixe, comme un moteur à ressort qui aurait épuisé ses tours. L'expansion ? Presque plus personne n'y croit. Le Big Bang ? Une hypothèse abracadabrante, sans la moindre preuve. Certes, les galaxies se déplacent dans l'espace. Mais le cosmos *lui-même* ? Allons donc ! Quant aux idées de Gamow et Alpher, elles refroidissent doucement dans la cendre des théories désertées.

Et pourtant... Une fois de plus, un immense coup de tonnerre va avoir lieu, là où personne ne l'attendait. Et tout va voler en éclats. L'événement s'est produit sur une colline perdue quelque part en Amérique. Préparez-vous à y vivre la plus folle de toutes les aventures.

8

A la découverte
de la première lumière

Tout a commencé par un beau jour de printemps 1964 à Holmdale, dans le New Jersey. Pour les uns, une petite ville charmante, avec sa grand-place joliment fleurie, pour d'autres un trou de province à jamais perdu. Depuis quelques mois, deux jeunes ingénieurs américains se retrouvent tous les matins à Crawford Hill, un terrain vague hérissé d'arbres poussiéreux. Ils sont loin de tout. Et surtout loin de se douter (ni eux, ni personne) que c'est là, au fond de nulle part, qu'ils vont faire ce que beaucoup considèrent comme la découverte la plus importante de tous les temps. Une découverte qui va changer à tout jamais notre vision du monde. Comment l'Univers tout entier, avec son origine, pourrait-il s'échouer au fond de cette prairie du New Jersey ?

Après avoir soigneusement étalé leurs outils sur une bâche, ils se mettent au travail, comme tous les jours. Sur le coin de la toile, un transistor crachote en boucle des vieilles chansons de Hank Williams. Les notes tranquilles, portées par le grincement du violon de saloon, se perdent dans l'air bleu. Ils travaillent vite. Il ne veulent surtout pas être en retard à la soirée que les deux plus jolies filles du coin ont organisée pour eux. Mais pour le moment, ce qui occupe nos deux jeunes gens est un engin pour le moins bizarre, sorte de corne géante prolongée par une cabane en bois, qui les surplombe d'une petite dizaine de mètres. La « chose » est faite d'une masse métallique que les deux ingénieurs, en s'arc-boutant à deux, peuvent faire pivoter à l'aide d'une énorme roue. Malgré les rasades d'huile englouties chaque semaine, les rouages restent raides et s'obstinent à grincer. Et ce matin plus que jamais, la machine – en fait, une antenne géante construite en 1959 – leur réserve une mauvaise surprise.

*

Les deux jeunes gens s'étaient rencontrés par hasard trois ans plus tôt à Crawford Hill, dans l'un des laboratoires de la célèbre compagnie de téléphone Bell. Le plus jeune des deux a vingt-sept ans et s'appelle Robert Wilson. Il descend d'une famille de fermiers texans, du côté de Dallas. Ses camarades de jeunesse se souviennent qu'il prenait plaisir à massacrer leurs oreilles à l'aide d'un colossal trombone à coulisse. Ses vacances d'été ? Il les passe dans la ferme de son oncle, au fond du Texas. Appuyé sur un tronc d'arbre, il reste parfois toute la nuit à compter les étoiles. Son père est ingénieur chimiste dans une compagnie pétrolière à Houston et souvent il l'accompagne le samedi matin, déambulant parmi les machines et tout un tas d'appareils plus ou moins bizarres qui le fascinent. Il y prend goût et devient très vite un as du bricolage électronique. Les voisins ne tardent pas à l'apprendre et après le collège, il passe le plus clair de son temps à réparer les vieux postes de radio ou de télévision qui s'entassent dans sa chambre. De quoi arrondir ses fins de mois.

Admis, comme il le précise, « de justesse » à la prestigieuse université Rice (toujours à Houston) ses dons pour l'électronique de pointe ne cessent de se confirmer. Le voilà bientôt détenteur de plusieurs brevets pour les étonnants dispositifs qu'il a mis au point. Mais les choses sérieuses ne font que commencer. Avec un petit pincement au cœur, Bob se résigne à quitter Houston et entre au fameux Caltech, près de Los Angeles. Un lieu mythique, déjà riche à l'époque d'une dizaine de prix Nobel. Il finit par y décrocher en 1962 un doctorat de physique, avec pour spécialité la radio-astronomie, domaine encore balbutiant à l'époque. Et dès l'année suivante, le voilà engagé par les Laboratoires Bell, dans le département de recherche radio. Sa destination ? Holmdale. Une bourgade perdue dans le New Jersey. C'est là qu'il rencontre le seul autre radio-astronome du coin : il s'appelle Arno Penzias.

*

D'une famille juive, celui-ci est né au mauvais moment (le 26 avril 1933, le jour même où a été fondée la Gestapo) et au mauvais endroit (à Munich, en Bavière). Et un soir de 1938, c'est le drame : à coups de bottes cirées et de crosses, aboyant dans la maison jusqu'alors si calme, les nazis casqués, sanglés de cuir noir, arrêtent brutalement les Penzias. Le petit Arno, du bas de ses cinq ans, a le souffle coupé. Avec de longues files d'autres juifs, les voilà jetés dans une cellule puis entassés dans un train. Quelques heures plus tard, le sifflet mêlé de vapeur et de suie de la locomotive donne le signal de la déportation vers la Pologne. Mais incroyablement, par un de ces coups du sort inespéré qui ne survient qu'une fois dans une vie, l'accès à la frontière se referme soudain devant les chiens et les barbelés, juste avant leur arrivée dans ce train lugubre qui devait les conduire à la mort. Noyé dans la vapeur et la fumée, le convoi de fer s'ébranle à nouveau en grinçant et repart lentement vers l'Allemagne, par un soir sinistre qu'Arno n'oubliera jamais : « Bien des années plus tard, j'ai appris que les gens qui étaient arrivés "à temps" avaient été parqués dans une cour à ciel ouvert et que la moitié d'entre eux étaient morts de froid[1]. »

Mais vient un deuxième miracle. En 1939, parvenant à se glisser entre les mailles d'une bureaucratie aussi aveugle que barbare, les Penzias et leurs enfants quittent séparément l'Allemagne. Au prix d'une longue série de coups de chance et d'astuces, ils parviennent enfin à gagner sans plus d'encombres Londres puis New York.

La liberté sous le ciel !

---

1. Note biographique http://www.bell-labs.com/user/feature/archives/penzias/

Le petit Arno lève souvent son nez vers lui, depuis les rues du Bronx où la famille s'est installée. Il apprend l'anglais à toute vitesse, devient élève au City College de New York puis étudiant à Columbia, toujours avec une longueur d'avance. Une fois son doctorat en poche, le voilà lui aussi engagé en 1961 par la compagnie de téléphone Bell. Un job temporaire. « L'avantage ? Vous pouvez partir du jour au lendemain ! » lui avait lancé en riant le directeur du laboratoire. Bientôt, il partage un minuscule bureau et son poste de radio-astronome avec Robert Wilson. Mais finalement, ils s'y sentent bien. Certes ils sont loin de tout, mais à tout prendre, ils préfèrent ça aux couloirs académiques et trop bien cirés de l'université. Et la recherche ? Dans la compagnie Bell, impliquée jusqu'au cou dans le lancement des premiers satellites de communication, ce n'est pas vraiment la priorité.

*

Au départ, le but des deux post-doc est donc tout ce qu'il y a de plus modeste : remettre en état une antenne de liaison satellite désaffectée. Et la faire marcher sans trop de parasites, voilà tout. Ni l'un ni l'autre ne portent le moindre intérêt pour la cosmologie et ils n'ont jamais entendu parler de l'obscure théorie de « l'atome primitif » proposée, vingt-sept ans plus tôt, par l'abbé Lemaître. Ils ne connaissent pas davantage les idées du mathématicien russe Alexander Friedmann sur l'expansion cosmique, ou celles de son élève George Gamow sur une ère brûlante qui aurait marqué les débuts de notre espace-temps. On l'a déjà vu, dans les années 1960, il ne vient plus à personne l'idée farfelue que l'Univers ait pu avoir un commencement. Ou pire encore, qu'il ait pu naître d'une sorte d'explosion gigantesque. D'ailleurs, comme il le rappelle dans sa postface, l'un de nos deux compères, Robert Wilson, a été l'élève du bouillant Fred Hoyle. Ce dernier a beau avoir inventé le mot « Big Bang » en 1949, il n'en reste pas moins son adversaire le plus féroce. Pour lui, l'Univers est éternel, n'a ni commencement ni fin ! Et en bon élève, Wilson pense plus ou moins la même chose.

Pragmatiques, les deux jeunes chercheurs se contentent donc de faire le nécessaire pour que leur antenne puisse relayer des signaux vers les satellites sous contrat avec Bell. Malgré tout, ils vont un peu plus loin : pourquoi ne pas bricoler l'antenne et l'utiliser comme radio-télescope ? Au prix de quelques astuces, la transformation est réussie. Bientôt, à leurs heures perdues (après avoir demandé l'autorisation à la Compagnie Bell), Penzias et Wilson exploitent l'extraordinaire sensibilité du détecteur pour mesurer le halo d'émissions de notre galaxie. Wilson en profite pour tester ses idées, exposées dans sa thèse de doctorat. Quant à Penzias, lui, il s'escrime à dépister la présence d'hydrogène dans les nébuleuses proches.

*

Par ce beau matin de mai 1964, on décide donc une fois de plus de pointer l'antenne vers le ciel, en direction de la Voie lactée. De même que pour écouter une station à la radio il faut se caler sur une fréquence, Penzias et Wilson ont choisi d'écouter la Voie lactée sur la longueur d'onde de 7,5 centimètres. Comme la veille, leur mission, c'est de localiser les parasites qui brouillent obstinément les émissions du satellite ECHO… pour enfin s'en débarrasser ! Mais une nouvelle fois, les deux ingénieurs écrasent un juron de mauvaise humeur. Rien à faire. Ce satané bruit est toujours là ! Comme tous les jours depuis des semaines, leur appareil ramasse ce parasite très bizarre, toujours le même, dans toutes les régions de la voûte. Et ce qu'ils entendent est cent fois plus puissant que tout ce à quoi ils pouvaient s'attendre ! Ils ont eu beau répéter l'expérience jour et nuit, en modifiant mille fois l'orientation de l'antenne, impossible de nettoyer ce bruit de fond qui traîne ! Un peu comme ce souffle électrique qui envahit votre radio lorsqu'elle est mal réglée. Ce qui étonne Penzias et Wilson, c'est que ce signal ne ressemble à rien de connu. D'une régularité déconcertante, cet étrange « écho cosmique » a toutes les caractéristiques de quelque chose de chaud, une « température » d'environ 3 degrés au-dessus du zéro absolu.

D'où vient-elle ?

Ils vont passer près d'un an à chercher la réponse. Nettoyer l'antenne, la débarrasser d'un nid de pigeons logé à l'intérieur, remplacer les rivets défectueux et les recouvrir d'une feuille d'aluminium. Refaire tous les calculs. En vain !

*

Un soir d'avril 1965, en voyage à Boston pour un congrès d'astronomie et toujours aussi perplexe face à ce bruit omniprésent, Penzias en parle machinalement à l'un de ses collègues, Bernie Burke, radio-astronome comme lui. Ce dernier se souvient alors qu'à l'université voisine de Princeton (à peine à une cinquantaine de kilomètres de Crawford Hill) deux astrophysiciens, Robert Dicke et James Peebles (qui se fait le plus souvent appeler Jim), auraient fabriqué un appareil ultrasensible aux micro-ondes (un radiomètre, disent-ils) qu'ils s'apprêteraient à mettre en service d'un jour à l'autre. Pour quoi faire ? Pour capter une radiation bizarre, dont ils parlent à mots couverts. Elle aurait quelques degrés de température et serait une sorte de fossile d'une lointaine époque enfouie dans le passé. Car d'après ce qu'on raconte, Dicke et ses collègues étaient persuadés qu'il y a des milliards d'années, l'Univers était brûlant, comme un bloc de métal chauffé à blanc. Pour eux, une telle fournaise a *forcément* laissé des traces !

Penzias hausse les épaules. Il n'imagine pas un seul instant que l'Univers ait pu, dans un passé lointain, être bien plus chaud que le soleil. Mais malgré tout, il veut en avoir le cœur net. Il entre donc en contact avec Dicke par téléphone. Et très vite, on se met d'accord. Princeton n'est qu'à une heure de voiture de Crawford Hill. Dès le lendemain, Dicke, Wilkinson et Roll se retrouvent donc à Holmdale, au pied de l'immense antenne de métal. La réponse tombe en moins d'une heure. Un véritable coup de tonnerre. Le soir même, de retour à Princeton, Dicke lâche laconiquement à Jim Peebles et quelques autres qui travaillaient sur le radiomètre : « Les gars, on s'est fait coiffer sur le fil ! » Lors de nos discussions, Jim Peebles est revenu sur ce moment capital, qu'il raconte dans la postface de ce livre : « Je n'étais pas présent le jour où notre équipe de Princeton, dirigée par Dicke, s'est rendue aux laboratoires Bell. Mais je me souviens de leur rapport : "Ces gars-là ont des mesures solides !". »

A Princeton, tous ont compris en un clin d'œil : les deux chercheurs de la compagnie Bell viennent, par le plus grand des hasards, de confirmer l'existence, prédite par Alpher et Gamow en 1948, du « rayonnement fossile ». Leur antenne a détecté une lumière venant de la création de l'Univers ! Une sorte de souffle thermique absolument uniforme, écho lointain de la phénoménale « explosion » qui, il y a plus de treize milliards d'années, a donné naissance à notre espace-temps. Cette immense tempête de photons, d'une puissance inimaginable, s'est levée 380 000 ans après le Big Bang. A cette époque inconcevable, l'Univers était quarante mille fois plus jeune qu'aujourd'hui. Mille fois plus petit. Et un milliard de fois plus dense. Aujourd'hui, nous ressentons encore le souffle de cette tempête qui s'est levée au fond de l'Univers, à l'aube des temps.

En 1978, Penzias et Wilson obtiennent le prix Nobel pour leur incroyable découverte. De toute façon, Nobel ou pas, celle-ci a changé le monde du jour au lendemain. Mais également Penzias et Wilson eux-mêmes. Car presque trente ans avant Smoot et Mather, eux aussi ont vu « quelque chose » dans la radiation venue du fond des temps. Comme un reflet du feu éblouissant de la Création.

9

Le feu de la Création

En cette année 1965, pour les deux découvreurs du rayonnement fossile, le choc est immense. Tout comme pour George Smoot, la contemplation de la première lumière de l'Univers va les changer à tout jamais. Et transformer irrésistiblement leur façon de voir le monde. Dans les deux cas, ce qui a fait basculer nos deux chercheurs vers ce que Smoot appelle le Visage de Dieu, c'est l'idée (inévitable dans la théorie du Big Bang) de « création à partir de rien ».

Pourtant, on part de loin. Avant de débarquer dans le New Jersey et d'y passer d'innombrables nuits blanches au pied de son antenne, Robert Wilson haussait les épaules lorsqu'on lui parlait de création de l'Univers. On s'en souvient, étudiant à Caltech, il suivait les cours de Fred Hoyle. Celui-ci exerçait une véritable fascination sur ses élèves. Inventif et toujours à l'affût d'un bon mot, il n'avait pas son pareil pour trouver la meilleure image, celle qui fait comprendre d'un seul coup plusieurs choses à la fois. Un exemple ? Cette façon bien à lui qu'il avait de décrire la distance qui nous sépare de l'espace interstellaire : « L'espace n'est pas loin du tout ! A peine à une heure d'ici, à condition que votre voiture avance à la verticale... » Plus sérieusement, au moment où le jeune Wilson avait décidé d'assister aux cours de Hoyle, celui-ci était devenu une véritable vedette dans le monde. Lorsqu'il assénait que l'Univers n'avait jamais connu de commencement, ni dans une explosion ni autrement, de plus en plus de gens étaient prêts à le suivre. Et Wilson en faisait partie. Pourtant c'est ce même Wilson qui, sans qu'il le sache, va tout faire voler en éclats.

*

21 mai 1965. Ce jour-là, des millions d'Américains médusés peuvent lire en gros titres à la une du *New York Times* : « Des signaux confirment que l'Univers est né d'un Big Bang ». C'était la toute première preuve, décisive, que l'Univers n'était pas éternel. La nouvelle est ahurissante et elle se répand

comme une traînée de poudre dans le monde entier. Cette fois c'est sûr et certain : le cosmos gonfle, grandit à chaque instant. Le chiffre est d'ailleurs phénoménal : toutes les cinq secondes, notre Univers s'accroît d'un volume égal à celui de notre galaxie ! A partir de là, tout va basculer pour Wilson. Après avoir déclaré à plusieurs reprises qu'il était difficile de nier l'évidence, le radio-astronome va s'empresser d'abandonner le modèle d'Univers éternel. Désormais, il est devenu un porte-parole convaincu de ce que Penzias appelle une « création ». Avec une référence marquée à l'idée d'un plan conçu par une force extérieure : « Il y a certainement eu quelque chose qui a réglé le tout. A coup sûr, si vous êtes religieux, je ne vois pas de meilleure théorie de l'origine cosmique susceptible de correspondre à la Genèse[1]. »

Et Penzias ? Jusqu'en 1965, il était plutôt indécis. Mais devant la déflagration engendrée par sa propre découverte, comment ne pas admettre que l'Univers a bien eu un commencement ? A son tour, tout comme Wilson et plus tard Smoot, il finit par voir au cœur du rayonnement fossile « quelque chose » : « L'astronomie

---

1. Evidence for Christianity (1997) *in* http://www.evidence-forchristianity.org

nous conduit vers un événement unique, un univers créé à partir de rien, avec juste le délicat équilibre nécessaire à l'apparition de la vie, un univers qui obéit à un plan sous-jacent (on pourrait presque dire, un plan "surnaturel")[1]. » Face à ses collègues figés de stupeur et nombre d'étudiants réunis un jour à l'université de l'Illinois, il a même enfoncé le clou, n'hésitant pas à affirmer que le Big Bang correspond – comme dans la Genèse – à la création de tout à partir de rien : « Pour être cohérents avec nos observations, nous devons comprendre que non seulement il y a création de la matière, mais aussi création de l'espace et du temps. Les meilleures données dont nous disposons sont exactement ce que j'aurais pu prédire si je n'avais rien lu d'autre que les cinq livres de Moïse, les Psaumes et la Bible. Le Big Bang a été un instant de brusque création à partir de rien[2]. »

*

---

1. Arno Penzias, *Cosmos, Bios and Theos Open Court,* 1992.
2. Conférence à l'université de l'Illinois. Cité par Chuck Colson dans *Break Point Big Bang Versus Atheists* (28 septembre 2006).

Un instant de création à partir de rien ! C'en est trop. En entendant Penzias et Wilson parler comme si *de rien n'était* de la Bible et de Moïse, plusieurs des scientifiques présents dans l'amphi de l'université de l'Illinois se lèvent et quittent la salle. D'autres écrivent des lettres de protestations. A quoi Penzias rétorque énergiquement : « La création de l'Univers repose sur toutes les observations produites par l'astronomie jusqu'ici. Par conséquent, les gens qui rejettent ces observations peuvent raisonnablement être décrits comme ayant une croyance "religieuse[1]". » Mais la bataille prend un tour encore plus aigu avec cette idée saugrenue de « Singularité Initiale », ce prétendu *point* à l'origine de l'Univers ! Pour beaucoup – à la fin des années 1960 ils sont encore nombreux –, tout cela ne tient pas debout. L'astronome américain Allan Sandage, l'un des plus influents de la deuxième moitié du XXe siècle, est un exemple typique de cette difficulté à penser les débuts de l'Univers sous la forme d'un point. D'origine juive, il se

---

1. Cité par J. Bergman *in* Arno Penzias, *Astrophysicist, Nobel Laureate.* Voir American Scientific Affiliation Astronomy/Cosmology *in* http://www.asa3.org/ASA/PSCF/1994/PSCF9-94/Bergman.html

convertit au christianisme à l'âge de soixante ans. Et lorsqu'on lui demande si on peut être à la fois scientifique et chrétien, il n'hésite pas à répondre haut et fort : « Oui ! Comme je l'ai déjà dit, le monde est trop complexe dans toutes ses composantes et ses interconnexions pour être uniquement le fruit du hasard[1]. » Pourtant, face à la Singularité Initiale, il recule : « C'est tellement étrange… Cela ne *peut pas* être vrai[2] ! » lance-t-il. En écho, Philip Morrison, du MIT, se révolte : « Il m'est difficile d'accepter la théorie du Big Bang. J'aimerais pouvoir la rejeter[3] ! »

Où en sommes-nous aujourd'hui ? Etrangement, les résistances restent encore fortes. « Expliquer cette Singularité Initiale – où et quand tout a commencé – reste aujourd'hui le plus intraitable problème de la cosmologie moderne » peste le physicien russe Andreï Linde, de l'université Stanford. Mais à quoi bon s'obstiner ? « Il n'y a jamais eu de Singularité Initiale ! » tranche sèchement Lee Smolin, du Perimeter Institute au Canada, l'un des

1. Allan Sandage http://www.leaderu.com/truth/1truth15.html
2. Cité par Robert Jastrow in *The Week In Review Evidence for Biblical View* 17/07/1978.
3. *Ibid.*

physiciens les plus en vue du moment. Mais parfois, on n'en reste pas là et certaines réactions frisent la démesure : « Un monstre tapi quelque part dans le ciel ! » grince l'astrophysicien américain Joseph Silk, ancien de Berkeley et aujourd'hui à Oxford. « Répugnant ! » gronde en écho Derek Raine, astronome à l'université de Leicester.

Pourtant, la Singularité Initiale résulte d'une démonstration mathématique des plus sérieuses, effectuée cinq ans après la découverte du rayonnement fossile. Les auteurs de ce qui allait devenir les fameux « théorèmes de Singularité » sont deux jeunes théoriciens anglais, encore pratiquement inconnus, Stephen Hawking de Cambridge et Roger Penrose d'Oxford. Leur démonstration est sans faille : il existe une Singularité – un point mathématique – à l'origine de notre Univers ! Mais alors, si la Singularité à l'origine de l'Univers est à présent bien établie scientifiquement, pourquoi suscite-t-elle autant de passions – pour ne pas dire de rejets ? Sans doute parce qu'elle nous contraint à un choix impossible : entre un Univers sans cause d'un côté et, à l'autre extrémité, ce vers quoi Smoot a attiré l'attention de la communauté scientifique : le visage de Dieu.

Mais voyons maintenant de plus près la face cachée de ce fameux rayonnement fossile. Et en quoi il va nous mener jusqu'au plus grand secret de tout l'Univers.

10

Le fantôme du Big Bang

Qu'avaient donc vu Penzias et Wilson en ce bel été 1964 ? Pourquoi leur découverte s'est-elle retrouvée, du jour au lendemain, à la une du *New York Times* ? puis dans le monde entier ? Comme des milliers d'autres, Steven Weinberg, prix Nobel de physique en 1979, en est fermement convaincu : « La découverte du rayonnement fossile en 1965 fut l'une des plus importantes découvertes scientifiques du XXe siècle[1]. » Emporté par son enthousiasme, Edward Mills Purcell, physicien à Harvard, lance même : « Cela pourrait juste être la chose la plus importante que l'on ait jamais vue ! »

Peut-être. Mais pour quelle raison ?

Reprenons le fil des événements. Les deux employés de Bell ont débusqué ce qu'on

---

1. Steven Weinberg, *Les Trois premières minutes de l'Univers*, Le Seuil, 1988.

appelle le rayonnement fossile, ou encore le fond diffus cosmologique. Il s'agit d'une onde froide. Et même très froide : à peine 2 degrés 7 au-dessus du zéro absolu. Dans cette glaciation inimaginable, les molécules et les atomes eux-mêmes sont presque immobiles parce que gelés. Pourtant, il y a bien longtemps, cette lumière originelle, éclairée par les feux du Big Bang, était chaude et même brûlante : plus de 3 000 degrés ! Mais une fois lancé en trombe dans le vide, dilué par l'expansion irrésistible de l'Univers, ce mystérieux rayonnement s'est refroidi au fil des milliards d'années.

D'où vient-il ? Du fin fond de l'espace. De la frontière ultime de l'Univers visible. Ce qui veut donc dire que cette lueur fossile (qui se rue vers nous dans le vide et franchit la distance effarante de 300 000 km à chaque seconde) nous parvient d'un passé très lointain. D'un âge révolu, où l'Univers était encore dans sa première *enfance*, il y a plus de treize milliards d'années.

Il est presque émouvant de penser que, comme nous tous, l'Univers visible a eu, lui aussi, une *enfance*. Et qu'il a grandi. Comment ne pas être ébloui par ces chiffres rappelés sur le site de la NASA ? Quand l'Univers avait la moitié de sa taille actuelle, la densité de matière était huit fois plus élevée et il était deux fois plus chaud. Plus loin dans le passé, lorsque l'Univers visible était cent fois plus petit qu'aujourd'hui, le rayonnement fossile était cent fois plus chaud. Il faisait donc environ 2 degrés Celsius au-dessus de zéro : un temps de neige d'un bout à l'autre du cosmos ! Bien plus tôt encore, il y a eu une époque où le cosmos entier jusqu'à l'horizon était cent millions de fois plus petit que de nos jours. Sa température était alors de 273 millions de degrés et la matière, de la même densité que l'air, n'était encore qu'un gaz tourbillonnant en flocons dans l'espace.

Bien sûr, tout ceci frôle déjà l'irréel. Mais il y a plus encore. Car cette première lumière, qui a jailli dans les ténèbres et éclairé l'Univers tout juste 380 000 ans après le Big Bang, cette lumière primordiale garde le souvenir de chacune de ces étapes gravée dans ses profondeurs. Dans chacun de ses photons, dans les nuées de particules élémentaires, il y a un fabuleux secret. Quelque chose de brûlant, dont Penzias et Wilson ont eu l'intuition. De quoi peut-il donc bien s'agir ? Avant d'aller chercher la réponse, il nous faut en savoir un peu plus sur cette lumière unique. La plus ancienne de tout l'Univers.

*

De quoi est faite la lumière ? Pour prendre une image simple, de minuscules billes qui ne pèsent rien, sur lesquels le temps ne passe pas, et qu'on appelle des « photons ». Le mot lui-même a été inventé en 1926, non par un physicien mais par un chimiste, Gilbert Lewis. Sa théorie – du reste assez insolite – a été balayée par l'Histoire. Son nom oublié. Mais le mot « photon » (qui veut dire lumière en grec) a tout de suite été adopté par les physiciens.

Les photons sont dix milliards de fois plus nombreux que les particules de matière. Pour les découvrir, partons en promenade sous le ciel nocturne. C'est l'été. La nuit est partout. Vous vous promenez sur un petit chemin de campagne et levez régulièrement les yeux vers le ciel pour contempler le magnifique spectacle tendu, d'un horizon à l'autre, par la nuit et les étoiles. Or cette lumière sombre qui « tombe du ciel » se décompose en infimes « grains lumineux » : nos fameux photons. Grâce à eux, il vous est possible de vous repérer sur le petit sentier bordé d'ombres et d'herbes sauvages. Certes, la grande ville dont vous apercevez le halo faiblement lumineux derrière la colline guide vos pas, mais la plupart des photons qui éclairent votre promenade et que vous voyez à l'œil nu proviennent du cœur des étoiles qui brillent là-haut, très loin dans le ciel. Il s'agit des photons créés dans les profondeurs de ces milliers d'astres par la fusion nucléaire : ils voyagent d'abord pendant des milliers d'années vers la surface de ces étoiles, avant de la quitter pour toujours et de traverser les immenses espaces glacés pour parvenir jusqu'à vous. Or ces « photons d'étoiles » ne représentent qu'une très petite fraction du nombre total de photons qui voyagent dans l'Univers : à peine 4 % ! D'où viennent les autres ? De bien plus loin que les étoiles et les galaxies : véritables « témoins de la Création », ils sont issus du fond de rayonnement cosmologique et ont voyagé pendant plus de 13 milliards d'années avant d'atteindre ce petit chemin de terre. Seulement voilà : vous aurez beau chercher, vous ne pourrez jamais apercevoir le moindre « photon cosmologique » survivant de la Création et du début des temps : comme épuisés par leur voyage inimaginable, ils sont désormais devenus totalement invisibles.

Pour bien comprendre pourquoi le rayonnement fossile est aujourd'hui invisible à l'œil nu, il faut se souvenir que depuis son apparition, il y a un peu plus de 13 milliards d'années, l'Univers est en expansion : le rayonnement primordial s'est donc peu à peu refroidi. Dans un passé très lointain – bien avant l'an 380 000 –, cet étrange magma qui n'avait pas du tout le visage de l'Univers tel qu'il nous apparaît de nos jours, était dominé par la lumière. Un océan de lumière écrasant. Mais aussi tellement brûlant que toute cette lumière était, en quelque sorte, « engluée » dans la matière primordiale. Les photons étaient déjà là, mais ils étaient prisonniers des particules de la matière naissance. A chaque fois que l'un d'eux s'échappait, il était presque immédiatement rattrapé par la matière. Les fugues de ces photons primordiaux se comptaient par milliards mais elles ne duraient que quelques fractions de seconde. A cette époque démentielle, la lumière prisonnière était brûlante : des milliards de degrés. Puis les choses se sont calmées. Vers l'an 380 000, la température est tombée à 3 000 degrés. La lumière quitte alors la matière pour toujours. Bien plus tard, la lueur primordiale est devenue tiède, tout juste 25 degrés, la chaleur qu'il fait sur une plage par un bel après-midi d'été. Plus tard encore, il s'est mis à geler dans l'Univers, 0 degré. Puis c'est l'inexorable chute au-dessous de 0, -10, -20, -100, -200 degrés. Jusqu'à atteindre plus de 270 degrés au-dessous de 0. Ou encore les fameux 2,7 degrés Kelvin que l'on observe de nos jours.

Au cours de cette très longue histoire, la fréquence du rayonnement primordial a progressivement diminué tandis que sa longueur d'onde devient de plus en plus grande : apparu (juste après le Big Bang) à très hautes énergies et associé aux longueurs d'onde très courtes des émissions gamma, ce rayonnement primordial a progressivement perdu son énergie pour traverser le domaine du rayonnement X, celui du rayonnement ultraviolet et, enfin, celui de la lumière visible. Mais comme son énergie continuait de diminuer, cette radiation de l'aube des temps est ensuite tombée dans l'infrarouge, avant d'atteindre le domaine des micro-ondes. Résultat : le rayonnement fossile n'est pas plus visible que les rayons qui réchauffent votre potage dans un four à micro-ondes. Et pourtant, en ce moment même, ces photons primordiaux pleuvent sur vous en une brume fine et incessante...

*

Voici une chose un peu étrange : le rayonnement fossile ne se trouve donc pas « loin dans le cosmos », inaccessible. Bien au contraire, la première lumière de l'Univers est partout. Dans votre jardin et à l'intérieur de votre voiture. Dans la pièce où vous vous trouvez en ce moment même. Et alors que vous lisez ces lignes, à chaque instant sans le savoir, vous êtes frôlé par le fantôme de la première lumière. Des milliards de photons invisibles, qui ont traversé tout l'Univers et qui, comme un souffle de vent, passent sur vos mains, votre visage, vos cheveux. Dans chaque centimètre cube d'espace, on trouve environ quatre cents photons de la première lumière. Cela veut dire qu'en ce moment même, à portée de vos mains, il y a autour de vous environ un milliard de photons cosmologiques qui zigzaguent dans tous les sens ! Si vous deviez les compter un par un, il vous faudrait plus de quatre-vingts ans. La première lumière éclipse sans mal la lumière des étoiles ou celle des galaxies. Difficile à croire ? Pas tellement, si c'est Penzias lui-même qui vous l'assure : « Si vous sortez ce soir et retirez votre chapeau, vous recueillerez un peu de chaleur du Big Bang sur votre cuir chevelu. Et si vous avez un très bon récepteur FM, en vous promenant entre les stations, vous entendrez ce son[1]. »

Le son d'une lumière qui s'est allumée il y a treize milliards sept cent millions d'années !

Mais n'y a-t-il vraiment aucun espoir d'aper-

---

1. Cité *in* Simon Singh, *Le Roman du Big Bang,* Jean-Claude Lattès, 2004.

cevoir ces fabuleux flocons de la première lumière ? En réalité, il suffit d'allumer votre téléviseur à un moment où il n'y a pas d'émission. L'écran sera donc noir et piqué d'innombrables points qui scintillent et font des zigzags frénétiques. Vous le savez, il s'agit de ce qu'on appelle la « neige » sur l'écran de votre téléviseur. Mais voici de quoi vous surprendre : environ un de ces flocons de lumière sur cent provient du rayonnement fossile. Autrement dit, c'est par milliards qu'à chaque seconde, vous pouvez « voir » les étincelles de la première lumière briller sur votre écran. Un peu comme si votre téléviseur était une sorte de machine à filmer le passé, capable de vous faire voir une scène qui s'est produite il y a plus de treize milliards d'années.

*

Est-ce tout ? Pas encore. Car la première lumière de l'Univers nous réserve une nouvelle surprise. En effet, comme toutes les lumières qui vous entourent (celle qui jaillit des phares de votre voiture ou de votre lampe de poche), la lumière fossile est la chose la plus rapide de tout l'Univers : 300 000 km à chaque seconde. Or ce record de vitesse débouche sur quelque chose de très surprenant, qu'Einstein a été le premier à découvrir et qui a donné le vertige à ses contemporains de la Belle Epoque : pour la lumière, le temps n'existe pas. Ou plus exactement, dans le vide il ne passe pas ! C'est l'une des premières conséquences de la fameuse théorie d'Einstein. Si celle-ci porte le nom de « relativité », c'est justement pour nous rappeler que le temps varie avec la vitesse : plus un objet va vite, moins le temps s'écoule pour lui. Et pour ces flocons de lumière que sont les photons, le temps ne s'écoule plus du tout. Qu'est-ce que ça veut dire ? Simplement que pour les photons que vous voyez sur votre téléviseur, il ne s'est écoulé aucun temps – pas une minute, pas même une seule seconde – depuis qu'ils ont quitté le nuage de particules primitives qui composaient l'Univers, 380 000 ans après le Big Bang. Et même avant. Autrement dit, alors que pour nous, treize milliards sept cent millions d'années ont passé depuis que le cosmos s'est allumé, nos photons voyageurs, eux, n'ont pas vieilli d'une seule seconde ! Tout cela est déjà très inattendu. Mais le comble est sans doute (toujours en raison de la fameuse relativité) que l'espace lui-même, avec ses distances à franchir, ne signifie rien pour le photon. Absolument rien. Pour lui, l'étendue n'existe pas. La durée, non plus. Et ceci veut donc dire qu'au moment où il quitte le fond diffus (pourtant à l'autre bout de l'Univers), de son point de vue, le photon est *déjà* arrivé sur Terre, dans votre salon. Car pour lui, il n'existe aucune distance – même pas un millimètre – entre le fond de l'Univers et votre salon ! De même, entre l'an 380 000 – moment où la lumière se met en route pour chez vous, il y a treize milliards sept cent millions d'années – et aujourd'hui, il ne s'est même pas écoulé une seconde. En un certain sens, grâce à la première lumière, il est donc possible d'observer le Big Bang « en direct », un peu comme si on y était !

*

Décidément, cette première lumière est riche de merveilles. Mais ici surgit une nouvelle question, que tous les spécialistes de l'Univers se sont posée un jour ou l'autre. Pourquoi cette mystérieuse lueur s'est-elle soudain allumée ? Pourquoi cette énergie titanesque, inconcevable, s'est-elle mise à déferler dans le néant ? Qui donc, selon la belle parole de Stephen Hawking, a mis « le feu aux équations » ?

Pour répondre, il va nous falloir descendre dans le feu intime de cette lumière des premiers temps. Qu'allons-nous y trouver ? En 1964, comme il nous l'a confié au cours de nos discussions, ce qui a frappé Wilson (et après lui tous les astronomes qui ont observé le rayonnement fossile), c'est son extraordinaire uniformité, à la limite du surnaturel. Quelle que soit la région observée, la température semble partout la même. Exactement la même. On a beau mesurer la fameuse radiation à un dix millième, un vingt millième de degrés près, rien à faire : pas la moindre variation de température d'un point à un autre. Un peu comme si on avait étendu une immense nappe sur des milliards de kilomètres pour un pique-nique sans faire le plus infime faux pli !

Mais est-ce bien vrai ? N'y aurait-il pas, malgré tout, à des fractions de température bien plus petites encore, d'infimes différences – quelques fractions de fractions de degrés – d'une région à une autre de la première lumière ? Si on arrivait à observer ces minuscules écarts dans le détail, alors il serait possible de lire les premiers instants de l'Univers. Dès lors, si ces traces tellement anciennes ne sont pas effacées, si elles existent vraiment, comment les déceler ? Par quel miracle ?

11

Les astronomes de métal

Nous avons tous la chance de vivre une époque éblouissante, sans équivalent dans l'histoire du savoir. Car pour la première fois, il devient possible d'apporter des débuts de réponses (reposant sur de véritables preuves) face à des interrogations jusqu'ici insolubles : quelle est la forme de l'Univers ? a-t-il une limite ? comment a-t-il commencé ? aura-t-il une fin ? y avait-il « quelque chose » avant le Big Bang ?

Chacune de ces questions donne le vertige. Mais où donc trouver les réponses ? Pas du côté de la philosophie. Ni même des anciennes sciences de l'Univers. En réalité, il faut nous tourner vers autre chose. Vers une discipline toute nouvelle, entourée d'un parfum de mystère : la « cosmologie observationnelle ». Faire de la cosmologie, c'est étudier l'Univers dans l'espace et dans le temps, depuis son origine jusqu'à sa fin éventuelle. Mais voici la magnifique nouvelle : depuis la fin du XXe siècle, la cosmologie est entrée dans une ère *expérimentale*. Pour la première fois, il devient possible de vérifier la validité des idées touchant à la structure ou au destin ultime de notre Univers. Comment a-t-on pu franchir une telle étape ? En se dotant depuis peu – quelques années à peine – de satellites observateurs, des *astronomes de métal* prodigieusement précis et puissants. Aujourd'hui, les télescopes tels que celui utilisé dans les années 30 par Hubble et Humason ne suffisent plus. Depuis notre monde, noyé dans un brouillard perpétuel de poussières et d'ondes en tous genres, il n'est pas possible de vraiment déceler les infimes détails indispensables à de nouvelles découvertes. Pour entrer dans les profondeurs de la première lumière, il va falloir observer de plus loin. Depuis l'espace. Mais avec quoi ? Quels fabuleux engins, aussi compliqués dans leur fonctionnement que mystérieux dans leurs buts, vont donc nous prêter main-forte ? Quelles sont ces prodigieuses « machines métaphysiques » que l'on va mettre en service pour dissiper le mystère qui rôde autour de l'origine ?

*

Depuis 1989, ils sont trois. Trois fantastiques engins célestes qui, au fil des années, fouillent méthodiquement les ténèbres cosmiques, pouce par pouce. Avec la même mission : photographier le fond le plus lointain de l'Univers. Au moment où vous lisez ces lignes, deux d'entre eux effectuent à chaque instant d'innombrables prises de vue, sous tous les angles possibles. Tels des photographes d'une infinie patience, ils prennent de très longs temps de pause, pour capter (presque un par un) les précieux photons qui viennent du fond de l'Univers. De la première lumière. Grâce à eux existe aujourd'hui une carte incroyablement précise – la toute première – de ce qu'était l'Univers dans son enfance, au moment où il s'est éclairé. Et toujours grâce à eux, il devient enfin possible d'observer des phénomènes qui, par des voies indirectes, nous permettent – toujours pour la première fois – de toucher au miracle : remonter jusqu'au Big Bang lui-même.

Nous avons eu la chance d'avoir des discussions et des échanges avec les chefs de file de ces trois satellites, ceux qui les ont initiés et réalisés jour après jour, pendant des années : George Smoot et John Mather pour COBE (1989), Charles L. Bennett pour WMAP (2001) et enfin Jean-Loup Puget et Jean-Michel Lamarre pour PLANCK (2009).

Impossible de ne pas être saisi d'une indicible émotion face à ce tout premier rayon de lumière déchirant les ténèbres, inondant brusquement la nuit cosmique. Et le miracle, c'est qu'il vous est aujourd'hui possible de contempler chez vous, dans votre salon, l'image de cette lueur disparue depuis des milliards d'années, cette lumière de l'enfance. Bourrés d'incroyables trésors techniques, ces trois explorateurs de l'infini vont donc vous indiquer où trouver, peut-être, ce fameux visage de Dieu dont parle George Smoot.

12

Photographier « *le visage de Dieu* »

Le premier de nos trois héros de métal s'appelle donc COBE (ce qui veut dire « explorateur du fond cosmologique »). Vous le savez, c'est lui qui a rapporté le prix Nobel à son « père » George Smoot (et à son collègue John Mather) en 2006. Et qui, du même coup, est le vrai responsable de la fameuse expression « le visage de Dieu ».

L'aventure a commencé dans les années 1970. Il aura fallu dix longues années pour construire et mettre au point, après mille tâtonnements et retours en arrière, l'unique exemplaire de cet appareil devenu aujourd'hui mythique. Finalement, le 18 novembre 1989, arrive le jour du lancement. Smoot a raconté son inquiétude lorsqu'il a découvert le lanceur Delta qui, après la dramatique explosion de la navette Challenger en 1986, avait pour mission de placer le précieux satellite en orbite : « J'avais vu la fusée de près lors d'un voyage précédent et j'avais été consterné en voyant à quel point elle semblait décrépite : taches de rouille, réparations par-ci par-là, petites soudures au Glyptal. Le travail de toute notre vie professionnelle était au sommet de cette chose[1]. »

Puis le compte à rebours. Et la mise à feu. Soudain envahi par les flammes, le pas de tir s'illumine et dans un silence irréel, les tonnes de métal s'arrachent lentement à la Terre. Trois secondes plus tard, d'un seul coup, le rugissement chimique, catapulté par l'onde de choc, déchire l'air et gronde dans les poitrines. Tandis que le monstre d'acier s'élève lourdement, on déverse des millions de litres d'eau sous les buses vomissant les flammes, pour atténuer la puissance des ondes sonores.

Trente secondes après la mise à feu : la fusée dépasse maintenant le mur du son et grimpe de plus en plus vite. Deux minutes après le lancement : elle est déjà à 40 kilomètres d'altitude et vole presque à 2 000 mètres par seconde. 240 secondes : le deuxième étage s'allume tandis que le culot de l'engin, tout à coup largué, entame lentement sa longue chute vers le sol. Cinq secondes plus tard, à 112 kilomètres de

---

1. George Smoot, Keay Davidson, *op. cit.*

haut : les lourds carénages sont éjectés à leur tour et COBE se rue maintenant dans le vide à plus de 5 000 mètres par seconde. Dix minutes après le lancement : le flux maintenant inaudible des moteurs du deuxième étage s'interrompt, immédiatement relayé par l'allumage du dernier étage. C'est lui qui, à plus de dix kilomètres par seconde, va grimper jusqu'à 900 kilomètres d'altitude. Encore une poignée de minutes et COBE atteint enfin son orbite de croisière. A présent, il flotte seul dans l'immensité glacée, à 900 000 mètres de la Terre.

Bientôt l'astronome de métal entame sa valse lente, un peu moins d'un tour sur lui-même par minute. Très vite, le premier détecteur, un spectromètre à infrarouge appelé FIRAS, est mis en service et livre avec une étonnante rapidité son verdict. Et quelques semaines plus tard, la première nouvelle se répand comme une traînée de poudre : le rayonnement fossile possède ce qu'on appelle un « spectre de corps noir » presque parfait, selon le communiqué de la NASA sur son site. Qu'est-ce que cela veut dire ? En premier, que le fond primordial se réduit à une seule chose en tout et pour tout : sa température. Vraiment très basse, celle-ci est exactement de

2,725 degrés au-dessus du zéro absolu. Presque toute l'énergie de l'Univers naissant a donc été libérée dans la première année qui a suivi le Big Bang.

Mais il y a plus. « Corps noir » veut également dire que l'Univers (un peu à la manière d'un four isolé) se comporte comme un système clos et que la première lumière est, par définition, dans un état d'équilibre thermique presque parfait. Tout réside ici dans le « presque ». Car le véritable équilibre ne peut être atteint que beaucoup plus tôt, juste *au moment* du Big Bang, comme le prédit le modèle standard. Or cet équilibre primordial qui n'a duré qu'un seul instant (le temps de Planck) recèle, selon nous, un secret très étonnant : comme nous le suggérons dans nos travaux, l'équilibre thermique du début des temps nous permet de comprendre ce qui a pu se passer avant le Big Bang. Nous reviendrons bien sûr en détail sur ce point vraiment essentiel.

Lorsqu'en 1990, John Mather a fait l'annonce de ces premiers résultats dans une salle pleine à craquer, un long silence est d'abord tombé. Puis l'assistance s'est levée en bloc et a applaudi à tout rompre durant de longues minutes.

*

Voyons à présent la deuxième grande découverte de COBE, dévoilée à une assistance soulevée d'émotion le 23 avril 1992. Les stupéfiantes photos de la toute première lumière de l'Univers ont fait la une du *New York Times* et de plusieurs centaines de journaux à travers le monde. Partout elles ont déclenché des réactions passionnées. Des passions qui, dans la salle de presse, chauffent soudain à blanc lorsque Smoot lance : « Si l'on est religieux, c'est comme voir le visage de Dieu ! »

Une fois de plus, pour mieux comprendre pourquoi celui qui, quatorze ans plus tard, allait devenir prix Nobel de physique a dit cela, reportons-nous un instant à la fameuse photo que vous avez sûrement vue, au moins une fois. De quoi s'agit-il ? De la toute première série de mesures jamais effectuées sur l'Univers enfant. « L'appareil photo » s'appelle DMR : trois radiomètres à micro-ondes, destinés à capter les infimes différences de température du fond cosmologique. Et la réussite est totale ! Que voit-on sur cette image si étrange, cette sorte de sphère aplatie aux pôles ? D'abord, un bain de couleur bleu sombre, comme un océan profond qui couvre tout le globe, de l'hémisphère Nord à l'hémisphère Sud. Puis, distribuées çà et là, des taches. Elles s'étirent comme des continents et des îles de différentes couleurs allant du bleu ciel au rouge en passant par le violet. Et immédiatement nous voici précipités au cœur du mystère : de quoi s'agit-il ? En fait, de minuscules différences de température au sein de la première lumière. Et tout, absolument tout de cette fascinante révolution est là : l'exploit de Smoot et de son équipe, c'est d'avoir montré, pour la première fois depuis 1965, que le fond diffus n'est pas partout exactement de la même température. Grâce au détecteur d'une précision presque irréelle conçu par Smoot, COBE peut mesurer des écarts dont la petitesse est à couper le souffle : à peine 10 millionièmes de degré. Dix parts sur un million ! Un exploit sidérant, qui revient à repérer instantanément la seule personne dépassant un mètre quatre-vingt-dix parmi les 100 000 habitants d'une ville ! Au fil des mois s'est donc imposée la fantastique découverte : il existe d'infimes écarts, de toutes petites différences de température au sein du rayonnement cosmologique : certaines régions (en rouge) sont légèrement plus chaudes, d'autres (en bleu) un peu plus froides. Et les astronomes l'affirment : c'est là que se cache le secret de l'origine ! Dans ces taches de couleur dont certaines, légèrement plus « chaudes », sont peut-être les lointains ancêtres de nos galaxies !

Mais il y a plus. Déjà, nombreux sont les cosmologistes qui avouent leur perplexité, voire leur embarras : les fameuses rides ne sont détectables qu'à partir d'écarts tellement petits qu'ils en paraissent insignifiants : un cent millième de degré ! Et pourtant, les simulations ne trompent pas les experts : si cet écart avait été légèrement plus grand, notre Univers se serait transformé en un gigantesque champ de trous noirs. Si au contraire il avait été un peu plus réduit, à la place de la Terre, des planètes et des étoiles n'existerait qu'un morne nuage de gaz !

*

Tout cela, Smoot le sait. Fasciné par ces stries et ces taches, ces différences de couleurs, il y voit le Graal de la physique. Il en est certain : chacune de ces traces contient un fragment du mystère originel. Déchiffrer ces vestiges gravés dans la lumière, c'est découvrir une partie du fabuleux secret : « Des traces de la formation des structures actuelles devraient apparaître dans les plus anciens restes de la fureur de la création. » Et à partir de là tout s'éclaire : c'est bien dans le rayonnement cosmologique qu'il faut chercher ces traces. Et ceci nous simplifie la tâche. Rappelez-vous : deux ans avant la présentation publique de Smoot, son collègue John Mather (qui partage avec lui le prix Nobel) a montré que le rayonnement cosmologique se comporte comme un corps noir presque parfait. Et la boucle est bouclée : ces différences de température mesurées par COBE, ce sont justement les stries, les plis que l'on cherche dans la lumière du début. Dans les régions bleues, plus froides, la matière naissante est moins dense ; au contraire, dans les régions rouges, la concentration est plus élevée. C'est là, dans ces régions de plus forte densité, que bien plus tard se formeront les premières galaxies et amas de galaxies.

Ici se pose une nouvelle question, celle risquée par Smoot à la fin de son livre à propos des fameuses rides : *D'où viennent-elles ?* Pourquoi et comment sont-elles apparues dans le rayonnement primordial ? A l'heure actuelle, le mystère est encore total. Toutefois, dans la suite de ce petit livre, nous proposerons une réponse possible, dont le bien-fondé pourrait être renforcé par les observations et mesures qui, en ce moment même, sont effectuées par le satellite PLANCK. Nous y reviendrons donc.

En attendant, plusieurs autres questions (qui vous passionnent certainement) restent encore sans réponse. En particulier, quelle est la forme de l'Univers ? A-t-il oui ou non une limite ? Qu'est-ce donc que cette chose étrange dans l'Univers qu'on appelle l'énergie sombre ? Curieusement, de la réponse à ces « grandes questions », dépend la solution de la plus grande énigme à laquelle nous sommes confrontés aujourd'hui : *D'où vient le Big Bang ?*

Comme nous allons le voir, pour avancer vers ce mystère, le flambeau va devoir passer à une nouvelle génération. Un satellite beaucoup plus puissant et bien plus fin que COBE. Et c'est là que le célèbre WMAP va entrer en scène, par un beau jour de l'été 2001...

13

Voir le bébé Univers

WMAP : vous avez tous entendu ou vu ce nom au moins une fois, à la radio ou dans les journaux. C'est le deuxième astronome mécanique de l'Histoire, celui qui a succédé à COBE. Jusqu'en 2002, il s'appelait seulement MAP (comme « carte »). Et le W ? C'est l'initiale de David Todd Wilkinson, rajoutée pour saluer sa mémoire. En effet, trente ans plus tôt, il a prédit avec Robert Dicke, Jim Peebles et Peter Roll (la fameuse « dream team » de l'université de Princeton) l'existence du mystérieux rayonnement fossile, tout juste quelques mois avant sa découverte par Penzias et Wilson. Si vous allez visiter le site de la NASA, vous pourrez y lire ceci : « WMAP est l'instrument qui, finalement, a permis aux hommes de science d'entendre la musique céleste[1] ». Ce qui, après tout,

---

1. *In* http://map.gsfc.nasa.gov/

peut être interprété comme une autre manière de « voir le visage de Dieu ».

A quoi ressemble l'engin spatial ? Deux disques servant d'antennes, un grand bouclier pour se protéger du Soleil, le tout sur quelques mètres d'un bout à l'autre pour un poids d'environ 800 kg. Il a été lancé le 30 juin 2001. Mais contrairement à son célèbre prédécesseur, il s'est immédiatement engagé dans une colossale traversée : mille cinq cents fois plus loin que COBE. Une distance à couvrir pour élaborer une nouvelle carte du fond de l'Univers, plus riche et plus précise que la précédente. Et même franchir en arrière le « mur de la première lumière » (en l'an 389 000) pour remonter (en suivant des voies indirectes) encore bien plus tôt. Jusqu'à une infime fraction de seconde après l'explosion originelle : un milliardième de milliardième de milliardième de milliardième de seconde après le Big Bang !

Afin de mettre toutes les chances de son côté, la NASA n'a pas lésiné sur les moyens : la sensibilité des capteurs de WMAP est environ 30 fois plus grande que pour COBE. Résultat : les clichés du « bébé Univers », largement publiés à partir de 2003, sont tout simplement éblouissants et enthousiasment le monde entier (vous y compris, sans doute). Aujourd'hui, plus de huit ans après son lancement, WMAP est encore au travail. Le 26 janvier 2010 a été publié le résultat de sept ans d'observations. Et comme pour les années précédentes, les articles publiés par l'équipe de WMAP restent aujourd'hui – et de loin – les articles scientifiques les plus lus et cités de toutes les publications scientifiques depuis que la science existe !

*

Début février 2010, juste après la publication du résultat des sept années d'observation, nous avons eu un assez long entretien téléphonique avec Charles Bennett, le chef du projet. « Si vous devez retenir cinq grandes choses apportées par WMAP, les voici ! » nous a-t-il annoncé d'une voix calme. De quoi s'agit-il ?

D'abord de la carte du rayonnement fossile. C'est la plus fine, la plus détaillée existant au monde aujourd'hui. Là où COBE ne voyait que des taches plus ou moins grossières (et le plus souvent très floues), WMAP, lui, a perçu et photographié des détails d'une magnifique précision. La conséquence de cette prouesse, c'est que notre robot-astronome est capable de déceler les plus infimes variations de température : les taches jaune et rouge sont un cent millième de degré plus chaudes, les taches vert et bleu deux cents millièmes de degré plus froides. Tel est l'écart inconcevablement faible que WMAP parvient à déceler : un cent millième de degré ! A cela s'ajoute une résolution des images bien meilleure, si bien que chaque détail apparaît nettement là où, avec COBE, les contours étaient encore flous.

Ensuite, il y a l'âge de l'Univers. Le chiffre est désormais calculé avec une exactitude encore plus grande que ce qu'on connaissait jusqu'ici : ce n'est plus 13 milliards 700 millions d'années mais 13 milliards 750 millions d'années (à 120 millions d'années près). Ce chiffre figure d'ailleurs maintenant dans le *Livre des Records* au titre du record de longévité !

Troisième grand résultat de WMAP : notre espace (l'espace à trois dimensions dans lequel nous vivons) est, à première approximation, *plat*. A 1 % près, ajoute toutefois le compte rendu de la NASA. Or, tout est là, dans ce fameux 1 %. Car cet écart insignifiant veut dire que les données fournies sont également compatibles avec un espace très légèrement courbé positivement (ce qui signifie, dans le cas le plus simple, qu'il devrait avoir la forme d'une sphère). Nous reviendrons plus loin sur cette question passionnante pour laquelle nous proposons une réponse qui, pensons-nous, exploite au mieux les dernières mesures fournies par WMAP.

Mais à présent, place au quatrième fruit des observations de WMAP. Ce fruit, c'est l'énergie noire. Un mot plutôt insolite, qui peut faire frémir. De quoi s'agit-il ? D'une énergie à ce jour totalement inconnue. Elle aurait cependant un effet spectaculaire : elle pourrait accélérer l'expansion de l'Univers. A chaque seconde, comme on l'a déjà observé, le cosmos se précipiterait de plus en plus vite vers l'infini. Or, le verdict de WMAP est tombé : le contenu de l'Univers serait fait de seulement 4 % de la bonne vieille matière de tous les jours, faite à partir d'atomes. Et le reste ? Un peu moins du quart serait composé de ce qu'on appelle la matière noire (une matière dont Einstein et Willem de Sitter avaient supposé l'existence dans les années 1930 et qui ne serait pas faite d'atomes) tandis que près des trois quarts restants seraient tout simplement de l'énergie noire. Peut-être bien. Le gros problème, c'est que personne ne sait vraiment ce qu'est l'énergie noire. D'où vient-elle ? Le mystère reste total.

Or, sur ce point, nous risquons à notre tour une explication. Nous pensons en effet que l'origine de la célèbre énergie noire n'existe pas ici, dans notre Univers, mais ailleurs. En réalité non pas après mais bien *avant* le Big Bang. Nous reviendrons bien sûr en détail sur ce phénomène. En attendant, le seul fait qu'il soit observé expérimentalement est déjà en soi fantastique.

Enfin, dernière conquête : selon le site officiel de la NASA, le fameux satellite astronomique commence à extraire ce qui a pu se passer un milliardième de milliardième de milliardième de milliardième de seconde après le Big Bang. En fait, autour de cette fameuse époque appelée « inflation », au cours de laquelle l'Univers s'est brutalement dilaté, au moins 10 puissance 50 fois en une fraction de seconde. On peut même lire sur le site de la NASA : « WMAP a détecté une signature majeure de l'inflation. » Nous voici donc tout près de ce qu'on pourrait appeler la création. Une nouvelle fois, notre point de vue est que certains phénomènes observés après le Big Bang ne peuvent être correctement compris que si leur source est située avant le Big Bang. Nous y revenons donc plus loin.

*

En attendant, WMAP nous a permis de faire un pas de géant. Avec dans la foulée, encore tout un tas de choses plus intrigantes les unes que les autres. Par exemple, ce très mystérieux « courant noir » repéré depuis quelques mois par une équipe d'astronomes américains du Godard Space Flight Center. Selon les observations réalisées avec le concours de WMAP, un (ou plusieurs) amas de galaxies, situé à près de trois milliards d'années-lumière de chez nous, semble se ruer à environ trois millions de kilomètres à l'heure, vers une région lointaine de l'Univers. Pourquoi ? On se risque à penser qu'il pourrait s'agir d'une source gravitationnelle invisible, peut-être située au-delà de notre horizon. Ou peut-être de tout autre chose. Et que dire du dernier compte rendu de la NASA sur son site ? « Les fluctuations du rayonnement fossile mesurées par WMAP semblent aléatoires. Toutefois, il existe plusieurs signes de possibles déviations par rapport au simple hasard qui sont en cours d'évaluation. Des écarts significatifs seraient une signature très importante d'une nouvelle physique dans l'univers naissant. »

Mais une foule de questions plus immédiates continuent de se dresser sur notre chemin. En particulier, d'où viennent ces fameuses « rides du temps » dont nous vous parlons de long en large ? qu'est-ce qui peut expliquer ces infimes différences de température que l'on observe dans les profondeurs de la première lumière ? qu'est-ce que la mystérieuse énergie noire ? d'où vient le Big Bang ?

Sans faire d'annonces fracassantes, nous proposons dans la suite de ce petit livre d'apporter – le plus modestement possible – des débuts de réponse à ces questions (qui, dans notre approche, sont d'ailleurs reliées les unes aux autres). Toutefois, ces directions à suivre – ces fragiles hypothèses – n'ont de valeur que si elles sont confirmées par ce que l'on peut observer. C'est pourquoi encore aujourd'hui, nous attendons beaucoup de WMAP (en particulier des conclusions de ces sept ans d'observation et du tout dernier rapport avant l'arrêt de programme, prévu pour l'année prochaine). Et pour finir une bonne nouvelle : plusieurs des zones d'ombres évoquées plus haut sur lesquelles butent les experts pourraient bien être spectaculairement éclairées dans les mois à venir par le satellite PLANCK. C'est le troisième astronome mécanique du fond diffus de l'Univers. Une machine éblouissante, avec laquelle nous allons faire connaissance dans le chapitre qui suit.

14

« *Voir* » *le Mur de Planck*

En ce moment même, alors que vous venez de tourner la page de ce livre, se déroule la plus fantastique expérience cosmologique de toute l'Histoire. Une expérience qui va encore bien plus loin que COBE et WMAP. L'enjeu ? Il suffit de se reporter au site de l'ESA[1] ainsi qu'au site conjoint ouvert par la NASA, le Jet Propulsion Laboratory et Caltech pour en saisir la fantastique portée : « La mission, qui est dirigée par l'Agence spatiale européenne avec une participation importante de la NASA, nous aidera à répondre à la plus fondamentale de toutes les questions : comment l'espace a-t-il tout à coup commencé à exister et s'est-il étendu pour devenir l'Univers dans lequel nous vivons aujourd'hui[2] ? » Nous sommes tous en

---

1. *In* http://www.esa.int/SPECIALS/Planck/
2. *In* http://planck.caltech.edu/news20090813.html

attente de la réponse. Préparez-vous : celle-ci pourrait changer de fond en comble, dès les prochains mois, votre vision du monde.

*

Imaginez…

A un million et demi de kilomètres de chez vous, commence un « paysage » effroyablement autre. Il y fait noir. Et froid. Moins de 3 degrés au-dessus du froid ultime, qu'on appelle le zéro absolu. Ou encore, plus de 270 degrés au-dessous de 0. Dans toutes les directions, c'est le vide, sans autres limites que le soleil et, bien plus loin, les étoiles, ces soleils étrangers qui brillent en silence, par milliards. Or au cœur de cet abîme solitaire et glacé, il y a quelque chose. Une masse de métal cylindrique d'environ deux tonnes, mesurant un peu plus de quatre mètres de diamètre. En somme, la taille et le poids de votre voiture ! L'engin file en silence dans les ténèbres à plusieurs dizaines de milliers de kilomètres à l'heure. Et il fait en gros un tour sur lui-même à chaque minute.

*

Ce minuscule îlot de civilisation perdu dans l'immensité qui fait rage autour de lui n'est autre que le célèbre satellite astronomique dont nous vous avons déjà parlé : PLANCK. Il a été lancé tout récemment, le 14 mai 2009. A la différence de ses deux prédécesseurs, PLANCK est européen. Pourquoi ce nom de PLANCK ? Sans doute pour deux raisons : la première est que, du moins indirectement, ce fantastique satellite cosmologique nous permettra de nous rapprocher de la frontière ultime de la réalité, là où tout commence avec le Big Bang : le Mur de Planck. Pour la première fois, le défi – immense – consiste à « voir » le Mur de Planck. Une utopie ? Non. Un défi. La deuxième raison, c'est que le rayonnement fossile possède, on l'a vu, un spectre de corps noir. Or, ce spectre obéit à une fonction qu'on appelle la « fonction de Planck ».

L'idée lointaine est apparue il y a environ dix-sept ans en France, au sein d'une grande institution de recherche : l'Institut d'Astrophysique Spatiale. A cette époque, un petit groupe d'hommes travaille sur un satellite qui, en ce moment même, glisse (lui aussi) dans la solitude glacée de l'espace, à un million et demi de kilomètres de chez nous. Son nom ? HERSCHEL. Son objectif ? Mieux comprendre comment les galaxies se sont formées, tout au début de l'Univers. Et comment, à leur tour, les étoiles naissent au sein des galaxies. Or, en cette année 1993, l'un des scientifiques du « groupe Herschel » a eu une idée : pourquoi ne pas utiliser certaines des techniques mises au point pour HERSCHEL sur un autre satellite ? Un satellite « cosmologique » qui, comme COBE, aurait pour mission de sonder la première lumière, mais avec une sensibilité mille fois plus grande.

Mille fois plus grande !

La proposition fait mouche et à l'Institut d'Astrophysique Spatiale, tout le monde est enthousiasmé. L'homme qui a eu cette formidable idée est un astrophysicien de l'Institut, Jean-Michel Lamarre. Très vite, un petit groupe se forme autour du fantastique défi avec à leur tête Jean-Loup Puget, de l'Académie des sciences. Et bientôt commence la prodigieuse aventure. Le responsable scientifique du projet sera Jean-Loup Puget. Quant à Jean-Michel Lamarre, il devient responsable scientifique de l'instrument. Ainsi s'est formé avec quelques autres, il y a longtemps déjà, le tout petit groupe des « Planckiens » (c'est le surnom qu'ils se sont donné). Aujourd'hui, ils sont plus de trois cents derrière le prodigieux astronome de métal.

*

Et dès le premier jour, tous le savent : pour faire mieux que WMAP, pour remonter encore plus loin vers l'origine, la route sera longue et difficile. Pour réussir, il faudra un détecteur d'une sensibilité à peine imaginable, bien plus grande que tout ce qui existe jusque-là. Où le trouver ? Pragmatique et toujours en avance d'une réponse, Jean-Michel Lamarre propose alors sa solution : adapter au futur satellite cosmologique le détecteur ultrafroid de HERSCHEL (qu'il connaît sur le bout du doigt). Avec, à l'arrière, un système de refroidissement encore jamais réalisé. Ainsi est né le fameux HFI (instrument à haute fréquence). C'est lui le cœur de PLANCK, un détecteur qui, pour marcher, devra atteindre la température la plus basse de tout l'Univers : un dixième de degré au-dessus du zéro absolu ! Jean-Michel Lamarre a soigneusement conservé le carnet sur lequel, voici dix-sept ans, il a griffonné les tout premiers croquis de PLANCK et de son prodigieux détecteur à haute fréquence, son étonnant refroidisseur à dilution. Des images venues de loin qui, par un détour étonnant, illustrent aujourd'hui le trois cent quarante-huitième anniversaire de la Royal Society of London et les dernières pages de ce livre !

PLANCK s'est donc envolé avec son cousin
HERSCHEL à bord de la puissante ARIANE
5. On a réussi sur lui la sidérante manipulation
évoquée plus haut : abaisser au-delà de l'imaginable la température de ses détecteurs. A tel
point qu'à présent, PLANCK est bel et bien
devenu l'objet *le plus froid* de tout l'Univers.
Bien plus froid (presque 2,7 degrés de moins)
que le vide spatial lui-même, là où pourtant la
température frôle le zéro absolu ! Résultat :
PLANCK est aujourd'hui le « thermomètre »
le plus performant qui puisse exister. Ses capteurs (qu'on appelle, souvenez-vous du mot,
des « bolomètres ») sont tellement sensibles
qu'ils sont capables de mesurer des écarts de
température causés par une « poignée » de
photons et donc inimaginablement faibles : un
million de fois plus petits que 1 degré ! En pratique, de deux à six millionièmes de degrés !
Ce chiffre donne le vertige. Si l'on prenait une
immense plage au bord de la mer remplie d'un
million de baigneurs, en un instant, PLANCK
pourrait nous dire si un nouveau couple est
arrivé sur la plage. Ou si au contraire, il en est
reparti. Ou encore, si dans une prairie avec un

million de brins d'herbe, il en manque deux ou trois. Si l'on revient maintenant aux températures, sa précision signifie que notre fameux satellite peut déceler depuis la Terre la chaleur d'un chat assis sur la lune ! Il est 30 fois plus sensible (et donc plus précis) que WMAP et encore 1 000 fois plus que COBE : pour prendre une photo vraiment nette du bébé Univers, il lui suffit d'un temps de pause d'un an contre 450 ans pour WMAP ! C'est donc PLANCK qui, désormais, détient les clefs ultimes. Celles qui vont nous permettre d'entrouvrir peut-être la porte la plus secrète de tout l'Univers.

Mais que pourrait-il y avoir au bout de cette porte ? Qu'est-ce qu'on attend de PLANCK ? Voici ce que nous a confié Jean-Michel Lamarre, le directeur scientifique de l'instrument le 18 mars 2010, au lendemain de la publication dans le monde des saisissantes images de la poussière froide prises par PLANCK : « PLANCK, avec son instrument hautes fréquences (HFI), constitue pour moi une avancée majeure en établissant des cartes du ciel nouvelles à tous points de vue et qui ouvrent deux domaines essentiels :

« Ces cartes permettent d'établir une image *complète* du fond diffus micro-ondes, c'est-à-dire une lumière émise juste après le Big Bang, quand l'univers n'avait que 0,003 % de son âge actuel. Mille fois plus sensible que COBE et 30 fois plus que WMAP, PLANCK produit des cartes avec une bien meilleure résolution angulaire (10 fois plus de pixels) et avec moins de bruit (pour une photo, on dirait moins de grain). Cela nous permettra de mettre à l'épreuve les théories multiples qui subsistent dans le domaine de la formation et de l'évolution de l'Univers. Nous avons pris un soin particulier pour éviter les effets parasites qui pourraient perturber l'interprétation des données.

« La première carte détaillée du ciel dans le domaine de longueurs d'onde comprises entre 0,3 mm et 3 mm nous donne accès à toute la matière froide de notre galaxie et des autres galaxies. La carte partielle qui vient d'être rendue publique met en évidence la structure des poussières froides du milieu interstellaire et des condensations où vont se former de nouvelles étoiles. Cette matière est à seulement une dizaine de degrés au-dessus du zéro absolu. Nous attendions cette mesure depuis trente-cinq ans ! Depuis les observations pionnières de Guy Serra (expérience AGLAE dans les années 1970).

« Mes attentes sont donc immenses dans ces deux domaines et je trouve ces premiers résultats enthousiasmants. »

En effet, déjà, les premiers fruits (attendus depuis près de quarante ans) arrivent. Depuis le 17 mars 2010, vous pouvez découvrir sur le site de l'ESA des images éblouissantes, dont la signification est à couper le souffle. Qu'est-ce qu'elles nous montrent ? De la poussière froide (de 10 à 20 degrés au-dessus du zéro absolu). C'est l'un des tout premiers secrets de la formation des étoiles que nous avons sous les yeux.

Mais PLANCK se prépare à nous en dire beaucoup plus[1]. A reprendre l'exploration là où WMAP s'est arrêté. Par quoi allons-nous commencer ? Par cette question presque naïve, pour laquelle, jusqu'ici, il n'y avait pas de réponse : *pourquoi* l'Univers est-il si bien réglé ?

---

1. Voir l'excellent site de PLANCK : http://public.planck.fr/

15

Pourquoi l'Univers est-il si bien réglé ?

Un soir de juin 1990, à l'Académie française. Nous avions rejoint le philosophe Jean Guitton et André Lichnerowicz, l'un des grands physiciens mathématiciens du XXe siècle. Nos échanges portaient sur le livre que les deux académiciens venaient d'écrire ensemble sous le titre : *Le Chaos et le Déterminisme*[1]. Rêvant à ses lointains souvenirs d'enfance, Jean Guitton se préparait à approfondir l'une des nombreuses questions soulevées au passage de nos discussions sur Dieu et la science. D'une voix brève, un peu assoupie sous le chapeau en feutre qu'il portait dès qu'il sortait de chez lui, il parlait en passant presque sans bruit d'un mot à l'autre :

---

1. Alexandre Favre, Henri Guitton, Jean Guitton, André Lichnerowicz, Etienne Wolff, *Chaos and Determinism*, Johns Hopkins Press, 1995.

« Par quelle étrange coïncidence la taille d'un homme est-elle égale au rayon de la Terre multiplié par celui d'un atome ? Pourquoi, de la même manière, la masse d'un être humain est-elle égale à la masse de la Terre multipliée par la masse d'un atome ? »[1]

Avec ses mots bien à lui, dans un souci plus métaphorique que scientifique au sens strict, Jean Guitton venait de poser ce soir-là une question qui intriguait depuis longtemps déjà nombre de physiciens : celles de ces « violentes coïncidences » qui semblent exister entre certaines grandeurs jusqu'à donner un sens à l'Univers tout entier. Comment ne pas être troublé par ces grandeurs, ces coïncidences « miraculeuses » qui existent entre elles ? Toutes, sans exception, montrent que si les conditions initiales – au moment même du Big Bang – et, aujourd'hui, la valeur de ce qu'on appelle les « constantes fondamentales » avaient été un tant soit peu différentes, l'homme, la vie et l'Univers lui-même ne seraient jamais apparus.

Sans doute avez-vous déjà entendu parler de cet étrange constat. Or, il constitue une énorme

---

1. Les exemples évoqués ici par le philosophe Jean Guitton ne doivent évidemment pas être pris au pied de la lettre. Ils n'ont pas de signification scientifique et doivent être considérés comme de simples métaphores de philosophie.

surprise. A priori, ni la Terre ni l'homme ne sont au centre de l'immense Univers. Et pourtant : tout semble « ajusté » comme si le cosmos entier, de l'atome à l'étoile, avait exactement les propriétés requises pour que l'homme puisse y faire son apparition.

*

Prenons par exemple ce qu'on appelle la « force nucléaire forte » : vous le savez, elle agit comme une sorte de « colle » à l'intérieur des atomes. Grâce à elle, les protons et les neutrons sont confinés au sein du noyau, ce qui fait qu'à notre échelle la matière « tient » solidement. Or comme l'observe Stephen Hawking, « si la force nucléaire forte était de 2 % plus élevée qu'elle ne l'est, la fusion de l'hydrogène deviendrait impossible. Ceci aurait évidemment des conséquences directes sur la physique des étoiles et ferait probablement obstacle à l'existence de vie similaire à celle qu'on observe sur Terre[1] ».

Autre exemple troublant : si une seconde après le Big Bang, le taux d'expansion de l'Univers avait été plus lent ne serait-ce que de 1 sur un milliard, le cosmos naissant se serait effon-

---

1. Stephen Hawking, *op. cit.*

dré sur lui-même bien avant d'avoir atteint sa taille actuelle. A l'inverse, un Big Bang un tant soit peu plus « rapide » et les étoiles n'auraient jamais vu le jour.

Tout cela est bien sûr très troublant. Que se serait-il produit si une ou plusieurs des grandeurs sur lesquelles repose notre Univers avaient eu, dès le départ, des valeurs légèrement différentes ? Les architectes le savent bien : pour ne pas s'effondrer, leurs constructions doivent être rigoureuses, géométriques, *exactes*. Or tout se passe, justement, comme si l'Univers tout entier était lui aussi soumis à une même contrainte d'exactitude : on imagine mal un cosmos *indécis*. On ne demandera jamais à une étoile d'interpréter à sa façon, confusément, poétiquement, la loi de la gravitation, mais de lui obéir à la lettre, de l'exécuter intégralement, sans laisser de « trou » dans l'application de cette loi. En levant les yeux vers le ciel, on sent bien, sans forcer le trait, que les étoiles n'inventent rien : il règne dans le cosmos comme une exactitude enragée. Au stade de géante rouge, l'étoile mourante aura beau paraître indécise quant à son destin (s'effondrera-t-elle en étoile à neutrons ou en trou noir ?), elle n'échappera pas au scénario stellaire très rigoureux que sa masse a prédit pour elle : en s'effondrant, elle exprimera, entre autres, la loi sans faille de la gravitation. Son histoire d'étoile n'est pas tout à fait la sienne : elle figure et inscrit dans sa matière stellaire quelque chose de plus : des lois physiques qui ne fabriquent pas seulement des étoiles, mais aussi des planètes, des nuages, des oiseaux, des chiens, des maisons, des fours à micro-ondes ou des téléphones portables. Au mois de mai 2000, pendant nos dernières années de thèse, le cosmologiste David Wilkinson, l'un des pères de WMAP, nous avait alors déclaré : « Je suis certain que notre sonde cosmologique confirmera bientôt que dans l'Univers rien n'a été laissé au hasard. » Il est vrai que quelques années plus tard à peine, WMAP confirmera de manière saisissante et avec une incroyable précision le scénario des toutes premières années de vie de l'Univers : un scénario qui établissait une fois pour toutes l'extraordinaire rigueur du réglage des conditions initiales.

*

Des atomes jusqu'aux étoiles, l'Univers semble fantastiquement structuré, hiérarchisé, ordonné. Bien au-delà de ce que nous pouvons comprendre. Au siècle des Lumières, il suffisait au philosophe Kant de lever les yeux vers le ciel nocturne pour y voir « un cosmos ordonné par la seule vertu des lois de la nature[1] ». Or cet « ordre » mystérieux qui fait que les choses *sont ce qu'elles sont*, repose sur un petit nombre de ces mystérieuses « constantes physiques » évoquées plus haut : la vitesse de la lumière, la constante de gravitation, le temps de Planck, la masse de l'électron, etc. Il s'agit de grandeurs arithmétiques – des nombres – dont les valeurs sont fixes et d'une précision extrême. D'où viennent-elles ? Ce qu'on sait, c'est que ces nombres existent « depuis toujours », c'est-à-dire depuis les tout premiers instants du Big Bang. Et qu'ils n'ont pas varié depuis l'aube des temps. Mais par quel miracle ont-ils *tout juste* la valeur qu'il faut pour que « tout marche » dans l'Univers ? Par quoi – par qui – ont-ils été calculés ?

Voyons tout cela de plus près. Chacune de ces constantes s'écrit avec un chiffre, une virgule et, parfois, trente ou quarante décimales calculées derrière la virgule. Ces cascades de chiffres si précis, si incroyablement ajustés les uns aux autres, ces grandes constantes sur lesquelles repose en un invraisemblable équilibre tout notre Univers ont déconcerté, tourmenté, fasciné

---

1. Michel Puech, *Kant et la Causalité – Etude sur la Formation du Système critique*, Librarie Philosophique Vrin, 1990.

jusqu'à l'obsession les plus brillants esprits, tels le grand physicien allemand (naturalisé plus tard américain) Hermann Weyl, le souvent sceptique Arthur Eddington ou encore Paul Dirac et Richard Feynman, tous deux prix Nobel. Et aujourd'hui comme hier, le mystère reste entier.

En effet, à y réfléchir un tant soit peu, notre situation est très insolite. Partout dans l'Univers mais aussi jusqu'à la moindre parcelle à l'intérieur de votre corps, rien, absolument rien, n'échappe à ces fameuses constantes universelles. Pour autant, nous ne savons pas – et peut-être ne saurons-nous jamais – d'où elles viennent. Et bien sûr, aucun moyen d'agir sur elles. Mais les faits sont là : ce sont les valeurs précises de ces grands nombres qui font qu'en ce moment même, le livre que vous avez entre les mains ne tombe pas en poussière élémentaire. Et ce sont elles qui ont permis à l'Univers d'évoluer jusqu'à engendrer une forme de vie capable de l'observer. Tout cela est tellement déconcertant, tellement incroyable que de nombreux philosophes et scientifiques pensent y déceler une sorte de « projet cosmologique ». Dès la fin des années 1950, des astrophysiciens aussi réputés que Robert Dicke, par exemple, avaient observé que dans les cas où un seul paramètre aurait été légèrement différent – un « 2 » à la place d'un « 3 », par exemple –, l'Univers tel que nous le connaissons (et a fortiori, la vie telle qu'elle se manifeste sur notre planète) ne serait jamais apparu. Depuis, l'expérience a été répétée maintes et maintes fois : en assignant des valeurs légèrement différentes à ces constantes et en calculant, grâce à de puissants ordinateurs, ce qui se serait alors produit à l'échelle du cosmos, on découvre que dans la totalité des cas possibles, les univers qui en auraient résulté seraient soit stériles, soit chaotiques, soit encore inorganisés et informes. Prenons par exemple la gravitation. Il s'agit d'une force à laquelle nous sommes tellement habitués, un phénomène tellement banal qu'on oublie que c'est elle qui crée les marées en bord de mer, elle qui rend nos sacs de course toujours trop lourds ou encore elle qui nous permet de jouer à la pétanque : cette force agit clairement sur notre monde mais elle existe aussi « en dehors » du monde. C'est d'ailleurs ce qui fait qu'on la retrouve sur la Lune, sur Mars, sur Pluton ou sur n'importe quelle planète hypothétique en orbite autour d'un soleil appartenant à l'une des plus lointaines galaxies. Pourquoi cette loi est-elle universelle ? Comme toutes les autres lois de la nature, elle semble bien avoir une existence abstraite, indépendante, non réductible aux systèmes sur lesquels elle agit, uniquement saisissable par ses effets et seulement descriptible par les mathématiques. L'ensemble de ces lois fondamentales est ordonné selon des paramètres qui nous demeurent largement mystérieux : Pourquoi la vitesse de la lumière est-elle de 299 792 458 m à la seconde ou pour quelle raison le premier terme de la constante de gravitation revêt-il la valeur de 6,67 ? Pourquoi ces valeurs-là et pas d'autres ?

*

A présent, voici quelque chose d'encore plus déconcertant. Jusqu'ici, nous vous avons parlé de constantes de l'Univers, sans faire de distinctions particulières. Or, parmi toutes ces grandeurs, il en existe certaines qui sont tout à fait spéciales, encore plus étranges : on les appelle des constantes « sans dimension ». Pourquoi sans dimension ? Parce que leur valeur numérique est universelle, c'est-à-dire qu'elle reste la même selon tous les systèmes de mesure possibles. On a récemment découvert (en fait au début des années 2000) que le fameux « modèle standard de la physique » repose sur une vingtaine de ces constantes fondamentales, que l'on dit être « sans dimension ». L'un des exemples le plus frappant est la célèbre « constante de structure fine » (qui régit la force électromagnétique, l'une des plus banales dans notre quotidien).

Elle a été découverte en 1916 par l'incontournable physicien allemand Arnold Sommerfeld, proche d'Einstein et maître à penser (entre autres) des Nobel Wolfgang Pauli et Werner Heisenberg. La valeur de cette constante (précisée en 2006) est exactement 1 divisé par 137, 035999679..., ce qui nous donne 0,0072973525376... Mais pourquoi cette valeur et pas une autre ? Personne ne le sait. Toujours est-il que l'implacable réalité est là : si l'on prend un seul de ces chiffres, par exemple ici le dernier trouvé (qui est 6) et qu'on le remplace par un 7 (ou par un 5 ou par n'importe quel autre chiffre), tout se détraque. La force électromagnétique « tombe en panne » et l'Univers tout entier cesse d'exister ! Cette chose folle hantait littéralement le physicien allemand Max Born, l'une des gloires de la mécanique quantique, prix Nobel en 1954 : « Si la constante de structure fine avait une valeur légèrement plus élevée que celle qu'elle a, nous ne serions plus en mesure de distinguer la matière du néant, et notre tâche pour démêler les lois de la nature serait désespérément compliquée. La valeur de cette constante n'est certainement pas due au hasard mais découle d'une loi de la nature. Il est clair que l'explication de ce nombre devrait être le problème central de la philosophie naturelle[1]. » C'est aussi ce que pensait un autre grand nom de la physique, Richard Feynman.

Nous vous avons déjà parlé de ce savant américain hors du commun. Enfant surdoué, il dévorait tous les livres de science – surtout les plus compliqués – qu'il pouvait chaparder ici et là. Encore au collège, il avait remporté haut la main le championnat de mathématiques de l'université de New York. Puis ce fut l'entrée au MIT et un peu plus tard à Princeton, toujours au pas de charge. Durant les années de guerre, alors qu'il n'a pas encore passé sa thèse, le voilà enrôlé, avec les meilleurs, dans le projet Manhattan. Là, il côtoie chaque jour la fine fleur de la physique mondiale, Niels Bohr, Hans Bethe (le fameux « Bêta » de l'article d'Alpher et Gamow), Enrico Fermi, Robert Oppenheimer et tant d'autres. Détail révélateur et insolite : il est le seul parmi les scientifiques et

---

1. Max Born, *My Life : Recollections of a Nobel Laureate*, Taylor & Francis, Londres, 1978.

les militaires à avoir assisté sans lunettes noires – juste derrière le pare-brise d'un camion – à la toute première explosion de la bombe atomique, « pour ne rien perdre », disait-il, des événements démentiels se succédant en chaîne dans la fournaise nucléaire. Puis c'est la consécration avec les cours magistraux au Caltech qui le rendent célèbre dans le monde entier et enfin le prix Nobel. Musicien (il jouait à ravir du bongo), l'un de ses passe-temps favoris était de forcer la combinaison secrète des coffres-forts, ou encore de déchiffrer d'invraisemblables manuscrits codés (comme les hiéroglyphes mayas). Mais son attention véritable, il la porte sur ces nombres étranges qui circulent dans les profondeurs de l'Univers. Et bien sûr, celui qui le fascine le plus est la constante de structure fine. Une nouvelle fois.

Dans ses cours – on venait des quatre coins de l'Amérique pour y assister –, il insistait toujours longuement sur cette étrange constante. Et un beau jour, tout comme Smoot, il ne peut s'empêcher de voir dans cette suite miraculeuse, totalement inexplicable, la main de Dieu : « C'est l'un des plus grands mystères de la physique : un nombre magique donné à l'homme sans qu'il y comprenne quoi que ce soit. On pourrait dire que "la main de Dieu" a tracé ce nombre et que l'on ignore ce qui a fait courir Sa plume. On connaît le rituel expérimental auquel il faut procéder pour le mesurer, mais on ne sait pas quel programme il faut mettre dans un ordinateur pour en faire sortir ce nombre[1]. »

Il faut dire que ce nombre très étrange nous réserve bien des surprises. En voici une des plus troublantes : si nous le divisons par la constante de couplage contrôlant la gravitation, nous obtenons une nouvelle constante sans dimension, d'une importance cruciale, qui s'écrit 10 puissance 36, c'est-à-dire 1 000 000 000 000 000 000 000 000 000 000 000 000. Or, comme le remarque Feynman, si nous supprimons un ou deux zéros dans cette constante, l'expansion est freinée et l'Univers reste réduit à une taille miniature. Donc, impossible pour la vie de se développer. Au contraire, quelques zéros en plus et ni les étoiles ni les planètes ne peuvent se former. « De quoi s'arracher les cheveux ! » s'exclamait alors Feynman en levant les bras au ciel.

Aujourd'hui, l'astrophysicien anglais Martin Rees, Baron de Ludlow, Astronome royal, pré-

1. Richard P. Feynman, in *QED : The Strange Theory of Light and Matter*, Princeton University Press, 1985.

sident de la Royal Society et directeur du très sélectif Trinity College à Cambridge, partage l'avis de Feynman. Est-ce un hasard ? Lui aussi s'est intéressé de très près au rayonnement fossile. Il a d'ailleurs obtenu en 2005 le prestigieux prix Crafoord qu'il a partagé avec James Peebles (dont vous lirez sans doute avec émerveillement la belle postface à la fin de ce livre).

Pour le Baron de Ludlow, l'Univers repose sur six constantes sans dimension. Il leur a consacré d'innombrables articles, études et séminaires, plusieurs ouvrages, de saisissantes conférences, en bref, toute une vie. Un jour, il a même laissé bouche bée les pairs de la Chambre des lords lorsqu'il leur a calmement montré qu'il suffisait de toucher un seul chiffre sur l'une de ces six constantes pour provoquer inéluctablement la fin du Parlement britannique. Et celle de tout l'Univers.

*

Parmi ces grands nombres qui intriguent le Baron de Ludlow, il y en a un qui jalonne d'épisodes dramatiques, de retournements spectaculaires l'histoire de la physique, à laquelle elle apparaît autant liée qu'à celle de l'Univers : la fameuse « constante cosmologique ». Ce nouveau nombre mérite que nous nous y arrêtions quelques instants.

Vous le savez peut-être, la valeur de la constante cosmologique est l'un des paradoxes les plus troublants de la physique actuelle. Pourquoi ? Parce que tout se passe comme si la fameuse constante avait été calculée, « réglée » avec une précision inimaginable, qui tient du miracle. Un prodige que Smoot ne manque pas de relever dans son livre : « Le Big Bang, l'événement le plus cataclysmique que nous puissions imaginer, à y regarder de plus près, apparaît finement orchestré [1]. »

Selon certains – philosophes mais aussi hommes de science –, c'est là, dans cette valeur fantastiquement ajustée (à la cent dix-neuvième décimale près), que l'on retrouve, une nouvelle fois, quelque chose comme le visage de Dieu. En effet, il existe des contributions positives d'une part et négatives d'autre part qui, ajoutées les unes aux autres, font que la constante cosmologique a la valeur qu'elle a. Et cette valeur est absolument extraordinaire : c'est ce qui permet à l'Univers d'atteindre la densité totale (incroyablement près de la valeur 1) grâce à laquelle il est pratiquement plat. Et

---

1. George Smoot, Keay Davidson, *op. cit.*

voici encore un nouveau motif d'émerveillement face au « réglage » de l'Univers au moment de sa naissance. En effet, Gamow et Weinberg (l'infatigable explorateur des trois premières minutes) ont calculé qu'environ 200 secondes après le Big Bang, la densité moyenne était celle de l'eau (soit un gramme par centimètre cube). Ce qui signifie que le rapport entre la densité moyenne et la densité critique (appelé, vous le savez, Oméga) différait de 1 d'une décimale seulement après treize zéros derrière la virgule. Et au moment du Big Bang, au temps de Planck (10 puissance moins 43 seconde), Oméga était vertigineusement proche de 1 : il s'écrivait 1, 000 000 000 000 000 000 000 000 000 000 000 000 000 000 000 000 000 000 000 001 ! La déviation par rapport à 1 n'apparaît qu'à la soixantième décimale. Passablement ébranlé, George Smoot n'a alors pas pu s'empêcher d'observer : « Une valeur si proche de 1 ne peut pas être le fait du hasard, et les gens raisonnables pensent que quelque chose oblige Oméga à être égal à 1 [1]. »

Ce « quelque chose » pourrait donc bien être la constante cosmologique. Sommes-nous au bout de nos surprises ? Non, car surgit aus-

---

1. *Ibid.*

sitôt une nouvelle question : comment, par quel prodige, la constante elle-même arrive-t-elle au chiffre tellement précis qui est le sien et pas à un autre ? C'est là que les choses deviennent franchement renversantes. En effet, les contributions positives venant des quatre forces de l'Univers et les contributions négatives venant de la matière s'annulent jusqu'à la 120e décimale ! Ce qui veut dire qu'en unités de Planck, la constante s'écrit 0 puis la virgule puis 119 zéros derrière, jusqu'à ce que l'on trouve enfin un chiffre non nul au 120e rang[1] ! Autre manière de voir ce prodigieux réglage : la constante en question a une chance sur un milliard de milliard de milliard de milliard de milliard de milliard de milliard de milliard de milliard de milliard de milliard de milliard de tomber juste sur la « bonne valeur » (c'est-à-dire la sienne) par hasard ! Curieusement, ce très étrange paradoxe est en accord avec une prédiction faite par Steven Weinberg en 1987 : celui-ci a fait valoir que la constante cosmologique devait être nulle jusqu'à la

_____

1. Au passage, précisons que les unités de Planck représentent un système d'unités uniquement défini à l'aide de certaines constantes fondamentales. Curieusement, les physiciens leur donnent souvent le surnom d'« unités de Dieu ».

120e décimale. Un tant soit peu plus grande et l'Univers se serait dilaté trop vite pour que les étoiles et les galaxies aient le temps de se former. Au contraire, à peine plus petite et le cosmos se serait effondré sur lui-même depuis bien long-temps.

*

En réalité, cela faisait déjà longtemps que nombre de physiciens étaient intrigués par ces « étranges coïncidences » entre telles grandeurs numériques et tels phénomènes physiques. Dès la fin des années 1930, Paul Dirac lui-même avait été fortement troublé par ces curieuses correspondances : ne pouvait-on alors suppo-ser que dans la longue histoire de l'Univers, rien n'avait été laissé « au hasard » ? L'écri-vain Helve Kragh, qui a consacré en 1990 une passionnante biographie à Paul Dirac, raconte que ce dernier a été très impressionné par ce qui s'est produit lors d'une conférence qu'il donnait au Palais de la Découverte, à Paris, en décembre 1945. A sa grande surprise, lorsqu'il a pris place sur l'estrade de conférencier, il a découvert que l'amphithéâtre était littérale-ment bondé : plus de 2 000 personnes se pres-saient sur les gradins, applaudissant à tout rompre, alors qu'il n'avait même pas pris la parole. A cet instant, Dirac eut le désagréable sentiment d'une méprise : cette foule si avide de l'écouter ne le prenait-elle pas pour quelqu'un d'autre ? Il se tourna alors vers l'un des organisateurs qui, très gêné, finit par lui avouer :

— Monsieur le Professeur, tout le monde croit dans cette salle que vous êtes l'un des pères de la bombe atomique. Ils sont tous venus pour ça !

A cet instant, glissant un regard circulaire sur la foule qui n'en finissait pas de l'applaudir, Dirac faillit tourner les talons et quitter la salle. Mais heureusement, le regard plein d'admiration de sa femme Margit (qui n'était autre que la sœur d'Eugène Wigner, prix Nobel de physique en 1963) allait le convaincre de délivrer malgré tout sa conférence. Au grand dam de l'assistance qui avait cessé de l'applaudir dès les premiers mots de son discours, Dirac ne fera pas la moindre allusion à la bombe. Au lieu de cela, il va s'obstiner à démontrer avec la plus grande minutie, pendant presque deux heures, que tous les grands nombres qui apparaissent dans les théories physiques expriment une relation entre le monde infiniment petit des particules élémentaires et celui, infiniment grand, de l'Univers.

Totalement sourd aux questions sur la bombe, mais soucieux du moindre détail technique (et probablement pour se venger du fait que cette foule ait osé le prendre pour l'un des pères de la bombe atomique), il prit le plus grand soin à établir que le nombre de protons disséminés à l'intérieur du rayon de Hubble (c'est-à-dire la distance parcourue par la lumière depuis les débuts de l'Univers) était de 10 puissance 80 : un nombre environ égal à celui des protons et neutrons de l'Univers tout entier. Et toujours selon Dirac, ce n'était évidemment pas un hasard si ce nombre représentait le carré du fameux 10 puissance 40. Autant dire que ces subtilités passaient largement au-dessus de la tête de tous ceux qui, ce jour-là, étaient venus entendre un « grand savant » parler de la bombe et que personne ne comprit goutte au discours parfaitement opaque du conférencier.

On a raconté par la suite que Dirac a souvent repensé à cette méprise : que se serait-il passé s'il avait vraiment fait partie du projet Manhattan ? Certes, pendant les années de guerre, alors qu'il se trouvait à Oxford, il avait bel et bien travaillé sur certains problèmes liés à la bombe, mais de là à le considérer comme l'un des « pères » de cette arme, il y avait un gouffre. Etait-ce parce qu'il était profondément pacifiste ? Toujours est-il qu'il finit par conclure qu'un « réglage fin » avait fait basculer son destin et que plusieurs « heureuses coïncidences » qu'il croyait avoir repérées l'avaient éloigné des recherches auxquelles beaucoup de ses proches (comme Robert Oppenheimer, par exemple) avaient participé. C'est peut-être à cause de l'incident du Palais de la Découverte que Dirac avait fini par conclure que le destin d'une vie correspond à un ordre profond susceptible, à force d'en rechercher les causes, d'être analysé et expliqué. Et selon lui, pour l'Univers, c'était exactement la même chose.

*

Au fond, la seule question qui compte vraiment c'est celle-ci : l'Univers est-il apparu par hasard ou s'agit-il, comme aimait à en plaisanter l'astrophysicien Fred Hoyle, d'un « coup monté » ? L'aventure de la vie résulte, semble-t-il, d'une tendance *naturelle* de la matière à s'organiser spontanément en systèmes de plus en plus hétérogènes et de plus en plus complexes. Mais pour quelle raison profonde ? Y a-t-il une ou plusieurs « lois » encore inconnues qui, dans certaines conditions d'énergie, poussent la matière à s'organiser jusqu'à devenir

« vivante » ? A juste titre, Ilya Prigogine, prix Nobel de chimie 1977, a consacré une grande partie de sa vie à montrer qu'il existe une sorte de trame continue unissant l'inerte, le pré-vivant et le vivant, la matière tendant, selon lui par construction, à s'autostructurer pour devenir matière vivante : c'est là tout le secret de ce qu'il appelle les « structures dissipa-tives ». En fait, toujours selon Prigogine, l'Uni-vers n'est pas seulement un immense ensemble matériel d'étoiles et de planètes, c'est surtout une stupéfiante organisation hiérarchique qui conduit nécessairement les molécules inanimées vers la vie. En d'autres termes, la vie apparaît comme l'expression nécessaire d'un Univers dont le réglage sous-jacent implique que les molécules les plus simples s'organisent en sys-tèmes plus complexes jusqu'à engendrer du vivant. Faisant un pas de plus vers l'intuition d'un ordre profond, le physicien américain (d'origine anglaise) Freeman Dyson, l'un des pères de la chromodynamique quantique, ira même jusqu'à écrire : « Plus j'analyse l'Univers et étudie les détails de son architecture, plus je rencontre de preuves selon lesquelles, dans un certain sens, l'Univers "savait" que nous allions apparaître. Il y a plusieurs exemples saisissants au sein des lois de la physique nucléaire d'accidents numériques qui semblent conspirer pour rendre l'Univers habitable[1]. »

De la même manière que Hawking, Freeman Dyson, également très perplexe, s'est lui aussi interrogé, lors d'une conférence à l'Université Interdisciplinaire de Paris, sur l'ordre mystérieux qui semble s'étendre sur le réel : « La puissance des forces d'attraction nucléaire est tout juste suffisante pour s'opposer à la répulsion électrique qui s'opère entre les charges positives des noyaux des atomes ordinaires comme les atomes de fer ou d'oxygène. Et il existe bien d'autres accidents fort chanceux en physique atomique. Sans ces accidents, l'eau n'existerait pas sous sa forme liquide, les chaînons d'atomes de carbone ne pourraient pas se combiner en molécules organiques complexes, et les atomes d'hydrogène ne pourraient pas servir de ponts entre les molécules. C'est donc grâce à tous ces accidents physiques et astronomiques que l'Univers est un lieu aussi hospitalier pour les créatures vivantes. Etant un scientifique éduqué dans le mode de pensée et le langage du XXe siècle et non du XVIIIe siècle, je ne prétends pas que l'architecture de l'Univers prouve l'existence de Dieu, je dis seulement que

---

1. *In* Paul Davies, *The 5th Miracle*, Simon & Schuster, 1999.

cette architecture est compatible avec l'hypo-thèse selon laquelle "l'esprit" joue un rôle essentiel dans le fonctionnement de l'Univers. Je pense que l'Univers tend vers la vie et la conscience et qu'il y a du sens parce que nous sommes là pour l'observer et appréhender sa beauté harmonique. Mais j'insiste sur le fait qu'il s'agit là d'un pari métaphysique et non d'un strict raisonnement scientifique[1]. »

*

Contrairement à ce qu'affirme le biologiste Jacques Monod, grand défenseur de l'idée de hasard universel, la vie ne semble pas explica-ble par une série d'accidents. Il y a aussi peu de chances, comme l'observe le théoricien de la complexité James Gardner[2], que des systè-mes complexes soient apparus par hasard dans l'Univers, qu'un Boeing 747 s'assemble spon-tanément au cœur de la ceinture des astéroï-des, à partir des matériaux environnants. Tout semble au contraire avoir été minutieusement préparé, organisé dans le grand Théâtre cos-

---

1. *In* http://www.vip.edv/vip/spip.php?article628.
2. James Gardner, *The Intelligent Universe : AI, ET, and the Emerging Mind of the Cosmos,* New Page Books, 2007.

mique pour permettre l'apparition, sur la scène de l'Univers, d'une matière ordonnée, puis de la vie, et enfin de la conscience. Ce réglage d'une précision vertigineuse permet-il d'en déduire *de facto* une Intelligence organisatrice transcendant notre réalité ? C'est peut-être à cette intelligence-là qu'Einstein songeait en 1936, lorsqu'il a répondu (par lettre, quelques jours plus tard) à un enfant qui lui demandait s'il croyait en Dieu : « Tous ceux qui sont sérieusement impliqués dans la science finiront un jour par comprendre qu'un esprit se manifeste dans les lois de l'Univers, un esprit immensément supérieur à celui de l'homme. »[1]

---

1. Citation reproduite par Helen Dukas et Banesh Hoffmann dans *Albert Einstein*, *The Human Side*, Princeton University Press (1979).

16

Quelle est la forme de l'Univers ?

24 février 2010, à Paris. Il est tard, plus de 2 heures du matin. Dans le noir indifférent, une balise d'alerte vient de s'allumer : un *mail* de George Smoot. La veille, nous lui avions demandé ceci : « A votre avis, quelle est la forme de l'espace à trois dimensions dans lequel nous vivons ? Est-ce que les observations les plus récentes favorisent un espace plat ou bien très légèrement courbé, comme une sphère à trois dimensions ? »

Sa réponse est des plus intéressantes : « La topologie la plus probable de l'espace à trois dimensions est "simplement connexe", comme un cube géant ou une sphère complète (aucune section du volume ne manque) et il est extrêmement grand. Les observations de la première lumière montrent que la taille de l'Univers est très grande – au moins les deux tiers de l'horizon de Hubble et sans doute beaucoup plus grande encore[1]. »

Ce que Smoot appelle l'horizon de Hubble est simplement la limite de l'Univers observable, située à 13 milliards 750 millions d'années-lumière de chez nous. En kilomètres, cela fait – en gros – quelque chose comme 122 mille milliards de milliards de kilomètres.

Un an plus tôt, le 9 février 2009, nous avions déjà reçu une première lettre de George Smoot. Selon lui, la possibilité pour que notre espace ait une courbure positive – c'est le cas de la sphère – « est permise par les observations[2] ». Mais, ajoute-t-il aussitôt, les données dont nous disposons « sont également compatibles avec un Univers plat ».

Alors ? Où en sommes-nous aujourd'hui ? Notre Univers est-il plat ou, au contraire, courbé ? Pour la première fois, nos moyens d'observation – en fait, pour l'essentiel, les satellites WMAP et PLANCK – nous permettent d'entrevoir une réponse. Et nous allons vous proposer la nôtre dans ce livre.

*

1. E-mail de George Smoot du 24 février 2010.
2. E-mail de George Smoot du 9 février 2009.

Quelle est la forme de notre Univers ? Si vous posez aujourd'hui la question à n'importe quel astrophysicien, il vous répondra – comme la plupart de ses collègues – que l'espace à trois dimensions, celui dans lequel nous vivons, est « plat ». Qu'est-ce que cela veut dire ? Que si, par exemple, vous partez en voiture droit devant vous, que vous dépassez le système solaire, puis les limites de la Voie lactée puis, encore plus loin, la région de l'amas local de galaxies, vous ne reviendrez jamais à votre point de départ. Jamais. Au contraire, vous avancerez encore et toujours, de plus en plus loin, sans jamais atteindre l'horizon ni rencontrer de limite. C'est cela, un espace plat !

L'idée que l'Univers est plat est aujourd'hui fermement ancrée chez les astrophysiciens. Elle repose sur les mesures (fournies essentiellement par le satellite WMAP) de la quantité de matière existant dans l'Univers. Et voici l'étonnant : ces mesures convergent toutes vers une densité dite « critique »[1], dont la valeur est incroyablement proche de 1 et correspond donc à un espace plat ! Ce résultat est d'autant mieux admis qu'il s'insère dans l'une des principales

---

1. En fait, il s'agit de ce qu'on appelle la « densité totale » connue des astrophysiciens sous le nom « Omega total ».

prédictions de la célèbre théorie de l'inflation (selon laquelle, une fraction de seconde après le Big Bang, l'Univers s'est mis à enfler démesurément, jusqu'à ce qu'il devienne plat).

Soit.

Mais l'idée d'un espace plat est-elle pour autant fondée ? Nous ne le pensons pas. Ou plutôt, si nous acceptons l'idée que l'espace est bel et bien plat *localement* (c'est-à-dire dans des régions relativement petites), ce n'est sans doute pas le cas *globalement*, c'est-à-dire à l'échelle de l'Univers tout entier. Pourquoi ? La réponse est toute simple. Pour que l'espace soit plat partout jusqu'à l'infini, il faudrait que le paramètre critique dont nous avons parlé plus haut – que les scientifiques appellent Oméga – soit rigoureusement égal à 1. Non pas 1, 00… et quelque chose (c'est-à-dire une approximation autour de 1) mais *exactement* 1. Est-ce bien le cas ? En réalité, pas vraiment. Les meilleures mesures fournies en janvier 2010 par WMAP – les plus fines, résultant de sept années d'observation – donnent pour Oméga une valeur comprise entre 0,991 et 1,173. Il suffit de lire les chiffres pour réaliser que la valeur d'Oméga, engloutie dans les barres d'erreur, se rapproche bien sûr de 1 mais ne doit pas être interprétée comme *nécessairement* égale à 1.

A l'appui de ce constat, rendons-nous sur le site de la NASA. L'Univers y est bel et bien décrit comme presque plat : « Imaginez que vous viviez à la surface d'un ballon de football (dans un monde à 2 dimensions). Il serait pour vous évident que cette surface est courbée et que vous vivez dans un univers fermé. Cependant si ce ballon se dilatait à l'échelle de la Terre, il vous apparaîtrait plat, même s'il s'agit encore d'une sphère d'échelle plus grande. A présent, imaginez que vous agrandissiez votre ballon jusqu'aux échelles astronomiques. Pour vous, aussi loin que vous puissiez l'observer, il vous semblerait plat même s'il avait pu être très courbé à l'origine. L'inflation a étendu toute courbure initiale de l'Univers à 3 dimensions jusqu'à ce qu'elle devienne presque plate[1]. »

Presque plate : venant de la NASA, l'expression est réconfortante ! Car en l'état actuel des observations, l'espace à trois dimensions ne peut pas être considéré comme plat (sauf localement, sur des petites régions de l'Univers).

---

1. *In* http://209.85 129 132/search ? q=cache : Dmz4rjoJOf4J : map.gsfc.nasa.gov/universe/bb_cosmo_infl.html+wmap+fine+tuning&cd=1&hl=fr&ct=clnk&gl=fr&client=safari

*

En revanche, comme le fait observer George Smoot (et il est loin d'être le seul), ces mesures sont compatibles avec une courbure légèrement positive (comme pour une sphère). Bien sûr, comme l'Univers est aujourd'hui immensément grand, cette courbure est fantastiquement faible, presque indécelable. Mais pour autant, nous sommes persuadés qu'elle existe ! Pour vous faire une idée sur ce point, reportez-vous simplement à l'un des tout derniers articles signés par les meilleurs experts de WMAP (Charles Bennett, David Spergel, Gary Hinshaw, Eiichiro Komatsu, Gregory Tucker, etc). L'article en question est référencé sur le site de la NASA. Que peut-on y découvrir en page 15 ? Cet étonnant résultat, obtenu en considérant que la courbure est un paramètre du modèle : « Tandis que ce résultat est compatible avec un Univers plat, le modèle préféré est légèrement courbé et fermé[1]. » C'est très exactement ce que nous pensons et avons soumis à la discussion depuis 1998

1. D. Larson et all., « Seven-year Wilkinson Microwave Anisotropy probe observations : Power Spectra and Wmap-Derived parameters », *Astro-physical journal* (supplement Series), arXiv : 1001.4635.

(sans avoir été vraiment suivis jusqu'ici). Nous l'avons écrit ailleurs : prétendre que l'Univers est plat nous semble aussi naïf que de croire que la Terre est plate. La comparaison vous paraît exagérée ? En tout cas, pas à George Smoot qui, dans son passionnant livre *Les Rides du Temps*[1] a écrit : « L'idée d'un Univers courbé semble aussi étrange à beaucoup de personnes que l'idée d'une Terre ronde il y a plusieurs siècles. »

A ce stade, il nous faut tout de même faire un aveu : jusqu'ici, les mesures ne nous permettent pas encore de trancher avec certitude. Les dernières estimations de WMAP ont beau aller dans le sens d'une courbure légèrement positive, le flou qui entoure les mesures est encore trop grand pour qu'un consensus définitif puisse émerger. L'étape suivante ne sera franchie que par la nouvelle génération : le satellite PLANCK. Sur le site public consacré au désormais célèbre engin spatial, on trouve en tête des questions posées celle-ci, comme pour bien faire apparaître que le débat est loin d'être clos : « Quel est l'âge et la forme de l'Univers[2] ? » Or nous en sommes absolument certains : les futures analyses du fond cosmo-

---

1. George Smoot, Keay Davidson, *op. cit.*
2. *In* http://public.planck.fr/

logique par PLANCK confirmeront la tendance amorcée avec WMAP. Et feront pencher définitivement la balance du côté d'un Univers courbe et fermé.[1]

*

Reste encore à découvrir quelle forme aura cet espace courbe à trois dimensions. Ici, nous n'avons que l'embarras du choix : l'espace peut ressembler à un colossal pneu de voiture à trois dimensions, ou à un beignet (toujours à trois dimensions, bien sûr). Toutefois, nous pensons que parmi toutes les formes possibles et imaginables, l'Univers est allé au plus simple. Et quelle est donc la forme la plus simple ? C'est la sphère ! Mais attention : notre espace n'a pas deux dimensions mais trois. Par conséquent, dans notre espace fini à trois dimensions, la forme la plus simple, c'est une sphère à trois dimensions (et non pas à deux, comme le ballon de foot). Vous vous en souvenez peut-être, la sphère à trois dimensions

_____

1. Certes, si c'est bien le cas, le rayon de courbure de l'Univers doit être immense, supérieur à 100 milliards d'années-lumière, comme le pensent de plus en plus de scientifiques. Il en résulte que cette courbure est fantastiquement faible et si difficile à déceler.

est la forme adoptée par Riemann pour son modèle et par Einstein pour le sien. Ce qui, évidemment, nous incite à penser que le choix de la sphère est « le bon ».

Mais est-ce vraiment certain ? En fait, oui. Ce résultat magnifique a déjà été formulé il y a plus d'un siècle, en 1904, par le grand mathématicien Henri Poincaré. Mais voici l'étonnant : il aura fallu plus de cent ans d'efforts, de tâtonnements, de travaux acharnés pour qu'enfin la célèbre conjecture (l'un des sept problèmes du millénaire, selon la Fondation Clay en Amérique) soit démontrée et devienne un théorème. Qui est l'auteur de cette prouesse ? Grisha Perelman, un mathématicien russe jusqu'alors inconnu du grand public. Il vit aujourd'hui avec sa mère à Saint-Pétersbourg (la ville de Friedmann) dans un modeste immeuble loin de tout. Il a l'habitude de rester sans manger ni dormir jusqu'à ce qu'il ait résolu le problème qui l'occupe. Et pour se détendre il joue délicatement du violon ou écrase ses adversaires au tennis de table (qu'il faut, précise-t-il, pratiquer « avec colère » si on veut gagner).

Ne faisant rien comme tout le monde, il a publié sa démonstration en trois brefs articles entre 2002 et 2003 directement sur le site internet de l'arXiv (et non dans une revue à comité de lecture). Lorsqu'on lui a décerné la médaille Fields (le prix Nobel pour un mathématicien, remis seulement tous les quatre ans), il a haussé les épaules et a refusé en bloc la médaille, l'argent et le voyage à Madrid qui lui étaient offerts. Et rien ne dit que le « prix du Millénaire » que vient de lui décerner le 18 mars 2010 la Fondation Clay ne subira pas le même sort. Allergique aux honneurs et au tapage médiatique, l'ombrageux lauréat ne semble nullement disposé à venir à Paris cet été pour chercher son prix. Et pas davantage à proposer une méthode qui permettrait à la Fondation de lui verser la somme d'un million de dollars qui, en principe, lui revient. Seule compte pour lui sa démonstration, longue et compliquée (même pour ses propres collègues). Des formules incompréhensibles. Des calculs bourrés de symboles indéchiffrables. Mais le résultat est là, clair comme un lever de soleil dans un ciel sans nuages : en trois dimensions, la sphère est l'objet le plus *naturel* de tout l'Univers. Aussi nous vous proposons d'adopter notre devise : tout comme la Terre est ronde, l'Univers, lui aussi, est rond.

*

Que signifie tout ceci ? Le fait que l'espace dans lequel vous êtes en train de lire ces lignes soit probablement rond a d'immenses conséquences. Car cette sphère contient un secret. Quelque chose qui va nous permettre de remonter avant le Big Bang, jusqu'à l'instant zéro. Par quel miracle ? C'est ce que nous allons découvrir dans le prochain chapitre en abordant une nouvelle question, des plus brûlantes, posée dès 1992 par George Smoot : D'où viennent les rides du temps ?

17

D'où viennent les rides du temps ?

Si vous visitez un jour le site de la NASA consacré à WMAP, vous pourrez y lire ceci : « L'on observe que la température du rayonnement fossile varie très légèrement d'un point à l'autre du ciel. Mais qu'est-ce qui produit ces fluctuations et comment sont-elles reliées aux étoiles et aux galaxies ? »

C'est toute la question : D'où viennent ces différences de température que l'on observe depuis 1992 ?

Si vous allez d'un centre de recherche à l'autre et que vous faites le recensement des grands problèmes non résolus en cosmologie, vous verrez qu'en haut de la liste se trouve la question essentielle : *D'où viennent les fluctuations du rayonnement fossile ?*

Jusqu'à présent, il n'y a pas vraiment de réponse. Et lorsque, au hasard d'un article, se risque une explication, celle-ci reste toujours très vague. L'idée générale est que ce sont les fluctuations du vide initial, juste au moment du Big Bang, qui pourraient avoir engendré les fameuses « sautes » de température. Soit. Mais l'hypothèse nous semble devoir être précisée dans les détails, ne serait-ce que pour apercevoir les véritables mécanismes sur lesquels elle repose. C'est ce que nous proposons de faire dans la suite.

*

Venons-en une nouvelle fois à ce que l'on observe : la « carte » de la distribution de la matière en l'an 380 000. La première idée est que les différences de couleur d'une région à l'autre proviennent obligatoirement d'un état *antérieur* de l'Univers, avant que la lumière ne s'échappe de la matière. Mais ici surgit une première question : jusqu'où va-t-on devoir remonter pour trouver ce qui a pu causer ces fameuses fluctuations ? En fait très tôt, bien en dessous de la première seconde.

Pour en avoir le cœur net, nous avons posé la question aux deux principaux héros de la grande aventure de COBE : John Mather et George Smoot eux-mêmes. Voyons d'abord ce que nous dit Smoot sur le mode constructif qui est le sien : « Il est possible d'utiliser les observations du rayonnement fossile pour découvrir ce qui se passe très tôt dans l'histoire de l'Univers. A l'heure actuelle, on utilise deux méthodes. La première consiste à se servir des variations de température pour révéler des ondes sonores en provenance d'une époque extrêmement précoce dans l'histoire de l'Univers. Leurs caractéristiques nous renseignent alors sur ce qui s'est passé autour d'une minuscule fraction de seconde après le Big Bang. La seconde approche consiste à utiliser le motif de la polarisation linéaire pour chercher des traces d'ondes gravitationnelles produites en même temps que les perturbations de densité. C'est une tâche très difficile, qui sera peut-être accomplie par le satellite PLANCK. Ou pas.

Dans les scénarios les plus probables concernant la production d'ondes gravitationnelles et les perturbations de densité, on remonte plus tôt que le premier millième de milliardième de seconde après le début du Big Bang[1]. »

D'ailleurs dès 1993, dans son livre, Smoot précisait : « Notre résultat montrait que la gravitation pouvait effectivement avoir modelé l'Univers actuel à partir des fluctuations quantiques

---

1. E-mail de George Smoot aux auteurs du 24 février 2010.

minuscules formées dans les premières fractions de seconde suivant le Big Bang[1]. »

Voilà déjà de quoi rassurer ceux qui pensent que rien de sérieux ne peut se faire en dessous des premières minutes après le Big Bang. Quant à John Mather, il va encore plus loin : « Les anisotropies, mesurées par le radiomètre à micro-ondes de COBE et aujourd'hui par beaucoup d'autres instruments, nous montrent l'Univers tel qu'il était à l'époque du découplage, environ 389 000 ans après le commencement. Mais bien sûr, les structures observées ont dû être imprimées beaucoup plus tôt, à travers des processus quantiques qui remontent jusqu'au temps de Planck, la toute première 10 puissance moins 43 seconde[2]. »

C'est le moment même du Big Bang. Mais Mather n'en reste pas là. Tout comme George Smoot, il poursuit en abordant ce qu'on appelle la « polarisation » du rayonnement fossile. En gros, on peut comprendre la polarisation d'un rayon lumineux comme lié à son orientation[3]. « La polarisation du rayonnement fossile, qui commence maintenant à être mesu-

---

1. George Smoot, Keay Davidson, *op. cit.*
2. E-mail de John Mather aux auteurs du 25 février 2010.
3. En particulier l'orientation de son champ électrique.

rée, est également imprimée sur ce rayonnement à l'époque du découplage. Mais il existe une partie de ce rayonnement, appelée mode B (parce que sa divergence est nulle) qui, pense-t-on, résulte des ondes gravitationnelles présentes, elles aussi, à 10 puissance moins 43 seconde, le tout premier instant[1]. »

*

Nous verrons plus loin ce que sont ces mystérieuses ondes gravitationnelles. En attendant, la première conclusion de ce qui précède, c'est que le rayonnement fossile se comporte un peu comme une feuille de papier sur laquelle seraient imprimées des informations. Or, ce qu'il nous faut comprendre ici, c'est que l'impression elle-même ne date pas de l'an 380 000 mais remonte bien plus tôt, en fait, comme nous l'a écrit John Mather, jusqu'à l'instant de Planck, au moment même où commence le Big Bang. C'est peut-être la principale raison pour laquelle George Smoot a pu s'exclamer qu'observer les stries du rayonnement cosmologique, c'est comme voir le visage de Dieu : ces stries trouvent leur source lointaine

---

1. E-mail de John Mather aux auteurs du 25 février 2010.

au moment même de la création matérielle de l'Univers. En disant cela, nous rejoignons aujourd'hui la majorité des scientifiques pour qui le rayonnement fossile est un miroir qui reflète la création de l'Univers. Cependant, ne peut-on pas aller plus loin ? Préciser – et même justifier – cette affirmation ?

Si vous posez la question à un expert du fond cosmologique (une autre façon de désigner le rayonnement fossile), il se contentera d'une réponse assez générale, consistant en gros à dire qu'au moment du Big Bang, lorsque l'Univers était bien plus petit que la plus infime des poussières, l'espace et le temps eux-mêmes n'étaient pas stables, un peu comme un océan qui se déchaîne lorsque le vent se lève. Ces fluctuations microscopiques auraient été imprimées dans l'espace-temps naissant puis fantastiquement dilatées par ce qu'on appelle l'inflation, vers 10 puissance moins 35 seconde après le Big Bang. C'est très exactement ce que nous dit John Mather : « L'empreinte est imprimée extrêmement tôt puis étirée plus tard par l'inflation. La manière dont je vois ça est que l'empreinte, déjà là avant, reste "gravée" tout au long de l'inflation[1]. »

---

1. E-mail de John Mather aux auteurs le 9 mars 2010.

Enfin, 380 000 ans plus tard, on retrouve ces empreintes sous forme de fluctuations de température de la première lumière. Ceci est donc le scénario généralement accepté par la plupart des astrophysiciens. Toutefois, dans la mesure où l'on en sait très peu sur les conditions qui régnaient au moment du Big Bang, l'explication quant à l'origine des étranges « rides du temps » ne va habituellement guère plus loin.

*

Pourtant, nous pensons qu'il est possible d'en savoir davantage. Le secret ? Selon nous, il faut le chercher du côté de l'extraordinaire équilibre qui dominait tout l'espace-temps à l'échelle de Planck. Un équilibre que l'on ne peut comparer à rien de ce qui existe aujourd'hui dans l'Univers. Mais dont on peut comprendre et décrire les extraordinaires propriétés. Il semble exister un lien, visible aujourd'hui, entre les étranges stries du rayonnement fossile et l'état unique dans lequel se trouvait l'Univers juste avant le Big Bang. Découvrir ce lien, c'est mieux comprendre l'Univers. Mais aussi, avec l'un des secrets de la création, trouver la place qui est la nôtre dans l'immensité de l'espace et du temps.

18

Vers le grand équilibre originel

Nous vous proposons maintenant de suivre pas à pas le chemin vers le Big Bang. A la recherche de l'équilibre qui régnait à l'aube des temps. Comment le comprendre ? En gros comme un ordre très élevé, un ajustement fin entre les parties qui, très près de l'origine, composaient l'Univers.

Pour avancer, essayons de comprendre en quoi consiste un équilibre. Lorsque vous prenez votre bain et qu'il est trop chaud, vous faites couler de l'eau froide. Au début, elle est localisée près de la source. Puis, peu à peu, l'eau devient partout tiède, à peu de choses près. C'est un peu la même chose pour le « bain primordial » de l'Univers au moment du Big Bang. Or, il y a dans cet équilibre – cet ordre d'un genre très particulier – l'un des secrets qui pourrait bien nous permettre de répondre à la question toujours ouverte à ce jour : d'où viennent les stries, ces infimes irrégularités du fond diffus ? Ces fameuses rides du temps dont parle George Smoot ?

*

Commençons par ce que l'on observe en l'an 380 000, époque où a été émis le rayonnement fossile. Qu'a donc découvert, pour la première fois, le satellite COBE ? Vous vous en souvenez : il lui a fallu très peu de temps (l'affaire de quelques heures) pour indiquer que le rayonnement fossile avait un spectre de corps noir ! Autrement dit, que la première lumière était de nature thermique et qu'en outre, elle était dans un état d'équilibre presque parfait. Que veut donc dire ce « presque » ? Que si nous voulons trouver un équilibre vraiment parfait dans l'Univers, il va falloir le chercher ailleurs. Ou plus exactement : plus tôt. Jusqu'où ? Tout au début de l'Univers, comme le suggère Peter Coles, l'un des astrophysiciens les plus écoutés aujourd'hui : « Cette radiation fossile trouve son origine à une époque de l'histoire thermique de l'Univers où l'équilibre thermique était réalisé[1]. »

---

1. Peter Coles, *The Routledge Critical Dictionary of the New Cosmology*, Routledge Inc., New York, 1999.

Le tout est maintenant de préciser quand. C'est ce que nous allons faire en nous appuyant prudemment sur le modèle du Big Bang. Que nous dit ce modèle ? Que plus on remonte dans le passé, plus la densité et la température de l'Univers augmentent. Souvenez-vous : en l'an 380 000, lorsque l'Univers est mille fois plus petit qu'aujourd'hui, il fait déjà très chaud d'un bout à l'autre du cosmos : environ 3 000 degrés. Et plus on va revenir en arrière, plus cette température va augmenter. Mais il y a plus : avec la température, c'est l'équilibre global de l'Univers qui va croissant. Jusqu'où ? Jusqu'à l'équilibre parfait. Celui-ci existait dans l'Univers à l'aube des temps. A l'instant même où le Big Bang commençait à déverser dans le néant d'inconcevables torrents d'énergie venus de nulle part. Cet instant unique, inouï, c'est ce qu'on appelle le temps de Planck. L'horloge cosmique marquait 10 puissance moins 43 seconde. A quoi ressemblait alors l'Univers ? Dans quel étrange état se trouvait-il ? Pour le savoir, remontons à présent jusqu'à cette frontière ultime qu'est le temps de Planck : vous êtes loin d'être au bout de vos surprises. Pour nous en convaincre, suivons à présent ce chemin en arrière.

19

L'étrange moment du Big Bang

Le temps de Planck ! La plus petite fraction de temps que l'on puisse mesurer : 0,000 000 000 000 000 000 000 000 000 000 000 000 000 1 seconde. Comme pour le satellite qui en ce moment même tourne dans le ciel, l'instant du Big Bang porte donc le nom de Planck. Ce grand savant allemand, prix Nobel en 1918, est le fondateur de ce qu'on appelle la mécanique quantique. La tragédie de sa vie est la perte de son fils en 1944, torturé à mort par les nazis. Mais dans les années 1920, les horreurs de la guerre sont encore loin. Proche d'Einstein, qui jouait souvent du violon pour se détendre, Planck aimait à s'installer au piano pour l'accompagner. Les deux savants restaient parfois à jouer pendant des heures, sans dire un mot. En 1929, ils reçoivent tous les deux la médaille Max Planck et plaisantent alors sur cette chose cocasse : à eux deux, ils traversent tout l'Univers, de l'infiniment petit à l'infiniment grand.

Justement, revenons à l'Univers au moment où l'infiniment grand est encore infiniment petit, au moment du Big Bang. Toute la réalité se trouve alors tassée, compressée, écrasée dans cette infime étincelle de réalité perdue dans le néant. Une poussière de 20 microgrammes, des milliards de milliards de fois plus petite que le noyau d'un atome. C'est la chose la plus insignifiante qui ait jamais pu exister. Il est d'ailleurs bien difficile d'admettre – certains s'y refusent encore – que c'est de là, de ce flocon de réalité à jamais invisible (même à l'aide des plus puissants microscopes) que vont naître nos maisons, nos villes, la terre avec ses mers et ses montagnes, et au-delà encore, les étoiles et les galaxies par centaines de milliards. Et c'est peut-être parce qu'elle contient une phénoménale quantité d'énergie que cette particule primordiale est inconcevablement chaude : 100 000 milliards de milliards de milliards de degrés ! Un chiffre qui dépasse l'imagination la plus folle. Mais c'est une limite : la température la plus élevée qui puisse exister dans notre Univers. Pour autant, avons-nous enfin atteint ce que nous cherchions ? Le stade de l'équilibre parfait ?

*

Pour le savoir, tournons-nous une nouvelle fois vers les experts. A commencer par George Smoot. Pour lui, la question ne soulève aucun doute : il est pratiquement certain que juste avant le démarrage de l'expansion, l'Univers était en équilibre thermique. Et il n'hésite pas à nous l'écrire, le 24 février 2010 : « Il est très probable que l'Univers ait été en équilibre thermique à l'échelle de Planck, bien qu'il soit passé par de nombreuses transformations avant d'atteindre l'équilibre que nous observons aujourd'hui. A partir du rayonnement fossile, il est possible de "voir" que l'Univers était en équilibre au moins une heure après le Big Bang. De plus, la nucléosynthèse liée au Big Bang fournit une preuve solide que cet équilibre existait plus tôt encore, dès la première seconde[1]. »

Appuyée sur sa longue expérience d'observateur de l'Univers primordial, la conclusion de Smoot nous a évidemment confortés dans nos propres intuitions. Mais il est loin d'être isolé. Déjà il y a trente ans, l'emblématique Stephen Hawking écrivait noir sur blanc :

---

1. E-mail de George Smoot aux auteurs du 24 février 2010.

« L'Univers a nécessairement été en équilibre thermique à l'échelle de Planck[1]. »

Quelques années plus tard, en 1987, cet infatigable explorateur de l'Univers primordial qu'est Fang Lizhi, ancien vice-recteur de l'université des Sciences de Chine, aujourd'hui à l'université d'Arizona, écrit à son tour, en compagnie de Remo Ruffini[2], président du Centre International d'Astrophysique Relativiste, professeur à l'université de Rome : « L'Univers a commencé approximativement en équilibre thermique à l'échelle de Planck[3]. »

A vrai dire, c'est ce que pensent aujourd'hui la plupart des astrophysiciens. C'est pourquoi nous vous proposons maintenant d'aller plus loin dans cette direction. Mais cette fois, nous allons préciser la nature des objets supposés être en équilibre au moment du Big Bang. Quelle est notre idée ? Que ces choses que l'on va trouver en abondance dans l'Univers primordial ne sont autres que des « gravitons »

---

1. In *Astrophysical cosmology*, « Proceedings of the Study Week on Cosmology and Fundamental Physics », Vatican City State, September 28-October 2, 1981.

2. Entre autres, il a cosigné dans les années 1960 avec John Wheeler un article où, pour la première fois, est apparu un mot qui allait faire le tour du monde : « trou noir ».

3. In *Quantum Cosmology Advanced Series*, « Astrophysics & Cosmology World Scientific », 1987.

(un nom pittoresque, popularisé dans les années 1960 et qui, vous vous en doutez, vient de « gravité »). De quoi s'agit-il ? De particules hypothétiques, jamais observées, mais censées véhiculer la force gravitationnelle (celle qui fait que vous ne vous mettez pas à flotter au-dessus de votre fauteuil en lisant ces lignes). Certains physiciens appellent le graviton la « particule divine ». Pourquoi ? Parce que cette force était déjà là, unifiée aux trois autres forces de l'Univers, au moment du Big Bang (et, selon nous, même avant). A défaut d'observer un par un des gravitons (l'espoir est plutôt mince), les savants espèrent au moins pouvoir détecter ce qu'ils appellent les « ondes gravitationnelles », qui ne sont autres que des nuages de gravitons. C'est pourquoi, comme l'a rappelé John Mather, l'un des principaux objectifs du satellite PLANCK sera de débusquer ces fameuses ondes gravitationnelles, traces ultimes de ce qu'était (peut-être) l'Univers à l'échelle de Planck.

Autre intérêt (du moins pour nous) des gravitons : selon les experts, ils résultent, dans ce monde très instable qui existait avant le Big Bang, des perturbations que subit la « métrique » de l'Univers à cette échelle. Autrement dit, lorsque la métrique fluctue, elle engendre des ondes gravitationnelles. Un peu comme des vagues sur un lac : la métrique, c'est la surface lisse du lac et les ondes gravitationnelles, ce sont les vagues. Le mot « métrique » vous fait froncer les sourcils ? Pas d'affolement ! Pensez tout bonnement au mètre (la base du système métrique) qui vous permet de mesurer les murs de votre salon. Comme un étalon, cette fameuse métrique fixe les choses dans notre réalité de tous les jours (les distances, les angles, la courbure mais aussi les durées). Si, « chez nous », la métrique se mettait à fluctuer, le paysage autour de nous ne cesserait de se gondoler, les objets de se rapprocher ou de s'éloigner sans crier gare tandis que le temps deviendrait élastique : une seconde pourrait durer aussi longtemps qu'une année ou au contraire accélérer tandis que hier, aujourd'hui et demain finiraient par se mélanger.

Mais que deviennent ces métriques – ces gravitons – au moment du Big Bang ? Ecoutons ce que nous dit l'astrophysicien Peter Coles (déjà rencontré ici) : « Il est raisonnable de penser que durant la période où la température est de l'ordre de 10 puissance 19 GeV[1],

---

1. GeV : gigaélectronvolt.

un équilibre thermique entre les composantes de l'Univers – en particulier les gravitons – est réalisé[1]. » Même conclusion pour le cosmologiste Maurizio Gasperini (un proche de Gabriele Veneziano, le célèbre pionnier de la théorie des cordes) : « Dans le modèle standard, un état fondamental constitué d'ondes gravitationnelles thermiques pourrait trouver son origine à l'échelle de Planck, lorsque la température est assez élevée pour maintenir les gravitons en équilibre thermique[2]. »

Que l'on parle de gravitons ou de métriques (ce qui, en gros, revient pour nous au même), seule compte ici la conclusion : l'Univers est bien en équilibre thermique à l'échelle de Planck.

*

Et à présent, voici le « miracle » : si l'Univers est à l'équilibre à l'échelle de Planck, alors il est nécessairement dans un état très spécial, tout à fait unique. De quoi s'agit-il ? De ce que les physiciens mathématiciens (jamais avares

---

1. Peter Coles, *Detecting relics of thermal gravitational wave background in the early Universe*, Physics Letters B, volume 680, Issue 5, pp. 411-416.
2. Testing String Cosmology with Gravity Waves Detectors gr-qc/9707034.

de trouvailles bizarres) appellent l'« état KMS ».
Pour simplifier, disons que dans le monde de
l'infiniment petit, lorsqu'un système est en
équilibre thermique, il est *de facto* en état
KMS. Donc, retenez bien ces trois lettres. Vous
n'en aviez jamais entendu parler ? Rassurez-
vous : vous n'êtes pas seuls. En fait, même
parmi les physiciens, plutôt rares sont ceux qui
connaissent cette magnifique théorie. Nous
l'avons nous-mêmes découverte et approfondie
durant nos années de recherche en thèse. Et
c'est ce qui, progressivement, nous a permis de
« voir » (plus que de découvrir) que l'Univers
à l'échelle de Planck était bel et bien en état
KMS. Un état unique qui, nous le pensons, a
dominé l'univers *juste avant* le Big Bang et
dont il subsiste encore, comme nous le suggérons
plus loin, des traces observables aujourd'hui.
Où donc ? C'est là que la situation devient
franchement passionnante : au sein même du
rayonnement fossile.

*

Que veut dire KMS ? Ces trois lettres sont
les initiales des trois auteurs (entre 1957 et
1959) de la mémorable théorie, les physiciens
mathématiciens Kubo (un Japonais, lauréat du

prix Boltzmann), Martin (un mathématicien toujours perdu dans d'interminables calculs) et Schwinger (prix Nobel de physique en 1965, avec Richard Feynman et Shin Tomonaga). Schwinger était lié de longue date à notre Directeur de thèse, le physicien mathématicien Moshé Flato, ce qui nous a naturellement mis sur la piste de la condition KMS. Nous n'en avions jamais entendu parler (et au fond, cela ne nous avait pas vraiment manqué). Jusqu'à ce beau jour de l'été 1995 où Flato nous avait convoqués chez lui et, après avoir couvert son tableau blanc de formules compliquées, avait lâché entre deux rasades de café : « Regardez de près la théorie KMS : il s'y passe des miracles ! »

Pour simplifier, disons que dans l'infiniment petit, l'état KMS relie l'équilibre thermique d'un système à son évolution. Un peu comme un funambule qui, sur une corde, ne peut conserver son équilibre qu'au prix des petits mouvements de son balancier. Mais voici le plus important (et aussi le plus déconcertant) : lorsqu'un système quantique est en état KMS (c'est-à-dire quand son équilibre et son évolution sont réunis), alors son temps propre cesse, au sens strict, d'exister. Plus exactement, il devient *complexe* au sens que les mathématiciens donnent à ce mot. Pour avancer, contentez-vous de retenir que le temps en régime KMS n'est pas bien défini. Qu'il se déforme et devient flou. Il peut ralentir (une seconde va alors durer une heure) ou bien accélérer brutalement (une journée va passer en cinq minutes) ou encore « sauter » tout à coup de midi et demi à neuf heures du soir !

*

Peut-on alors retrouver cette condition dans l'Univers tout entier ? La réponse est oui, puisque les deux conditions sont réunies : l'Univers à l'échelle de Planck – dans l'infiniment petit donc – est un système quantique et il est en équilibre thermique. Et ceci entraîne plusieurs conséquences. La plus spectaculaire est que la coordonnée temporelle du cosmos avant le Big Bang n'est pas encore fixe mais est soumise à des fluctuations entre la direction réelle et une direction *imaginaire* (c'est-à-dire mesurée par des nombres imaginaires).

Au printemps 2006, nous avons eu la chance de rencontrer Stephen Hawking. Et nous lui avons demandé s'il pensait que le temps imaginaire était la forme fondamentale du temps. Il nous a alors répondu, par l'intermédiaire de son étrange « codeur vocal » : « Oui ! C'est bien cela. » En somme, une autre manière de dire qu'avant d'être réel, avant le Big Bang, le temps a existé sous une forme imaginaire. Au fait, pourquoi « imaginaire » ? C'est le philosophe (mais aussi brillant mathématicien) Descartes qui a trouvé ce nom. Par dérision, parce qu'il ne croyait pas que de tels nombres pouvaient exister. Mais à vrai dire, cette appellation leur va comme un gant. A présent, souvenez-vous de vos cours de maths : le carré d'un nombre imaginaire est toujours négatif. Ce sont ces nombres « pas comme les autres » qui vont donc nous servir à mesurer la direction imaginaire du temps. Si le temps est une droite, alors le temps imaginaire est tout simplement perpendiculaire à la droite du temps réel.

Nous touchons presque au but. Si le temps fluctuait avant le Big Bang, alors ces fluctuations ont laissé des traces visibles au sein même du rayonnement fossile (ce qu'à la faveur d'une belle intuition, Smoot a traduit par l'expression les « rides du temps »). Pourrait-il alors s'agir de celles qu'on observe ?

*

Nous pensons que oui. Pour en avoir le cœur net, imaginons maintenant que nous puissions marcher dans cet Univers juste avant le Big Bang. L'état KMS veut dire que d'un endroit à l'autre, la métrique sous nos pieds est soit ordinaire – la même que chez nous –, soit, au contraire, orientée dans le temps imaginaire (elle est donc euclidienne). Tant que la métrique reste la nôtre, le sol est lisse sous nos pieds. En revanche, lorsqu'elle devient, ici et là, euclidienne, alors des crevasses apparaissent sur notre chemin.

Cette petite analogie peut nous permettre de mieux nous représenter ce qu'est l'Univers en état KMS : un lieu pas vraiment hospitalier, où le « panorama » n'est plus lisse et continu mais se trouve à chaque instant déchiré, troué par des « crevasses euclidiennes ». En poussant l'analogie encore plus loin, l'on pourrait dire qu'à l'échelle de Planck, il y a des régions (en rouge) où la gravité existe et d'autres où elle est modifiée (en bleu) parce qu'elle est devenue euclidienne. A présent, étendons (grâce à l'inflation) ce paysage quantique à grande échelle, celle de l'Univers en l'an 380 000. Que constate-t-on ? Que les régions où la gravitation existe (en rouge) ont attiré la matière et créé des « îlots » ; au contraire, les régions où la gravité était peut-être euclidienne (et donc n'existait pas) apparaissent désormais comme des vides (en bleu). La première lumière porterait donc la trace des oscillations du temps qui, nous le pensons, existaient avant le Big Bang. Le nom de « rides du temps » proposé par Smoot nous apparaît donc particulièrement bien choisi.

*

Nous terminerons donc par quelque chose de relativement provocant. Les fluctuations visibles sur le fond diffus pourraient donc bien avoir pour origine lointaine les fluctuations de la métrique à l'échelle de Planck. Et dans ce cas, le rayonnement fossile n'est autre que l'image visible de l'état KMS de l'Univers avant le Big Bang. Alors, face à cette étrange poudroiement de couleurs venues d'un temps où le temps n'existait pas encore, comment ne pas être tenté d'y deviner le visage de Dieu ?

Mais ce monde inconcevable, situé avant le Big Bang, contient peut-être la solution d'un mystère plus accessible : *D'où vient l'énergie noire ?* De nouveaux coups de théâtre nous attendent dans la suite.

20

D'où vient l'énergie noire ?

Ce matin-là, en juin 1997, l'air venu des prairies entrait en silence par les fenêtres ouvertes en grand. Pas un bruit. Juste les abeilles dans le ciel et le frôlement de la brise sur les branches d'arbres à portée de main. Nous avions du mal à réaliser que nous nous trouvions dans le plus grand laboratoire du monde. Le CERN, en Suisse, un lieu mythique. C'est là, en 1990, que grâce à une poignée de physiciens, est né Internet tel que nous l'utilisons aujourd'hui tous les jours. Là qu'a été mis en service en 1991 le tout premier site Web de l'Histoire. Là enfin qu'à l'automne 2008, a été créé dans une fabuleuse gerbe d'énergie le premier choc de particules élémentaires – des protons – dans le tunnel géant (27 kilomètres de circonférence) du célèbre LHC.

En attendant, ce jour-là nous tentions de convaincre un physicien théoricien du CERN que nos calculs débouchaient sur quelque chose d'étrange. Ce physicien s'appelait Gabriele Veneziano. Nous vous en avons déjà parlé : il a fait partie de la commission d'évaluation de nos thèses réunie en juin 1999 à l'Ecole polytechnique avant la soutenance. Aujourd'hui professeur au Collège de France, c'est lui qui, en 1968, en appliquant les propriétés d'une fonction purement mathématique au monde des particules élémentaires, a été à l'origine de la théorie des cordes – ce magnifique édifice théorique, hérissé de formules, dont le but est d'élucider, tout au fond de l'infiniment petit, le mystère de la matière. Mais ce jour-là, c'est un autre mystère qui nous occupait. Un mystère apparemment venu du fond de l'Univers et qui laissait Veneziano sceptique. De quoi s'agissait-il ? A première vue, de pas grand-chose. Juste une anomalie surgie de nos calculs et que dans un premier temps, nous avions pensé pouvoir éliminer. Mais au fil des mois, malgré les heures passées à tordre les équations dans tous les sens, nous n'étions toujours pas parvenus à résoudre le problème. Quel problème ? Celui posé par l'existence d'une « force » étrange, venue du fond des temps, avant le Big Bang, avant même la naissance physique de notre Univers. Quelque chose qu'en physique on appelle un « champ » et qui – selon nous – est encore là aujourd'hui, dans tout l'Univers. Or ce qui n'allait pas dans les équations, c'est que ce champ invisible, totalement inconnu, ne pouvait bizarrement qu'accélérer sans cesse l'expansion de l'Univers. En somme, à en croire nos calculs, le cosmos était comme soumis à l'action d'une force invisible qui le forçait à se ruer de plus en plus vite vers l'infini.

Ce jour-là, nous n'avons convaincu personne. Ni Veneziano (d'ailleurs en général distant face aux constructions trop mathématiques) ni les autres théoriciens rencontrés au CERN. La chose paraissait trop invraisemblable. Jamais on n'avait observé le moindre phénomène de ce genre. Pourtant, même si nous ne le savions pas encore, notre recherche de l'Univers avant le Big Bang nous avait menés face à l'un des mystères les plus profonds de la cosmologie d'aujourd'hui.

*

Ce mystère, c'est celui de l'énergie noire.

Un an après notre passage au CERN – en fait en octobre 1998 –, voilà qu'une nouvelle ahurissante fait le tour du monde en quelques heures à peine : deux équipes indépendantes d'astronomes ont observé que ces étoiles explosives qu'on appelle des « supernovae » se trouvent en réalité bien plus loin que ce que leur luminosité permettait d'établir. « Un véritable cataclysme ! » s'exclame le physicien théoricien américain Leonard Susskind, de l'université de Stanford. « Un séisme ! » lance-t-on en France dans les observatoires. Seule explication : le cosmos grandit plus vite que prévu. Ou plutôt, son expansion s'accélère. Pour quelle raison ? Nul ne le sait. Sous l'action d'une énergie inconnue, à laquelle Michael Turner, cosmologiste à l'université de Chicago, a fini par donner ce nom qui semble issu de la *Guerre des étoiles* (mais du mauvais côté de la force) : l'énergie sombre (ou noire, selon l'état d'esprit des astrophysiciens).

Nous en sommes là aujourd'hui. En 2006, un astrophysicien publie sur l'arXiv scientifique un article sous ce titre provocateur : « Energie Sombre : le Mystère du Millénaire[1] ». Ce qui est sûr (parce qu'on l'observe dans les laboratoires astronomiques), c'est que l'Univers grandit de plus en plus vite, que son expansion s'accélère bel et bien. Soit. Mais au passage,

---

1. T. Padmanabhan arXiv : astro-ph/0603114

qu'est-ce que cela change à la vie de tous les jours ? A vrai dire pas grand-chose. Vous ne sentez pas (et ne ressentirez jamais) cette accélération. Et pourtant, il en résulte au moins une chose essentielle : dans l'avenir, l'Univers ne retombera jamais sur lui-même à la manière d'un soufflé mal cuit. Autrement dit, il ne disparaîtra pas dans la fournaise infernale d'un « crash » final (que les scientifiques avaient appelé le « Big Crunch »). D'un point de vue philosophique – c'est du moins ce que nous pensons –, il est bien plus engageant de penser que cet immense champ d'étoiles et de galaxies ne cessera jamais de grandir, d'étendre son horizon. Jusqu'à quel infini ? La question est envoûtante. Sans prétendre l'épuiser, nous y viendrons à la fin de ce livre.

Mais nous voici face à une seconde interrogation : pourquoi le cosmos accélère-t-il ? Autant le dire sans détour : on n'en sait pas plus aujourd'hui qu'au moment de la découverte du phénomène en 1998. L'énergie noire reste un mystère. Son origine, ce qu'elle est, comment elle agit, tout cela nous reste inaccessible. Pour les uns, elle pourrait être une nouvelle force de l'Univers, la cinquième. Ceux-là l'ont baptisée « quintessence ». Pour d'autres, il pourrait s'agir de la fameuse « constante cosmologique » proposée par Einstein. Pour d'autres encore, elle pourrait résulter de ce qu'ils appellent « l'énergie fantôme », à l'origine d'une accélération très rapide de l'expansion. Mais jusqu'à aujourd'hui, personne, aucun théoricien ou expérimentateur n'est encore parvenu à résoudre l'énigme. Pourtant, en ce moment même, vous pouvez lire sur le site de la NASA, que l'énergie noire représenterait près des trois quarts de l'Univers (la matière ordinaire ne comptant que pour moins de 5 %). Ce qui débouche sur cette conclusion somme toute surprenante : nous ignorons les trois quarts de l'Univers dans lequel nous vivons.

Alors ?

*

Pour trouver ce qu'est (peut-être) l'énergie noire, la première chose à faire, c'est d'en chercher la source au bon endroit. Or, selon nous, cette source ne se trouve pas ici, dans notre Univers. Ou plutôt, elle se trouve avant sa naissance matérielle. Avant le Big Bang.

Avant le Big Bang ! Lorsqu'en 2004 nous avons publié un précédent ouvrage sous ce titre, la cosmologie n'était pas encore prête à admettre qu'une telle ère pouvait exister. « Qu'y avait-il avant le Big Bang ? » s'interrogeait George Smoot en 1993 dans son livre. Et la réponse était tombée : « Face à cette question ultime, notre foi dans la puissance de la science à trouver des explications à la nature vacille. »

Pourtant, en 2006, le physicien mathématicien sir Roger Penrose, de l'université d'Oxford, donne une conférence remarquée sous cet intitulé : « Avant le Big Bang : une nouvelle perspective spectaculaire et ses implications en physique des particules[1]. » Deux ans plus tard, c'est au tour de l'astrophysicien américain Marc Kamionkowski, professeur de physique théorique à Caltech, de s'aligner sur la même position : « Il n'est plus complètement fou de se demander ce qui s'est passé avant le Big Bang[2]. » Nous pensons la même chose et c'est précisément ce qui nous a poussés à entamer nos recherches en thèse dès 1991. Nous l'avons suggéré plus haut : pour nous, avant le Big Bang, le temps n'est plus fixe, il oscille entre la direction réelle et la

---

1. Proceedings of EPAC 2006, Edinburgh, Scotland.
2. http://media.caltech.edu/press_releases/13218 (2008).

direction imaginaire. Or, voici à présent un point du plus grand intérêt : il est possible de voir que la source de fluctuation du temps avant le Big Bang est un « champ » (pensez à une sorte de force). Plus exactement un champ *complexe*, au sens des nombres complexes, ayant une partie réelle et une partie imaginaire pure. A partir de là, tout s'éclaire : dans l'Univers en état KMS, ce champ scalaire complexe « remplace » le temps et est donc la source profonde des fluctuations de l'axe temporel. A partir de là, que se passe-t-il après le Big Bang ? Un phénomène spectaculaire : l'équilibre thermique est brisé ! L'Univers quitte alors l'état KMS et le temps se normalise, cesse de fluctuer et devient tout bonnement réel.

Mais à présent réfléchissez : le champ scalaire complexe qui, selon nous, existait avant le Big Bang, « à la place » de la dimension temporelle, s'est brisé au début de l'expansion (en une partie réelle et une partie imaginaire). Qu'a-t-il pu se passer ? Peut-être ceci : soudain « libérée », la partie imaginaire a pu devenir le temps ordinaire, celui que nous connaissons. Et la partie réelle ? C'est désormais un paramètre libre, dont la valeur est devenue une constante. Et c'est donc lui qui accélère l'expansion. Or, ici survient l'un de ces

« miracles » qui enchantent l'histoire de la physique : en 1998, nous avons pensé qu'un calcul direct était *a priori* possible et nous sommes alors tombés sur une valeur incroyablement petite de l'ordre de 10 puissance moins 120 (en unités de Planck réduites). Ce qui équivaut à 10 puissance moins 29 grammes par centimètre cube ! Une valeur troublante : c'est celle qui a été calculée pour la constante cosmologique, celle qui ressort de toutes les mesures, notamment des observations de WMAP. Comme si le champ à l'origine de l'oscillation du temps avant le Big Bang et aujourd'hui la constante cosmologique étaient une seule et même chose.

*

Que conclure de tout ceci ?

Peut-être que deux problèmes cruciaux trouvent ici, l'un comme l'autre, une solution. D'abord la constante cosmologique : son origine lointaine sous la forme d'un champ dynamique à l'échelle de Planck, avant le Big Bang, pourrait bien résoudre la plupart des difficultés qu'elle soulève encore aujourd'hui.

Ensuite, l'énergie noire : d'où vient-elle ? D'avant le Big Bang ! C'était un champ scalaire, sans doute présent avant même que l'Univers n'émerge du brouillard quantique. Et vous connaissez à présent nos conclusions : les caractéristiques de ce champ évoquent irrésistiblement la fameuse constante cosmologique logée par Einstein en 1917 dans ses équations (et délogée depuis).

Ce chapitre s'achève donc sur une bonne nouvelle : si notre hypothèse est un jour confirmée, alors l'origine dynamique, avant le Big Bang, de la fameuse constante, résoudrait le paradoxe qui, depuis sa naissance, lui est attaché. Autrement dit, l'extraordinaire « réglage » de cette constante évoqué dans un précédent chapitre trouverait alors une explication on ne peut plus naturelle.

Inversement, l'existence même de l'énergie noire pourrait bien représenter un indice fort de l'existence énigmatique, étrange, d'un temps autre : un temps imaginaire avant le Big Bang.

Et justement : ceci nous conduit tout droit vers la dernière question posée, somme toute hallucinante : d'où vient le Big Bang ?

21

D'où vient le Big Bang ?

10 puissance moins 43 seconde !

Tout à coup un immense éclair invisible déchire le néant. Un atome de seconde plus tard, une indescriptible boule de feu – des milliards de milliards de degrés – jaillit du trou noir primordial, franchit l'horizon et repousse loin devant elle un torrent de radiations. Par vagues de plus en plus hautes, la monstrueuse onde de flammes lèche le vide, brise les forces naissantes, engendre une lave de particules qui retombent en nappes dans les creusets invisibles de la gravitation. Le choc recule au seuil de l'abîme, déferle en nuée ardente dans l'espace électrifié. Le temps et l'espace viennent de naître en écume tourbillonnante.

C'est la première seconde de vie de notre Univers.

*

Vous le savez sans doute, c'est en moins de trois minutes (comme l'a magnifiquement écrit le prix Nobel de physique Stephen Weinberg) que l'espace, le temps et la matière se sont mis à *exister* au cœur des ténèbres. Trois minutes avant il n'y avait encore rien. Pas un gramme de matière. Pas un centimètre d'espace. Pas une seconde de temps. *Rien*. Puis une seconde plus tard, c'est le Big Bang. Une énergie qui frôle l'infini, à une température folle, explose dans le vide primordial. Mais d'où vient cette fantastique énergie ? Les physiciens le savent : un instant avant, il n'y avait rien. Alors par quel miracle a-t-elle soudain surgi du néant ? Pourquoi y a-t-il tout à coup quelque chose plutôt que rien, comme une seconde plus tôt ? En bref : d'où vient le Big Bang ?

Nous sommes là face au plus grand des mystères. En 1991, dans le tout premier chapitre de *Dieu et la science* intitulé « Le Big Bang », Jean Guitton prenait en premier la parole, suspendue au-dessus du mystère : « Avant d'entrer dans ce livre, j'ai envie de poser la première question qui me vient à l'esprit, la plus obsédante, la plus vertigineuse de toute la recherche philosophique : pourquoi y a-t-il quelque chose plutôt que rien ? Pourquoi y a-t-il de l'Etre ? Ce "je ne sais quoi" qui nous sépare du néant ? Que s'est-il passé au début des temps pour donner naissance à tout ce qui existe aujourd'hui ? A ces arbres, ces fleurs, ces passants qui marchent dans la rue, comme si de rien n'était ? Quelle force a doté l'Univers des formes qu'il revêt aujourd'hui[1] ? »

En 1991, il était très difficile (pour ne pas dire impossible) de répondre à ces questions. Où en sommes-nous aujourd'hui ? Pas beaucoup plus loin. Pour la plupart des scientifiques, il est impossible de savoir ce qui a pu se passer avant le Big Bang. Un exemple intéressant ? Celui du célèbre astrophysicien américain Robert Jastrow. Il ouvre son beau livret « La Science et la Création[2] » avec ces mots : « Nous ne pourrons jamais savoir ce qui a causé le commencement, parce que les scientifiques butent sur un mur opaque, là où a eu lieu le Big Bang. L'explosion cosmique – la naissance de l'Univers – est un effet dont ils ne peuvent pas trouver la cause. Certains pensent que si les hommes de science ne peuvent pas trouver la réponse aujourd'hui, ils la trouveront demain et que nous pourrons la lire dans les

---

1. In *Dieu et la science, op. cit.*
2. Robert Jastrow, « La Science et la Création », in *Creation*, Thomas H. Schattauer, 1980.

colonnes du *New York Times*. Pourtant, il s'agit d'une découverte qui ne pourra sans doute jamais céder aux investigations des scientifiques, dans la mesure où dans les premiers moments d'existence de l'Univers, la température et la pression étaient infiniment élevées. Ceci veut dire que toutes les reliques de l'Univers avant la création, celles qui auraient pu nous donner une idée d'un processus naturel à l'origine de ce moment explosif appelé Big Bang, tout cela a disparu. » Et en bonne logique, Jastrow conclut : « Finalement, les astronomes et les cosmologistes se retrouvent nez à nez avec les théologiens, qui ont toujours pensé que ce qu'on pourrait appeler une force surnaturelle, une force créatrice, est responsable de ce qui s'est passé à l'origine du monde. »

Bien que largement fondé, le point de vue de Jastrow (et d'une grande partie de la communauté scientifique) nous paraît excessivement pessimiste. Dans le sillage des tout derniers progrès de la physique (et d'autres disciplines, comme les mathématiques ou les sciences de l'information), nous pensons que certaines réponses peuvent être trouvées (même s'il faut les chercher là où on n'a pas l'habitude d'aller). Avec le concours des satellites cosmologiques, nous croyons qu'il est devenu possible de jeter un coup d'œil avant le Mur de Planck. Et d'en savoir un peu plus (ne serait-ce qu'un peu) sur ce qui a été à l'origine du Big Bang.

*

Pour commencer, remontons plus de 130 millions de siècles en arrière et revenons une nouvelle fois à l'Univers tel qu'il était au moment du Big Bang.

La question que l'on peut soulever est celle-ci : est-ce que les satellites cosmologiques (en particulier PLANCK) vont nous permettre d'en savoir plus sur l'échelle de Planck, c'est-à-dire sur le Big Bang lui-même ? Nous l'avons vu dans ce livre, sans prendre de risque, on peut affirmer que oui. Un exemple ? Ce que vient de déclarer l'astrophysicien George Efstathiou, de l'université de Cambridge, membre anglais du « Planck Team », ceux qui, il y a dix-sept ans, ont fondé le programme : « Nous avons maintenant commencé l'analyse scientifique des splendides données de PLANCK et nous attendons de découvrir des informations toutes nouvelles sur les débuts de l'espace et du temps tels que nous les connaissons. »

Ceci est vrai pour l'Univers au moment du Big Bang. Mais avant ? Là encore, pour la première fois, l'on commence à s'appuyer sur les satellites cosmologiques pour envisager d'explorer l'Univers avant le Big Bang. Voici ce qu'a écrit en 2006 à ce sujet un groupe de physiciens théoriciens japonais de l'université de Tsukuba (tous trois spécialisés dans l'étude du rayonnement fossile) : « De précieuses informations sur les processus physiques qui se déroulent dans l'Univers en expansion ont été enregistrées dans le rayonnement fossile sous forme de minuscules anisotropies. Les spectres de puissance angulaire de ces anisotropies, récemment observées par COBE et WMAP sont, *grosso modo*, la projection de l'histoire de l'Univers pour la période comprise entre sa naissance et aujourd'hui. Ceci nous donne un espoir extraordinaire que si nous croyons en l'idée de l'inflation de l'Univers, c'est-à-dire à une expansion extrêmement rapide sans thermalisation globale, la corrélation à grande distance des anisotropies observées peuvent fournir des informations sur la dynamique de la période avant le Big Bang. Nous sommes maintenant au seuil de révéler et de vérifier l'aspect quantique de l'Univers[1]. »

---

1. Ken-ji Hamada, Shinichi Horata and Tetsuyuki Yukawa *Space-time Evolution and CMB Anisotropies from Quantum Gravity* in http://arxiv.org/pdf/astro-ph/0607586v3

Tout ceci en dit long sur l'état d'esprit des théoriciens aujourd'hui. Des penseurs du commencement, débarrassés de la plupart des inhibitions qui jusqu'ici, pouvaient rendre impossible l'exploration de l'Univers au moment du Big Bang et avant.

L'Univers au moment du Big Bang est donc là, devant vous. Cependant, il n'a pas surgi du néant « comme ça ». Il vient bien de quelque part. Mais d'où ?

*

Premier repère : il existe bien quelque chose, un *autre monde*, avant le Big Bang. Perdu au fond de l'infiniment petit, nous ne pourrons jamais le voir. Mais ce n'est pas le néant. Contrairement au raccourci un peu rapide souvent emprunté, faute de mieux, par les scientifiques eux-mêmes, l'Univers n'a pas été « créé à partir de rien ».

Deuxième repère : la réalité physique, celle que nous connaissons, est apparue avec le Big Bang. Non pas à l'instant zéro mais très exactement 10 puissance moins 43 seconde *après* l'instant zéro. Et dès les trois premières minutes, on trouve dans l'Univers du temps et de l'espace, bien sûr, mais aussi de l'énergie (beaucoup d'énergie) et déjà un peu de matière (ou plus exactement, les briques fondamentales dont est faite la matière).

Troisième repère (qui découle des deux précédents) : avant le Big Bang, l'espace, le temps et la matière n'existent pas encore. A la place, on va donc trouver autre chose. Quoi donc ? Des bribes de réponse vous ont déjà été fournies çà et là, en particulier dans le chapitre consacré à l'extraordinaire état dans lequel se trouvait l'Univers juste avant le Big Bang. Vous vous en souvenez ? L'état KMS. C'est de ce côté-là que nous allons maintenant chercher la réponse à la question « d'où vient le Big Bang ».

*

Avec la condition KMS, nous disposons en fait d'une clef qui va nous permettre d'ouvrir une porte dans le Mur de Planck. Vous vous en souvenez, elle s'applique à l'Univers entier au temps de Planck. D'où cette conséquence spectaculaire : le temps avant le Big Bang était très probablement complexe (c'est-à-dire oscillant entre une forme réelle – le temps ordinaire – et une forme imaginaire). Or, une partie de la réponse à la question « D'où vient le Big

Bang ? » est sans doute là : dans les trois formes du temps.

La première, c'est la forme ordinaire, le temps de chez nous. Il est en profondeur lié à l'existence de l'énergie dans notre monde. C'est ce qui fait que les choses bougent, explosent, se transforment etc. Sans le temps, pas d'énergie !

A présent voyons la deuxième forme possible du temps : le temps imaginaire. Plus exactement, imaginaire pur (souvenez-vous : il est mesuré par les nombres imaginaires). A la différence du temps réel – toujours en mouvement d'un instant à l'autre –, le temps imaginaire ne s'écoule pas (il est comme « gelé »). Un peu comme la bobine d'un film, dont l'histoire est comme gelée. Dans le temps imaginaire, l'énergie ne peut donc pas exister. Qu'allons-nous y trouver à la place ? Ce que les spécialistes, depuis quelques années, appellent l'information. De quoi s'agit-il ? En fait (surprise !) de la même chose que l'énergie mais dans le temps imaginaire. Au lieu de parler de grammes (pour une cerise) ou de kilomètres-heure (pour une voiture), on va chercher à décrire ces mêmes objets par la quantité d'informations qu'ils contiennent. Une information mesurée en *bits* (un mot rassurant, que vous connaissez bien). Ainsi, ce fauteuil, les lunettes ou les vêtements que vous portez, la maison dans laquelle vous vivez se réduisent, *in fine*, à de l'information pure : un nuage de bits. On commence désormais à mesurer (plus ou moins grossièrement) le degré d'information de tel ou tel objet et de le comparer à tel autre.

*

Mais revenons maintenant à l'origine de l'Univers. Où donc au juste allons-nous trouver ce prodigieux temps imaginaire ? Vous l'avez deviné : non pas dans notre monde mais ailleurs. Avant le Big Bang. Soyons plus précis. Le temps complexe, en mathématique, résulte de l'addition du temps réel et du temps imaginaire pur. Et tout s'éclaire : le temps imaginaire pur existe lorsque le temps réel, lui, n'existe pas encore, autrement dit : à l'instant zéro. Vous pouvez donc sans effort en déduire avec nous qu'à l'instant zéro – au moment où l'Univers n'existe encore qu'en temps imaginaire – ce que nous appelons dans notre monde « énergie » n'existe pas non plus. Et qu'y a-t-il à la place ? Tout naturellement, de l'énergie imaginaire ! Cette chose vous paraît sûrement des plus étranges. Pourtant, elle est bien connue des physiciens, pour lesquels elle est presque banale. Elle ne varie pas (puisque le temps réel n'existe plus) et se réduit à ce qu'en mathématique on appelle un « champ scalaire », c'est-à-dire un nuage de nombres. Un ensemble de chiffres.

Nous voici donc face à cette forme d'énergie cristallisée, qui associe un nombre à chaque point. Au lieu d'énergie imaginaire nous allons l'appeler « information ». Et nous en déduisons donc qu'à l'instant zéro, il n'y a rien d'autre que de l'information. Quelque chose de purement numérique mais qui « encode » toutes les propriétés de l'Univers destiné à apparaître après le Big Bang.

Nous tenons donc les deux « bouts » de l'Univers : à l'échelle zéro le temps imaginaire et l'information, à l'échelle de Planck le temps réel et l'énergie.

Et entre les deux ?

La réponse est simple : le temps est nécessairement complexe (c'est la principale conséquence de l'état KMS) et ceci débouche donc sur un mélange entre l'information et l'énergie. Plus exactement, au cours de cette phase où le temps imaginaire se transforme en temps réel, de la même manière, l'énergie imaginaire à l'instant zéro (donc l'information initiale) se transforme en énergie réelle au moment du Big Bang.

*

D'où vient le Big Bang ? Finalement, nous touchons peut-être ici à une réponse. N'en déplaise à tous ceux qui répètent à l'envi que la question de savoir « ce qu'il y avait avant le Big Bang » n'a aucun sens (puisque le temps réel n'existe pas encore à cette époque), nous pensons, au contraire, qu'il est tout à fait possible de décrire ce qu'il y avait « avant » la naissance de l'Univers. Il suffit pour cela de faire appel à un exemple tout simple : celui d'une mélodie gravée sur un CD. Lorsque le titre de musique est diffusé grâce à de l'énergie sur les enceintes de votre chaîne HIFI, vous entendez la mélodie en temps réel. Or sitôt le morceau achevé, vous éjectez le disque de la chaîne : le CD quitte alors le monde des sons et de l'énergie pour se réduire aux seules informations gravées dans ses sillons. Autrement dit, se poser la question de savoir ce qu'il y avait « avant le Big Bang » équivaut un peu à se demander ce qu'il y avait avant que vous n'introduisiez le CD dans le lecteur : la mélodie était bien « là », mais sous forme d'*information*. De ce point de vue, la source de la colossale énergie qui, en quelques fractions de seconde, jaillit en torrents furieux du néant, pourrait bien être issue de l'information primordiale, encodée à l'instant zéro. En somme, une brutale « transition de phase » entre l'énergie imaginaire (l'information originelle) et l'énergie bien réelle qui va se déployer dans le Big Bang. Pour créer les galaxies, les étoiles par milliards, la Terre, vous et votre chien. En ce sens, comme nous l'avons dit ailleurs, la Singularité Initiale pourrait être le support de ce que nous appelons le « code cosmologique » : une sorte de programme mathématique, que nous pourrions comparer au code génétique pour un être vivant. Ce qui, au passage, affaiblit terriblement le rôle qu'aurait pu jouer le hasard au moment du Big Bang (et *a fortiori* avant). C'est sans doute un sentiment tout proche qui a traversé George Smoot face à la Singularité Initiale : « Est-ce donc là que s'arrête la science et que Dieu prend le relais, le créateur de cette singularité, de cette simplicité initiale[1] ? »

Il y a vingt ans, dans la toute dernière page de *Dieu et la science*, Jean Guitton et nous

---

1. George Smoot, Keay Davidson, *op. cit.*

écrivions : « Dans le sillage de tout ce qui précède, nous pouvons appréhender l'Univers comme un message exprimé dans un code secret, une sorte de hiéroglyphe cosmique que nous commençons tout juste à déchiffrer. Mais qu'y a-t-il dans ce message ? Chaque atome, chaque fragment, chaque grain de poussière existe dans la mesure où il participe d'une signification universelle. Ainsi se décompose le code cosmique : d'abord de la matière, ensuite de l'énergie, et enfin de l'information. »

Evidemment, dire que le Big Bang vient de l'information ne nous dit pas – ne nous dira sans doute jamais – d'où vient l'information elle-même. « Y a-t-il encore quelque chose au-delà ? Si nous acceptons l'idée que l'Univers est un message secret, qui a composé ce message ? »

Sans doute l'absence de réponse est-elle écrite dans le message.

Conclusion

Depuis son apparition, il y a 13,7 milliards d'années, l'Univers a lentement évolué, par paliers de complexité croissante, jusqu'à produire la vie et la conscience. Question fascinante, peut-être la plus importante de toutes : un tel scénario est-il inscrit, comme l'a écrit George Smoot ou comme le pense Freeman Dyson, au cœur même de la matière ? Car si tel est le cas, l'Univers est alors bien autre chose qu'un système de galaxies, d'étoiles et de planètes : c'est aussi une organisation hiérarchisée qui conduit nécessairement les molécules inanimées vers la vie. En d'autres termes, la vie serait l'expression spontanée d'un Univers dont la tendance naturelle consiste à organiser les molécules les plus simples en systèmes plus complexes jusqu'à engendrer du vivant.

Quel est alors le secret de cette tendance spontanée de la matière vers la vie ? Pourquoi apparaît-elle de plus en plus comme une conséquence des propriétés fondamentales de la matière ? On a peut-être trop tendance à oublier que l'extraordinaire programmation du vivant que vous pouvez découvrir depuis votre fenêtre sous la forme de brins d'herbe, d'hirondelles, de fourmis ou de roses, trouve son origine dans l'atome de carbone : nous voilà renvoyés vers le lointain cosmos et les étoiles sans lesquelles le carbone ne serait jamais apparu. Comme nous l'avons vu et répété, la moindre modification de la « chaîne causale cosmologique » ou de la valeur d'une des constantes physiques sur lesquelles repose toute la réalité qui nous entoure débouchent sur des solutions incomplètes, inexactes, incompatibles avec l'Univers tel que nous le connaissons : le plus infime changement des conditions initiales aurait eu pour résultat que la vie n'aurait jamais été possible.

Pour répondre à ces questions, il nous faut donc remonter très loin dans le passé, jusqu'à l'instant zéro, c'est-à-dire jusqu'à cet instant très mystérieux qui représente l'origine absolue de l'Univers où, comme nous le pensons, devaient être codées toutes les lois physiques sur lesquelles repose la réalité qui nous entoure. De même que tous les êtres vivants sont précédés d'une information génétique qui « code » leurs caractères physiques, l'Univers pourrait ainsi être précédé d'une information cosmologique qui, elle aussi, « code » ses caractéristiques et les grandes lois physiques. Comme tous les codes, ce « programme cosmologique primordial » se réduirait à un système d'instructions et de données numériques. Dans le cas où – comme nous le pensons – ce mystérieux code cosmologique serait bien situé à l'origine de l'Univers, c'est-à-dire à l'instant zéro, alors il serait du même coup plongé dans le temps imaginaire. Comme on l'a vu à plusieurs reprises, dans la vie de tous les jours le « temps qui passe » est associé à de l'énergie (un feu brûle et libère son énergie dans le temps, un moteur libère son énergie dans le temps). Pour prendre un exemple familier, lorsque vous projetez sur votre téléviseur le dernier film DVD que vous venez d'acheter, vous allez consommer une certaine quantité d'énergie (électrique, lumineuse, mécanique, etc.), mesurable et répartie dans le temps. Vous ne pourrez ni ralentir la lecture du film, ni l'accélérer (sans quoi, vous ne comprendrez rien au film) : vous êtes absolument contraint de demeurer sagement devant votre écran du début jusqu'à la fin. Or dès que vous éjecterez votre DVD du lecteur, le film quittera alors le monde du temps réel (celui de l'énergie) pour entrer dans celui du temps imaginaire (celui de l'information). En effet, l'histoire de votre film est toujours « là », gravée dans le DVD sous forme de « 0 » et de « 1 » : le scénario complet, avec ses aventures, ses personnages, ses voitures, ses chiens et ses maisons, est enfoui dans les sillons du disque, hors de toute énergie, hors de toute chronologie, hors de toute durée : sur votre disque, il n'y a plus de « passé » ni de « futur » mais, simplement, de *l'information*. Autre exemple : toute l'information du livre que vous tenez en ce moment entre vos mains est bien là, mais vous ne pouvez pas y accéder d'un seul coup : vous êtes contraint de tourner les pages, *l'une après l'autre*, et d'étaler votre lecture dans le temps, sur plusieurs jours, en consommant de l'énergie (sous forme de respiration, de nourriture, etc.).

Or selon nous, l'Univers d'avant le Big Bang ne repose pas sur de l'énergie mais seulement sur de l'information. Faisons un pas de plus et imaginons, pour prendre une métaphore commode, que toutes les lois physiques soient gravées sur une sorte de « DVD cosmique » : que se passerait-il si notre disque n'était pas mis en lecture ? Rien. L'Univers tel que nous le connaissons n'existerait pas : l'information contenue sur le disque resterait alors dans le temps imaginaire (exactement comme un film reste « hors du temps » aussi longtemps qu'il n'est pas décodé par un lecteur de DVD). Mais aussitôt que notre « disque cosmique » serait mis en lecture, alors l'information qu'il contient, c'est-à-dire l'ensemble des lois physiques qui gouvernent l'Univers, entrerait dans le monde de l'énergie et du temps réel : la réalité serait alors soumise, *dans le temps*, à l'action des grandes lois et constantes physiques. La constante de la vitesse de la lumière, par exemple, celle qui fait qu'un rayon de lumière voyage à la vitesse de 299 792 458 m à la seconde. L'origine de cette constante, le fait qu'elle soit fixée à cette valeur-là et pas une autre nous semble bien, en effet, extérieure au monde : comme toutes les autres, cette loi semble avoir une existence indépendante de l'Univers, on sent confusément que ces grandes lois viennent d'*ailleurs*.

Aujourd'hui, 137 millions de siècles après la naissance de l'Univers, la vie est apparue sur un petit monde banal sous la forme de fleurs, de bactéries, de chiens, de paramécies et de rhinocéros, de chênes et d'acariens, d'étoiles de mer et d'êtres humains. Or malgré cette étonnante diversité, tous ces organismes présentent, au niveau génétique et moléculaire, une remarquable unité de structure et de fonction. Ils portent tous les mêmes acides nucléiques et les mêmes protéines composées des mêmes éléments de base (acides aminés), leurs gènes sont tous des formes de la même molécule d'ADN, le code génétique est le même, les mêmes enzymes interviennent dans des réactions semblables pour tous.

Au-delà de ce premier mystère, il y en a un autre, tout aussi curieux : pourquoi toutes les molécules qui constituent les « briques » du vivant sont-elles lévogyres, c'est-à-dire « orientées à gauche » ? La bactérie ou le doryphore, la rose ou la girafe, l'algue ou la mouche, l'homme ou la limace sont constitués d'acides aminés lévogyres. Quelle est la raison d'un tel phénomène ? Pourquoi les molécules du vivant ne sont-elles pas, au contraire, « orientées à droite » ? Y a-t-il une justification à ce phénomène ?

Il semble qu'à un niveau profond, cette unité de structure renvoie bel et bien à une unité de la vie dont le scénario semble écrit depuis l'origine. On sait aujourd'hui que si les embryons de la morue, du cheval et de l'humain passent par un stade au cours duquel on observe dans chaque espèce des ébauches de branchies, c'est bien que ces différentes espèces ont évolué à partir d'un ancêtre commun, une espèce de poisson aujourd'hui disparue. Or les recherches les plus récentes concernant ces ancêtres communs ont permis de mettre en évidence un fait extraordinaire : l'évolution future du cerveau primitif de ces créatures vers le néocortex humain semble *déjà* codée dans le génome du cerveau reptilien de ces lointains ancêtres. Il s'agit là d'une question nouvelle intéressante : elle suggère que l'évolution des espèces ne dépendrait pas *seulement* du hasard. Ces idées sont aujourd'hui discutées par des physiciens comme Seth Lloyd ou David Deutsch : selon eux, l'évolution de l'Univers et de tout ce qu'il contient obéit à une sorte de « programme » enfoui au cœur même de la matière. Or s'il existe, jusqu'où nous faudra-t-il remonter pour trouver l'origine de ce mystérieux programme ? Celui-ci n'est-il pas antérieur à l'apparition même de l'Univers, à cet instant très énigmatique qui précède le Big Bang ? Le physicien Paul Davies va sans aucun doute dans le sens de cette hypothèse lorsqu'il écrit : « En affirmant que l'eau signifie la vie, les scientifiques de la NASA font tacitement un pari immensément profond sur la "nature de la nature". Ils disent, en effet, que les lois de l'Univers ont, contre toute attente, habilement réussi à apprivoiser la vie ; que d'une certaine manière, les principes mathématiques de la physique, dans leur élégante simplicité, savaient tout, "à l'avance", de la vie et de son immense complexité. Si la vie découle bien de la soupe primordiale, si elle en dépend par causalité, alors les lois de la nature encodent une instruction cachée, un "impératif cosmique" qui ordonne : "Créez la vie !" Et à travers la vie, ses conséquences : l'esprit, la connaissance, la compréhension des choses. Telle est la vision à couper le souffle de la nature, magnifique et exaltante dans sa majestueuse grandeur[1]. »

En ce moment même, un satellite glisse en silence à 1 million et demi de kilomètres de la Terre. Lancé le 14 mai 2009, PLANCK poursuit sa mission extraordinaire. Plongé dans le vide et le froid glacial de l'espace, loin de l'influence gravitationnelle de notre planète et du Soleil, loin de tout, il a pour mission d'approfondir le travail de COBE et de WMAP. Les mesures qu'il effectue sans relâche depuis plusieurs mois sont déjà d'une fan-

---

1. Paul Davies, *op. cit.*

tastique précision. Au début de l'année 2011, l'exploitation des données scientifiques permettra sans nul doute de préciser de manière extraordinaire les observations de COBE et de WMAP. Jean-Loup Puget, le responsable scientifique du projet que nous avions reçu dans notre émission le 16 mai 2009, nous avait alors confié : « PLANCK pourra nous dire précisément à quelle époque et comment les premières étoiles et les premières galaxies se sont formées, quelles sont les formes de matière et d'énergie qui emplissent l'Univers, quels sont précisément l'âge et la forme de l'Univers, et enfin quel sera son avenir lointain. » Il y a quelques jours, Jean-Michel Lamarre, dont on retrouve le croquis prophétique de PLANCK à la fin de ce livre, nous écrivait ceci : « Parce que PLANCK a été conçu pour mesurer la polarisation du rayonnement et pour introduire le moins de distorsion possible dans cette mesure, on pourra chercher à mesurer les résidus des ondes gravitationnelles produites pendant la phase d'inflation du Big Bang. Trois fois plus sensible à ce paramètre que neuf ans de mesure de WMAP, le résultat de PLANCK devrait être aussi mieux protégé des effets parasites qui peuvent contaminer cette difficile mesure. Nombre de questions de la physique et de l'astrophysique devraient recevoir un éclairage nouveau[1]. »

Il faudra encore patienter jusqu'à la fin de l'année 2012 avant que les données traitées et les premiers résultats scientifiques de la mission PLANCK ne soient rendus publics. En réussissant à reconstituer le scénario énigmatique des tout premiers instants de l'Univers, en nous montrant comment tout a commencé, PLANCK va livrer à l'humanité un fabuleux trésor cosmologique : peut-être pas le visage de Dieu, mais tout au fond du gouffre du temps, mystérieux et splendide, l'instant même de la Création.

1. E-mail de Jean-Michel Lamarre aux auteurs du 8 avril 2010.

Postfaces

P.J.E. PEEBLES
prix Crafoord d'astronomie 2005
Université de Princeton

Robert W. WILSON
prix Nobel de physique 1978
Université de Harvard

John C. MATHER
prix Nobel de physique 2006
NASA

VERS UN BIG BANG CHAUD
P.J.E. Peebles

Dans ce témoignage que j'apporte au livre d'Igor et Grichka, *Le Visage de Dieu*, je rappellerai tout d'abord au lecteur que la théorie du Big Bang est née du travail d'un petit nombre de gens qui étaient le plus souvent dans l'ignorance de ce que les autres étaient en train de faire. C'était mon cas dans ma jeunesse, de même que pour Robert Wilson qui a pourtant joué un rôle décisif en découvrant que le Big Bang avait bel et bien eu lieu. Presque un demi-siècle après notre première rencontre, c'est pour moi un grand plaisir de le retrouver à nouveau à mes côtés dans les pages de ce livre.

J'ai commencé à travailler en cosmologie, la science de la nature à grande échelle de l'Univers, au début des années 1960, sur les conseils de mon professeur Bob Dicke. C'était séduisant, mais j'étais préoccupé par le peu de preuves qui auraient pu nous indiquer, parmi les idées alors en discussion, celles qui étaient sur la bonne voie. J'ai pourtant vu que certains calculs intéressants pouvaient mener à des comparaisons avec le peu de mesures dont nous disposions ou que nous espérions obtenir ; j'ai donc décidé de consacrer une année ou deux à ce sujet avant de me tourner vers un domaine doté d'une meilleure base expérimentale. Or les avancées dans les techniques de détection des rayonnements très faibles émis par les objets éloignés ainsi que les progrès des ordinateurs susceptibles de traiter ces données, ouvraient de nouvelles voies dans l'observation de l'Univers. Comme les nouvelles mesures s'accumulaient, j'ai été conduit vers de nouvelles idées qui suscitaient encore davantage de mesures. Je ne suis pas certain d'avoir compris, à l'époque, à quel point cette situation était merveilleuse pour un jeune scientifique ; mais j'avais la motivation pour continuer. Et donc sans l'avoir prévu, j'ai ainsi consacré toute ma carrière à une question qui est devenue bien plus fertile et enrichissante que tout ce que j'avais imaginé lors de ces premiers jours.

A cette époque, nous avions une théorie selon laquelle l'Univers était en expansion depuis un état primordial dense ; cette théorie était en accord avec l'observation selon laquelle la lumière des galaxies lointaines était décalée vers le rouge, comme si elle était « étirée » à mesure que les galaxies s'éloignaient les unes des autres. J'avais appris cette théorie en vue de mes examens de diplôme ; à l'époque, les démonstrations étaient si fragiles que je me rappelle avoir été surpris que les gens puissent la considérer sérieusement. Or Bob Dicke avait vu qu'il était possible d'apporter de nouvelles preuves. Si l'Univers avait bien commencé son expansion à partir d'un état chaud, alors l'espace devait être rempli d'un rayonnement thermique « fossile ». Certes ce rayonnement devait s'être refroidi en fonction de l'expansion de l'Univers, mais il devait encore emplir tout l'espace : si l'Univers est « partout », on ne peut aller nulle part « ailleurs ». Et si ce rayonnement devait encore être présent, l'étude de ses propriétés nous fournirait un excellent test de la théorie de l'expansion de l'Univers.

Lorsque Dicke a eu cette idée, je venais de terminer mes études supérieures en physique sous sa direction. Il a alors persuadé David Wilkinson et Peter Roll (qui en étaient au même point que moi dans leur carrière), de construire un instrument capable de détecter ce rayonnement fossile (si toutefois il existait). Quant à moi, il m'a conseillé d'en analyser les implications théoriques. Après cette expérience, Roll s'est orienté avec succès vers une carrière universitaire et administrative. De notre côté, Wilkinson et moi-même avons consacré la plus grande part de nos carrières à l'étude de ce rayonnement et de ce qu'il pouvait nous apprendre : la brève remarque de Dicke avait suffi à sceller nos deux destins en science.

Lorsque nous avons commencé nos recherches, nous ne savions même pas s'il y avait un rayonnement à détecter. Si le Big Bang avait bel et bien eu lieu, aurait-il pu être froid ? J'avais rapidement remarqué que dans l'hypothèse d'un Big Bang chaud, la pression du rayonnement pourrait nous aider à comprendre comment les galaxies se sont formées et expliquer pourquoi l'hélium avait été produit en si grandes quantités. J'ai découvert plus tard que j'étais en train de refaire la même analyse que George Gamow (un Russe devenu résident aux USA) qui avait décrit la formation de l'hélium 15 ans plus tôt. A cette époque, j'ai également exploré les propriétés d'un Big Bang « froid ». J'ai appris plus tard qu'en Russie, un physicien nommé Yakov Zel'dovich suivait à peu près le même cheminement de pensée que moi au même moment. Et peu à peu je découvrais que ce domaine n'était pas aussi « vide » que je l'avais pensé, même s'il restait encore beaucoup de choses à découvrir.

Comme je viens de le rappeler, j'ai accordé au début de mes recherches autant d'importance au cas d'un Big Bang chaud qu'à celui d'un Big Bang froid. A l'époque, je n'avais aucune opinion établie sur le modèle qui pouvait être le plus proche de la vérité. Or tout a changé lorsque nous avons appris que des ingénieurs des laboratoires Bell Téléphone se heurtaient à un problème dans le cadre d'expériences sur la communication par rayonnement micro-ondes : leurs instruments indiquaient un rayonnement inattendu. Alors que, grâce à Roll et Wilkinson, nous étions déjà bien engagés dans nos propres expériences à Princeton, voilà que deux jeunes scientifiques des laboratoires Bell, Arno Penzias et Bob Wilson, étaient en train d'achever une série de tests minutieux qui établissaient que le problème rencontré par les ingénieurs était bien réel. Je n'étais pas présent le jour où notre équipe de Princeton, dirigée par Dicke, s'est rendue aux laboratoires Bell. Mais je me souviens de leur rapport : « Ces gars-là ont des mesures solides ! » Penzias et Wilson étaient aux anges. Ils avaient une interprétation de leur problème : leur antenne détectait un rayonnement venu du fond de l'espace, peut-être le rayonnement du Big Bang lui-même. Nous étions heureux. Nous avions découvert qu'il existait bel et bien un rayonnement mesurable et des résultats susceptibles d'être analysés ; dès lors, nous savions que nous pouvions faire œuvre de science utile dans un nouveau domaine.

En 1965, nous avions donc découvert que le ciel était empli d'un rayonnement qui pouvait bien être la trace fossile laissée par un Big Bang chaud. Afin de démontrer qu'il s'agissait bien de cette trace fossile, il nous fallait procéder à deux tests : l'énergie de ce rayonnement à chaque longueur d'onde – le spectre – devait correspondre aux conditions thermiques qui dominaient l'Univers primordial chaud ; de plus, on aurait dû pouvoir déceler sur cette mer de radiations exactement uniforme, de légères variations en accord avec la distribution observée de matière sous forme de grumeaux.

Le premier objectif (tester le spectre) a été atteint en 1990 par deux expériences indépendantes : celle de John Mather avec le satellite COBE et celle de Herb Gush, responsable d'une mission spatiale canadienne. J'ai un souvenir très clair de mon soulagement au moment où 25 années de travail avaient fini par montrer de manière convaincante que le rayonnement primordial avait le spectre si hautement caractéristique d'un Big Bang chaud.

Le second test, celui de la mesure des légères variations du rayonnement primordial, a été atteint par

George Smoot qui dirigeait un instrument embarqué à bord de COBE. Tout à coup s'ouvrait un nouveau champ de recherches particulièrement excitant : tenter de comprendre comment le rayonnement et la matière ont interagi à l'époque primordiale pour engendrer la distribution des structures que nous observons aujourd'hui. On pourrait évoquer plusieurs scénarios selon lesquels la matière s'est développée à partir d'une distribution primordiale sous forme de « grumeaux ». Celle qui a eu le plus de succès a été appelée CDM (Cold Dark Matter) en raison du rôle dominant joué par la matière sombre froide (elle a été renommée « lambda CDM » en raison d'un autre élément hypothétique, la constante cosmologique d'Einstein). J'étais un peu mal à l'aise face à la popularité naissante de cette théorie ; je l'avais inventée, mais j'aurais pu aussi bien songer à d'autres théories également en accord avec les données dont nous disposions alors. Celle de la matière sombre froide était sans doute la plus simple : mais y avait-il une raison pour laquelle l'Univers devait accepter nos idées les plus simples ? Pourtant, à mesure que les mesures s'amélioraient, il me semblait de plus en plus difficile de trouver des alternatives acceptables à l'hypothèse de la matière sombre : j'ai totalement renoncé à d'autres explications au moment où a eu lieu une autre avancée considérable, celle de la mesure précise de la distribution du rayonnement cosmologique par le satellite Wilkinson Microwave Anisotropy Probe (WMAP). Ce satellite porte le nom de mon vieil ami David Wilkinson en raison de son travail ininterrompu dans ce domaine depuis les jours lointains des années 1960 jusqu'à sa mort en 2002. WMAP a réalisé une part importante des observations aujourd'hui fiables qui montrent que la théorie de la matière sombre froide représente une bonne approximation de ce qui s'est produit lorsque notre Univers en expansion s'est refroidi.

Pour comprendre ce que je ressens à propos de la prochaine grande mission d'exploration du rayonnement cosmologique par le satellite PLANCK, il faut revenir sur ma vie de chercheur. Dans les années 1960, très peu de scientifiques travaillaient en cosmologie. Je les ai presque tous rencontrés lors de conférences. Le livre que j'ai publié en 1971 sur ce sujet n'était pas très épais : en 300 pages, j'avais pu y passer en revue toutes les recherches intéressantes. A l'époque, cette science était encore restreinte. Mais de nos jours, une étude comparable remplirait toute une bibliothèque et nécessiterait de nombreux auteurs experts dans chacun des sous-domaines de ce qui est devenu une vaste science. Cette science a rassemblé quantité de preuves en faveur d'un Big Bang chaud mais pas d'une « théorie finale » (si toutefois une telle théorie devait exister un jour). L'histoire des sciences est l'histoire de l'amélioration des approximations successives qui suscitent de nouvelles questions et orientent la recherche vers des approximations encore plus fines. J'ai pu assister à cela en cosmologie : comme toute théorie à succès, celle-ci engendre toute une série de questions ouvertes. Quelle est la nature de la matière sombre froide ? Les expériences en cours pourraient nous le dire. Quelle est la nature de cet autre élément hypothétique, la constante cosmologique d'Einstein ? Les hypothèses sont au mieux schématiques, mais elles suscitent des recherches stimulantes chez des jeunes gens brillants. Que faisait l'Univers avant de commencer son expansion ? L'idée la plus populaire, celle de l'inflation, est également bien schématique. Mais PLANCK pourrait nous apprendre si l'une des versions de l'inflation a réellement eu lieu.

Comme on peut le voir, je suis en quelque sorte « conditionné » pour espérer des avancées merveilleuses dans des directions surprenantes. Je n'en attends pas moins de PLANCK. Comme vous l'avez lu dans le témoignage de Bob Wilson, l'histoire de la cosmologie repose, pour l'essentiel, sur une rencontre entre de grandes espérances d'un côté et de minutieuses observations de l'autre. Avec parfois la joie immense de découvrir ce que Smoot appelle « le Visage de Dieu » !

P.J.E. PEEBLES
Prix Crafoord d'astronomie 2005
Université de Princeton
le 29 mars 2010

LA CARTE DE L'UNIVERS PRIMORDIAL
Robert W. WILSON

A la fin des années 1950, alors que j'étais étudiant à Caltech, l'unique enseignement en cosmologie était dispensé par Fred Hoyle. Comme chacun sait, Hoyle était l'auteur et le défenseur acharné de la théorie de l'Univers stationnaire. Celle-ci me plaisait assez. C'est pourquoi l'on ne peut pas dire que j'étais particulièrement orienté vers une cosmologie de type « Big Bang ». Désormais, cette théorie est plutôt bien comprise : depuis les toutes premières micro-secondes jusqu'à l'Univers que nous observons, le scénario est cohérent. Certes, la question de savoir comment l'Univers a démarré de manière aussi précise pour nous mener là où nous sommes est beaucoup moins claire. Mais l'un dans l'autre, cette théorie semble être la seule susceptible d'expliquer l'Univers tel qu'il est.

Pendant que je préparais mon doctorat, j'avais entendu dire que les laboratoires Bell avaient rassemblé des équipements radio spécialisés dans les communications avec les satellites. En 1963, après une année de post-doc à Caltech, j'ai donc accepté un travail dans le New Jersey, au département de recherche des laboratoires Bell à Holmdel. J'avais l'intention de poursuivre mes recherches en astronomie tout en contribuant à des missions pratiques pour le département des systèmes. Tout au long de l'année suivante, j'ai donc préparé avec Arno Penzias le réflecteur d'antenne de 20 pieds en vue de plusieurs projets en radio-astronomie. L'un d'eux consistait à observer un halo autour de notre galaxie la Voie lactée. Ce halo devait être visible dans toutes les directions et son éclat plutôt uniforme. Lorsque nous avons enfin monté le radiomètre (conçu pour mesurer avec précision la température d'antenne du réflecteur), nous avons alors détecté un excès de température tout à fait inattendu. Nous étions au mois de mai 1964. Or cet excès de température était indépendant de l'endroit du ciel vers lequel l'antenne était orientée. Il ne s'agissait que de quelques degrés au-dessus du zéro absolu (et de bien peu de choses eu égard au rayonnement terrestre qui environnait notre antenne) mais si nous devions poursuivre nos observations avec ce matériel, il nous fallait absolument trouver un moyen d'éliminer ce « bruit » parasite. D'autres gens des laboratoires Bell avaient déjà observé ce phénomène mais ils en avaient conclu qu'il résultait simplement d'une imprécision de leurs mesures. Or malgré le fait que nous disposions d'un système de détection bien plus performant, le problème persistait. Nous avons alors pensé, Arno et moi, que ce « bruit » provenait d'un défaut de notre équipement : nous n'avions jamais supposé qu'il ait pu avoir une origine extraterrestre. Nous avons épluché la liste de ce qui aurait pu causer ce problème et vérifié chaque élément de notre équipement : pendant près d'un an, nous avons passé toutes nos mesures au peigne fin.

Ce n'est qu'en 1965, au moment où nous avons appris, presque par hasard, que certains physiciens de Princeton avaient prédit un tel « bruit », que nous avons commencé à penser qu'il pouvait peut-être s'agir d'un phénomène cosmologique inconnu. A cette époque, nous n'avions pas encore eu le moindre contact avec l'équipe de Princeton. Or bien heureusement, notre ami le radio astronome Bernie Burke a alors attiré notre attention sur les travaux de l'équipe de Robert Dicke, en particulier sur ceux d'un jeune physicien nommé Jim Peebles. A ce moment-là, Peebles venait de distribuer à ses collègues un article non publié dans lequel il décrivait de quelle manière le rayonnement fossile du Big Bang pourrait être détecté dans le cosmos. Nous avons donc appelé nos collègues de Princeton (qui se trouve à une soixantaine de kilomètres à peine). Je me souviens très clairement du jour où Bob Dicke, David Wilkinson et Peter Roll sont venus pour la première fois visiter nos installations à Crawford Hill (Jim Peebles n'avait pas pu se joindre à nous ce matin-là). Quel ne fut pas notre soulagement lorsqu'après avoir examiné notre équipement ils sont tous tombés d'accord pour conclure que nos mesures étaient correctes. Je revois encore Bob Dicke en train de décrire leur cosmologie et de plaider pour la théorie à l'arrière de ce que nous avions découvert. Le bruit du « Big Bang » devait être uniforme dans toutes les directions et donc correspondre à ce que nous avions observé. A cette époque, ni Arno, ni moi n'avions réalisé l'importance de notre découverte. Nous étions très heureux d'avoir une explication plausible de ce « bruit », mais bien que nous ayons accepté le fait que Dicke et ses collègues pouvaient avoir raison, nous avons tout de suite pensé que nous devions chercher d'autres explications. Par exemple, celle de l'Univers stationnaire. Mais le temps passant, après quantité de tests et de vérifications, nous avons dû admettre que la seule explication plausible renvoyait aux idées de Peebles et de Dicke : peut-être avions-nous bel et bien trouvé le rayonnement « fossile » provenant de l'Univers naissant, comme l'avaient prédit Dicke et démontré Peebles. Avant d'envoyer notre article pour publication, nous avons fait une ultime vérification du niveau de rayonnement parasite en provenance du sol, mais notre antenne séparait les signaux comme prévu.

En 1965, quelques semaines avant la publication de notre travail dans l'*Astrophysical Journal*, Walter Sullivan a été le premier à révéler notre découverte au monde entier, à la une du *New York Times*. Ceci m'a amené, comme le reste du monde, à prendre notre aventure très au sérieux. Pour preuve, nous avons alors reçu quantité d'encouragements de la part de nombreux astronomes. Il était alors remarquable de constater à quel point la communauté scientifique était favorable à notre découverte. Les laboratoires Bell jouissaient d'une excellente réputation, de même que l'équipe de Princeton : les meilleures conditions étaient réunies pour que notre découverte soit prise au sérieux et acceptée. Malgré cela, je me souviens que notre aventure a évolué avec une certaine lenteur. Il a fallu plus d'un an avant que nos premières observations puissent trouver une explication. Je ne pense pas que nul d'entre nous aurait pu réaliser à quel point notre découverte allait bouleverser la cosmologie. C'est peut-être pour cette raison qu'au moment où nous avons reçu le prix Nobel, ce fut presque une surprise. Avant cela, nous n'y avions même jamais songé. Je crois que c'était la meilleure façon de recevoir un tel prix. Au-delà du grand honneur d'être récompensé, le prix Nobel a totalement changé nos vies. Au-delà de la communauté scientifique, le monde entier découvrait ce que nous avions fait. Et en même temps, il devenait évident que le rayonnement de fond cosmologique devenait quelque chose de très important. Le prix Nobel ouvre la voie vers quantité d'autres choses. Il m'est difficile de dire ce que le comité Nobel aurait dû faire. Mais je crois que certains de nos collègues auraient dû partager le prix avec nous. En particulier Gamow, Alpher et Herman qui, dans les années 1940, avaient prédit le rayonnement de fond issu d'un Big Bang ou encore Peebles et Dicke qui étaient partie prenante de cette découverte. Même si certains de ses collègues ont certainement été déçus d'avoir été oubliés, je n'ai ressenti aucune amertume à notre égard de la part de Gamow qui me semblait au contraire enchanté de notre découverte du rayonnement fossile.

Environ une décennie plus tard, en 1992, comme on le voit dans ce livre, ce fut au tour de COBE de stupéfier le monde. Il a commencé par établir une magnifique convergence entre les observations et le spectre de corps noir prédit par la théorie du Big Bang. John Mather qui dirigeait cette expérience a montré qu'il s'agissait d'un rayonnement de corps noir presque parfait. Ceci a mis un terme à toute possibilité d'expliquer le rayonnement fossile par tout autre modèle que celui du Big Bang.

Nous voyons désormais bien plus loin dans l'histoire de l'Univers que jamais auparavant. Je trouve extraordinaire que l'on puisse recueillir autant d'informations à partir des fluctuations primordiales du rayonnement de fond. Quand j'étais étudiant, la constante de Hubble avait une imprécision d'un facteur d'ordre 2. Désormais, on peut la déterminer à quelques pour cent près à partir des fluctuations du fond tout comme une quantité d'autres constantes.

En fait, après que WMAP aura appliqué ses instruments à haute résolution sur de petites portions du ciel, le satellite PLANCK devrait nous fournir un tableau à haute résolution du fond cosmique sur la totalité du ciel. Voici qui va certainement renforcer notre compréhension de ce qui s'est passé au moment de la naissance de l'Univers : ce serait magnifique que le mode B de polarisation soit assez puissant pour être mis en évidence par Planck.

La providence m'a placé au bon endroit pour utiliser un instrument capable d'observer « le bruit du Big Bang ». J'ai également eu beaucoup de chance de comprendre ce que cet instrument pouvait accomplir. J'aurais pu faire tellement d'autres choses de ma vie.

Mais j'ai atterri aux laboratoires Bell où se trouvait cette antenne avec toute l'aide nécessaire pour construire ce dont nous avions besoin et procéder aux observations que nous voulions.

Environ un demi-siècle après cette époque, je me souviens que la vie était merveilleusement bonne à Crawford Hill. Mon premier patron avait travaillé avec le physicien et ingénieur radio Karl Jansky qui avait découvert dans les années 30 les ondes radio en provenance de l'espace et restera, à ce titre, comme le premier radio-astronome de l'Histoire. L'équipe de Crawford Hill avait apporté des contributions substantielles aux technologies des micro-ondes qui ont été développées par la suite. C'était merveilleux de se trouver dans l'entourage stimulant de ces gens-là. Il m'est impossible d'imaginer un endroit où j'aurais pu être plus heureux. Notre bâtiment ouvrait sur l'arrière vers une colline couverte d'herbes et de fleurs où se dressaient diverses antennes, y compris le réflecteur de 20 pieds. Ce n'était pas seulement « commode » de travailler là-bas : c'était follement agréable d'être dehors, au beau milieu de la nature.

Aujourd'hui, j'habite à quelques kilomètres seulement des laboratoires Bell. De temps en temps, je reviens dans cet endroit où j'ai passé les moments les plus heureux de ma vie de chercheur. L'antenne est toujours là. Il y a quelques années, l'ancien système de contrôle est tombé en panne. Avec l'aide d'un collaborateur, j'ai installé un tableau de commande électronique moderne à la place de l'ancien système. Et l'antenne fonctionne à nouveau. La plupart du temps, elle est désormais éteinte. Mais lorsque des pique-niques sont organisés sur les pelouses alentour, on oriente alors le réflecteur en direction des gens assis dans l'herbe. Au lieu de détecter le rayonnement primordial du Big Bang, notre antenne capte alors quelque chanson à la mode et retransmet la musique à toute la foule. Du plus profond des mystères cosmologiques à quelques banales notes de musiques, après tout, ainsi va la vie.

Robert W. Wilson
prix Nobel de physique 1978
Université de Harvard
Le 2 avril 2010

LES PREMIÈRES TRACES
DANS L'ESPACE-TEMPS
John C. MATHER

Ce livre, *Le Visage de Dieu*, traite de la quête scientifique la plus passionnante de tous les temps : celle de l'origine de l'Univers. Qu'est-il arrivé à l'instant du Big Bang ? Et peut-être même *avant* ? Comment l'Univers a-t-il commencé ? Quelle est l'origine des étoiles et des galaxies ?

Pour la première fois, les scientifiques disposent d'outils qui leur permettent de répondre à ces questions : la cosmologie est devenue aujourd'hui une science expérimentale (et précise). Personnellement, j'ai eu la grande joie et le privilège de participer à un projet qui a transformé non seulement la cosmologie mais aussi toute notre vision de l'Univers. Cette expérience a un nom que vous connaissez peut-être : le satellite COBE.

En 1974, j'ai dirigé une petite équipe de scientifiques afin de concevoir une méthode de mesure du rayonnement cosmologique émis au moment du Big Bang ainsi que les radiations infrarouges en provenance des galaxies les plus lointaines. Le lancement du satellite COBE en 1989 est le résultat du travail de plus de 1500 chercheurs et ingénieurs de la NASA et de Ball Aerospace ainsi que des universités à travers tous les Etats-Unis.

L'équipe de COBE a fait trois découvertes majeures.

Tout d'abord, le Spectrophotomètre absolu dans l'infrarouge lointain (ou FIRAS), construit par une équipe dirigée par moi-même avec Rick Shafer, a comparé le spectre du rayonnement fossile à celui du « corps noir » prédit par la théorie. En janvier 1990, j'ai présenté les premiers résultats des observations faites par l'instrument FIRAS installé à bord de COBE. Presque immédiatement, nous avons été en mesure de confirmer que le rayonnement fossile avait bien un spectre de corps noir. Cela signifiait que la première lumière émise par l'Univers était entièrement déterminée par sa température, de sorte que le cosmos primordial se trouvait dans un équilibre thermique presque parfait. Lorsque nous avons dévoilé l'image des courbes à la Société Américaine d'Astronomie, nous avons déclenché une « standing ovation ». Plus tard, nous avons montré que l'ajustement de ces courbes était presque parfait, à moins de 50 parties par million, ce qui confirme la théorie du Big Bang chaud avec une précision extraordinaire. La théorie concurrente, celle de l'Univers stationnaire, ne pouvait pas expliquer un tel degré de perfection. La température du rayonnement fossile est aujourd'hui bien connue : 2 725 degrés Kelvin plus ou moins 0 001 K. Cette « première lumière » est la forme dominante d'énergie par rayonnement dans l'Univers, même encore à présent, alors qu'elle a été refroidie et diluée par l'expansion.

La deuxième grande découverte a été effectuée grâce au « radiomètre différentiel à micro-ondes » (ou DMR), un instrument construit par une équipe dirigée par George Smoot et Charles Bennett. Il a révélé que la carte de la luminosité du rayonnement fossile présente de minuscules irrégularités (qu'on appelle des anisotropies). Ces « grumeaux » varient en luminosité d'environ 10 parties par million et dans les cartes elles ont des tailles apparentes d'à peu près 7 degrés. On pense que ces aspérités sont les traces des conditions qui régnaient dans l'Univers primordial et, apparemment, seraient formées (pour l'essentiel) à partir de la matière noire – pour autant que les astronomes puissent la mesurer. Elles représentent des contrastes dans la distribution physique de la matière à des époques très lointaines et sont à l'origine de la structure à grande échelle de l'Univers actuel. Dans l'Univers primordial, les régions denses ont attiré la matière et engendré ainsi les galaxies et les amas de galaxies. Tout ceci est à l'origine de notre propre existence.

Le 23 avril 1992, lorsque notre équipe a présenté cette carte de l'Univers primordial, nous avons littéralement survolté la communauté scientifique. Pour la première fois nous apportions la preuve qu'il existait des anisotropies au sein du rayonnement fossile, autrement dit d'infimes différences de température qui n'avaient pas été détectées auparavant. Stephen Hawking, le physicien théoricien de l'université de Cambridge, connu internationalement pour ses recherches sur l'Univers primordial (et aussi pour son livre *Une brève histoire du temps*), a immédiatement déclaré que c'était la plus importante découverte du siècle, sinon de tous les temps. En fait, le modèle cosmologique standard, la théorie du Big Bang, s'est donc trouvée confirmée, au-delà de tout doute possible. En outre, les cartes montrent que les forces gravitationnelles, agissant sur la distribution initiale de la matière issue du Big Bang, suffisent à expliquer la structure de l'Univers d'aujourd'hui, avec les galaxies et les amas de galaxies. Par conséquent, les cosmologistes avaient deux vraies raisons de se réjouir : non seulement la théorie du Big Bang était la bonne, mais en plus nous étions en mesure d'expliquer l'énorme mystère de la formation des galaxies et des amas galactiques.

Depuis cette découverte se sont succédé de nombreux instruments basés au sol ou embarqués à bord de ballons. S'y ajoutent deux satellites actuellement en orbite, WMAP de la NASA (Wilkinson Microwave Anisotropy Probe), dirigé par Charles Bennett et par David Wilkinson et lancé en 2001, puis l'observatoire PLANCK, construit en Europe et lancé en mai 2009. Il ne fait aucun doute que le satellite PLANCK sera amené à confirmer et à affiner les fantastiques résultats précurseurs des satellites COBE et WMAP. La cosmologie est entrée dans une ère passionnante où les théories peuvent maintenant être validées par les instruments de mesure. Nous quittons l'époque des spéculations incertaines pour découvrir le domaine fascinant des confirmations expérimentales.

Nos deux premières découvertes ont été reconnues par le prix Nobel de physique, attribué en 2006 à

George Smoot et à moi-même, au nom de toute notre équipe.

Notre troisième découverte majeure a été celle du fond cosmique infrarouge, mesuré par l'Expérience du fond infrarouge diffus (DIRBE), réalisée par une équipe sous la direction de Michael Hauser et Thomas Kelsall. Cette radiation – encore pas totalement expliquée – est à peu près aussi lumineuse que le rayonnement visible émis par toutes les classes connues de galaxies découvertes jusqu'ici. Le rayonnement infrarouge lointain a surtout été expliqué comme résultant d'une classe de galaxies extrêmement lumineuses et poussiéreuses, tellement poussiéreuses que leur rayonnement visible est presque entièrement absorbé. La partie proche du fond cosmique infrarouge n'est encore pas très bien comprise et des travaux supplémentaires sont nécessaires.

Le livre d'Igor et Grichka que vous tenez entre les mains rappelle les principales étapes de cette immense aventure de la connaissance à travers laquelle il devient possible de mieux définir la place que l'homme occupe dans l'Univers, son histoire et son évolution.

John Mather
prix Nobel de physique 2006
NASA
Le 25 mars 2010

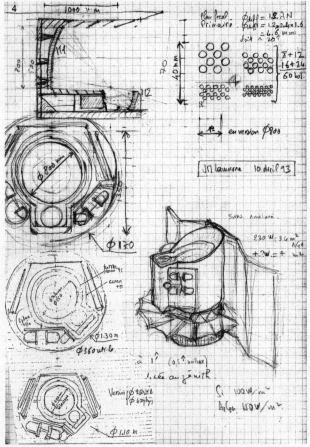

© Jean-Michel Lamarre

Toute expérience naît d'une phase séminale pendant laquelle ses inventeurs réalisent qu'il est possible de dépasser les obstacles que l'on croyait insurmontables afin de dévoiler un nouvel aspect de la réalité. On découvre ici, sur le cahier de laboratoire de Jean-Michel Lamarre, scientifique responsable de l'instrument Haute Fréquence de Planck (Planck-HFI), les balbutiements du concept entièrement nouveau de cet instrument. Un peu à la manière des croquis de Léonard de Vinci montrant, avec plus de cinq siècles d'avance, le profil de prodigieuses

Estimation des sensibilités - Explorateur sub. mm.

hypothèse : - Transmission optique froide $\tau = 0.3$; $T_{ph} = 0.3K$.
- Télescope $T = 70K$ $\varepsilon = 10^{-2}$
- Étendues $= \lambda_{max}^2$ pour chaque bande $\begin{pmatrix} 2500 , 1800 \\ 1200 , 800 \end{pmatrix}$

Ce qui donne des champs de $(20'' / 15'' / 10'' / 7'')$ pour $D_{utile} = 50\,cm$ (28m)
ou $(28'' / 21'' / 14'' / 10'')$ pour $D_{utile} = 36\,cm$ (10t)

$\delta\nu$	$2.75\,10^{11}$		$1.25\,10^{11}$		$8.3\,10^{10}$		$4.7\,10^{10}$	
Bande	$0.5 - 0.8$		$0.8 - 1.2$		$1.2 - 1.8$		$1.8 - 2.5$	
	W_{ph}	NEP_{ph}	W_{ph}	NEP_{ph}	W_{ph}	NEP_{ph}	W_{ph}	NEP_{ph}
Ⓐ Contribution CMB $T = 2.7K$ $\varepsilon = 1$	$3.3\,E{-}14$	$4.4\,E{-}18$	$1.6\,E{-}13$	$7.3\,E{-}18$	$4\,E{-}13$	$1\,E{-}17$	$4\,E{-}13$	$8.8\,E{-}18$
Ⓑ Contrib. Tél. $T = 80K$ $\varepsilon = 10^{-2}$	$2\,E{-}12$	$4\,E{-}17$	$1.1\,E{-}12$	$2.2\,E{-}17$	$7.6\,E{-}13$	$1.5\,E{-}17$	$4\,E{-}13$	$1\,E{-}17$
Ⓒ TOTAL W_{tot} / NEP	$2\,E{-}12$	$4\,E{-}17$	$1.3\,E{-}12$	$2.3\,E{-}17$	$11\,E{-}13$	$1.8\,E{-}17$	$8\,E{-}13$	$1.35\,E{-}17$
Ⓓ Sensibilité Thermique Ultime $\mu K \cdot H^{-1}$ (RJ)	$8\,E{-}12$	16		17		20		20
Sensibilité avec modulation 2 détecteurs	$23\,\mu K$(RJ) $H^{1/2}$		$24\,\mu K$(RJ) $H^{1/2}$		$28\,\mu K$(RJ) $H^{1/2}$		$39\,\mu K$(RJ) $H^{1/2}$	
Sensibilité par point de ciel (2 ans / 722)	50cm $\quad$ 36		50cm	36		$3.4\,\mu K$	$2.3\,\mu K$	$6.8\,\mu K$	6.8
	1.4	$1\mu K$	$2.0\,\mu K$	$1.4\mu K$		RJ	RJ	RJ	RJ
ΔT 2 ans par paire de détecteurs	$84\mu K$	$60\mu K$	$16\mu K$	$11\mu K$	$9.3\mu K$	$6.3\mu K$	$11\mu K$	8.3
ΔT Total μK RJ	$\emptyset 26$	$\emptyset 50$	$\emptyset 26$	$\emptyset 50$			$\emptyset 76$	$\emptyset 50$
	$16\mu K$	21.5	3.4	5.2	2.6	3.9	3.4	5.2
ΔB Total μK	40	26	60	40	100	70	200	150

NB1 : On suppose que 5 bolomètres ont un $NEP \leq 0.3\,NEP_{ph}$ (de 5 à 10. $10^{-18}\,W.Hz^{-1/2}$)

NB2 : Effet de la modulation différentielle : Sensibilité telle par paire de bolomètres pour chaque détecteur. $\eta_{mod} = 100\%$
Le signal étant une différence $T_0 = V_{5r} \cdot T_{amp}$
$S_{evait} = $ mod $\cdot T_{amp} = 6 \cdot 10^5$
$S_{mod} = V_2 \cdot S_{Th.Ult}$

NB3 : Temps d'intégr. $T_i / \tau_{m_1} = 6\,10^3 \cdot \frac{\pi}{4\pi} \cdot \frac{T_i}{\tau_m} = \frac{5\,10^8 \cdot \rho t}{4\pi} = 0.4\,10^4$
$T_{2ans} = 6\,10^8 s$
Temps d'intégration par bande $\quad 28' \quad 21' \quad 14' \quad 7'$
$\quad\quad 265 \quad 135 \quad 76 \quad 34 \quad 17$

$\frac{\delta B}{\delta_\nu} = \frac{10^{26}}{\tau_{opt}} \cdot \frac{NEP_{pix}}{\delta\nu} \cdot \frac{T_{amp}}{A \cdot t \cdot J}$

Taux d'amélioration $\quad 23 \quad 16.4 \quad 12.3 \quad 8 \quad 6$

machines volantes. Pour faire 1 000 fois mieux que COBE, il fallait imaginer, dès 1993 (date à laquelle ce croquis visionnaire a été réalisé par Jean-Michel Lamarre), que l'on arriverait à s'approcher de la précision de mesure déterminée par les limites de la physique quantique. Le chiffre entouré est l'incertitude de mesure prévue à l'époque et obtenue aujourd'hui par Planck-HFI après plus d'une décennie de recherche et de développements instrumentaux.

TABLE

9587

Composition
NORD COMPO

Achevé d'imprimer en Espagne
par ROSÉS
le 23 février 2011.

Dépôt légal : février 2011
EAN 9782290034828

ÉDITIONS J'AI LU
87, quai Panhard-et-Levassor, 75013 Paris

Diffusion France et étranger : Flammarion